D0231763

46 440 767 4

COLLECTION FOLIO

Éric Reinhardt

Le système Victoria

Gallimard

© Éditions Stock, 2011.

Né en 1965, Éric Reinhardt est l'auteur de cinq romans : *Demi-sommeil* (1998), *Le moral des ménages* (2002), *Existence* (2004), *Cendrillon* (2007) et *Le système Victoria* (2011). Il a aussi signé le livret d'un ballet d'Angelin Preljocaj pour l'Opéra Bastille, *Siddharta* (2010), des entretiens avec Christian Louboutin (2011), ainsi que plusieurs livres illustrés autour de l'architecture (notamment *Tour Granite*, 2009). Il a reçu le Globe de cristal d'honneur 2012 pour l'ensemble de son œuvre.

À Marion

1

J'ai préparé pendant trois heures la première phrase que j'ai osé lui dire : Victoria n'est pas une femme qu'un inconnu peut aborder sans qu'elle se sente insultée. L'amorce serait cruciale : je n'aurais que cette seule phrase, et un unique regard, pour obtenir qu'elle me pardonne, et qu'elle s'immobilise.

Je venais d'acheter une peluche si imposante que sa longue queue incurvée dépassait du sac plastique où la caissière l'avait glissée — cet appendice pouvait suggérer l'idée que je transportais un point d'interrogation en fourrure synthétique. Je regrettais de ne pas m'être informé du nom de l'animal (car Vivienne allait sans doute s'en enquérir : « Qu'est-ce que c'est ? Regarde sa queue comme elle est grosse ! Et ses jolies moustaches ! Touche ! »), mais je n'avais pas eu la présence d'esprit d'interroger la vendeuse. J'ai emprunté l'escalator pour descendre au niveau zéro et rejoindre le parking où j'avais laissé ma voiture. Vivienne est la plus jeune de mes deux filles ; on devait fêter ce soir-là l'anniversaire de ses cinq ans.

Quel est le nom de l'animal que je transporte ?

Ce n'est ni un castor, ni une marmotte, ni une belette, ni un raton laveur, mais quelque chose d'apparenté dont on peut supposer qu'il vit sur la terre ferme sans avoir renoncé au plaisir de se baigner. S'endort-il dans les entrailles du sol, comme la taupe, ou enfoui dans des broussailles, comme le lapin, ou agrippé à une branche d'arbre, comme l'écureuil ?

J'entrouvre le sac plastique pour vérifier si les pattes de l'animal sont palmées ou griffues. L'escalator m'a déposé au niveau zéro, je m'engage dans l'allée principale quand une silhouette attire mon attention. Elle est de dos devant une boutique de vêtements et examine des articles exposés dans la vitrine. Cette femme me plaît, l'atmosphère qui en émane, l'austérité de ses vêtements, son port de tête et la manière dont elle se tient. Un rayonnement de reine. Je m'arrête et la regarde. Une autorité. Il y avait longtemps que je n'avais pas éprouvé une telle attirance pour une femme croisée par hasard. Elle se déplace le long de la vitrine et s'immobilise à nouveau. Prospérité et élégance. J'ai le sentiment qu'elle s'attarde par moments dans le reflet de son visage. Cheveux massifs, ondulés. Corpulente, une poitrine volumineuse. Je la vois qui s'interroge du regard. Elle doit avoir à peu près ma taille, un peu plus d'un mètre quatre-vingts. Elle consulte une fois de plus son bracelet-montre. Elle examine avec une minutie indifférente, c'est tout du moins ce que suggère son attitude alternativement irritée et rêveuse, une robe du soir minimaliste installée sur un mannequin décapité. Aurait-elle un rendez-vous ?

Elle m'a appris beaucoup plus tard la réalité de

sa situation et les raisons pour lesquelles elle errait ce jour-là aux abords de cette boutique de vêtements.

Ses mollets me plaisent, arrondis, affirmés, tendus par les petits talons de ses chaussures. Ils érotisent sa présence ; les regarder me donne envie de faire l'amour avec elle.

Elle s'éloigne de la vitrine en téléphonant. Elle écoute davantage qu'elle ne parle. Aucun indice ne me permet de décider s'il s'agit d'une conversation professionnelle, si les phrases qu'elle entend lui sont pénibles ou agréables, si la personne avec laquelle il semblerait qu'elle s'entretienne est un homme ou une femme. Peut-être consulte-t-elle sa boîte vocale. Je la vois, pensive et absorbée, qui dérive avec lenteur dans ma direction — et au moment où nous allons nous percuter elle pose sur moi un regard vif où en réponse à mon visage, à mes yeux, à l'intérêt que manifeste pour sa personne cette fixité admirative, je détecte un éclair de surprise et de discrète approbation. Je me retourne en espérant qu'elle se retournera également, et qu'elle aura un sourire sur les lèvres. Mais je la vois qui continue de dériver silencieusement, poussée sur le carrelage par la tension d'une concentration qui a l'air décisive.

Je me suis demandé ce que j'allais faire. Je trouvais bouleversant de provoquer chez une femme que j'avais moi-même remarquée quelques minutes plus tôt une expression de connivence aussi indiscutable. J'avais senti une réaction instantanée à ma présence, et j'avais vu se former dans ses yeux comme un sursaut de stupeur ou de reconnaissance ; exactement comme si cette femme, m'ayant croisé la veille lors d'une réunion, s'étonnait d'avoir le plaisir de me revoir aussi vite, par hasard, dans un espace public. Mais comme j'étais certain de lui être inconnu j'en déduisais qu'elle m'avait reconnu comme conforme à ses goûts, et peut-être même à quelques-unes de ses inclinations les plus secrètes. Aurais-je suivi cette inconnue si son visage n'avait pas produit à mon contact, presque à son insu, cet éclair d'approbation ? Il fut un temps où je n'hésitais pas à aborder dans la rue les femmes qui me plaisaient, mais j'en avais perdu l'habitude depuis déjà un si grand nombre d'années qu'il me paraissait inconcevable de m'y remettre en ces circonstances, autrement dit avec une femme hors de portée dont je supposais que par principe elle n'admettrait pas de se laisser importuner par un inconnu. Alors quoi ? Que s'est-il passé ? Pour quelle raison ai-je décidé de la suivre ? Un ailleurs s'était laissé entrevoir. J'avais vu sa vie refléter la mienne. Cet éclair m'avait transmis la sensation d'un long voyage à deux dans nos intimités mêlées. Il n'est rien de plus troublant que d'entrevoir, dans un regard qui s'étonne, un paysage intérieur.

Je l'ai suivie dans un café où j'ai passé une heure à l'observer. Elle s'était déchaussée, je la voyais de dos et de trois quarts arrière, le journal et les deux livres qu'elle possédait supposaient la maîtrise des langues anglaise, française et allemande.

Je contemplais ses pieds que je trouvais magnifiques, elle ne cessait de feuilleter ses deux livres et de déployer sur la table le *Frankfurter Allgemeine Zeitung*. Quelle phrase pourrais-je lui dire ? Elle me semblait nerveuse et impatiente, ses regards surveillaient la galerie marchande par les vitres, je redoutais qu'une tierce personne ne vienne anéantir l'intimité de ce huis clos ; un homme allait surgir auquel elle ferait signe avec sa main, et il viendrait s'asseoir à côté d'elle en s'excusant de son retard.

Ses sandales étaient couchées sur le flanc qu'elle essayait de redresser à l'aide de ses orteils ; accaparée par des affaires lointaines et certainement considérables, inconsciente d'être devenue l'objet d'une attention aussi anxieuse, elle rédigeait des sms. J'ai enfoui une main dans la poche de mon pantalon et je me suis caressé. Elle m'offrait son profil quand elle tournait la tête pour surveiller la galerie marchande par les vitres.

J'aimais la robe qu'elle portait, à manches longues, coupée dans une mousseline si aérienne que le climatiseur en faisait frétiller les pourtours. J'aimais la douceur avec laquelle ses doigts se suspendaient, comme assoupis, toutes les fois qu'une rêverie l'immobilisait. Il m'aurait plu d'avoir vu son visage un peu plus d'un instant et d'en avoir enregistré une réalité plus tangible que cet éclair inoubliable que j'avais recueilli. Chevilles, orteils, poignets, doigts, ongles, menton ou chevelure, je me suis familiarisé avec son corps par petits morceaux avant même de savoir qui elle était, de l'avoir vue sourire et d'entendre la texture de sa voix ; j'aurais pu, après cette heure passée à la scruter, reconnaître son index entre mille, ou les lobes de ses oreilles, mais sans connaître la vie de son visage, ses expressions et sa routine. J'espérais pouvoir me dire un jour, et le lui dire en souriant, que j'aurais toujours sur elle une heure d'avance.

Elle s'est levée brusquement, décidée à partir, réunissant ses affaires. Elle m'a ensuite entraîné dans une errance interminable.

J'avais fait savoir à mes collaborateurs que je devais partir plus tôt que d'habitude, mais qu'ils pourraient me joindre en cas d'urgence. Comme mon métier consiste à solutionner les problèmes à l'instant même où ils surgissent, et qu'un chantier génère à tout moment des complications que personne n'avait prévues, l'urgence est devenue l'humeur habituelle de mes journées — j'éprouve le temps qui passe comme le compte à rebours d'une prolifération de bombes à retardement qu'il me revient de désamorcer. Je n'osais pas consulter mon BlackBerry, sur silencieux et dans ma poche depuis une heure, car je savais que conflits à arbitrer, questions à démêler, collègues à secourir ou obstacles à supprimer devaient s'y être accumulés. Mon assistante était la seule à qui j'avais confié qu'on allait fêter ce soir-là l'anniversaire de Vivienne, et qu'il fallait que je trouve en catastrophe quelque chose de spectaculaire à lui offrir. « Pourquoi spectaculaire ? m'avait-elle demandé. — Mais tu peux me contacter, avais-je enchaîné, n'hésite pas, balance-moi tous les appels que tu veux. — Réponds à ma question, pourquoi spectaculaire ? — Je ne sais pas, comme ça, pour compenser... Tu sais, en ce moment, je suis assez peu présent à la maison... — En ce moment ? m'avait coupé Caroline. Depuis des mois tu veux dire ! Je suis certaine que tes deux filles elles n'ont plus vu ton visage depuis des mois ! — Depuis des mois, exactement. — Et quand elles voient ton visage, il est tellement méconnaissable, à cause de la fatigue, qu'elles doivent te prendre pour un type de chez Darty, le réparateur du lave-linge ! — C'est tout à fait ça, un mec de chez Darty, et c'est pourquoi ce soir j'arriverai à la maison à l'heure où il est d'usage que les familles se mettent à table pour partager le bonheur d'un repas, et que j'aurai avec moi un cadeau spectaculaire… — Alors échappe-toi, et passe une belle soirée… J'essaierai de ne pas laisser un trop grand nombre de messages sur ton BB… et de faire obstacle à tous ceux qui seraient tentés de te gâcher la soirée… », puis elle avait conclu : « N'oublie pas, tes filles n'ont pas besoin que tu leur fasses des cadeaux spectaculaires pour savoir que tu les aimes… », et j'avais regardé Caroline avec tendresse, « Merci, c'est adorable, bonne soirée à toi aussi… », et je lui avais expédié, par la porte du bureau, un baiser aérien.

Aurais-je l'audace d'adresser la parole à une femme si distinguée ? J'attendais qu'il se présente une opportunité qui m'autorise à l'aborder sans lui manquer d'égards, « Pardon, madame, excusez-moi, vous avez fait tomber votre foulard. — Ah, tiens, merci beaucoup. — Je vous en prie. — Vraiment, merci, j'y tiens beaucoup. — Vous avez raison, il est très beau ». Il faudrait qu'elle puisse se disculper d'accueillir sans s'esquiver la première phrase que je pourrais lui dire, puis de répondre à la curiosité que les suivantes allaient sans doute manifester. « Votre foulard, tous ces chevaux, vous les aimez ? Je veux dire, vous aimez les chevaux, vous pratiquez l'équitation ? » Il faudrait que je lui offre la possibilité, je le savais, de sauver les apparences, à ses propres yeux comme aux miens.

Mais elle n'a fait tomber aucun foulard.

Le plus contrariant est qu'elle se soit dirigée vers la salle de bowling située à l'extrémité de la galerie marchande, où je l'ai vue se procurer une paire de chaussures et se préparer à jouer. Je me suis présenté à mon tour au comptoir (où avec des arguments de sportif superstitieux je suis parvenu à dissuader l'hôtesse de m'attribuer la piste voisine de la sienne, la treizième, et de m'inscrire plutôt sur la numéro 8) avant de m'asseoir sur un siège en plastique orange d'où j'ai pu voir mon inconnue lancer ses premières boules. Combien de temps me faudrait-il patienter avant de pouvoir lui parler ? Allais-je l'aborder dans la salle, ou serait-il souhaitable d'être de retour dans la galerie marchande ? Il s'en était fallu de peu que j'abandonne ma filature au moment de déposer mes chaussures sur le comptoir de location, il s'en est fallu de peu, en cet instant de questionnement, que je rejoigne la sortie d'un pas rapide et repentant. Allais-je rater l'anniversaire de Vivienne pour la raison qu'une inconnue avait répondu à mon regard par un éclair de connivence ? Malgré des signaux d'alerte qui retentissaient dans mes pensées, je me trouvais dans l'incapacité de sortir de l'enchantement où la vision de cette femme m'avait précipité.

Je réfléchissais à la phrase que je pourrais lui dire.

« Madame, pardonnez-moi, il n'est pas dans mes habitudes, croyez-moi, d'aborder des inconnues… »

« Madame. Si je vous avouais que je suis en train de sacrifier le cinquième anniversaire de ma fille, vous auriez pour ma démarche l'indulgence qu'elle mérite… »

« Excusez-moi… madame… vous allez certainement me repousser… mais je voulais vous dire… »

Quelle heure pouvait-il être ? Je n'osais plus consulter ma montre depuis déjà un certain temps.

J'avais conscience de m'être mis dans une situation qu'aucun examen rationnel ne pouvait justifier. Les circonstances m'avaient attiré dans une zone d'éblouissement où je me sentais au plus près d'une certaine vérité intérieure (que j'essaierai de définir un peu plus tard) mais pour autant il n'était pas contestable que je me comportais d'une manière aberrante. Perdre deux heures à se laisser abuser par les illusions d'un regard ne pouvait être que pitoyable, surtout pour s'entendre dire à la fin : « Vous êtes gentil... vraiment... je suis touchée... vos compliments sont agréables à entendre mais vous savez... désolée de devoir vous décevoir... je suis mariée et mère de deux enfants... au revoir... bonne soirée... », dans le meilleur des cas. Faire l'amour avec une femme dont on s'est laissé subjuguer par le physique justifie-t-il de devenir l'esclave de l'électrisation un peu naïve que ce désir peut entraîner, en d'autres termes aurais-je suivi cette femme pendant trois heures si l'enjeu n'avait été que sexuel ? J'avais fini par me persuader que quelque chose de crucial m'attendait — cette sensation m'illuminait de l'intérieur avec l'intensité d'une intuition incandescente. Un événement s'était produit dans ses yeux — comme une phrase instantanée : avec un ton, une saveur, des couleurs, une texture, une inflexion et une orientation — qui avait commencé à me laisser entrevoir un univers. J'aurais pu sans difficulté renoncer à ce corps, à cette présence, au désir de faire l'amour avec cette femme et d'embrasser ses lèvres, il m'aurait suffi de me lever et de m'orienter vers la sortie, mais non seulement je refusais de renoncer à cet ailleurs qui avait scintillé dans ses yeux, mais j'avais peur de regretter plus tard cette décision et de me dire pendant des années que cette rencontre aurait changé ma vie (je suis du genre à avoir des regrets qui durent des décennies).

Les joueurs qui m'entouraient lançaient leurs boules comme autant d'illustrations d'une humeur ou d'un état d'esprit particulier, grâce, peur, plaisir, orgueil, humour ou nonchalance (notamment, sur la piste voisine de la mienne, une jeune fille avec des gestes si peu adroits qu'ils en étaient maniérés, presque artistiques : cette singularité était très séduisante), et je me demandais quelle allégorie mon inconnue allait bien pouvoir incarner. C'est alors qu'elle s'est mise à jouer — avec une aisance étonnante. Aucune de ses boules n'avait l'air de rouler, je les voyais se déplacer dans un silence et comme une immobilité de phénomène méditatif, et c'est seulement leur impact sur les quilles, un impact d'une violence imparable, qui procurait le sentiment qu'il n'était pas possible d'aller plus droit, ni d'avancer plus vite, ni d'être aussi dévastateur : c'est au moment où la boule disloquait sa cible, et non pendant le temps où elle revêtait l'apparence d'un mystérieux sous-entendu, que se révélait la violence qui animait cette femme au moment où la sphère noire quittait sa main. C'était absolument incroyable ; je caressais du bout des doigts la fraîcheur d'une balustrade métallique en admirant ce qui s'imposait comme les allégories simultanées de l'orgasme, du coup de foudre, du déchaînement passionnel et de la domination.

Elle est revenue vers le siège où elle avait posé ses affaires. Je la voyais presque de face, son visage avait rougi, son regard dur perçait le sol, elle s'essuyait les mains avec une serviette en papier. Je sentais que la violence l'avait lavée de la colère qui l'habitait ; elle s'était faite déflagration, lumière, vengeance et ironie.

Mais qu'est-ce qu'elle faisait là, une femme comme elle, habillée comme une avocate, dans un bowling, au milieu d'adolescents qui s'amusaient ?

J'ai osé regarder l'heure à ma montre : il était vingt et une heures trente. J'ai consulté mon BlackBerry : j'y ai trouvé vingt-six appels en absence, dix-huit messages vocaux et près de soixante mails. J'ai été étonné que ma femme ne m'ait laissé que deux messages, le premier peu après mon départ du chantier et le second au moment où nous étions censés nous mettre à table.

J'ai dû attendre une heure supplémentaire avant de pouvoir lui parler. Qu'est-ce que j'ai fait pendant cet intervalle de temps ? J'ai regardé mon inconnue lancer des boules et dévaster des édifices de quilles. Je sautillais sur place pour me réchauffer — je trouvais qu'il faisait frais dans cette salle. J'ai renoncé à aller boire un verre à la buvette située un peu plus loin car j'aurais suivi le spectacle qu'elle m'offrait dans de moins bonnes conditions qu'à l'emplacement que j'occupais. Une petite fille s'est assise près de moi et j'ai fini par téléphoner à Sylvie pour expliquer mon absence et embrasser Vivienne et Salomé.

J'ai appuyé sur la touche 1 de mon BlackBerry. La touche 1 compose le numéro de la maison et la touche 6 celui du portable de Sylvie. C'est d'ailleurs elle qui a fini par décrocher.

« C'est moi, lui ai-je dit.

— Ah, bonsoir, attends une seconde. »

J'entendais mes deux filles qui se disputaient. Sylvie les a réconciliées en s'adressant à l'une et à l'autre d'une voix calme et posée.

« Oui, ouf, ça y est ! m'a-t-elle dit en reprenant le téléphone. Qu'est-ce que tu fais ? Pourquoi tu n'es pas là ?

— J'ai été retenu sur la tour.

— J'ai appelé sur le chantier à dix-huit heures trente. Caroline m'a dit que tu étais parti pour acheter un cadeau à Vivienne.

— Je ne l'ai pas revue. Je n'ai même pas écouté les deux messages que tu m'as laissés.

— Je voulais voir si on dînait sans toi. On avait faim et Vivienne s'impatientait.

— Et ça s'est bien passé ? Elles m'ont l'air un peu excitées… elles se disputent ?

— Ça s'est très bien passé, elles ont été mignonnes, qu'est-ce qu'elle nous a fait rire Salomé ! Quel phénomène celle-là quand elle s'y met, qu'est-ce qu'elle est drôle !

— Tu m'as l'air de très bonne humeur en tout cas.

— Je suis pompette.

— Tu as bu quoi ?

— Quand elle s'est mise à imiter sa sœur qui se maquille avant d'aller danser ! Même Vivienne était pliée de rire… et Frédéric n'en pouvait plus !

— Frédéric ? Attends, les Deneuve étaient là ? Putain, c'est incompréhensible, *ils étaient au dîner d'anniversaire de Vivienne* ?

— Je te l'ai dit hier soir, David.

— Comment ça ? Tu m'as dit hier soir que les Deneuve venaient dîner, que Frédéric serait là, à l'anniversaire de Vivienne ? Putain…

— Je t'ai dit hier soir j'ai invité les Deneuve et leur fille à dîner. C'est Vivienne qui voulait que Carla soit là pour son anniversaire. J'ai proposé à ses parents de venir avec leur fille, je t'ai dit hier soir que cette idée m'était venue et que les Deneuve m'avaient dit oui. De toute manière qu'est-ce que ça aurait changé à ton problème sur le chantier que tu te sois souvenu que les Deneuve venaient dîner ?

— Vous avez dû vraiment vous amuser. Ils n'ont rien dit ?

— Sur quoi ?

— Que j'annule ma présence.

— Tu n'as pas annulé ta présence. On t'a attendu et tu n'es pas venu. *Nuance*.

— D'accord, que je ne vienne pas. Ils n'ont rien dit que je ne vienne pas ?

— Qu'est-ce que tu veux qu'ils disent ? On t'a attendu, on a essayé de te joindre, personne ne répondait.

— Et Vivienne ?

— Quoi Vivienne ?

— Elle n'a rien dit ? Elle n'a rien dit que ce dîner d'anniversaire se fasse sans moi, sans mon cadeau ? Elle n'a rien dit, elle ne m'a pas réclamé ?

— Tu aurais voulu qu'elle te réclame, qu'elle se mette à pleurer ?

— Mais pas du tout. Je demande juste si tout s'est bien passé, si elle était contente de sa soirée d'anniversaire.

— Eh bien je te réponds, tout s'est très bien passé, Vivienne était contente de sa soirée d'anniversaire, et Salomé également, et les Deneuve aussi.

— Elles se disputaient ? J'ai entendu, tout à l'heure, leurs cris, je les ai entendues qui criaient, elles se disputaient ?

— Leur journée a été longue, demain elles ont école, Carla s'est endormie sur le canapé, j'ai demandé à Vivienne qu'elle aille se mettre au lit.

— J'aimerais lui dire bonsoir.

— Attends, elle est dans la cuisine avec Christine. Vivienne, c'est papa, il voudrait te dire un mot. Tu ne veux pas lui parler ? Juste un mot, un bisou, lui dire bonne nuit et à demain… Non ? Tu ne veux pas ? Tu es sûre ? » Puis : « Elle ne veut pas, elle est cuite, je vais aller la mettre au lit. Vivienne, quand même, c'est papa, tu lui fais un gros bisou volant ? Tu lui envoies un gros bisou sur un tapis volant ? Tu lui dis que tu l'aimes ? Elle fait oui, elle dit oui, elle t'aime et elle t'envoie de gros bisous sur un tapis volant. Je l'ai là devant moi et elle t'envoie d'énormes bisous mouillés.

— Dis-lui que je l'embrasse et que je l'aime.

— Il t'embrasse. Papa t'embrasse. Il me dit de te dire qu'il t'embrasse et qu'il t'aime.

— Énormément. Dis-lui que je l'aime énormément… énormément et plus que ça…

— David, qu'est-ce que tu as ?

— Vous vous en foutez en fait, ça vous est égal.

— De quoi ? Qu'est-ce qui nous est égal ?

— Que je sois là ou pas.

— Mais David qu'est-ce que tu racontes, qu'est-ce que tu nous fais, c'est quoi ce nouveau délire ?

— C'est à peine si vous vous rendez compte de mon absence. Je me disais quelle catastrophe, rater cette soirée-là, l'anniversaire de Vivienne ! Et qu'est-ce qui se passe en réalité ? On s'aperçoit à peine de mon absence. On vérifie par téléphone qu'effectivement David ne viendra pas et on passe à autre chose. C'est-à-dire qu'on passe à table.

— Tu rentres à quelle heure ? Tu en as pour longtemps sur la tour ?

— Je ne sais pas à quelle heure je rentre.

— Tu voudrais qu'on te pleure, qu'on arrête de vivre ? Tu n'es jamais là, il faut bien qu'on s'organise pour supporter tes absences ! Pourquoi tu ne rentres pas pour border tes deux filles ?

— Je ne peux pas. Je ne peux pas m'engager. Je ne sais pas à quelle heure je vais pouvoir rentrer.

— Alors tant pis pour toi. Je vais devoir raccrocher, Vivienne m'attend, on raccroche ?

— Si tu veux. Raccrochons.

— Je raccroche. Je t'embrasse. Je vais coucher Vivienne.

— Je t'embrasse. Embrasse les Deneuve pour moi. »

J'ai raccroché. J'ai rangé mon BlackBerry dans la poche de ma veste.

Je voyais mon inconnue qui reprenait son souffle courbée en avant. Elle a rassemblé ses affaires et s'est mise à marcher vers la sortie.

Nous étions dans la file d'attente pour récupérer nos chaussures. Avaient pris place derrière moi trois Américaines qui parlaient bruyamment, elles propulsaient des apostrophes à haut niveau sonore vers un groupe d'hommes qui patientaient dans la queue quelques mètres en amont. Mon inconnue s'est retournée, visiblement indisposée, et son regard est tombé sur le mien. Elle est restée en arrêt un instant, stupéfaite de me trouver derrière elle, puis un sourire est apparu sur ses lèvres pour dissiper le trouble qui nous avait saisis l'un et l'autre. Ce sourire indiquait qu'elle se souvenait de m'avoir croisé dans la galerie marchande.

Elle ne s'est pas remise dans la position qu'elle occupait avant de pivoter vers les cris. Son corps s'est disposé légèrement de profil, orienté à demi vers le mien, comme si, par mon regard sur son visage et surtout par la conscience qu'elle en avait (à défaut de pouvoir y répondre sans faire preuve d'une audace dont elle aurait peut-être un jour à se justifier), elle désirait perpétuer l'émotion d'une liaison entre nous, aussi ténue fût-elle. Il me semblait qu'elle prenait plaisir à s'offrir à mes yeux et à se savoir regardée, elle avait la délicatesse de ne pas me faire sentir que j'enfreignais la bienséance la plus élémentaire (il aurait suffi, pour me le signifier, qu'elle me regarde ne serait-ce qu'une seule fois) quand je me mettais à la dévisager fixement.

Nous progressions vers le comptoir. Mon cœur battait dans ma poitrine avec un affolement qui me coupait les jambes.

Une vieille dame aux cheveux gris qui attendait devant nous souhaitait parler aux trois Américaines sans avoir à hurler : elle a alors offert à mon inconnue de permuter leurs places, ce que celle-ci a refusé avec une courtoisie d'autant plus opiniâtre qu'elle se l'est vu proposer quatre fois de suite. Je devinais avec jubilation la raison pour laquelle elle se montrait si inflexible : ne rien déranger à cet ordre harmonieux que nous avions créé entre nos corps et nos visages. Je trouvais ce refus étonnamment frontal et explicite, de l'ordre de la déclaration, et vertigineux le peu de précautions qu'elle prenait pour me dissimuler son attirance. Une vieille dame aux cheveux gris n'allait pas nous faire renoncer à l'attachement que nos corps avaient commencé à éprouver pour les sensations que ce huis clos leur permettait de se communiquer — c'est cela qu'elle me disait. Nous avons fini par nous avancer dans la file d'attente sans altérer l'architecture de notre intimité. Seul un sourire à peine perceptible indiquait la connivence de ces deux corps dans leur mouvement synchronisé.

Nous avons récupéré nos chaussures. J'ai pris soin de me mettre à l'écart afin qu'elle sache quelle sorte de sentiment elle éprouverait si je devais disparaître sans essayer d'établir le contact avec elle. Je me disais qu'au moment où je l'aborderais cette petite peur qu'elle aurait ressentie — un aperçu de la douleur qui nous étreint devant l'irréversible — pourrait l'encourager à transgresser ses principes et à laisser un inconnu lui adresser la parole. J'avoue ce seul instant de froideur stratégique.

Je l'ai suivie dans la galerie marchande mais seulement sur une trentaine de mètres ; l'aborder trop tard pourrait lui donner le soupçon que nos retrouvailles n'étaient pas dues à un concours de circonstances mais résultaient d'une filature qui lui paraîtrait d'autant plus angoissante qu'elle avait duré trois heures. Je marchais derrière elle en me rapprochant peu à peu. J'avais la sensation d'envoyer les sons de mes semelles directement dans ses pensées, où je craignais qu'ils ne la fassent paniquer ; mais peut-être se réjouirait-elle de me deviner derrière elle. J'ai accéléré le pas, je voulais la dépasser juste ce qu'il fallait pour pouvoir lui adresser la parole obliquement, sans la forcer à trop tourner la tête et surtout sans l'aborder trop de face ; c'était la peur de commettre des erreurs qui transmettait ces subtilités d'aiguilleur du ciel à la petite quantité de clairvoyance que l'affolement m'avait laissée. Et au moment où elle n'aurait eu qu'une légère rotation à me concéder pour écouter ma première phrase, je l'ai vue orienter son visage vers le mien.

Si j'avais renoncé, à cet instant précis, à lui adresser la parole, intimidé par la perspective de faire entrer dans ma vie une femme de cette stature ; si je lui avais dit : « Excusez-moi, je suis désolé, je vous ai prise pour quelqu'un d'autre », avant de m'éloigner et de rentrer chez moi ; si j'avais pu savoir que l'aborder entraînerait mon existence dans une direction où je n'étais pas sûr de désirer qu'elle s'aventure, Victoria n'aurait pas trouvé la mort un peu moins d'un an après notre rencontre. Elle serait encore vivante aujourd'hui. Je ne vivrais pas retiré dans un hôtel de la Creuse, au bord d'une route, séparé de Sylvie et des enfants, à ruminer ma culpabilité. Je n'aurais pas été détruit par le rôle que j'ai joué dans ce drame, ni par les deux jours de garde à vue qui en ont découlé. Le visage, les regards, la pitié de Christophe Keller ne se seraient pas installés dans ma conscience comme une obsession corrosive. Mais il se trouve que le visage de Victoria s'est tourné vers le mien et que j'ai basculé dans ce regard qui s'étonnait.

« Excusez-moi. Madame. Vous allez certainement me repousser. Mais je voulais vous dire. Et vous auriez raison. Et je précise qu'il n'est pas dans mes habitudes d'aborder des inconnues dans les centres commerciaux. »

Une amorce décousue. Est-ce pour mieux suivre le fil de mes pensées que je l'ai vue ralentir son allure au point de s'arrêter ? J'étais surpris d'obtenir d'elle, avec des phrases si laborieuses, qu'elle s'immobilise aussi vite.

« Mais voilà, tout à l'heure, quand je vous ai croisée dans la galerie marchande — vous vous souvenez ? »

Son regard m'a souri. Il eût été grossier d'attendre d'elle une réponse plus explicite. J'ai senti qu'elle allait se remettre en mouvement. Nous étions tendus tous les deux.

« Eh bien, dans les trois heures qui ont suivi, j'ai pensé à vous plusieurs fois. Pour être honnête, je n'ai pas arrêté de penser à vous. Je me suis dit que j'aurais dû vous aborder. Je m'en voulais de ne pas avoir osé. Alors, quand je vous ai croisée à nouveau, je me suis dit que cette fois-ci je ferais en sorte de ne pas avoir de regret. Allez savoir où peuvent mener les regrets. Comment ils se transforment avec le temps. »

Elle m'a souri avec indulgence. J'ai observé autour de ses yeux de petites taches de rousseur. Il arrivait que son regard laisse échapper à son insu le désir et l'incrédulité qui y avaient percé quand nos personnes s'étaient frôlées, mais je sentais qu'elle essayait de maîtriser les expressions qui pourraient parcourir son visage et trahir ses pensées ; ses efforts de réserve me confrontaient à la neutralité d'une écoute attentive, il me semblait qu'elle désirait se concentrer, recueillir des données, vérifier l'exactitude de sa première impression, rester digne et respectable ; ou donner à ce contact le même sérieux un peu froid qu'elle voyait que j'y mettais. Car je n'étais pas sûr d'injecter dans mes regards, à cause de la peur, beaucoup de sentiments.

« Dans le fond, pour quelles raisons se refuser, et refuser à une femme qu'on trouve belle, je veux dire une inconnue, de le lui faire savoir ? Je vous vois sourire. Vous me trouvez ridicule.

— Pas du tout. Je vous écoute avec la plus grande attention.

— Le même impact qu'un tableau devant lequel on passe et qui vous frappe par sa beauté. Une seconde peut suffire pour qu'un visage laisse un souvenir aussi durable, je ne sais pas, que les cinq heures d'un opéra... Vous comprenez ce que je veux dire ?

— Je pense que vos éloges sont disproportionnés. Ou alors vous excellez dans l'art d'aborder les femmes. Et je dois dire que votre technique est d'une grande efficacité. La preuve, je vous écoute sans bouger, toute prête à en entendre encore.

— Je n'ai aucune technique. Vous êtes la première femme que j'aborde depuis des années. »

Elle me regarde attentivement. Elle essaie d'interpréter l'expression de mon visage.

« Vous voulez que je vous dise la vérité ? Ce n'est pas dans la file d'attente que nous nous sommes croisés la deuxième fois, mais au moment où vous alliez pénétrer dans la salle de bowling. Je me voyais mal vous adresser la parole dans un endroit comme celui-là, où les dragueurs professionnels doivent pulluler. Je suis coupable, je vous l'avoue, de vous avoir regardée assez longtemps. »

Je lui adresse un sourire entendu. Elle m'examine d'un air suspicieux. Je continue sans lui laisser le temps d'approfondir ma réponse.

« Je vous ai regardée lancer des boules pendant un temps relativement long.

— Vous n'avez rien d'autre à faire que poursuivre des inconnues dans les salles de bowling ? me dit-elle avec dureté. Je déteste me savoir observée.

— J'ai adoré. Vous avez été éblouissante.

— Vous êtes décidément très emphatique.

— C'est pour trouver la force de vous parler. L'emphase est une forme d'énergie. Vous n'imaginez pas le courage qu'il m'a fallu pour vous aborder.

— Vous n'avez pas répondu à ma question.

— Laquelle ?

— Ce que vous faites habituellement de vos journées.

— Essayez de deviner.

— Je ne sais pas. Vous m'avez l'air d'un cérébral. Je veux dire, en plus d'être emphatique et d'avoir du temps libre. Et vous dites *pulluler*. Alors un truc comme journaliste. Ou professeur de philosophie. Ou psychanalyste. Ou bien vous écrivez des pièces de théâtre. Vous êtes scénariste de cinéma.

— Pas du tout. Mais vous n'avez pas tort. Il y a quelque chose de juste dans cette perception. Mais mon métier n'est pas du tout, ou plus du tout devrais-je dire, un métier artistique. Hautement mental, dans l'humain et la matière, mais plus du tout artistique.

— Vous le regrettez ?

— De quoi ? Que mon métier ne soit plus artistique ? Il m'arrive de le regretter. Mais le temps me manque pour ce genre de loisir.

— Vous ne m'avez pas dit de quel métier il s'agissait.

— Architecte.

— Vous êtes le premier que je rencontre.

— Je suis maintenant directeur de travaux. Je planifie et synchronise l'intervention de toutes les entreprises. Je suis le chef d'orchestre. Je peux vous inviter à boire un verre ?

— Désolée, on m'attend. Une autre fois.

— Vous êtes certaine ? Juste un verre. Une vingtaine de minutes.

— On se verra une autre fois. Je pars demain mais je reviens dans un peu moins d'un mois. Vous travaillez à Paris ?

— Pas vous ?

— À Londres. Mais je voyage énormément.

— Vous savez, le temps qu'on perd à parler debout dans cette travée, vous ne pensez pas qu'on pourrait aller dans un endroit plus agréable ? Ma voiture n'est pas très loin. »

Je l'ai sentie qui hésitait ; ses yeux me dévoraient. Il aurait suffi que j'insiste pour qu'elle se laisse entraîner ; il aurait suffi que mon regard se mêle au sien quelques secondes supplémentaires pour que l'empire de l'attirance prenne le pas sur celui de la raison. Elle me disait d'accord : c'est d'accord. Des vibrations parcouraient son visage ; je voyais qu'elle était disposée, d'une manière ou d'une autre, à éluder son rendez-vous. Mais l'heure tardive, l'anniversaire de Vivienne, les Deneuve qui peut-être attendaient mon retour m'ont convaincu de remettre à un autre jour ce moment qu'elle était prête à m'offrir : « Je comprends, ne vous inquiétez pas, on se verra une autre fois », ai-je fini par lui dire. Elle m'a tendu sa carte, extraite avec agilité d'une poche extérieure de son sac, et j'ai lu attentivement les quelques mots qui s'y trouvaient, Victoria de Winter, Executive Vice President, avec le nom d'une entreprise surmonté d'un logo disgracieux.

« Je suis amenée à séjourner régulièrement à Paris.

— Qu'est-ce que c'est, cette entreprise ?

— À l'origine c'est un fleuron de l'industrie anglaise. Aujourd'hui c'est un groupe à capitaux internationaux, essentiellement américains, implanté dans une vingtaine de pays.

— Executive Vice President, c'est-à-dire ?

— DRH monde. Il va falloir que je vous laisse. Comment vous appelez-vous ?

— Je n'ai pas de carte sur moi. David Kolski.

— Appelez-moi. Ou envoyez-moi un mail. Je pars demain matin. Je vous dis, je reviens prochainement.

— Je dois aller à Londres dans une quinzaine de jours. Une information comme ça à tout hasard.

— Dans une quinzaine de jours. C'est-à-dire vers le 10 octobre. Il est probable que j'y serai. Donnez-moi vos dates par mail et je vous dis. De toute manière on se voit à Paris ou à Londres. »

Elle me sourit. Elle me regarde profondément. Un instant de silence qui s'étend. Et elle prononce cette phrase inouïe : « Et nous verrons si l'étincelle existe encore. »

2

J'avais pour principe de ne jamais revoir les femmes avec lesquelles je m'étais accordé une relation sexuelle — ou simplement d'intimité physique. J'agissais dans le plus strict anonymat, dans une ambiance de cambriolage, avec la discrétion d'un chat, en m'entourant des précautions les plus extrêmes : je dénudais ces femmes avec la même ferveur avide d'émerveillement qu'un cambrioleur qui s'aventure dans les ténèbres d'une maison inconnue, une lampe torche à la main, avec l'espoir d'y exhumer une toile de maître, des bijoux, un coffre-fort, à la suite de quoi je m'éclipsais sans faire de bruit en essayant de ne laisser derrière moi aucune trace d'effraction — et chacune de ces rencontres s'inscrivait dans mon souvenir comme un moment unique qui aurait pu ne jamais exister. Je me disais qu'une expérience érotique adultérine ne peut avoir de conséquence si elle demeure strictement ponctuelle et se résume ainsi au seul souvenir qu'elle a laissé dans la mémoire de ceux qui l'ont vécue, alors qu'une récidive entraîne l'apparition d'une droite qui passe par ces deux points, elle oriente et donne un sens à ce qui n'était qu'une unité poétique en suspension, et c'est alors qu'un début de narration apparaît, et donc une dimension morale, l'idée d'une trahison ou d'une tromperie. Je n'avais jamais dérogé à ce principe de prudence et d'intégrité morale (oui, d'intégrité morale, de rectitude, j'insiste sur ce point) depuis que je vivais avec Sylvie ; je n'avais connu d'expériences de ce genre qu'avec des inconnues abordées dans la rue, je m'étais toujours interdit toute relation de séduction avec des femmes de mon milieu professionnel, de mon réseau amical ou de la ville où je réside, afin d'éradiquer tout risque de situations complexes ou d'enchevêtrements périlleux.

Les femmes qui ces dernières années s'étaient laissé entraîner dans ces rendez-vous présentaient la caractéristique d'être moyennement jolies, ou bien considérées comme moyennement jolies par la plupart des hommes. La rapidité avec laquelle il importait qu'elles se décident dépendait pour une large part de l'urgence de leur désir, et j'obtenais plus aisément l'émergence d'une pulsion irréfléchie si elles s'émerveillaient d'avoir été approchées avec délicatesse par un homme qu'elles trouvaient différent. Les égards, les scrupules, la courtoisie avec lesquels mes phrases se déployaient agissaient sur leur imaginaire à la manière d'un sortilège ; elles n'étaient pas accoutumées à être traitées comme des princesses, contrairement à ces jeunes femmes au physique avantageux qui depuis les premiers jours de leur adolescence ont l'habitude d'être entreprises par les hommes. (De surcroît j'ai toujours préféré aux jolies femmes les femmes quelconques dont un détail ou quelque chose qui émanait de leur présence avait le pouvoir de m'exciter. Qu'un trésor, qu'une pierre précieuse se mette à luire, comme pour moi seul, au milieu de leur banalité, par exemple de jolis pieds, une peau de miel ou l'expression d'un regard, constituait pour moi une expérience érotique indépassable. Je ne sais pas comment le dire mais leur banalité décuplait le désir qu'un ingrédient de leur personne avait su déclencher.) Souvent, leur modeste extraction sociale facilitait les choses ; elles n'étaient jamais des bourgeoises ni des femmes de pouvoir occupant des postes élevés mais des étudiantes, des secrétaires de direction, des attachées commerciales, des vendeuses de parfumerie ou de grands magasins. Victoria était la première femme de cette stature que j'abordais, intimidante, évoluant dans les hautes sphères de l'industrie, disposant d'un pouvoir d'achat largement supérieur au mien.

Je dois admettre que d'une manière générale ces aventures se révélaient décevantes, pour la raison précise qui les avait rendues envisageables d'un point de vue moral : du temps leur avait manqué pour s'épanouir et devenir intéressantes, et surtout pour que je sois capable de m'affranchir de ma timidité. La plupart du temps, au moment de pénétrer ces femmes, je n'avais plus d'érection, ou bien celle-ci s'atténuait nettement après quelques minutes d'un rapport prometteur. Pour quelle raison ? Il arrivait que j'éprouve une répulsion inattendue à l'égard de ces corps qu'emporté par une excitation irrépressible j'avais littéralement ramassés dans la rue. Ou alors des pensées pernicieuses qui remontaient des zones les plus anciennes de mon cerveau ne tardaient pas à enrayer ma confiance et à perturber la quiétude dans laquelle le plaisir que je prenais avait commencé à me laisser glisser. Je redoutais de ne pas être en mesure de procurer à ces jeunes femmes la jouissance que l'éloquence déployée pour les séduire leur avait laissé supposer qu'elles trouveraient auprès de moi — à la faveur d'une prestation que je les suspectais brusquement de trouver misérable. Ou bien encore la situation dans laquelle je m'activais m'apparaissait tout à coup comme absurde, mortifère, d'une tristesse épouvantable ; je me disais qu'il fallait être dans un état de dénuement affectif réellement préoccupant pour en être réduit à mendier de cette manière, à la va-vite, auprès d'une créature des plus quelconques échouée nue sur le matelas d'un deux-étoiles, ces petites miettes d'amour et de consolation. Le désespoir qui en réalité m'avait conduit dans cette chambre sans que j'en prenne vraiment conscience se répandait dès lors dans ma cervelle en même temps que j'essayais de faire l'amour à ce corps inconnu, lequel m'apparaissait soudain dans toute sa solitude, terriblement fragile et vulnérable, humain, comme un fragment métaphysique. S'allonger sur une étudiante à peine attirante abordée dans la rue deux heures plus tôt n'est-il pas la chose la plus pathétique qu'un homme marié et père de deux enfants, directeur de travaux sur le chantier d'un hôpital ou d'un collège, est en mesure d'envisager ? Je sentais bien qu'aucune félicité ne pourrait naître dans le bas-ventre de cette jeune femme à partir d'un accouplement aussi abrupt et arbitraire, mécanique, entre deux corps qui ignorent tout l'un de l'autre. J'anticipais le dégoût qui finirait par suinter de sa honte, je devinais le remords qui avait commencé à envahir ses pensées, je me haïssais d'avoir été assez habile pour l'attirer dans un hôtel aussi miteux, contre ses intérêts, à rebours de sa beauté intérieure, afin d'y servir d'exutoire à un homme en perdition. Je retirais du sexe de la jeune femme un embout flasque et visqueux, je souriais, je posais sur ses lèvres un bref baiser d'excuse, je roulais sur les draps et me serrais contre son corps. Je la caressais, je la faisais jouir avec ma langue (chacun de ces échecs augmentait ma dextérité en la matière), elle s'efforçait de ranimer mon sexe avec ses lèvres mais finissait par se rhabiller et par sortir de la chambre sans prononcer le moindre mot (je la faisais partir par une réserve glaciale destinée à l'éloigner de moi au plus vite, j'avais les yeux fermés, je l'entendais se rhabiller et ne rouvrais les paupières qu'une fois la porte claquée), m'abandonnant sur le lit, submergé par le remords. Ces moments laissaient derrière eux une impression d'erreur et de dégoût, mais aussi le sentiment d'une rédemption, comme si j'étais parvenu à me libérer de la bassesse qui avait dominé mes pensées pendant les derniers jours. Je m'élançais vers Sylvie en remontant à contresens le processus d'évasion, les perspectives s'inversaient, je courais en direction de mon foyer avec la hâte d'un amoureux transi. C'était ma femme qui de nouveau incarnait le désir, la plénitude et l'harmonie, supplantant les illusoires mystères du vaste monde et des jeunes femmes fugaces que j'y croisais, illuminées comme des vitrines de Noël par le seul fait qu'elles demeuraient lointaines, inaccessibles. La plupart de ces expériences me révélaient que ce n'était pas la vie conjugale qui en définitive représentait la désolation du réel (comme j'avais la faiblesse de le supposer à intervalles réguliers, imaginant qu'une existence aussi délimitée me privait de jouissances fantastiques, d'expériences inouïes, de sensations réellement singulières), mais ces jeunes filles brièvement merveilleuses que j'abordais dans la rue.

J'exagère : il arrivait que je partage avec elles une complicité d'une douceur bouleversante. Ma mémoire est constellée de ces moments suspendus (dans la plupart des cas le prénom de ces jeunes femmes a été effacé par l'oubli, mais j'ai gardé une sensation assez nette de leur physique, il peut s'y rattacher une odeur, un geste, une attitude, le profil d'une poitrine, la texture d'un épiderme), étoiles dont la lumière si suggestive, quand j'en évoque le souvenir, m'introduit pour chacune d'elles dans une période précise de ma vie, un contexte, une saison ou un état d'esprit. Elle était rousse, nous venions de faire l'amour, j'ignorais si elle avait joui, j'avais subitement débandé, en plein rapport, furieux contre moi-même, « T'inquiète pas, c'est pas grave, c'était très bien », me disait-elle avec une indulgence d'une humanité confondante. Nous nous parlions blottis l'un contre l'autre en nous touchant les doigts. Novembre ; dix-huit heures ; j'aimais ses ongles ; nous entendions des gouttes de pluie contre les vitres, une nuit noire et profonde, pleine de lumières mouillées, de brume et de douceur humide, de vent et de feuilles mortes piétinées sur les trottoirs. J'aurais voulu que cet instant ne s'arrête pas, que cette enclave abrite mes folles fragilités pendant de longues années, sans qu'il soit nécessaire de bouger, de sortir de ces draps. Elle s'appelait Aurélie. Un autobus passait dans la rue ; des klaxons s'élevaient des embouteillages comme des cris d'oiseau d'une forêt vierge. Nous n'avions pas allumé la lumière quand nous avions pénétré dans la chambre deux heures plus tôt et à présent seule la clarté des lampadaires permettait à nos corps d'émerger de la pénombre. Nous nous endormions ; la jeune femme me réveillait par des baisers, « Il est neuf heures passées, on s'est endormis, tu ne dois pas rentrer chez toi ? » Je lui demandais de me parler de sa vie, je caressais sa poitrine avec douceur ; nous ne songions plus à faire l'amour, ayant compris que nous étions dans cette chambre pour autre chose. « Il va être bientôt minuit, il faut que j'y aille », me disait la jeune femme en soupirant, « D'accord, vas-y, échappe-toi », elle se levait du lit d'un bond, je la regardais s'habiller avec tendresse, « Tu sais, Aurélie, j'adore ton corps », il arrivait qu'elle s'interrompe pour braquer sur moi un sourire de gêne et de reconnaissance. « C'est la première fois qu'un homme me regarde comme ça, ça fait un drôle d'effet. — J'adore ton corps, je te trouve belle, je pourrais te regarder sans interruption pendant des mois et des années. — Tu es fou, je suis tombée sur un malade. — Tu n'as pas tort. — En plus je suis trop grosse, regarde ces fesses, ces cuisses, je suis moche. — Pas du tout, tu n'es pas moche du tout. » Elle achevait de nouer ses lacets puis venait se pencher sur mon visage, vêtue d'un anorak, une écharpe rouge enroulée autour du cou, pour me donner et recevoir un long baiser,

« Voilà mon numéro, me disait-elle à l'oreille, j'aimerais bien qu'on se revoie, appelle-moi si tu veux », avant de disparaître.

Sans l'avoir décidé, sans pouvoir non plus vraiment me l'expliquer, il y avait maintenant cinq ans que je n'avais plus persuadé aucune inconnue de m'accompagner dans un hôtel. Mes pulsions sexuelles s'étaient calmées, je n'avais plus le temps de traîner dans les rues, je crois qu'ayant vieilli il me manquait l'audace, le courage, la détermination qu'exigeait la mise en œuvre de la plupart de ces aventures. Alors qu'on parle toujours des déchaînements libidineux qu'entraîne la quarantaine, le désir de séduire avait disparu cinq ans auparavant, à l'âge de trente-sept ans, pour ne plus reparaître. Et Victoria ? En dehors du fait qu'elle me plaisait, qu'est-ce qui m'avait poussé, dans ce cas, à aborder Victoria, et qu'est-ce que j'attendais d'une telle rencontre ? Allais-je l'emmener dans un hôtel quatre étoiles pour un unique rendez-vous sexuel ? En dépit du fait que j'étais marié et que j'aimais ma femme (ne plus vivre avec elle me paraissait tout simplement inconcevable), la perspective de tomber amoureux m'avait-elle effleuré ? Je n'avais aucune envie d'avoir une maîtresse, ni de compliquer mon existence en basculant dans la passion.

Si une personne m'avait suivi, pendant ces dernières heures, et m'avait observé avec soin, et m'avait vu aborder Victoria, et nous avait regardés parler au milieu de la foule ; si cette personne qui avait vu Victoria me remettre sa carte, et moi l'examiner avec émerveillement, m'avait suivi jusqu'à ma voiture en me demandant si par hasard elle pourrait s'asseoir auprès de moi ; si cette personne assise à mes côtés tandis que je rentrais chez moi dans l'euphorie de cette rencontre providentielle, rêveur, le sexe dur, tambourinant le volant avec mes poings ; si cette personne assise à mes côtés et regardant la route par le pare-brise m'avait demandé de lui expliquer pour quelles raisons j'avais filé et abordé cette femme, je me serais trouvé bien en peine de lui fournir une réponse rationnelle. « Il semblerait que cette rencontre vous procure un grand bonheur, seriez-vous en mesure de me dire ce qu'il contient ? » J'aurais réfléchi pendant de nombreuses minutes en regardant par le pare-brise l'autoroute A11 que j'avais prise, « Vous voulez savoir ce que contient ce bonheur ? aurais-je dit à la personne assise à mes côtés. — Tout à fait, ce qu'on trouverait à l'intérieur si on avait la possibilité de l'ouvrir comme un coffre-fort, ou d'y introduire une caméra miniature comme dans le ventre d'un malade », je roulais sur la file de gauche, relativement vite, le clignotant enclenché, « Mais surtout je voudrais savoir ce que vise ce bonheur, ce qu'il regarde, dans quelle direction, je voudrais savoir si vous savez où ce bonheur pourrait conduire votre vie », le trafic était fluide, à vingt-deux heures il y a en général assez peu de monde sur ce trajet et je me disais qu'avec un peu de chance les Deneuve seraient encore à la maison quand j'arriverais. J'aurais longuement réfléchi avant de répondre que je savais de quelle nature était ce bonheur qui m'étreignait, mais qu'il serait difficile pour moi de le décrire, « Mais surtout, pourquoi voulez-vous que ce bonheur que j'éprouve me conduise quelque part ? Le bonheur ne peut-il être un simple état, une atmosphère qui se répand dans les pensées, le corps, les veines, procure à la réalité un relief particulier, comme si soudain le monde vous acclamait, vous invitait à une grande fête donnée en votre honneur, donnée en votre honneur par le ciel, les arbres, la lumière, la nuit, même si ce soir il pleut quelques gouttes, et que d'énormes nuages encombrent le paysage ? » J'aurais tourné la tête vers la personne assise à mes côtés et je lui aurais dit que je préférais ne me poser aucune question et ne pas atténuer la félicité que me procurait cette petite carte glissée dans la poche de ma veste, où se trouvaient consignés un numéro de téléphone, une adresse londonienne, un patronyme aux radiations si mystérieuses. J'aurais demandé à la personne assise à mes côtés pour quelle raison il lui semblait qu'il fallait s'interroger sur la finalité de mon comportement. « Vous mesurez le risque de ce genre d'attitude, n'est-ce pas ? m'aurait-elle répondu. — Que voulez-vous dire par là, de quel risque voulez-vous parler ? — Je veux parler du risque de se laisser entraîner dans une situation périlleuse, de se réveiller tout à coup au milieu de la cage aux lions, sans l'avoir vraiment voulu ni même anticipé, pour cette raison qu'on a fait preuve de la plus grande hypocrisie, ou, si vous préférez, pour cette raison précise qu'on a refusé, quand il était encore possible de le faire, de se demander où on allait. » Je venais de doubler un poids lourd, il s'est mis à pleuvoir, j'ai actionné les essuie-glaces, « Ça vous ennuie si nous écoutons un peu de musique ? — Pas du tout, allez-y », j'ai mis en route le lecteur de CD en allant directement sur la piste numéro 3, des notes de piano sont apparues, « Qu'est-ce que c'est ? m'aurait demandé la personne assise à mes côtés. — Les dernières pièces pour piano de Franz Liszt, je n'arrête pas de les écouter, je les trouve bouleversantes ».

J'ai écouté la musique en silence pendant quelques minutes. Je me suis dit que le seul moyen de me faire comprendre serait de décrire la sensation dans laquelle je vivais depuis la fin du mois d'août — elle seule pouvait expliquer que je me sois trouvé dans l'obligation de ne pas laisser Victoria se volatiliser. Ce qui s'était produit ne pouvait s'examiner sous le seul angle du principe de finalité. Il n'en demeurait pas moins indiscutable qu'à un moment ou à un autre je me trouverais confronté à la question de mes intentions, et plus tard à celle de mes actes, « De ce point de vue je ne peux que vous donner raison », mais pour l'instant je préférais me délecter de l'enchantement où m'avait précipité la rencontre que je venais de faire, magique, providentielle. Au milieu du réel le plus attristant (dans une galerie marchande, au sortir d'une boutique de jouets, sur le chemin d'un parking souterrain, à la fin d'une journée harassante), un événement s'était produit qui avait fait vibrer les profondeurs les plus lointaines de mon imaginaire. J'avais le sentiment, depuis déjà un certain temps, de cheminer le long d'un mur, un mur austère, élevé, interminable, qui me privait de toute lumière, et c'est un peu comme si le surgissement de Victoria était parvenu à y faire apparaître un interstice, et par cette ouverture un espace s'était laissé entrevoir, tout près, à ma portée, de l'autre côté du rempart, où j'ai pensé que je pourrais disparaître. Je connaissais par cœur l'aspiration qui venait de me saisir, je savais qu'elle avait pour objet cet ailleurs indiscernable qui miroitait dans mes rêves depuis toujours, « Il se trouve que depuis quelques jours je vivais dans l'espoir que la réalité s'entrouvre pour me laisser passer, avant de se refermer derrière moi ». J'étais littéralement dominé par l'intuition qu'il *pouvait* se passer quelque chose — et cet espoir suffisait à me rendre heureux, habitait mon mental comme une chanson qui se serait invitée dans ma tête, une chanson obsédante, pour mon plus grand plaisir.

Un rire énorme aurait retenti dans l'habitacle, j'aurais tourné la tête vers la personne assise à mes côtés, « Mais de quoi parlez-vous ? m'aurait-elle demandé en essayant de surmonter son hilarité. Je ne comprends rien, tout cela est vraiment désopilant, vous n'êtes quand même plus à un âge où l'on croit encore aux contes de fées ! À quel type de lieu vous référez-vous quand vous parlez de cet ailleurs indiscernable ? » Je lui aurais répondu que tout cela était très flou (« Y compris pour moi-même »), et que cet ailleurs ne portait pas de nom. « Ce que je sais c'est qu'il a toujours scintillé dans mes rêves comme une promesse de plénitude et de consolation. Je me dis par moments que je n'aspire à rien d'autre qu'à sortir du réel, même si j'ignore ce que veut dire exactement cette expression. » Cet ailleurs n'avait jamais existé qu'à travers la sensation qu'un lieu ultime s'offrirait peut-être un jour à m'accueillir, personnifié dans la plupart de mes rêveries par une femme rencontrée par hasard. Il s'agissait d'une sensation intermittente, d'intensité variable en fonction de mes humeurs et des saisons, mais pour le rayonnement poétique de laquelle j'éprouvais depuis l'adolescence un attachement sans doute exagéré. Certes, la béatitude que cet état d'attente répandait dans ma vie intérieure me laissait parfois penser que ce dernier était lui-même le lieu énigmatique qu'il désignait — cet espoir d'évasion ne servait peut-être à rien d'autre qu'à me rendre l'existence supportable, à me faire endurer les efforts, les tensions, la tristesse et toutes les déceptions qui l'accompagnent. D'ailleurs, les rares fois où j'avais cessé d'y croire, les rares fois où j'avais cessé d'être convaincu qu'un événement qui était sur le point de survenir allait me permettre de m'évader de l'étroitesse de mon existence, je m'étais trouvé dans la situation de reconnaître (et de m'en ouvrir à un généraliste) que je traversais sans doute une phase de dépression (et ce dernier m'avait prescrit du Prozac). Je dois cependant préciser la chose suivante, c'est que cette attente d'un événement décisif imminent fait qu'en réalité je n'ai jamais considéré mon existence comme désastreuse. « Vous comprenez ce que je veux dire ? aurais-je demandé à la personne assise à mes côtés. Je ne peux pas affirmer que ma vie ne me plaît pas, mais seulement dans la mesure où rien ne m'interdit d'espérer que quelque chose va se produire qui va la modifier en profondeur — et la rendre un peu moins détestable qu'elle ne l'est. J'aime ma vie à travers le rêve dont elle s'est imprégnée que quelque chose va bientôt la déplacer, une femme, un miracle, une rencontre, une proposition professionnelle inouïe, un événement inattendu ou une idée géniale qui germerait dans mon cerveau. *C'est ce rêve-là que j'aime quand j'aime ma vie.* Voilà un paradoxe amusant, vous ne trouvez pas ? » Je suis sans doute ce qu'on appelle un rêveur, même si ma profession m'inscrit dans le réel le plus intransigeant, ce qui m'oblige à adopter quotidiennement une attitude organisée et pragmatique, infiniment concrète et orientée vers la matière, à l'opposé de ce vers quoi le rêveur se laisse en général entraîner. Je suis sûr que nous sommes nombreux dans ce cas : on serait surpris de découvrir les stratagèmes que la plupart de nos contemporains se voient contraints d'élaborer (et les contes de fées dont ils doivent nourrir leur propre imaginaire en plus de celui de leurs enfants) pour ne pas s'écrouler, pour obéir avec entrain à la sonnerie de leur réveil, pour endurer ce qu'ils endurent sans que l'humiliation qu'ils en éprouvent ne les abatte — et ainsi on achèverait de se convaincre que l'existence n'est qu'un lugubre exercice de survie. C'est tout cela que je me serais mis à expliquer à la personne assise à mes côtés pour lui rendre intelligible mon comportement dans la galerie marchande, et d'ailleurs j'aurais fini par lui dire : « Je vais vous raconter une histoire qui m'est arrivée il y a longtemps. Elle vous aidera peut-être à comprendre pour quelles raisons j'ai abordé cette femme sans me poser la plus petite question. » J'ai quitté l'autoroute par la sortie de Rambouillet. Je n'étais plus qu'à quelques kilomètres de ma maison.

J'avais dix-neuf ans, j'étudiais l'architecture, j'étais avec Sylvie depuis un an (mais elle vivait toujours chez ses parents), j'habitais dans une chambre de bonne de sept mètres carrés à Saint-

Germain-des-Prés. Je rentrais d'un dîner où j'avais bu pas mal d'alcool, il devait être aux alentours d'une heure du matin, je venais de me glisser dans mon lit quand une envie urgente de me rendre aux toilettes m'a saisi, sans doute à cause des plats que nous avions mangés, indiens, de qualité médiocre. J'ai toujours trouvé délirant qu'une histoire aussi décisive soit partie d'un événement à ce point dérisoire. À l'époque, à peine un an après avoir quitté la maison familiale, je ne m'étais pas encore affranchi de certaines directives maternelles (je rentrais chaque week-end chez mes parents pour me laver, faire nettoyer mes vêtements et recevoir la somme d'argent avec laquelle je vivais), ce qui explique que je dormais vêtu d'un pyjama, chose absurde que j'ai du mal à concevoir que j'aie pu faire, adulte, étudiant, à Paris, mais l'histoire que j'ai vécue porte la trace indélébile de cet anachronisme. J'ai enfilé un pantalon et un imperméable par-dessus ce ridicule costume nocturne puis je me suis rendu dans des toilettes publiques édifiées boulevard Saint-Germain à proximité de mon immeuble, presque à l'angle de la rue du Bac. Il m'était devenu insupportable d'utiliser les sanitaires aménagés à l'étage des chambres de bonne, et de me soulager accroupi, perclus de crampes, en surplomb d'un orifice en ciment (je devais me tenir aux murs pour éviter de basculer en arrière), si bien que j'avais pris l'habitude d'aller faire mes besoins à l'extérieur, comme le font les chiens.

Je me trouvais sur le chemin du retour quand une jeune femme qui traversait la rue du Bac m'a murmuré, au moment où nous allions nous croiser, « Quel beau garçon », sans s'arrêter ni même se retourner (ce que j'ai pu vérifier en regardant s'éloigner sa silhouette énigmatique, auréolée d'une chevelure volumineuse de couleur brune). J'étais en train de devenir un adulte, les stigmates de mon adolescence s'estompaient peu à peu, je commençais à comprendre que certaines femmes pouvaient me trouver beau ou à leur goût — mais néanmoins je n'avais pas imaginé que je pourrais séduire dès à présent une femme aussi exceptionnelle. Trois paramètres m'ont dissuadé de courir derrière elle en dépit du droit que me donnait sa phrase de lui adresser la parole, en premier lieu ma timidité vis-à-vis des femmes, en second lieu que cette inconnue ne se soit pas retournée pour appuyer son compliment d'un sourire, en troisième lieu le grotesque costume de dompteur dissimulé sous mes vêtements. À supposer qu'elle me laisse l'aborder, et qu'elle tolère ensuite que je lui tienne compagnie, je devrais me contenter de marcher dans la rue à ses côtés, le col de mon imperméable rabattu sur ma gorge. Et si elle insistait pour qu'on aille boire un verre dans l'un des bars encore ouverts de Saint-Germain-des-Prés, que pourrais-je lui répliquer sans me couvrir de ridicule ? Cela étant, si je m'étais trouvé habillé normalement, aurais-je osé la rattraper ? Pour lui dire quoi ? Que dire à une jeune femme qui vient de vous confier, dans le murmure d'un regard appuyé, « Quel beau garçon », que répondre à une telle phrase sans avoir l'air d'en réclamer les dividendes ? Même aujourd'hui, aguerri par l'expérience que m'ont transmise les vingt-trois années qui se sont écoulées depuis cette nuit-là, je ne vois pas quelle attitude il aurait convenu d'adopter ni quelle phrase il aurait fallu lui dire — sauf à considérer qu'une extrême maladresse (manifestée par un empilement de mots déracinés, de phrases tronquées, d'hésitations et de soupirs) eût été le comportement le mieux adapté à la situation. Il eût fallu qu'avec audace elle aille au bout du compliment peut-être inconséquent qui lui était monté aux lèvres, et qu'elle ajoute, après un bref silence, « Venez, je vous emmène », ce qu'elle n'avait pas fait (elle n'avait pas pris la peine, même, de se retourner).

J'ai franchi le seuil de ma mansarde accablé par le regret de m'être enfui (l'étroite spirale de l'escalier m'avait lancé dans d'insidieuses ruminations qui s'étaient amplifiées de marche en marche et d'étage en étage), furieux de disposer d'une quantité si pitoyable de génie poétique. Une femme sublime qui dans la rue me lance « Quel beau garçon » peut s'éclipser dans les ténèbres sans que je tente de lui répondre ? C'est alors que propulsé par la colère j'ai violemment frappé un mur avec mon poing (dont j'ai eu peur un instant d'avoir brisé les phalanges) avant de me dire que je pouvais toujours partir à sa recherche — en raison de la hauteur de ses talons, sa silhouette se déplaçait dans la nuit avec une lenteur de procession. J'ai retiré mon pyjama, j'ai revêtu sans les choisir les vêtements qui me tombaient sous la main, j'ai dévalé à toute vitesse l'escalier en colimaçon, j'ai couru jusqu'à l'endroit exact où nos présences s'étaient frôlées. Je me suis dit qu'à cause de l'alcool fort, blanc, indien, que j'avais bu en quantité, ni l'inconnue qui l'avait dite ni la phrase qui m'était parvenue n'avaient peut-être existé. Je me suis précipité dans la direction qu'elle avait prise, j'ai remonté à larges foulées le boulevard Saint-Germain, le trottoir défilait sous mon regard à toute vitesse en même temps qu'apparaissaient, alternatives et clignotantes, à droite et à gauche, les pointes de mes chaussures, je courais comme dans un rêve en ignorant les rares passants que je croisais — avant de brusquement m'arrêter. Je suis resté immobile quelques secondes, perplexe, essoufflé. Que faire ? Peut-être avait-elle bifurqué dans une rue perpendiculaire ? Si elle était restée à cheminer sur le boulevard, l'allure à laquelle je me précipitais vers son image m'aurait permis de la rejoindre depuis longtemps, et je lui parlerais. Que lui dirais-je ? Je l'ignorais. Porté par une pulsion soudaine, j'ai décidé d'emprunter la rue Saint-Guillaume et d'orienter mes recherches vers la Seine. Une femme de cette nature, nocturne et romanesque, ne pouvait que se sentir attirée par ses eaux noires et lourdement mouvantes, métaphysiques, scintillantes de reflets. J'ai couru au milieu de la rue Saint-Guillaume jusqu'à la rue de l'Université que j'ai prise sur ma droite pour rejoindre la rue des Saints-Pères et continuer ma descente vers le fleuve. Il m'arrive de penser que les souvenirs que j'ai gardés de cette poursuite proviennent d'un rêve que j'ai pu faire sur mon lit d'étudiant et non pas d'événements que j'ai vraiment vécus. Parfois, quand on s'apprête à s'endormir, on se met à courir dans un espace obscur, et aujourd'hui je ne peux pas dire avec certitude si je n'ai pas poursuivi cette inconnue dans une ville onirique, à l'intérieur d'un court métrage d'assoupissement. Je courais depuis longtemps sans ressentir la plus petite fatigue, je me donnais l'impression d'être un ballon lancé par un enfant dans un couloir d'appartement, les parois grises de la rue défilaient de part et d'autre de mon visage et au moment précis où j'atteignais la rue des Saints-Pères en m'immobilisant pour surveiller les alentours d'un œil alerte — je me suis retrouvé en face d'elle. J'avais surgi à l'angle de ces deux rues un bref instant avant qu'elle ne l'aborde, si bien qu'elle m'avait vu débouler sous ses yeux comme un projectile affolé, échevelé, profondément désordonné et rougeoyant, elle avait continué d'avancer et j'avais tourné la tête dans sa direction à la seconde précise où elle arrivait sur moi. Son visage m'était apparu brutalement (en gros plan) comme une vision que la nuit (que le plus beau des rêves) avait fait éclore sous mes yeux (dans mon imaginaire). Elle était devant moi comme un portrait photographique. Elle m'a souri. Je l'ai trouvée sublime. Elle frissonnait comme un arbuste. Je respirais sur un rythme affolé. J'étais gêné qu'elle m'ait surpris la pourchassant comme un barbare, j'aurais préféré me faire passer pour un promeneur méditatif qui l'aurait croisée par hasard pour la deuxième fois, « Tiens, vous ici, quelle drôle de coïncidence... », mais mon état ne laissait subsister le moindre doute sur le fait que je l'avais cherchée dans la nuit avec l'acharnement d'une jeune femme qui remue la multitude de son sac à main pour y trouver un bâton de rouge à lèvres. Je ne disais rien. Aucune phrase ne me venait à l'esprit. De toute manière, qu'elle m'ait surpris en train de lui courir après me dispensait de dire le premier mot, c'était à elle de me répondre. Elle s'est retournée au moment précis où un taxi surgissait, elle a levé la main, la voiture s'est arrêtée, nous sommes montés. « Bonsoir », a-t-elle dit au chauffeur avant de lui donner une adresse que je n'ai pas mémorisée (des noms de rue divers me sont venus à l'esprit dans les semaines qui ont suivi, dont je me persuadais qu'elle les avait prononcés) ; en revanche, je me souviens qu'à une question que le chauffeur lui a posée, elle a fourni l'information que l'immeuble où nous allions passer la nuit se situait dans le neuvième arrondissement.

Je me suis retrouvé dans un appartement qui avait l'air de ne connaître aucune limite. Elle m'avait expliqué dans l'escalier que le propriétaire avait suspendu l'électricité mais en omettant de lui indiquer l'emplacement du disjoncteur et c'est pourquoi nous allions nous éclairer grâce à des chandeliers, « Ce qui n'est pas sans charme, vous en conviendrez », avait conclu mon inconnue en enfonçant la clé dans la serrure (sans que j'ose lui poser la plus petite question sur aucune des données qui venaient de m'être communiquées, c'est-à-dire sur le propriétaire, sur la nature de leurs liens et sur les raisons de cet hébergement). Après avoir allumé les bougies avec un briquet en argent qu'elle avait sorti d'une poche de son sac à main (sans enlever son manteau estival), nous avons commencé à marcher. L'obscurité accentuait la sensation que me procurait cet appartement de devenir aussi étendu qu'une forêt à mesure que nous nous enfoncions dans ses méandres. Il semblait que les couloirs n'avaient pas pour utilité de le traverser mais qu'au contraire ils conduisaient au plus profond de sa matière nocturne pour en atteindre le cœur. Mon inconnue marchait devant moi sans dire un mot, poussant de lourdes portes, me précédant dans des abîmes de ténèbres et d'immobilité. Nous avons fini par pénétrer dans une pièce, « Nous y voici, je vous en prie », où je me suis avancé prudemment, protégé de la nuit qui m'encerclait par la clarté intime du candélabre. Il m'est apparu au bout de quelques minutes (à mesure que la jeune femme allumait les bougies qui se trouvaient disséminées un peu partout dans la pièce) que cet espace avait l'air d'hésiter entre les fonctions de bureau, de salon, de bibliothèque, de salle de musique et de chambre à coucher, mais il est probable qu'il les assumait toutes et que mon inconnue s'y adonnait à des activités concurrentes. « Installez-vous où vous voulez », m'a-t-elle dit en désignant avec ses doigts différentes solutions — deux canapés, une méridienne, une banquette contre un mur et un coin salon composé de plusieurs fauteuils. J'ai choisi de prendre place sur un canapé isolé, calculant que l'absence de siège d'appoint l'obligerait à venir s'asseoir à mes côtés (sur un dispositif suffisamment étendu pour qu'il fût possible de bavarder sans s'effleurer, s'il se révélait que c'est de cette manière que nous devions passer la nuit). « Je vais nous apporter quelque chose à boire, avez-vous une préférence pour un alcool en particulier ? ai-je entendu mon inconnue me déclarer.

— Plutôt de l'alcool blanc, gin, vodka, ce genre de trucs, si vous avez », ai-je répondu, me disant, vu l'état d'ébriété dans lequel je me trouvais, qu'il valait mieux rester dans le même registre de breuvage que celui qui m'avait déjà passablement dévasté. « J'ai du gin Bombay Sapphire, de la téquila, de la vodka…

— Alors allons-y pour le gin de Bombay, il se trouve que ça tombe bien », lui ai-je souri. Elle est revenue quelques instants plus tard avec une bouteille et deux verres, et elle s'est assise à mes côtés sur le canapé. « À votre santé, m'a-t-elle dit après nous avoir servis et en levant les scintillements du liquide à la hauteur de son œil droit.

— À notre rencontre, ai-je répondu en l'imitant. À cette rencontre providentielle », ai-je précisé.

Ce qui s'est passé ensuite a laissé dans ma mémoire des sensations singulièrement vivaces, mais toutes les fois que j'ai voulu revivre par la pensée cette nuit confuse et lacunaire (ce que j'ai essayé de faire pendant de nombreuses semaines), mes efforts de reconstitution se sont trouvés court-circuités par l'irruption de cet instant cuisant où le lendemain vers dix-huit heures je me réveille sur mon lit tout habillé.

Les détails de cette nuit ne sont pas établis par le souvenir que j'aurais pu en garder (trouvant sa source dans une conscience éclairée antérieure à ma déconnexion), mais par les réminiscences qui imprégnaient mon esprit quand je me suis réveillé entre les murs de ma mansarde de nombreuses heures plus tard — sans savoir ce qui s'était passé ni de quelle manière j'étais parvenu à rentrer chez moi. Je suis quasiment convaincu que nous n'avons pas fait l'amour. Nous n'avons pas parlé non plus, ce qui explique que l'identité de cette jeune femme me soit restée inconnue — prénom, patronyme, profession ou ville de résidence. Je crois qu'elle a gardé sa jupe et moi mon pantalon (à moins qu'il ne se soit produit des événements nettement plus crus pendant cet intervalle de temps éradiqué de ma mémoire), mais en revanche nous nous frottions l'un contre l'autre, j'adorais la douce fraîcheur de sa poitrine et de son ventre contre ma peau. Je me souviens de nos lèvres qui se dégustaient, de ses orteils entre mes dents. Son regard possédait l'évidence d'un théorème, je le trouvais complexe mais son ampleur me transmettait la sensation de pénétrer dans une matière d'une grande douceur, suave, presque de chair, comme du velours, un velours vert. Je revois son sourire éperdu, immobile, où brillaient par moments des lueurs de tristesse. Elle était, il me semble, plusieurs femmes simultanées, vive, grave, tragique, allègre, puissante et enfantine, mais c'est peut-être l'excès d'alcool, et les états par lesquels nous avons dû successivement nous décliner, qui m'ont donné cette impression d'entités différenciées que ma mémoire ensuite a compressées. J'adorais le dessin de ses ongles. J'égarais mes doigts dans la matière volumineuse de ses cheveux. Je trouve troublant d'avoir vécu ces moments dans l'obscurité d'un appartement privé d'électricité et de devoir triompher des ténèbres de l'amnésie pour m'en souvenir : la nuit semblait d'une densité de plus en plus impénétrable, et ces images sont entourées dans ma mémoire de la même nuit envahissante. Elle se lève et s'éloigne de moi d'une démarche dont je raffole, élégante et musicale, un peu ivre, avec la grâce d'une écuyère en équilibre sur une jument qui galope. Je me souviens de m'être émerveillé de la manière dont sa silhouette se déplaçait dans la pièce, pieds nus, prenant conscience que ses souliers n'étaient pour rien dans la dansante sensualité de sa présence. Elle se met à jouer du piano, je la regarde interpréter, poitrine nue, un air mélancolique. Ses seins frémissent entre ses bras, la blancheur de son corps fait une rupture de continuité avec le piano enseveli dans la nuit, mais en revanche les luisances de la laque noire sont un écho à la brillance de ses lèvres, à l'éclat de ses yeux, à l'humidité, peut-être, j'espère, de son intimité. Elle me regarde fixement tandis qu'elle joue. Le piano a l'air mouillé, ses yeux ont l'air mouillés, je ruisselle de bonheur et d'émotion. Où nous trouvons-nous ? À qui appartient cet appartement ? Je me souviens de m'être posé la question à différentes reprises mais sans avoir l'idée de la formuler à voix haute, ignorant qu'à partir du lendemain je passerais de nombreuses années à essayer de me remémorer l'adresse qu'elle avait donnée au chauffeur, à essayer de me souvenir d'une église ou d'un monument que j'aurais pu apercevoir par les vitres de la voiture, à essayer de retrouver la rue où le taxi s'était engagé et nous avait laissés. Aujourd'hui encore, quand je me promène dans le bas du neuvième arrondissement, il arrive que tout à coup des sensations particulières se manifestent : j'éprouve soudain un haut-le-cœur d'optimisme ; ou alors je me consume d'un bonheur insensé pendant quelques secondes ; ou encore une atmosphère d'une étrange densité, historique, comme celle d'un vieux palais un peu sombre, se répand dans mon mental ; comme si inconsciemment je détectais la proximité de cet immeuble. C'est ainsi qu'au fil des années j'ai fini par délimiter un territoire où je suis convaincu que s'est passée cette nuit perdue : autour de l'église de la Sainte-Trinité, et c'est toujours dans ce quartier que me conduisent mes désirs de promenade ou de soirée au restaurant, comme si mon imaginaire s'y trouvait aimanté. De la même manière, j'ai identifié dix ans plus tard chez un ami les morceaux qu'elle interprétait, en l'occurrence les dernières pièces pour piano que Franz Liszt a composées (je me suis mis dernièrement à les réécouter). Mais pourquoi ai-je tant bu ? Parce qu'elle buvait ? Parce qu'elle voulait que je boive et que je perde sa trace et que cette nuit passée ensemble demeure comme une chapelle suspendue dans l'espace du passé ? Ai-je bu pour oublier ma peur (je n'avais fait l'amour que deux ou trois fois) ? Je la regarde jouer accoudé au piano, surplombant ses doigts blancs qui se posent brièvement, méthodiquement, sur le clavier. J'écoute avec la plus grande attention les morceaux qu'elle interprète, dont j'observe que leur substance se raréfie, qu'ils sont de plus en plus tendus, dénudés, d'une lenteur terrifiante. À la suite de quoi tout s'émiette, certaines images se décomposent, je me vois la faisant basculer sur son lit, je me vois lui mordillant le bout des seins, j'entends des rires dans mon oreille, des rires assez sonores, mais ces images sont incomplètes, comme perforées, floues, folles, incendiées d'alcool et d'ivresse, et ce désordre s'interrompt tout à coup par la brutalité des murs de ma chambre au moment où j'ouvre les yeux, le lendemain en fin d'après-midi.

Je n'ai aucune idée de ce qui s'est passé. Suis-je rentré chez moi par mes propres moyens, m'a-t-elle confié à un chauffeur de taxi, ai-je monté seul les sept étages de l'escalier abrupt, avant de m'écrouler sur le lit ? Pour quelle raison ne me suis-je pas installé dans le sien, serré contre son corps ? Me suis-je montré grossier ou répulsif, l'ai-je acculée à me chasser ? J'essayais de me persuader que s'endormir auprès d'un inconnu lui inspirait des réticences mais qu'elle m'avait donné rendez-vous le lendemain à l'heure du thé — et c'est peut-être de retour chez moi que je me suis anéanti à l'alcool. La bouteille vide découverte le lendemain sur la moquette de ma chambre peut le laisser supposer, et c'est à cause de ce cadavre que je me suis demandé plusieurs fois si cette nuit n'avait pas été entièrement rêvée. La conclusion à laquelle je suis parvenu c'est que de toute manière, même si je l'ai vécue, ce qui subsiste de cette nuit en fait l'exact équivalent d'un rêve : c'est la même beauté sidérante, le même étincellement d'idéalisme, la même simplicité miraculeuse, la même désespérante impossibilité d'y retourner. Comme dans le cas d'un rêve, ce n'est pas ma mémoire qui se rappelle les détails de cette histoire mais mon imaginaire (dont je sais qu'il s'en est imprégné irréversiblement), sur un plan plus essentiel que celui du souvenir, plus intime et plus universel, avec le rayonnement d'un mythe. Que cette histoire un peu étrange ait laissé derrière elle une empreinte aussi envoûtante, à un âge où j'attendais qu'apparaisse une lumière, que se révèle une direction, c'est sans doute ce qui explique l'importance qu'elle a fini par acquérir et l'influence qu'elle n'aura cessé d'exercer sur mon rapport au réel.

Voilà l'histoire que j'aurais racontée à la personne assise à mes côtés afin qu'elle puisse comprendre ce qu'avait fait résonner au plus profond de ma personne l'apparition de Victoria. Je venais de me garer devant chez moi, j'ai coupé le contact, éteint les phares, aperçu par la porte-fenêtre la silhouette de Sylvie. Je me serais tourné vers la personne assise à mes côtés et je lui aurais dit que cette nuit n'avait jamais cessé de m'habiter ni de faire circuler dans mon imaginaire la perspective d'un dénouement (par l'irruption d'un événement similaire : comme une répercussion contemporaine de ce miracle), et que chaque année aux alentours de sa date anniversaire, le 12 septembre, son rayonnement s'intensifiait. « Sur une période qui s'étend des derniers jours du mois d'août jusqu'au milieu du mois d'octobre, ce souvenir diffuse dans tout mon être une lumineuse sensation d'imminence. Des doigts me pincent le ventre, les veines, de manière impromptue, et ces pincements envoient de drôles de fulgurances à l'intérieur de mon corps. »

J'ai entendu un ongle qui tapotait doucement contre la vitre, j'ai pivoté en direction de ce bruit et j'ai vu Sylvie penchée vers moi qui m'interrogeait d'un sourire.

« Qu'est-ce que tu fais tout seul dans ta voiture depuis dix minutes ? m'a-t-elle demandé à travers un étroit bandeau de vide après que j'eus baissé un peu la vitre électrique.

— Rien, je réfléchissais..., ai-je répondu en déposant un baiser sur ses lèvres.

— Ah bon, tu réfléchissais ? Mais à quoi ?

— Rien, à des trucs de boulot, j'ai eu une journée difficile. »

Je suis sorti de la voiture, nous sommes rentrés, j'ai déposé mon sac sur un fauteuil. Je me suis effondré sur le canapé.

« Et toi, alors, cet anniversaire ? C'était sympa ?

— Oui, vraiment. On a passé une excellente soirée.

— Et les Deneuve, ils sont partis il y a longtemps ?

— Je ne sais pas, peut-être une demi-heure.

— Et alors, quoi de neuf, ils vont bien ?

— Oui, je crois, ils m'ont eu l'air d'aller très bien, on s'est beaucoup amusés.

— Je reviens, ai-je dit à Sylvie en me levant, j'en ai pour une minute », et je me suis enfermé dans les toilettes, où j'ai commencé à me caresser en pensant au corps de l'inconnue que je venais de rencontrer. Je lui enlevais son chemisier, je pétrissais sa poitrine à travers la dentelle noire du soutien-gorge, je la voyais marcher devant moi dans la galerie marchande, elle commençait à me toucher le sexe, j'ai retiré le soutien-gorge, sa poitrine s'est révélée à moi, je la trouvais parfaite, épaisse et brune, j'ai commencé à aspirer ses tétons, je lui faisais l'amour, je sentais ses mollets contre mon bassin, elle poussait des gémissements qui m'excitaient, j'ai joui, j'ai déchargé entre mes doigts, j'essayais de ne pas faire trop de bruit et de contenir mes halètements, j'entendais Sylvie qui débarrassait la table et passait devant la porte des toilettes pour se rendre à la cuisine. Victoria était allongée sur les draps, heureuse, exténuée, mon sexe trempé plaqué contre sa jambe, j'ai tiré un bout de papier toilette sur le rouleau fixé au mur, je me suis essuyé le sexe, mon regard est tombé sur la couverture d'un hebdomadaire, « La baisse de l'immobilier », j'ai renfilé mon pantalon, j'ai tiré la chasse, je suis sorti des toilettes, je suis allé me laver les mains dans la salle de bains, mon visage était rouge, un peu congestionné.

J'ai croisé Sylvie dans le couloir qui revenait de la salle à manger avec une pile d'assiettes à dessert dont la première contenait les débris d'un gâteau d'anniversaire ; cinq bougies étaient réunies dans un coin et de petites fourchettes en argent s'entrecroisaient sur un amas de crème blanche et de fraises écrasées.

« Et le cadeau que tu as fait à Vivienne, finalement, qu'est-ce que c'est, tu m'as pas dit ? » m'a demandé Sylvie.

Cette phrase m'a foudroyé. Un éclair venu du ciel a traversé mon corps pour venir se loger au centre exact de la terre, dont j'ai senti remonter la chaleur le long de ma colonne vertébrale.

J'avais laissé quelque part la peluche de Vivienne, mais j'ignorais à quel moment, à quel endroit. L'avais-je oubliée au bowling, au café, dans la galerie marchande au moment où je parlais avec Victoria ?

« Une peluche, une grosse peluche, un animal.

— Ah, super, et c'est quoi comme animal ?

— Je ne sais pas, j'ai oublié de demander, je ne connais pas. Un énorme animal, un animal avec des griffes, une grosse queue, marron et noir, il est très beau.

— Et il est où ?

— Dans la voiture.

— Va le chercher, ce serait bien qu'elle ait son cadeau en se réveillant, elle était triste que tu ne sois pas là pour le lui donner, je lui ai promis qu'il serait près de son lit à son réveil.

— J'irai demain matin.

— Non, vas-y maintenant s'il te plaît.

— Je te dis que j'irai demain matin.

— Je lui ai promis qu'il serait près de son lit à son réveil. »

Nous étions dans la cuisine à présent. J'ai rempli un verre d'eau au robinet et je l'ai bu d'une traite.

« Tu es vraiment pénible quand tu t'y mets, c'est moi qui vais le faire, elles sont où les clés de la voiture ?

— Sur la commode de l'entrée. Mais je me demande si je n'ai pas oublié la peluche au bureau. »

Sylvie est sortie de la cuisine sans avoir pu entendre ma dernière phrase. J'ai ouvert le réfrigérateur en me demandant ce que j'allais bien pouvoir manger.

3

Je m'étonnais d'être aussi détendu. La table carrée entre nous, spacieuse et solennelle, accentuait le rayonnement de ce moment qui approchait où nous pourrions nous enlacer, quand le dîner serait fini. Il aurait fallu, si j'avais voulu lui prendre la main, que je m'incline et que je tende le bras, et nos doigts se seraient rencontrés sur un tapis de fleurs somnolentes, entre deux bougeoirs, au centre de la table. Victoria s'en amusait comme d'une épreuve qu'elle n'avait pas anticipée en choisissant un restaurant de ce standing — c'est ce qu'au loin et par-dessus la nappe me suggérait le pétillement de son regard. Je souriais fréquemment, comme si mes lèvres obéissaient à un élan irrépressible, et surtout ces sourires étaient plus larges et lumineux que d'habitude. Je sentais que mon visage s'était modifié.

Je n'avais pas passé ma vie à avoir des rendez-vous de cette nature avec des femmes de cette catégorie — je l'ai déjà dit. L'appréhension que j'en avais conçue n'avait pas atténué la gaieté qui s'était coulée en moi quand j'avais vu sa silhouette dans le hall de mon hôtel au moment où je sortais de l'ascenseur, elle se tenait de dos près d'un pilier en marbre et regardait en direction des vitres. J'avais marché vers elle le cœur battant, déjà ivre de la soirée qui s'annonçait, heureux que sa présence produise sur moi le même effet que devant la boutique de vêtements, et j'avais pris l'initiative, tandis qu'elle me tendait la main, de l'embrasser sur la joue. Elle m'avait parlé d'une réservation qu'elle avait faite dans un restaurant réputé du quartier, « Un endroit chic et à la mode, je n'y suis jamais allée mais des amis m'en ont parlé », je lui avais répondu que c'était parfait, nous avions marché dans les rues l'un contre l'autre, avec lenteur, comme des promeneurs qui se connaissent depuis longtemps. Cette intimité me paraissait d'autant plus fascinante qu'elle découlait d'une conversation d'un quart d'heure et d'un échange de quelques mails — en d'autres termes de pas grand-chose de consistant. L'accélération que nous faisions subir à ce début de relation me paraissait vertigineuse ; la conscience que nous en avions nous isolait dans un espace où je sentais que résonnait notre désir, mais dans une atmosphère d'incertitude entretenue par une conversation hasardeuse et des manières qui avaient peur de se tromper. Nous savions que nous finirions dans le même lit mais pour autant nous simulions de l'ignorer.

J'avais pris l'initiative du premier mail dès le lendemain de notre rencontre. Comme Victoria s'était moquée de ma tendance à l'emphase, j'en avais rajouté dans le lyrisme et l'amplification sentimentale — un défaut que j'assume volontiers. Ce premier mail lui confirmait que le quart d'heure de notre conversation avait été un « *enchantement* ». J'y évoquais les trois femmes que j'avais vues ce jour-là, « *aussi bouleversantes les unes que les autres* » : l'inconnue croisée dans la galerie marchande, la guerrière lançant de lourdes boules noires, et la jeune femme à qui j'avais parlé. Je lui racontais que le désir de faire sa connaissance s'était constitué pendant cette heure d'avance que j'avais prise, « *et soyez sûre qu'il m'a fallu tout ce temps pour rassembler le courage de vous aborder* ». La troisième femme s'était laissé apprécier « *dans la proximité d'un tête-à-tête, avec des regards, des sourires et de petites taches de rousseur autour des yeux* », et celle-ci m'avait plu encore plus que les autres. « *Pour quelle raison ?* » En premier lieu parce qu'elle s'était résolue à exaucer le vœu que les précédentes avaient fait naître à deux reprises et de manières si différentes, « *celui de vous connaître* ». J'ajoutais : « *Les deux premières m'avaient fait craindre d'être congédié et la troisième ne l'a pas fait : comment ne pas lui en être éternellement reconnaissant ?* » J'espérais qu'elle ne s'était pas repentie de s'être laissé aborder par un inconnu et qu'elle n'avait pas déjà décidé de « *mettre un terme aux perspectives possibles de cette audace* ». Je lui confirmais la date de mon séjour à Londres en lui demandant de me faire savoir si elle y serait, ou si nous devions prévoir un rendez-vous à Paris. Je terminais en la priant de me recommander un hôtel, « *car celui où je réside habituellement, un trois-étoiles standardisé situé dans un quartier ennuyeux, a tendance à me déprimer* ».

À peine avais-je envoyé ce texte que je m'en étais voulu d'avoir été si explicite. J'avais pris un risque inconsidéré ; même emballée dans une préciosité épistolaire d'un autre siècle, la lourdeur, l'outrecuidance de ce message ne manqueraient pas d'insulter la délicatesse qu'elle avait manifestée en acceptant de me remettre sa carte. J'avais toujours rêvé de vivre un moment comparable à celui-ci et je venais d'en compromettre les suites par un comportement outrageusement démonstratif ; elle ne pourrait répondre à mes phrases sans avoir peur de me paraître aventureuse ou complaisante.

Je me trouvais au sommet de la tour quand le lendemain j'avais reçu sa réponse sur mon BlackBerry. L'incrédulité que m'inspirait son audace accentuait la sidération que chaque nouvelle lecture de ce message me procurait. Une femme n'avait jamais répondu à l'expression de mon désir par une affirmation du sien aussi catégorique — d'égal à égal, les yeux dans les yeux — et cette attitude me subjuguait.

Elle me remerciait tout d'abord de « *reprendre le lead* » et de lui permettre de me « *répondre simplement* ». « *Du repentir ?* » : « *Pas encore…* » Elle estimait que le monde appartient à ceux qui ont de l'audace, et en vertu de ce principe elle me disait que j'en aurais une part, et qu'elle en aurait l'autre, en acceptant la proposition que je lui avais faite de nous revoir à Londres en octobre, « *et de nous offrir du temps…* » Elle s'inquiétait cependant de cette « *superposition de trois femmes* » que je prétendais avoir observées. « *Qui diable avez-vous cru voir ? Ou que croyez-vous imaginer voir ?* » Elle concluait : « *Je suis un peu troublée…* » Puis son message se terminait par quelques lignes qui m'avaient terrassé : « *Je me suis permis de demander à mon assistante de réserver un hôtel pour vous. Nous avons un fee "spécial société" de 150 euros (veuillez voir les formulaires joints en attachement, surtout si vous comptez arriver après 18h). Cet établissement n'est pas très loin de mon bureau, ce qui me permettra de m'échapper facilement sans perdre trop de temps dans les "crazy" embouteillages de Londres. Dites-moi juste par retour vers quelle heure vous pensez être libre de vos obligations... Pour moi 18h30/19h est OK.* »

Quelle allégresse ! L'idée que Victoria réagisse à mon message par une quelconque initiative était déjà de nature à me troubler, mais qu'elle le fasse sur une question aussi intime que mon hébergement, aussi liée à mon corps que le lit où j'allais dormir, et qu'enfin la femme de pouvoir s'identifie à la maîtresse virtuelle en demandant à son assistante de réserver la chambre où elle allait me retrouver, voilà qui me plongeait dans un trouble abyssal. « *Nous offrir du temps...* » : pouvais-je imaginer, émanant d'une inconnue, une phrase plus érotique ? Sans oublier cette allusion électrisante au moment où elle pourrait s'« *échapper* » de son bureau pour venir me rejoindre à l'hôtel « *sans perdre trop de temps* », à la manière d'une maîtresse clandestine... La précision par laquelle se terminait ce paragraphe, « *Pour moi 18h30/19h est OK* », venait confirmer sans ambiguïté le pouvoir érotique de ce mail. Car l'étonnante précocité de cet horaire supposait que Victoria doive retrancher de sa journée un segment temporel d'une durée appréciable — elle qui devait disposer d'ordinaire de son temps avec la plus grande parcimonie, comme tous les cadres de ce niveau. A-t-on jamais vu la DRH d'un groupe industriel employant de par le monde

12 000 personnes sortir de son bureau aux alentours de dix-huit heures, si ce n'est pour accompagner son fils chez le pédiatre ? J'en déduisais qu'il devait être aussi important pour Victoria de venir à ma rencontre que pour une DRH mère de famille de se soucier de sa progéniture — à cette énorme différence près qu'il s'agissait dans un cas d'un devoir vis-à-vis de soi, de son corps et de son imaginaire amoureux, et dans l'autre cas vis-à-vis de l'idéal maternel.

« Pourquoi trois femmes ? Je vous ai paru si différente des deux autres, quand je me suis mise à parler ? J'ai un peu peur que vous vous fassiez des idées sur mon compte. Je vous assure qu'il ne faut pas m'idéaliser. »

Nous avions choisi des huîtres accompagnées de vin blanc. Que Victoria ait décidé de peu manger (« Je n'ai pas faim », m'avait-elle dit dans un sourire en refermant la carte) m'avait semblé de bon augure : je supposais qu'un désir un peu inquiet lui tordait les entrailles. La moitié de la bouteille de vin s'était déjà volatilisée et ses effets se combinaient à l'impact des deux coupes de champagne que nous avions bues au bar du restaurant.

« Vous ne pourrez pas m'en empêcher. Nous sommes ce soir l'un devant l'autre pour cette raison précise que je vous ai. Comment vous dire. Vous représentez pour moi quelque chose de précis. La raison pour laquelle je vous ai suivie et abordée n'est pas seulement physique — ce n'est pas seulement que votre visage ou que votre apparence m'ont plu. Si on abordait toutes les femmes qu'on trouve belles... » Victoria me regarde d'un air soupçonneux en plissant les sourcils. Elle me demande : « Pourquoi ? Vous êtes si sensible à autant de corps et de présences physiques, quand vous marchez dans la rue ?

— Je parlais en général. Moi mes goûts sont tellement affirmés que peu de femmes attirent mon attention. Je me sens concerné par un nombre de femmes étonnamment limité. » Victoria me regarde avec une tendresse amusée. Je suis en train de faire couler le jus d'une coquille d'huître entre mes lèvres quand je l'entends me demander : « Et ce quelque chose de précis, si je puis me permettre d'insister, qu'est-ce que c'est ? » Je repose la coquille d'huître dans l'assiette et m'essuie la bouche avec ma serviette. « C'est difficile à dire. Il serait trop simple de répondre que c'est la femme de pouvoir. La femme émancipée, ambitieuse, intelligente, qui sait ce qu'elle veut, qui sait se faire respecter. J'ai toujours été attiré par les femmes qui ne se laissent pas dominer par les hommes. Elles me fascinent. Je les admire. Elles savent me faire rêver.

— Elles savent vous faire rêver... Vous voulez parler de la femme aux tripes nouées qui n'est pas foutue d'avaler une seule huître ? » À la manière d'un signe de ponctuation par lequel elle conclurait sa confidence, Victoria déplace son verre à la hauteur de son œil droit — un signe inventé par l'ivresse, quelque chose comme une virgule exclamative — avant de le porter à ses lèvres. Aurait-elle été si téméraire si la grande table carrée qui nous séparait ne l'avait pas placée si loin de mon visage ? Je lui souris, avant d'ajouter : « J'en ai trop dit, Victoria. De toute manière, je le sais, je parle trop, tout le mystère de notre rencontre va bientôt s'évanouir. Je crois que j'ai trop bu.

— La réalité est nettement moins reluisante. Je peux vous dire que personne ne me voit avec ces yeux, ou tout du moins en tire le même plaisir, vous n'auriez qu'à interroger les syndicats pour vous en persuader… Moi aussi je suis saoule…

— Qui vous dit que leur combat acharné contre vous ne leur inspire pas des sentiments d'admiration ? Peut-être que sur un autre plan la femme de pouvoir que vous êtes, ou bien la femme tout court, les fait fantasmer, qu'est-ce que vous en savez ?

— J'en serais fort surprise. Mais vous vous trompez sur un point essentiel, c'est qu'il ne s'agit pas d'un combat acharné contre moi. »

Un premier serveur s'était présenté pour retirer nos assiettes et nos couverts, un deuxième vient de passer sur la nappe blanche un aspirateur mécanique en argent, un troisième nous remet les cartes des desserts. Victoria le retient à notre table en levant sa main droite : « One minute », lui dit-elle. « Qu'est-ce que vous prenez ? » me demande-t-elle en parcourant la carte. « Vous voulez réfléchir ou on commande tout de suite ?

— Qu'est-ce que vous allez prendre ?

— Je pense que je vais prendre… la pêche Melba…

— Vous êtes vraiment gourmande. Moi je crois la mousse au chocolat.

— Alors commandons dès maintenant, me dit-elle en refermant la carte. So, we'll have a peach melba and a chocolate mousse. Thank you.

— Et une demi-bouteille d'eau pétillante.

— And half a bottle of sparkling water. »

Le serveur ramasse les deux cartes et s'éloigne. Victoria pose son menton sur ses mains jointes et me regarde avec gravité. « Je voulais vous dire, ou plutôt vous confirmer, le moment me semble venu, je suis un homme de gauche. Avec des idéaux et des principes, des attentes, des colères d'homme de gauche. Et même une certaine forme d'ingénuité. » J'adresse à Victoria un large sourire de connivence : elle y réplique par une contrefaçon de grimace dégoûtée. « Il ne vous aura pas échappé que je suis de droite, me répond-elle sur le même ton faussement sérieux. De droite… libérale… favorable aux principes du capitalisme et aux lois du marché… Il va de soi que je le revendique haut et fort. » Je porte le verre de vin blanc à mes lèvres, le repose sur la table et regarde Victoria avec un air faussement navré : « Voilà qui va poser un problème entre nous.

— Sauf si je parviens, comme j'en ai l'intention, à vous faire basculer.

— Vraiment ? Et comment comptez-vous vous y prendre ?

— Par la justesse de mes arguments. David, franchement, de gauche, un homme intelligent comme vous, à notre époque, vous me décevez…

— Il est peu probable que je devienne libéral.

— Alors expliquez-moi votre attirance pour les femmes de pouvoir… Expliquez-moi ce que vous faites à cette table, dans un restaurant chic, à Londres, avec la DRH d'un groupe industriel mondialisé, à capitaux essentiellement américains, un fonds de pension en plus… Vous vous êtes trompé de porte on dirait !

— C'est en effet assez bizarre. Si nous persistons dans cette envie irrationnelle de nous connaître, vous découvrirez chez moi quelques complexités de cette nature…

— Vous avez l'air assez complexe, effectivement. On sent chez vous une part sensible, un raffinement. Pardon, j'espère ne pas vous contrarier !

— Pas du tout, je revendique cette sensibilité.

— Personnellement, j'adore. Ce mélange de force et de délicatesse, c'est ce qui m'a frappée chez vous immédiatement. C'est la spécialiste du recrutement qui vous parle, je vous recommande d'apprécier cette évaluation à sa juste valeur !

— Mais je l'apprécie, Victoria…

— Il serait impossible d'avoir une conversation comme celle-ci avec aucun des hommes que je fréquente dans le cadre de mon métier — à l'exception notable de mon patron, qui est un homme brillant, cultivé, un amateur d'opéra, vous voyez le genre… Avec les autres on sort rarement des bagnoles, des blagues de cul, des résultats sportifs et du dernier gadget électronique. Mais je les aime bien. Je crois qu'ils ont fini eux aussi par m'apprécier. Je suis parvenue, je croise les doigts, à me les mettre dans la poche, mais à quel prix !

— Que voulez-vous dire ?

— L'idéalisation dont nous parlions tout à l'heure, si vous aviez l'occasion de me voir avec eux ne serait-ce que trois minutes… Je dois faire des concessions à la bête masculine, me montrer conciliante. C'est indispensable pour m'attirer les bonnes grâces d'un certain nombre de types qui pourraient me compliquer la tâche, par exemple les directeurs de site. Alors je me montre peu exigeante sur la qualité des conversations, je suis parfois d'une lourdeur comparable à la leur, il m'arrive d'aller voir des matchs de foot dans de vieux stades en Pologne, ça les rassure de me voir à leur portée ! Voilà en quoi consistent certains de mes déplacements dans les usines !

— Vous voyagez beaucoup ?

— En permanence.

— Mais comment, je parlais tout à l'heure de mon admiration pour les femmes qui arrivent à s'accomplir dans leur vie professionnelle. C'est-à-dire à se positionner comme les égales des hommes. D'ailleurs, il serait temps…

— Je ne vous le fais pas dire…, m'interrompt Victoria.

— Justement, comment font-elles quand elles ont des enfants ? Celles qui ont des enfants peuvent-elles faire votre métier de la même manière et dans les mêmes conditions sans être d'emblée pénalisées ? Vous par exemple, pourriez-vous occuper ce poste si vous aviez des enfants ? »

Victoria me regarde en silence quelques instants.

« C'est une question d'organisation. Il suffit de prendre les dispositions qui conviennent. Je crois que c'est un faux problème la vie de famille. Celles qui se sentent freinées par les enfants, c'est qu'elles n'ont pas l'envie d'évoluer. J'ai l'intime conviction qu'on arrive toujours à se débrouiller quand on désire vraiment les choses, y compris assumer des responsabilités dans l'entreprise. Voilà, c'est le seul truc que je voudrais vous dire à ce sujet… d'ailleurs je vois le dessert qui arrive, c'est qu'on peut choisir sa vie. »

Je profite du silence imposé par l'intrusion du serveur (qui dépose les assiettes devant nous avec une précision méticuleuse) pour échanger avec Victoria des regards qui commencent à se parler. Il fait couler dans nos verres un peu d'eau pétillante, repose la bouteille sur la nappe, nous demande si nous désirons autre chose (« No, thank you », lui répond Victoria d'un sourire), avant de s'éloigner.

« Votre mousse au chocolat ne m'a pas l'air mauvaise.

— Vous pourriez donc occuper ce poste et avoir des enfants…

— Je vous confirme que c'est vraiment délicieux. Il y a des femmes dans l'architecture ?

— Mon milieu n'est plus l'architecture.

— Pourquoi ? Pour quelle raison n'êtes-vous plus architecte ? Pardonnez-moi, j'ai oublié comment s'appelle votre métier. »

Victoria porte la cuillère à ses lèvres.

« Directeur de travaux.

— Qu'est-ce qui vous a incité à vous orienter vers la direction de travaux ?

— Vous avez l'air surprise. Ça vous déçoit qu'on puisse abandonner un métier aussi chic qu'architecte pour aller se mettre dans le bruit et la poussière, au milieu des ouvriers ?

— N'oubliez pas que je travaille dans l'industrie et que je suis une femme de terrain. Mon estime ne va pas seulement aux concepteurs et aux cols blancs.

— Je me serais laissé emporter par mes préjugés ? Pardonnez-moi, j'avais cru percevoir…

— Vous me rappelez mes amis les syndicalistes… qui trouvent toujours à mes questions des accents d'ironie, ou des arrière-pensées perverses… Ainsi, je saurai comment m'y prendre pour vous faire sortir de vos gonds ! »

Victoria éclate de rire. Je la regarde avec sévérité.

« Je le crois volontiers. J'imagine qu'en la matière votre expérience est sans limites.

— Allez, riez, je vous taquine ! C'est vraiment une caractéristique de la gauche que de n'avoir aucun humour dès qu'il s'agit de politique !

— C'est facile d'avoir de l'humour quand on domine le monde. »

Victoria me dévisage avec stupeur. Je jette un œil sur sa cuillère suspendue devant son visage. Il y a un gros morceau de pêche Melba à l'intérieur.

« Vous vous rangez parmi les dominés ? David, franchement, regardez-moi, *vous vous considérez vraiment comme un opprimé* ?

— Ne vous fiez pas aux apparences, mon sort n'est pas aussi enviable qu'il en a l'air. Cela étant je dois admettre que vous avez raison, je n'ai aucun humour dès qu'il s'agit de politique. Même dans un cadre aussi romantique que celui-ci, en compagnie d'une femme comme vous.

— Mais ça me plaît, ça, chez vous, ne changez rien, c'est si rare. Je l'ai perçu dès le premier regard que vous étiez un idéaliste.

— Souvent les gens s'étonnent que j'aie abandonné l'architecture au profit des chantiers. J'en ai connu que cette bifurcation avait déçus.

— Vous êtes resté architecte pendant longtemps ? Racontez-moi, je veux tout savoir sur vous.

— Pendant sept ans. J'ai commencé dans une grosse agence…

— Vous voulez goûter ?

— Oui, volontiers. »

Mes lèvres se referment sur la cuillère que me

présente son bras tendu, je me redresse et savoure le morceau de pêche Melba en la fixant des yeux pendant quelques secondes : j'ai l'impression que le regard de Victoria se répand dans ma bouche et imprègne mon palais.

« C'est excellent…, lui dis-je en souriant.

— Ça m'en a tout l'air…, me répond-elle avec malice.

— Où en étais-je… Je suis un peu troublé…

— Vous me disiez que vous aviez commencé…

— Voilà. J'ai travaillé ensuite dans une agence un peu plus modeste pour laquelle j'ai suivi des chantiers. J'adorais ça : j'étais content d'accompagner mes projets jusqu'à la livraison, de les mettre à l'épreuve de la réalité. »

Victoria déguste sa pêche Melba. Je regarde la cuillère s'introduire avec douceur entre ses lèvres.

« Les architectes n'y connaissent pas grand-chose en matière de chantier : je me suis fabriqué par ce biais une expertise appréciable. C'est à cette époque que j'ai remporté un concours. Enfin, c'est un peu plus compliqué. Pour être précis, il s'agissait d'un concours d'idées qui devait déboucher sur une commande. J'y travaillais le soir après mon travail à l'agence.

— Et vous avez gagné, toutes mes félicitations !

— Vous voyez, je fais déjà d'énormes progrès, je ne vous ai soupçonnée d'ironie qu'un court instant…

— J'aime le sourire que vous avez quand vous prenez plaisir à vous avouer coupable…, me dit Victoria d'un air qui me fait frissonner. Vous vous êtes donc retrouvé avec une commande à honorer…

— J'ai donné ma démission et j'ai créé ma propre agence. Mais, comme je n'avais qu'un seul projet, et que l'activité était réduite, j'ai inventé un métier qui consistait à proposer aux architectes de diriger leurs travaux. J'allais les voir et je leur disais : "Vous me confiez le suivi du chantier puis vous fermez les yeux. Quand vous les rouvrez : le bâtiment est construit." J'avais la double casquette d'architecte et de directeur de travaux, un profil rare qui inspirait confiance. Je faisais donc de la sous-traitance de direction de travaux, cette activité me laissait pas mal de temps pour les projets d'architecture que j'essayais de développer. »

Victoria vient d'achever sa pêche Melba. Je vois les traces de ses coups de cuillère sur les parois de la coupelle en verre.

« Et le concours que vous avez gagné, c'était quoi comme bâtiment ?

— Des maisons cinétiques.

— Pardon, des maisons quoi, qu'est-ce que vous avez dit ?

— Non, rien, laissez tomber, c'est du passé tout ça…

— Non, allez, des maisons quoi ? Please, le mot m'a échappé, je veux tout savoir sur vous ! » Si la table n'avait pas été aussi large, ce qu'un regard accusateur de Victoria sur l'étendue de nappe entre nos corps a eu l'air de déplorer, je suis certain qu'elle m'aurait pris la main. Elle prélève par la tige l'une des fleurs dispersées sur la table et se met à la faire tournoyer comme une hélice aux abords de ma main droite : « Allez, dites-moi, répondez, qu'est-ce que c'étaient ces maisons que vous avez créées… » Les rotations du végétal manifestent la même insistance que le regard de Victoria plongé au fond du mien (les pétales violentent la nappe avec un déchaînement suave et élastique), j'immobilise la fleur entre mes doigts et caresse avec mon pouce le velours jaune de son pistil. J'entends Victoria qui me demande : « Vous ne voulez vraiment rien dire ? » Nous tirons sur la fleur avec exactement la même intensité, elle du côté du sectionné et de l'aigu, moi du côté du coloré et de l'épanoui. Nous restons silencieux un long moment en nous regardant dans les yeux ; mon sexe est devenu dur. Je cède un instant à la traction qu'elle exerce sur la tige et ma main avance sur la nappe vers les verres. Je finis par lui dire : « Des maisons cinétiques. J'avais conçu des logements révolutionnaires.

— Qu'est-ce que vous entendez par révolutionnaires ? » Je regarde Victoria sans répondre. Elle tire sur la tige d'un coup sec. Je lui souris, je me laisse faire, elle communique à ma main une séquence de tiraillements que je trouve implorants. « David, ça vous gêne d'en parler ? J'ai l'impression de vous entraîner malgré vous... Surtout dites-moi si vous voulez qu'on parle d'autre chose...

— Pas du tout. J'aime bien me taire, je vous regarde, j'adore vous regarder, je vous trouve belle. » Victoria me sourit et baisse un peu la tête en entendant cette phrase. Je lâche la fleur en la regardant fixement dans les yeux : j'éprouve une drôle d'impression dans mon ventre. « Bon, je vais vous raconter, mais brièvement. Il s'agissait d'un lotissement à géométrie variable. Pour simplifier, les maisons, une trentaine, étaient construites sur des glissières, sur un circuit de forme ovale, un ovale un peu irrégulier. Les maisons pouvaient se déplacer comme des wagons sur des rails. Le premier vendredi de chaque mois à midi pile le mouvement s'actionnait, les maisons glissaient lentement pendant quatre heures pour venir occuper un nouvel emplacement…

— C'est incroyable comme idée…

— Les résidents changeaient d'environnement, d'orientation. Il n'y avait pas de jardins privatifs mais un parc aménagé en parcelles qui autorisaient une relative intimité. La collectivité s'offrait les services d'un paysagiste et d'une équipe de jardiniers pour entretenir le domaine. C'était l'idée d'un voyage à travers un paysage en neuf chapitres, en neuf tableaux. C'était l'idée de varier les orientations et de jouir des sensations particulières procurées par chacune.

— Vous voulez dire qu'un salon, à six mois d'intervalle, est exposé à l'est ou à l'ouest ? me demande Victoria en faisant faire à la fleur une rotation interrogative.

— Exactement. En plus, les jardins des neuf parcelles étaient tous radicalement différents. Les habitants auraient retrouvé le même paysage tous les neuf mois mais pas tout à fait à la même saison, il y avait un décalage.

— C'est une très belle idée, je l'aime énormément, elle vous ressemble.

— Ce projet a été accueilli avec beaucoup d'enthousiasme. Des critiques d'architecture ont écrit qu'il était révolutionnaire. Des ingénieurs avaient apporté des réponses super sophistiquées au problème du déplacement des maisons. Mais il ne s'est jamais construit.

— Pourquoi ? Quel dommage ! Qu'est-ce qui s'est passé ?

— Il s'est passé que le maire de la ville est devenu ministre. C'était lui qui nous soutenait. Il a dû quitter la mairie pour un grand ministère. » Je marque une pause. Victoria pousse la fleur vers moi avec tendresse : « Vous n'avez pas eu de chance…

— Les hasards de la vie… À partir du moment où il est devenu ministre, il s'est désintéressé du projet. » Victoria extrait la fleur d'entre mes doigts avec délicatesse et caresse ma main avec les pétales. « J'ai continué à prospecter pour des suivis de chantier. Jusqu'au jour où le patron d'une agence parisienne m'a dit OK, on vous prend pour faire de la direction de travaux, mais seulement comme salarié. Devenir salarié voulait dire : liquider mon entreprise. Autrement dit : renoncer à l'architecture.

— Et alors ? Vous avez beaucoup hésité ?

— J'ai passé une semaine à essayer de savoir ce que je devais faire. C'est une drôle d'expérience que de se trouver à la croisée des chemins, et d'en avoir conscience.

— Vous avez fini par leur dire oui.

— Aussi étrange que cela puisse paraître, le jour du rendez-vous, je n'avais pas décidé, je n'y arrivais pas. L'architecte qui dirigeait l'agence, quand je me suis assis en face de lui, m'a demandé si j'avais pris ma décision, et je l'ai regardé sans rien dire… Victoria, je ne sais pas si vous pourrez le croire ou le comprendre, mais j'ignorais ce que j'allais lui répondre. »

Victoria abaisse la fleur sur mon poignet ; les pétales me transmettent de légers frissons calligraphiques le long de l'avant-bras.

En cet instant, il s'en est fallu de peu que je raconte à Victoria qu'à l'époque de ce rendez-vous Sylvie était enceinte de notre premier enfant. Comme elle n'était pas en mesure de travailler, ou même de se projeter dans une quelconque activité professionnelle (pour des raisons que je dirai ensuite), c'était à moi de subvenir aux besoins de notre famille. Au moment où nous allions devenir trois, la question était de savoir si je pouvais me faire suffisamment confiance pour prendre le risque de conserver cette structure, et d'en attendre des revenus. Si j'avais été célibataire, il est à peu près certain que je serais resté indépendant ; j'aurais eu la folie de penser que je pouvais percer par mes propres moyens et devenir architecte.

Mais j'avais tellement envie de passer la nuit avec Victoria que je n'ai pas pris le risque de lui parler de Sylvie à cet instant de la soirée, contrairement à ce que j'avais l'habitude de faire quand je me trouvais dans ce type de circonstances.

« À quoi vous pensez ? me demande Victoria.

— Pardon, à rien, je vous dirai un autre jour. Vous savez aussi bien que moi que dans la vie on ne fait pas toujours ce qu'on veut, on peut prendre la route de gauche alors qu'on rêve de prendre la route de droite, mais celle-ci vous fait peur, la route de droite vous fait rêver mais vous savez qu'elle va vous mettre en danger, qu'elle va vous entraîner dans une forêt d'incertitude... alors vous finissez par prendre la route de gauche à laquelle malgré tout vous trouvez un certain charme — il est possible de trouver des attraits à toutes choses dès lors qu'on prend la peine de les examiner... Une seconde avant de faire ce choix vous pouvez ne pas savoir, *mais alors pas du tout*, quelle décision vous allez prendre… C'est à ça que j'étais en train de penser…

— Vous avez pris à gauche, m'interrompt Victoria. Vous avez dit oui au directeur de l'agence alors que vous rêviez de conserver la vôtre.

— Je lui ai dit c'est d'accord, j'accepte, un d'accord qui m'a surpris, qui a surgi de mon cerveau comme une fusée, j'avais l'impression de me voir de l'extérieur, je me suis vu bondir hors de ma vie pour courir vers cet homme. Mais surtout je constatais qu'ayant dit oui aucun regret ne m'en venait, je me souviens d'une sensation étrange au fond du ventre, une sensation de plénitude. Comme au moment d'une rencontre importante, quand se scelle une relation qui va durer longtemps, quand on découvre que celui dont on est amoureux l'est également, quand on se dit oui. » Victoria est sur le point d'intervenir mais je reprends la parole : « Il n'y a pas que ça mais d'une certaine manière on pourrait dire que je me suis déterminé en fonction du visage de cet homme. Quand il m'a demandé quelle décision j'avais prise et qu'il attendait ma réponse, je regardais son visage… ce visage m'accueillait, il était ma nouvelle vie, je l'ai vu comme un refuge, j'ai compris qu'avec cet homme il ne pourrait rien m'arriver de néfaste… je serais protégé. Lui en revanche il avait la conviction de faire entrer dans son agence un grand talent… et d'ailleurs l'avenir lui a donné raison… C'est drôle, c'est sans doute difficile à comprendre de l'extérieur, je ne sais pas si j'aurais fait la même chose si j'avais dû lui donner ma réponse par téléphone. Mais peut-être que sa voix aurait joué le même rôle que son visage…

— Vous avez l'air de le regretter…

— Pas du tout. Je n'y pense absolument jamais. J'adore mon métier. C'est notre conversation de ce soir…

— Notre conversation de ce soir ? Qui ?

— Qui, eh bien, qui m'amène à me présenter sous ce jour, à la lumière de cet échec. Mais en réalité ma vie professionnelle, même si elle est dure, souvent violente, soumise à des pressions considérables, de plus en plus insoutenables… je suis heureux du métier que je fais. Je n'en veux plus, je crois que j'ai assez mangé, dis-je à Victoria en posant la cuillère en argent sur la nappe.

— Et vous l'avez quitté dix ans plus tard cet architecte ?

— Mais vous avez raison, Victoria. Bien entendu.

— Quand je dis quoi ?

— Quand vous parlez d'amertume et de regrets. Je n'y pense absolument jamais mais si j'ai la lucidité, si j'examine cette question avec soin, alors oui on y trouve des regrets, et un peu d'amertume. Je regrette de ne pas être architecte, mais je refoule cette vérité par le travail, je l'engloutis, je l'asphyxie dans des journées qui durent douze heures. Il suffit d'une conversation telle que celle de ce soir… dont je vous remercie car elle m'apprend quelque chose sur moi. »

Victoria me sourit avec tendresse. Un sourire non pas furtif mais affirmé, intelligent, empli de mots et de pensées, aussi long qu'une longue phrase de consolation.

« Vous voulez un café ? me demande-t-elle.

— Volontiers. Mais plutôt un déca.

— Le café vous empêche de dormir ? Moi aussi il m'empêche de dormir mais ce soir je vais prendre un expresso. »

J'ai fait semblant de ne pas avoir compris ou entendu. Mais si un doute avait subsisté sur les suites qu'elle désirait donner à ce dîner, cette audace de Victoria l'aurait balayé.

« Vous travaillez pour qui, aujourd'hui ?

— Pour une entreprise spécialisée dans l'ingénierie et la maîtrise d'œuvre d'exécution. Nous agissons pour le compte de ceux qui financent les bâtiments, c'est-à-dire les maîtres d'ouvrage… »

Victoria se retourne, cherche un serveur des yeux, n'en voit pas, revient vers moi.

« Je n'ai jamais réussi à mémoriser ce qui différenciait le maître d'œuvre du maître d'ouvrage !

— On appelle maître d'ouvrage celui qui finance le bâtiment, par exemple un promoteur, et maître d'œuvre l'entreprise de BTP à laquelle il a confié le soin de le construire. Vous constaterez qu'ainsi définies ces deux notions sont relativement simples à comprendre…

— Je vous interdis de vous moquer de moi.

— Je ne me moque pas de vous. Et moi je me situe entre les deux, mon rôle c'est de faire en sorte que le bâtiment soit livré dans les temps, au prix convenu, avec la qualité requise. Si le promoteur doit réceptionner le 12 octobre un bâtiment qui normalement doit lui coûter cinquante millions d'euros, je dois faire en sorte que le bâtiment soit de qualité, qu'il soit livré le 12 octobre et que la facture totale n'excède pas cinquante millions d'euros. Il est rare que délai et budget ne soient pas dépassés. Mon métier consiste à contenir ces deux chevaux sauvages que sont le temps et l'argent, et je m'efforce de les dompter par une pression énorme sur le chantier — sur chaque tête, sur chaque bras, à chaque étage, à chaque instant. Vous comprenez ? Je vais vérifier que l'entreprise de peinture ne va pas être bloquée par l'entreprise d'électricité qui n'a pas fini de faire passer ses câbles dans le faux plafond. Ça a l'air con comme ça mais c'est essentiel — et cet exemple se multiplie par cent à chaque minute. Je coordonne, j'anticipe, j'ai pour interlocuteurs tous les corps de métiers, je les fais tenir ou se succéder sur le chantier comme un metteur en scène de théâtre, ou plutôt comme un meneur de revue. Je dois comprendre les problèmes que certains peuvent rencontrer et les aider à les résoudre, y compris quand ils refusent — car souvent les gens sont dans la merde mais ils n'ont pas envie qu'on les aide à en sortir, ils préfèrent se débrouiller tout seuls et en crever. Je vais mettre des ingénieurs à leur disposition. Je vais enfermer dans une même salle pendant deux heures des personnes qui s'ignorent depuis des mois, et les forcer à s'expliquer.

— Sur quel bâtiment vous travaillez, en ce moment ? »

Un serveur se présente à notre table pour savoir si nous avons besoin de quelque chose. Nous lui demandons deux expressos accompagnés de l'addition, Victoria précise qu'elle désire le sien assez serré, « In fact, I'm sorry, ajoute-t-elle en le rappelant, I would like a double expresso, strong, short, thank you », avant de se remettre dans l'intimité de notre échange.

« Je travaille sur la tour Uranus, c'est une tour à

la Défense, vous en avez peut-être entendu parler... » Victoria a incliné la tête, une pensée sur les lèvres ; l'expression de son visage est un mélange de tendresse, d'étonnement, de gratitude et d'incrédulité. Elle a l'air de flotter : une expression scintille dans son regard qui est comme une rêverie qu'elle retournerait dans ses pensées comme un bonbon sous sa langue. Je l'entends qui murmure : « Je ne sais pas, je ne crois pas, mais ce nom me dit vaguement quelque chose...

— Il y a eu pas mal d'articles dans les journaux. Ce sera la plus haute tour de France, si nous arrivons à la construire...

— Pourquoi vous dites ça ?

— C'est une façon de parler... Parce que c'est un bâtiment difficile. Nous en sommes au trente-deuxième étage, il nous en reste dix-huit à construire, et nous avons deux mois de retard. Deux mois, c'est énorme. Or, il n'est absolument pas concevable que la tour Uranus ne soit pas terminée dans les temps. C'est comme ça, je me trouve dans un système d'une intransigeance absolue, je pourrai vous expliquer pourquoi un autre jour. Je dois me débrouiller pour que ce retard se résorbe, en espérant ne pas buter sur de nouvelles difficultés, en espérant que ces deux mois ne deviennent pas trois mois, quatre mois, cinq mois, faute de quoi je risque d'être acculé à la situation la plus pénible qu'un être humain puisse concevoir. J'ai déjà vécu ce genre d'enfer, sur une période plus courte et confronté à des enjeux moins terrifiants, mon existence était devenue aussi agréable qu'une maison enflammée ! »

J'éclate de rire en portant le verre de vin blanc à mes lèvres.

« Je ne comprends pas, vous me parlez d'enfer, d'enjeux terrifiants, qu'est-ce que vous voulez dire ?

— Je veux parler d'enjeux financiers gigantesques. Si le maître d'ouvrage annonce aux gens à qui il l'a vendue que la tour Uranus leur sera livrée avec retard, je vous laisse imaginer leur fureur, les reparties juridiques, les menaces de pénalités, les pressions qui seraient mises sur nous... c'est-à-dire, au bout du compte, sur ma personne... Car le seul à pouvoir corriger la situation, je veux dire concrètement : au-delà des lettres recommandées et des imprécations, avec des résultats tangibles, avec une tour qui se construit un peu plus vite, c'est celui qui dirige le chantier de six heures du matin à neuf heures le soir, c'est celui qui connaît l'intimité du bâtiment et l'ensemble des entreprises qui y travaillent, leurs dirigeants, leur situation économique, leur capacité à augmenter les effectifs et à s'investir davantage. C'est donc sur moi que serait mise cette pression écrasante, *c'est moi seul qui porterais sur le dos la plus haute tour de France*. Je deviendrais la bête noire d'un certain nombre de personnalités d'envergure dissimulées dans l'anonymat de la finance internationale, je pourrirais leurs nuits et l'existence de leurs conseillers...

— Mais de qui parlez-vous ?

— De tous ceux qui doivent récupérer le bâtiment à un moment précis, et qui n'ont pas prévu d'en commencer l'exploitation six mois plus tard. Les deux tiers de la tour ont été achetés par une banque pour s'y installer (ça c'est OK, ce sont des institutionnels, ils sont d'une exigence affolante mais je les connais, ils sont corrects), et le tiers restant par des investisseurs plus ou moins confidentiels. La plupart me sont inconnus, un grand mystère entoure leur identité. Ce qui est sûr c'est que tous ceux qui se contentent de spéculer, je ne veux rien avoir à faire avec eux. Or, si je réussis, personne n'aura l'initiative de venir me féliciter, il sera admis par tous que la tour Uranus aura poussé comme un pissenlit... » Victoria éclate de rire et fait cingler les pétales sur ma main. Le serveur dépose les cafés sur la table et me donne l'addition. Elle s'exclame : « Vous exagérez quand vous dites ça ! David, arrêtez ! Je suis certaine que vous exagérez !

— Vous croyez qu'ils viendront me remettre une enveloppe avec dedans quelques billets d'une grande tendresse pour me remercier de mes journées de douze heures pendant quatre ans ? En revanche, si la tour prend du retard, je verrai surgir sur le chantier, avec des badges de visiteurs accrochés aux rayures de leurs vestes, tout un tas d'individus que personne ne m'aura présentés, des Russes, des Chinois, des hommes d'affaires accompagnés d'interprètes, des avocats, des conseillers — je les verrai se rapprocher de moi à petits pas pour obtenir des éclaircissements officieux... des explications de première main, discrètement... alors que mes patrons m'auront ordonné de ne dire la vérité à personne, de garder pour moi mes intimes prédictions... Vous voyez le genre de situations... »

Victoria me regarde avec incrédulité, sa tasse à la main.

« Et ce retard dont vous parlez, à quoi est-ce qu'il est dû ?

— À des problèmes techniques que nous avons rencontrés. La tour Uranus est un bâtiment compliqué du point de vue structurel, avec des porte-à-faux difficiles à construire. »

Victoria vient d'avaler une gorgée d'expresso et une grimace instantanée s'est répandue sur son visage. Elle repose la tasse sur la table en frissonnant légèrement. Je lui dis : « Il est fort ? C'est peut-être imprudent de boire un truc pareil.

— C'est peu de le dire. Vous voulez goûter ? Je viens vous faire goûter, ne bougez pas, je n'en peux plus de cette grande table cérémonieuse, et surtout j'en ai assez d'utiliser ce végétal pour communiquer avec vous ! »

Victoria se lève avec sa tasse, je me dresse à mon tour pour dégager la chaise qui se trouve à ma gauche et lui permettre de s'y asseoir, « Ah, enfin, voilà qui est mieux, merci beaucoup ! Reprenons, où en étions-nous, vous voulez goûter de ce nectar, de cette potion magique ? », j'extrais la tasse d'entre ses doigts et avale de cette nuit noire, âcre, guerrière, aussi lourde que de l'encre, qui miroite entre les parois de porcelaine. Le pied droit de Victoria se balance souplement sous mon regard le long de la nappe blanche, elle m'excite terriblement, nous nous trouvons désormais dans un tête-à-tête d'une intimité presque indécente compte tenu de l'atmosphère du restaurant. J'hésite à caresser sa cheville, tentante, dont la cadence de balancier semble une prière implorante adressée à mes doigts.

« Je trouve que c'est bien mieux de vous avoir tout près de moi, me dit-elle avec un grand sourire. Vous me parliez de porte-à-faux…

— Il est fort ce café…, dis-je à Victoria en lui

rendant sa tasse. Oui, j'allais vous expliquer, mais c'est difficile à présent…

— Concentrez-vous, il faut clore ce chapitre.

— Vous voulez qu'on parte maintenant ?

— Je veux connaître la fin. Je vous l'ai dit : je veux tout savoir sur vous.

— Alors je me dépêche. Vous devez savoir que la tour Uranus ressemble un peu à un éclair. » Je grave sur la nappe blanche, avec le manche de ma cuillère, le profil du bâtiment. Elle me dit : « Effectivement, c'est assez agressif.

— Vous connaissez ce signe qui met en garde contre les dangers de l'électrocution… c'est un peu la même chose mais en volume, en béton, gigantesque, exposé au regard de tous. La tour Uranus sera comme un avertissement, un signal d'alerte, mais aussi comme une allégorie de ce moment où nous nous foudroierons nous-mêmes…

— *Où nous nous quoi ?* m'interrompt Victoria avec une expression d'étonnement sur le visage.

— Où nous nous foudroierons nous-mêmes, au sens propre comme au figuré… Essayez d'imaginer la puissance de cet impact, une tour de deux cent trente mètres, deux cent cinquante avec la coiffe, visible depuis les Champs-Élysées ou les Tuileries, la place des Ternes, l'île de la Cité et les quais, un éclair gigantesque dans le ciel de Paris. Je ne parle pas de châtiment divin, la tour Uranus n'est pas une tour religieuse mais politique, à la rigueur métaphysique, je vous vois sourire, vous me trouvez ridicule. Mais je persiste dans mes propos, le bâtiment le plus élevé de France finira par incarner les engagements que nous prendrons, bientôt j'espère, collectivement, arrêtez donc de rire, à l'égard…

— Parce qu'on va se foudroyer ? m'interrompt Victoria avec ironie. *Et pourquoi est-ce qu'on se foudroierait ?* ajoute-t-elle en plissant son petit nez, une grimace comme on peut en voir sur le visage des actrices américaines dans les séries télé.

— À cause de la bêtise de notre monde, de cette fuite en avant... » Victoria libère le rire que mes propos ont fait grandir en elle : « Quel tableau apocalyptique ! My God, je vous le confirme, vous êtes vraiment de gauche ! » Je lui réponds le plus sérieusement du monde : « J'étais certain que vous alliez réfuter...

— Je vous approuve pour ce qui concerne l'écologie et la sauvegarde de la planète. Mais pour le reste je vois tellement où vous voulez en venir... Il m'épuise ce discours sur les dangers du libéralisme, sur les dégâts qu'il produit, sur le cynisme de ses acteurs, ou sur leur barbarie. Jusqu'à preuve du contraire le capitalisme est le seul système qui soit capable de produire de la richesse. Vous voulez revenir aux grandes heures du communisme ?

— Ne soyez pas de mauvaise foi. Ce n'est pas ce que je pense et vous le savez très bien. » Victoria dessine un énorme dollar sur la nappe avant de jeter négligemment sa cuillère. Elle me demande : « Une question me turlupine. Comment vos architectes sont-ils parvenus à vendre ce projet aux capitalistes qui le financent ?

— C'était un concours international. Ils ont présenté leur bâtiment comme un objet de forme abstraite qui le cas échéant peut faire penser à un éclair, je veux dire à un éclair de nuit d'été...

— Je pense qu'on la verra comme un sapin votre tour, me dit Victoria en désignant la légère subsistance de mon dessin dans l'épaisseur de la nappe. C'est Noël tous les jours grâce aux richesses produites par le libéralisme et les lois du marché. Des cadeaux merveilleux au pied de l'arbre ! Merci papa Noël ! Merci le libéralisme pour tous ces beaux cadeaux que tu nous apportes dans ta hotte ! » Victoria grave dans la nappe un sapin simplifié, elle y ajoute des boules et des guirlandes puis entreprend de dessiner un peu plus loin un massif bonhomme de neige. Je lui demande : « Les cadeaux au pied de l'arbre... je suppose que vous voulez parler des bonus, des stock-options, des parachutes dorés, ce genre de trucs ?

— Vous êtes vraiment très drôle. Je parlais des emplois qui sont créés, et grâce auxquels les prolétaires comme vous peuvent nourrir leur famille, et partir en vacances, et financer les études de leurs enfants.

— Je ne sais pas comment je dois vous remercier. Il est joli votre bonhomme de neige.

— Pour la peine c'est moi qui vous invite. Il n'y a aucune raison, dans le monde où nous avons envie de vivre tous les deux, et où les femmes auraient autant de pouvoir que les hommes, que ce ne soit pas moi qui prenne l'addition ! »

Victoria a payé, nous sommes sortis, l'atmosphère s'était rafraîchie. Nous avons dérivé dans la nuit comme au hasard des appels qu'exerçaient sur notre rêverie les rues que nous croisions, une perspective énigmatique, un bouquet d'arbres à la lueur d'un réverbère (il faut dire que le quartier était vraiment très agréable), mais en réalité je pilotais notre errance vers la zone où je pensais que se trouvait mon hôtel. Victoria me disait : « On va par là ? », et je faisais semblant d'hésiter, « Oui, pourquoi pas, et puis non, prenons plutôt par cette rue-là, vous êtes d'accord ? », et Victoria m'approuvait, « Si vous voulez ». L'intuition m'était venue qu'elle avait voulu nous égarer et qu'à travers cette stratégie elle désirait repousser dans les profondeurs de la nuit le moment où elle devrait se clarifier. Elle m'avait paru plus offensive à certains moments du dîner, et désormais je la voyais flotter dans une anxieuse indécision. Nous n'osions pas nous tenir par la main, nous marchions côte à côte en nous frôlant, je me demandais si elle doutait du désir qu'elle éprouvait pour moi, si la facilité avec laquelle elle me cédait effrayait ses principes et l'opinion qu'elle se faisait d'elle-même ; ou alors cette réserve attentiste qui raidissait mon corps lui faisait prendre pour de l'indifférence la peur de lui déplaire qui hantait mes pensées, si bien que nous étions tous deux comme de l'immatériel en suspension, incapables de devenir tangibles l'un pour l'autre.

Je me disais qu'il serait sans doute plus raisonnable de ne rien entreprendre. Fallait-il que je complique mon existence en prenant le risque d'apprécier cette nuit, et de vouloir qu'il y en ait d'autres ? À l'inverse, étais-je certain de désirer cette femme suffisamment, étais-je assuré de pouvoir faire face à sa férocité, aux exigences de son plaisir ? J'avais passé la soirée à laisser s'égarer mes regards dans cette longue fente qui surgissait du chemisier généreusement déboutonné, en transparence duquel je pouvais voir la fine dentelle d'un soutien-gorge ; la profondeur de ce sillon me subjuguait, il ne cessait de s'ouvrir et de se refermer selon que Victoria se tenait penchée en avant, tendre et confiante, ou au contraire se redressait, vindicative. Mais néanmoins la possibilité qu'une fois déshabillée elle puisse ne plus me plaire n'avait pas quitté mes pensées de toute la soirée. Que ferais-je si Victoria m'apparaissait dénuée d'enchantement ? Elle possédait l'un de ces corps dont la révélation peut se trouver bouleversante, ou au contraire faire disparaître en un instant l'illusion de volupté qu'il avait su créer.

Une autre chose m'avait préoccupé pendant toute la durée du dîner, c'était l'atmosphère provinciale, conservatrice, d'inspiration catholique, qui imprégnait le corps de Victoria et son visage des beaux quartiers, son large bassin de génitrice et ses chaussures, ses vêtements, sa coiffure de bourgeoise. Allais-je le supporter ? Cet exotisme idéologique allait-il se révéler excitant ? Quand Victoria, juste avant qu'elle ne paie l'addition, s'était levée pour se rendre aux toilettes, j'avais suivi des yeux son bassin magistral à travers la salle de restaurant — et j'avais pu vérifier mon désir de faire l'amour avec cette femme classique et capiteuse, de m'abandonner à la fascination qu'elle produisait sur mon imaginaire, de me soumettre à ses désirs de reine, de me constituer prisonnier. Mais bien sûr qu'elle me plaisait ; je l'admirais ; qu'elle évolue dans les hautes sphères de l'industrie m'impressionnait ; sa féminité me subjuguait ; la savoir riche me séduisait ; elle me faisait rêver. Et enfin cette saveur surannée qui au début m'avait gêné avait fini par m'exciter, la perspective de profaner par des baisers cette atmosphère si respectable m'électrisait, j'avais envie d'en dénouer avec mes doigts les codes et les symboles, d'y introduire de la sueur et des caresses. Je n'avais jamais connu d'érection aussi complexe, résultant d'un désir où se combinaient des sensations aussi contradictoires. Ses yeux verts où crépitaient des lueurs d'intelligence, l'attraction qu'exerçait sa poitrine, le plaisir que me procuraient ses cheveux bruns aux reflets roux rendaient piquantes l'autorité de ses convictions politiques (que je trouvais détestables) ou l'arrogance que sur certaines questions son poste de DRH lui conférait, toutes choses qui hors de ce contexte m'auraient carrément révulsé. C'est la réunion de ces différentes appréciations qui constituait pour moi la réalité de Victoria, et l'attirance que j'éprouvais pour cette jeune femme se nourrissait de leur contraste. Il m'avait semblé, tandis que je marchais dans les rues de Londres à ses côtés, que l'érection qui entravait mes pas ne prendrait jamais fin.

« David, j'aimerais connaître la raison de ce silence. Vous réfléchissez ?

— Si moi je réfléchis ? Vous trouvez que j'ai la tête, regardez-moi Victoria. J'ai la tête de quelqu'un qui réfléchit ? » Victoria s'immobilise et me regarde. Elle me dit : « Je ne sais pas. Un peu. Vous avez l'air de réfléchir un peu.

— Et vous Victoria, vous réfléchissez ?

— Oui, je vous l'avoue, moi je réfléchis.

— Regardez comme cette rue est charmante. Venez, traversons, nous allons la prendre.

— Vous en êtes sûr ? Où allons-nous ?

— Au hasard des rues et de la nuit. Attention à ce taxi.

— Et vous savez à quoi je réfléchis ?

— J'en ai une vague idée, vous vous interrogez.

— Je me pose plusieurs questions. D'ailleurs, vous vous posez peut-être les mêmes, et nous pourrions nous réunir pour y répondre ensemble.

— Il est probable que nous nous posons les mêmes questions en effet. C'est possible en tout cas.

— Que voulez-vous dire ? Pourquoi *possible* plutôt que *probable* ?

— Différentes questions sont *envisageables* dans ce type de circonstances.

— Ah bon.

— Victoria.

— Quoi ?

— Quelles sont les questions que vous vous posez ?

— Je me demande à quoi vous pensez. Je me demande quelles sont vos intentions. Je me demande ce que nous allons faire. » Je me suis arrêté brusquement. Victoria s'immobilise à contretemps et se retourne pour m'écouter : « Est-il utile, pensez-vous qu'il soit souhaitable de se poser ces questions, et de les formuler à voix haute ? Vraiment, vous êtes sincère, vous ignorez de quelle manière nous allons répondre à ces questions ? » Je me suis remis à marcher en terminant ma phrase et rejoins Victoria que j'entraîne avec moi en me serrant contre elle. Elle me saisit le bras avec tendresse : « Je redeviens une petite fille, une débutante. Je me sens bête, cette soirée m'intimide. Je ne sais pas ce que nous devons faire. Je ne sais plus où se trouve votre hôtel.

— Nous nous serions perdus ? » Victoria me lâche le bras et s'écarte. Je la regarde et lui déclare : « Je vais vous dire ce que nous allons faire. Et surtout vous indiquer où se trouve notre hôtel.

— Notre hôtel ?

— Notre hôtel.

— Et alors ? Où se trouve-t-il ?

— Derrière vous. » Victoria se retourne et considère le bâtiment devant lequel nous nous sommes arrêtés. Elle se met à sourire, un grand sourire heureux qui dure longtemps. Nous nous tenons tout près l'un de l'autre.

Je me penche pour l'embrasser, Victoria détourne la tête au dernier moment et j'effleure avec mes lèvres la commissure des siennes. « Allons, me dit-elle, que faites-vous donc ? » Elle me prend dans ses bras, je plaque contre ses hanches mon sexe en érection.

Nous sommes montés dans la chambre sans nous parler ni nous embrasser. J'ai allumé la lumière en entrant, Victoria s'est avancée dans la pièce, je l'ai vue qui lâchait son sac à main au pied du lit. J'ai déposé la clé sur le bureau, quelques pièces de monnaie, mon BlackBerry, je voyais Victoria examiner le décor de la chambre, de dos, comme éloignée dans l'abstraction d'une imminence. Elle regardait de loin les meubles et les objets, survolait les tableaux qui décoraient les murs, mais en réalité il me semblait qu'elle s'était retranchée dans un espace d'attente ; elle absorbait ce que la chambre renvoyait sur sa conscience des événements qui allaient s'y produire, depuis l'endroit qu'elle occupait, près des rideaux, où elle sentait que j'allais la rejoindre, jusqu'au lit qui s'étendait sur sa gauche, ample et blanc, avec une rose sur l'oreiller, où elle savait que nos caresses nous entraîneraient. Les épais rideaux grèges, tirés, opaques, éclairés avec intimité par une seule lampe, sur lesquels sa silhouette et cet instant se détachaient, en accentuaient la dramaturgie ; nous étions à l'intérieur d'un cube feutré suspendu dans la nuit.

Victoria a fini par se retourner, étonnée de ne plus rien entendre, et elle m'a vu qui l'observait à l'autre extrémité de la chambre, un sourire sur les lèvres. Son visage me confirmait ce que les frémissements de sa silhouette m'avaient laissé entendre ; cette même pudeur qui dans la rue avait déporté mon baiser aux abords de ses lèvres égarait ses regards à la surface de la moquette et sous les meubles. Elle avait cet air oblique, estompé, horizontal, dont il arrive que s'accompagnent une peur diffuse, une interrogation rêveuse, le commencement d'un remords. Chaque instant que Victoria démarrait s'étirait, ses regards s'allongeaient simultanément dans l'espace et le temps, un sourire qui surgissait mettait du temps à se dissoudre. On entendait des voitures passer dans la rue mais il semblait que leur rumeur avait été éloignée par le même type de dérèglement que celui qui ralentissait l'écoulement de ses gestes, de ses pensées, des mots qu'elle voulait dire, et qu'elle taisait.

J'avais du mal à croire que cette hésitation de tout son être n'avait pas pour objectif délibéré d'érotiser l'attente. Je me suis approché d'elle, j'ai pris son visage entre mes mains avec autorité et j'en ai réglé l'inclination comme je l'aurais fait d'un projecteur ou d'une lampe orientable, afin que son regard soit braqué sur le mien. J'ai retrouvé l'étincelle que ses yeux verts m'avaient lancée quand je l'avais croisée dans la galerie marchande. La manière dont mes doigts qui l'orientaient disaient à ce visage de regarder la vérité en face s'imprégnait de gravité, et d'une certaine emphase. Je forçais Victoria à affronter mon regard, et m'obligeais moi-même à m'immerger dans le sien.

L'étincelle dont nous nous consumions se prolongeait, je sentais le visage de Victoria se débattre entre mes doigts, une poussée s'amplifiait dans nos corps en réaction à ces regards qui se vrillaient l'un l'autre avec la même violence qu'un instant percutant qui s'enraye — et au moment où cette poussée allait sans doute atteindre son paroxysme, Victoria a explosé entre mes doigts.

Sa bouche s'est jetée sur la mienne, j'ai entendu des coutures qui craquaient, elle dévorait mes lèvres avec fureur en essayant de me déshabiller. Il a fallu qu'elle vienne calmer ses doigts sur chacune des boutonnières de ma chemise, ils s'affairaient comme des insectes sur ces obstacles qu'ils devaient vaincre, je les voyais qui tremblaient d'impatience. Ayant fini par retirer mes chaussures, ayant jeté ma chemise sur les rideaux, ayant tiré avec force, à coups secs verticaux, les jambes de mon pantalon, elle s'est interrompue, éclatante, essoufflée. Je l'ai vue accroupie qui plaquait ses deux mains sur mon torse et les y déplaçait avec lenteur ; des frissons enflammaient la surface de mon corps. Elle s'est soudain interrompue, je la fixais des yeux, des gouttes de sueur qui coulaient sur ses tempes traversaient de leur brillance cette accalmie incandescente ; des coccinelles de cristal. J'attendais, tendu, torturé, que les paumes de Victoria reprennent leur lente descente vers l'élastique de mon caleçon, les pulsations de mon désir décomptaient les lourdes secondes de ce moment de suspension, arrêt intolérable. Le mouvement a repris, Victoria contemplait ses mains qui appliquées sur ma poitrine descendaient dans la lumière de son regard, j'ai fermé les yeux, elles accéléraient leur avancée vers mon ventre. Puis Victoria s'est retirée, je n'ai plus rien senti, je me suis retrouvé seul, j'ai attendu quelques secondes dans la nuit noire de mes paupières fermées mais elle n'est pas réapparue. Il a fait froid soudain ; une sensation de lendemain est venue m'attrister.

Mes yeux se sont rouverts et j'ai vu Victoria devant moi un sourire sur les lèvres. Elle s'est reculée en me disant « Regarde » et elle s'est mise à se déshabiller, déboutonnant son chemisier avec lenteur, méticuleuse. Elle l'a jeté sur ma chemise roulée en boule au pied des rideaux grèges, la fermeture éclair de sa jupe a crépité entre ses ongles comme un bateau à moteur sur une mer d'huile, nous ne cessions de nous fixer des yeux, il m'a semblé qu'un léger sourire guerrier se dessinait sur ses lèvres, sa jupe a rejoint mon pantalon près de la porte de la salle de bains.

Victoria se tenait dans ses escarpins à talons, jambes nues, en soutien-gorge et en petite culotte. J'avais devant moi un corps absolument gigantesque, harmonieux, avec des proportions parfaites, ses hanches étaient de celles qu'un artiste aurait pu imaginer pour l'apparence phénoménale d'une déesse ; elle me faisait penser à une statue dans le parc d'un château. J'ai voulu m'approcher mais elle me l'a interdit par un « Attends » qui n'admettait aucune conciliation, il y avait désormais dans son regard la même sévérité que sur ses lèvres quelques instants plus tôt ; il devait l'exciter que je regarde son corps. Mon sexe en érection battait la mesure sous mon caleçon, je n'avais jamais approché de physionomie comparable à la sienne, douce et ferme, pulpeuse et métallique, épanouie mais sans le moindre embonpoint — s'opposant par cette ampleur majestueuse à la musique de chambre de la plupart des jolis corps que l'on rencontre. « Regarde, m'a-t-elle dit, regarde mes seins, je vais te les montrer, j'espère qu'ils vont te plaire, ils sont pour toi, je te les offre », et sa poitrine est advenue sous mes yeux comme un ralenti de phénomène naturel dans un documentaire.

Je contemplais sa lourde poitrine en poire, sublime, que je trouvais sublime, d'un dessin idéal, il me semblait n'avoir jamais vu d'aréoles aussi rigoureusement circulaires, comparables à des pièces de monnaie. Le visage de Victoria s'était empreint de gravité, elle avait les bras légèrement écartés des hanches, elle invitait mes yeux à parcourir son corps, à s'attarder sur ses régions les plus intimes, à s'abreuver du plaisir que leur contemplation leur procurait. Je la sentais qui frémissait sous la frontalité de toutes ces effractions, mon regard inquisiteur avait l'air de faire respirer sur ce corps ardent, à la manière d'un soufflet sur des braises, des vagues de rougeoiement ; j'ai cru qu'elle allait jouir d'être simplement regardée.

J'ai retiré mon caleçon, Victoria m'a imité avec le même déséquilibre entraîné par l'émotion, je l'ai vue lutter contre un sourire qui transgressait la gravité de son visage quand elle a lancé sa petite culotte sur mon sous-vêtement. J'ai aimé ce sourire échappé où j'ai trouvé la confirmation que nous connaissions tous deux la proportion exacte de jeu et de théâtre, de malice, de fantaisie, dans l'équation érotique de cette nuit. J'ai relevé les yeux sur Victoria pour lui adresser le même sourire de complicité — mais le sien avait déjà disparu. Je bandais, mon sexe se dressait dans la pénombre, Victoria l'a regardé longuement comme je l'avais fait durant plusieurs minutes avec sa poitrine, la muraille de ses hanches, ses belles cuisses de statue. Ses yeux densifiés par le désir me procuraient le même plaisir que l'auraient fait ses doigts, ou bien ses lèvres. Je me suis dit qu'une autre femme le contemplant de loin avec la même avidité aurait sans doute obtenu de mon sexe qu'il écourte cette expérience par une flaccidité presque immédiate ; il se serait recroquevillé de timidité. À l'inverse, concentrée tout entière sur cette partie si vulnérable de mon anatomie, elle en accentuait l'assurance et l'intrépidité, et peut-être même une inédite allégresse de pirate — il se produisait avec cette femme quelque chose qui n'était pas ordinaire. Je me suis approché d'elle, je l'ai prise dans mes bras, j'ai serré son corps contre le mien le plus puissamment que je pouvais ; et je l'ai embrassée sur la bouche.

Nous avons fait l'amour pendant cinq heures. Moi qui suis d'un naturel anxieux, et qui redoute toujours de provoquer la déception, j'ai basculé sur ce lit sans trembler, affranchi de toute inquiétude, emporté par une ivresse irraisonnée.

J'ai vécu Victoria comme une profonde forêt nocturne que j'arpentais sans savoir où j'allais, à travers bois, au milieu des fougères, sous de grands arbres qui frissonnaient, à l'écart de tout sentier. Il y avait des bruits, des flaques, des odeurs, de l'humidité, des silhouettes qui s'éclipsaient, des cimes qui surplombaient nos corps. Je ne pensais à rien, je laissais nos ébats me conduire, je vivais des moments de plénitude et d'étonnement, d'euphorie et d'intimidation, et puis des épisodes de grâce où Victoria me souriait, éperdue et heureuse, comme allongée dans une clairière.

C'est avec un naturel qu'aucune pudeur ne contrariait que se succédaient dans toute leur variété les positions que nos corps s'inspiraient. Je me trouvais sur Victoria ou elle sur moi ; mes talons s'appuyaient sur les parois du lit et je voyais sa poitrine ondoyer sous mes coups. Je la prenais par derrière et elle mordait un oreiller. Nous nous sommes aventurés sur le bureau. Je l'ai prise dans les toilettes où elle s'était rendue pour aller faire pipi. Elle m'a traîné au pied d'un grand miroir en me donnant comme instruction d'y regarder ses lèvres manger mon sexe ; Victoria a exigé que je l'y prenne en levrette, elle se fixait des yeux tout en m'invectivant, « Regarde, regarde-toi me faire l'amour... Regarde comme tu me donnes du plaisir, tu es dur, je vais jouir ».

Des éclairs se succédaient dans son regard, elle m'implorait, elle s'accrochait à mes bras comme si une vague allait l'emporter. Je l'entendais hurler, je la voyais violentée par des décharges qui parcouraient son corps, il se cabrait, il avait l'air de réagir à de puissantes morsures. Il arrivait que Victoria reste contractée plusieurs secondes, culminante, douloureusement paroxystique, et que ses doigts terrorisés tentent d'attraper quelque chose qui avait dû éclore dans la nuit — comme la main d'un noyé qui seule dépasse de l'eau et essaie de se saisir d'une perche imaginaire, avant de disparaître à son tour.

Je n'en croyais pas mes yeux. Je n'avais jamais été certain d'être parvenu à faire jouir une femme, Sylvie avait toujours tenu secrets les résultats de nos ébats, et Victoria, sous mon regard incrédule, semblait s'être engagée dans un combat impitoyable — comme si l'orgasme la dévastait, ou l'expulsait d'elle-même, ou l'entraînait au fond de l'eau.

Nos corps jetés sur le lit dans le désordre d'un dénouement explosif se rapprochaient à tâtons sans modifier leur orientation initiale, et composaient de ce fait des figures singulières : un visage sur une cheville, une rotule sur un torse, des cheveux répandus sur une colonne vertébrale. Victoria continuait de grésiller et d'absorber de brèves secousses crépusculaires pendant de longues minutes, exténuée, les yeux fiévreux ; des mèches de ses cheveux mouillés étaient plaquées sur son visage ; un léger sourire de démence s'attardait sur ses lèvres, « Salaud, me disait-elle dans un soupir d'agonisante, tu vas me faire mourir. » Il lui fallait un peu de temps avant qu'elle ne s'apaise, Victoria se blottissait contre moi, nous nous serrions dans les bras l'un de l'autre.

Nous nous faisions des confidences. Nous nous examinions avec la plus grande objectivité, à l'image d'un médecin qui analyse un symptôme ou vérifie l'état de fonctionnement d'une articulation. Comme je ne jouissais pas, il suffisait d'un baiser pour qu'une nouvelle étreinte interrompe ces échanges ; et nous faisions l'amour longuement.

Victoria m'a appris qu'elle était née à Barcelone d'une mère anglaise et d'un père allemand ; elle avait été élevée en France, d'où son français parfait. En raison de ces origines familiales, elle s'était toujours vécue comme une expatriée fondamentale : elle avait occupé des postes en Chine, à Singapour, en Allemagne et désormais à Londres. Avait-elle déjà vécu dans cette ville avant d'y travailler ? Jamais. Depuis combien de temps occupait-elle ce poste de DRH ? Deux ans. Était-elle diplômée d'une école de commerce et de management ? « Pas du tout. J'ai suivi des études de philosophie à la Sorbonne. Telle que tu me vois, je suis docteur en philosophie, m'a-t-elle avoué dans un sourire. Je peux te parler de Kierkegaard si tu veux. » J'étais allongé sur le dos et enlaçais Victoria, son visage reposait sur mon épaule, un doigt rêveur se promenait sur mon torse et y laissait d'énigmatiques figures. Nous nous parlions sans pouvoir nous regarder dans les yeux, il y avait dans nos murmures une lenteur somnolente. Victoria était en train d'étudier les phalanges de mes doigts (« J'aime beaucoup tes mains », venait-elle de me confesser) quand elle m'a dit à quel point elle m'avait trouvé beau les deux fois qu'elle m'avait croisé dans la galerie marchande. « Pourquoi tu dis deux fois ? Tu m'avais déjà vu, avant le moment où nos regards se sont croisés ?

— Oui, mais ton visage ne s'est pas tourné vers le mien. Je t'ai tout de suite remarqué, tu étais comme un ange un peu blessé, à l'écart des autres et de la foule… J'étais frappée par ta ressemblance avec l'acteur Joaquin Phoenix, je ne sais pas si on te l'a déjà dit…

— On me le dit tout le temps.

— J'adore cet acteur.

— Moi aussi. *The Yards* est l'un de mes films préférés.

— On est deux. Bref, ce jour-là j'étais triste, mais vraiment triste, et te croiser, apercevoir ton visage m'a fait souffrir encore plus… J'avais déjà l'impression d'être en bordure d'un précipice… mais alors là, quand je t'ai vu, ça m'a achevée… je me suis dit que j'avais déjà basculé dans le vide, que j'allais m'écraser sur le sol !

— Effectivement, j'ai senti chez toi une tension. J'ai pensé qu'on t'avait fait du mal, qu'on t'avait contrariée.

— Je ne peux pas t'expliquer pourquoi pour le moment, c'est un peu long à raconter. Mais je m'étais mise à avoir peur de vieillir… J'étais en train de traverser une phase de panique typiquement féminine !

— Pour cette raison que tu préfères garder pour toi…

— Exactement, pour cette raison que je préfère garder pour moi. Je me disais qu'à quarante-deux ans je n'avais plus que quelques mois pour séduire. J'avais perdu mon assurance, je m'étais mise à douter de mon physique et de l'effet qu'il pouvait produire sur les hommes. En te voyant traverser la foule avec indifférence, je me suis dit ça y est, les types de cette catégorie ne me regardent même plus. J'ai eu envie de me mettre à pleurer quand tu m'es passé à côté sans même t'apercevoir de ma présence ! » Victoria éclate de rire en me serrant les doigts, qu'elle embrasse avec tendresse. Je lui dis : « Quand nos regards ont fini par se rencontrer, je ne crois pas t'avoir témoigné de l'indifférence...

— C'est vrai, mais du coup ça m'a rendue encore plus triste. Je me suis demandé pour quelle raison je ne croisais jamais des hommes comme toi dans les milieux que je fréquente. Pourquoi faut-il que ce soit toujours dans la rue, dans les trains, et jamais dans les cocktails où je suis invitée ? C'est quand même incroyable, comment expliquer cette malédiction ? J'étais désespérée de te voir disparaître...

— Je me suis dit la même chose.

— Les femmes n'ont pas la possibilité, et c'est d'une grande injustice, d'aborder les hommes qui leur plaisent.

— Tu aurais dû te retourner. Sache que moi je me suis retourné. Si tu l'avais fait, je serais venu vers toi.

— Me retourner revenait donc à t'aborder...

— Si tu veux.

— C'est précisément la raison pour laquelle j'ai résisté à la tentation de le faire. Une femme ne peut pas se retourner sur un homme, même si elle en meurt d'envie... » Il me semble qu'elle a souri en prononçant cette dernière phrase. Elle continue : « Tu imagines mon émotion quand je me suis rendu compte que tu te trouvais derrière moi au vestiaire du bowling. C'était atroce, je devais me battre contre l'envie de te dévorer du regard, mes yeux papillonnaient autour de ton visage sans savoir où se poser, j'avais peur que tu me prennes pour une folle ! » Un ongle de Victoria dessine de petits cercles sur ma poitrine, comme des boutons sur une tunique d'officier. Je lui réponds : « Je ne me suis aperçu de rien.

— C'était loin d'être agréable, tu me regardais fixement, je me sentais comme une mangouste devant un serpent charmeur. Et quand la retraitée américaine m'a proposé de permuter nos places...

— Je m'en souviens, c'est à ce moment-là que j'ai commencé à me dire que je te plaisais...

— Je l'ai envoyée balader, je voulais savourer mon émotion, laisser durer l'instant de cette surprise. C'est drôle, je me sentais dans un état bizarre, folle et fragile, je ne savais pas comment j'allais me sortir de cette situation... Je suis arrivée à ne pas croiser ton regard, je me demande encore comment j'ai fait, j'avais peur que tu découvres dans quel état tu m'avais mise, je jetais de brefs coups d'œil sur tes vêtements, tes mains, tes chaussures, et aussi sur ton visage quand je voyais que tu tournais la tête. J'aimais beaucoup tes vêtements, je te trouvais raffiné, il y avait quelque chose de sophistiqué dans ton look, c'est relativement rare chez les hommes. Je me suis demandé si tu n'étais pas gay.

— Tu as pensé que j'étais gay ?

— J'ai décidé que tu l'étais. Beau et viril avec un air de douceur, je me suis dit ce type est gay, j'étais rassurée que tu sois gay. Gay, tu devenais moins dangereux. Gay, je n'aurais aucune question à me poser. » J'ai tourné la tête pour déposer un baiser sur le front de Victoria. Elle a levé le visage pour réclamer un autre baiser mais sur la bouche, que je lui ai donné. « Et après ? Qu'est-ce que tu t'es dit quand je t'ai abordée ?

— J'ai entendu des pas derrière moi qui se rapprochaient, j'ai vu une ombre à ma hauteur qui allait me dépasser, c'était toi qui me parlais. Je me suis arrêtée, je t'ai écouté, tes phrases étaient belles, j'ai adoré ton histoire d'opéra qui dure cinq heures. Mon cœur pulsait dans mes oreilles, j'avais du mal à contenir le sourire que je sentais grandir en moi. J'admirais le courage qu'il avait fallu que tu trouves pour venir me parler.

— J'étais certain que tu allais m'exécuter. » Un long silence. Je ferme les yeux. Je me sens bien. J'ai l'impression que je pourrais m'endormir au son de sa voix, bercé par ce récit parfait. J'entends Victoria qui murmure à mon oreille : « Tu as eu raison d'avoir peur, je l'ai bien vu que tu étais terrorisé. Si je n'avais pas senti que tu étais quasi certain de foncer dans un mur, je ne t'aurais jamais laissé m'adresser la parole, même si tu me plaisais. Par contre, quand tu m'as dit que tu m'avais suivie, que notre rencontre au vestiaire du bowling n'était pas due au hasard... j'ai pensé que tu n'étais qu'un chasseur de femelles qui passait ses journées à traîner dans les rues pour assouvir ses besoins. Je t'en ai voulu de m'avoir trompée.

— Je t'ai pourtant expliqué que le temps m'avait manqué...

— Je sais, je t'écoutais te justifier... et peu à peu j'ai senti comme un mouvement de révolte dans mon cerveau, je me suis demandé de quel droit je pouvais ne pas te croire et porter sur toi un jugement si négatif. J'ai compris que j'étais en train de mettre en place un mécanisme de défense. Je m'étais d'abord dit que tu étais gay, je te voyais maintenant comme un obsédé sexuel, et puis quoi encore ? La vérité c'est que tu m'avais plongée dans un état que je n'avais jamais connu.

— Continue. C'est troublant de revivre cette scène à travers ton regard. Je t'écoute les yeux fermés et je me sens comme dans ton corps face à cet inconnu qui m'aborde…

— Ces questions se sont succédé dans mon esprit pendant que tu parlais. Je savais que je cherchais, par des arguments fallacieux, à supprimer l'emprise que tu avais sur moi. Mon plexus solaire irradiait, des espèces de zigzags traversaient ma poitrine, j'avais l'impression que mon squelette était de chair, une chaleur diffuse envahissait mon bas-ventre. Je tremblais, je transpirais, je n'arrivais plus à parler. Je me suis sentie vivante, et nulle à en pleurer.

— Je t'ai demandé si je pouvais t'inviter à boire un verre. Je ne me souviens plus de la phrase que je t'ai dite. *Je peux vous inviter à boire un verre ?* »

Victoria éclate de rire, un rire affectueux d'une grande douceur, en m'entendant lui dire cette phrase avec la même timidité que quand je l'avais prononcée dans la galerie marchande. Je la répète : « *Je, je peux vous inviter à boire un verre ?*

— Quelque chose de ce genre, énoncé avec beaucoup de précautions, qui m'a donné confiance. Outre un fond de bonne éducation qui m'interdit d'accepter ce genre d'invitations, j'avais un rendez-vous professionnel important. J'ai hésité, j'étais prête à me permettre vingt minutes de retard, je me suis sentie sur le point de te céder. Mais j'ai fini par me dominer, je t'ai dit non et j'ai apprécié que tu n'insistes pas.

— Je t'ai demandé si nous pourrions nous revoir un de ces prochains jours, à Londres ou à Paris. Tu m'as donné ta carte de visite.

— Je te regardais, mon sexe était brûlant, j'avais envie de faire l'amour avec toi. Il y avait nos mots civilisés, nos phrases respectueuses, mais je sentais un au-delà des mots, un langage plus primitif, animal, qui m'effrayait, que je trouvais trop intense, surtout avec un inconnu rencontré dans un espace public ! Et alors j'ai accepté ton invitation à nous revoir, je t'ai dit oui en me demandant à haute voix si l'étincelle existerait encore. Je me suis dit plus tard que j'étais complètement folle de t'avoir dit cette phrase, *Et nous verrons si l'étincelle existe encore* ! À un inconnu ! Une déclaration aussi explicite, à un mec qui vient de me brancher ! Je n'étais plus moi-même, je n'ai pas arrêté de me demander ce que tu avais pu penser de moi en m'entendant te dire cette phrase !

— Elle a été pour moi comme un miracle. Habituellement les femmes ne prononcent pas ce genre de phrases. Je me suis dit que tu nous propulsais dans un conte de fées.

— J'ai eu peur que tu me prennes pour une salope.

— C'est tout l'inverse. Je t'ai prise pour une magicienne. Seule une femme hors de portée, réellement hors du commun, peut dire une phrase pareille à un homme qui vient de l'aborder. »

Je parle les yeux fermés. J'éprouve au fond de moi comme une sensation d'infini. J'entends de rares voitures qui passent dans la rue, une chasse d'eau dans une chambre voisine, une porte qui se referme avec délicatesse, nocturne et mystérieuse, une fois de temps à autre.

« Je suis loin d'être une salope.

— Je n'en ai jamais douté, Victoria.

— J'espère bien que tu n'en as jamais douté !

— Alors pourquoi tu te poses la question ?

— À cause de la facilité avec laquelle je me suis laissé convaincre de te donner ma carte. Le lendemain, dans l'Eurostar de sept heures treize, à moitié endormie malgré la douche glaciale que j'avais prise, je me sentais mortifiée de m'être laissé aborder par un chasseur de femelles, et par ailleurs, laisse-moi parler, ne m'interromps pas…

— OK, je te laisse parler, je te dirai plus tard.

— Merci, c'est important ce que j'ai à te dire, je ne voudrais pas que tu ailles t'imaginer que j'éprouve ce genre d'attirance couramment. Tu aurais pu m'embrasser, ce jour-là, dans la galerie marchande, nous aurions fait l'amour le soir même, et peut-être même une heure plus tard, si je t'avais suivi pour boire un verre : je t'aurais emmené dans ma chambre et je t'aurais sauté dessus. Cette certitude m'horrifiait, elle ne me ressemblait pas. Je n'avais qu'une envie, je ne pensais qu'à ça depuis qu'on avait parlé dans la galerie marchande, c'était que tu me prennes, je voulais voir ton sexe et le sucer. J'étais choquée des conséquences que pouvait entraîner ce qui n'était rien d'autre qu'une stupide fantaisie hormonale, je m'accusais d'être faible et vulnérable, on ne peut pas être saisie comme ça en voyant un inconnu, annuler un rendez-vous professionnel, cette idée est intolérable ! En même temps, au fond de moi, une petite voix me glissait : "Why not ?" La veille, aucun des hommes présents à ce dîner n'avait su me procurer le centième des sensations que tu m'as communiquées, en moins de dix minutes, debout, au milieu des badauds, par ton corps, tes mots, tes gestes, ton regard. Je ne savais plus où j'en étais, je trouvais ça angoissant et merveilleux. David, tu comprends ? Je me disais "Avoue !", "Mais avoue donc Victoria !", "Avoue-le qu'il te plaît, qu'il te fait fondre, qu'il te dévaste !", "Avoue !", "Avoue-le !", "Avoue donc !", "Qu'on en finisse !", et j'avouais, je me disais "J'avoue", "Oui, j'avoue, il me dévaste". Alors, d'où me venait ce malaise, cette mortification ? C'est parce que j'aime savoir où je vais, je suis une femme rationnelle, j'aime organiser les choses, je ne suis pas DRH pour rien ! J'aime planifier, organiser, anticiper, je déteste laisser le hasard décider à ma place. J'aime que les choses soient claires. J'aime que les événements puissent s'expliquer, s'argumenter, se justifier. » Un long silence. Je caresse avec mon pouce le bras de Victoria. Sa tête est toujours posée sur mon épaule et les phrases qu'elle prononce s'écoulent tout près de mon oreille, douces et intimes. « Je me disais que si j'étais dans l'un de ces romans à l'eau de rose que je ramasse parfois sur les sièges de l'Eurostar, je pourrais penser qu'il s'agit d'un coup de foudre, mais je suis trop rationnelle pour accepter de ressentir des trucs pareils, de ne pas contrôler les événements. J'étais en colère alors que je mouillais comme une folle, je me passais la main sur le sexe à travers mon pantalon, je regardais le paysage défiler par la vitre de l'Eurostar en me répétant que mon attitude n'avait aucun sens... et en même temps j'aurais pu me faire jouir en effleurant mon entrejambe pendant quelques secondes. Ce n'était pas moi. Une telle chose ne me ressemblait pas.

— Je le sais, je te crois, j'ai suffisamment d'expérience pour l'avoir détecté.

— Tu veux parler de ton expérience de chasseur de femelles ? » Victoria me semble sérieuse en prononçant cette phrase. J'ouvre les yeux et me décale vers la droite pour pouvoir regarder son visage. Je lui dis : « Je veux parler de mon expérience avec les femmes. Il se trouve que j'ai quand même, à quarante-deux ans, une petite expérience avec les femmes !

— Excuse-moi, mais c'est cette crainte qui me poursuit, j'ai peur de n'être pour toi que du gibier que tu aurais chassé. Tu as bien fait de m'aborder, et j'ai bien fait de me laisser capturer. Si une chose est certaine c'est qu'on a eu raison, l'un comme l'autre, de céder à nos pulsions. Il est quelle heure ?

— Cinq heures dix.

— Il faut que j'y aille, je vais rentrer chez moi.

— *À cinq heures dix du matin ?* Mais pourquoi ? Tu ne veux pas rester avec moi, qu'on essaie de dormir quelques heures ?

— Je dois rentrer me changer. Je n'ai pas pris de vêtements de rechange.

— Et alors ? Tu iras t'acheter une petite culotte demain matin dans le premier supermarket venu ! Reste avec moi, je veux dormir dans tes bras...

— Je ne peux pas, David, vraiment. Je ne peux pas revenir au bureau dans mes vêtements d'hier. Je ne peux pas venir au bureau deux jours de suite habillée exactement pareil.

— Ah bon ? Et pourquoi ça ? Quelle drôle de coutume !

— Je ne le fais jamais. Une DRH ne peut pas venir au bureau deux jours de suite avec la même tenue, ne me demande pas de t'expliquer pourquoi, c'est ainsi. » Victoria dépose un baiser sur mes lèvres et s'élance hors du lit en riant, « Si je suis sûre d'une chose c'est que mon staff, mes assistantes, elles comprendraient immédiatement que j'ai passé la nuit avec un homme ! », puis elle s'enferme dans la salle de bains.

J'entends de l'eau couler de l'autre côté de la porte.

Mon regard se promène dans l'obscurité, nos affaires sont dispersées dans toute la chambre, les draps sont arrachés du lit. Je vois sur le bureau un oreiller que Victoria y a laissé ; trois petites bouteilles de champagne bues au goulot par nos deux bouches qui s'embrassaient ont été abandonnées sur la moquette ; des taches d'humidité les environnent ; la courtepointe assortie aux rideaux grèges se trouve jetée le long d'un mur.

Je commence à avoir sommeil.

Ma déesse des temps modernes se savonne sous le fracas des eaux en chantonnant des airs d'opéra.

Je cherche des yeux ses escarpins, son tailleur strict, son soutien-gorge en dentelle. Cette nuit m'inspire la plus grande incrédulité, la plus vive des gratitudes, le bonheur le plus doux.

Et soudain je comprends tout, c'est absolument lumineux, je saisis la raison d'être de ma présence providentielle dans cet hôtel.

La facilité avec laquelle Victoria s'est laissé convaincre de me remettre sa carte ; la situation douloureuse où d'après ses confidences un événement pénible venait de la jeter, le jour où nous nous sommes croisés ; sa longue déclaration sur le fait qu'elle se donnait difficilement, qu'il ne fallait pas se méprendre sur son compte ; cette habitude qu'elle avait de tout organiser, de planifier les événements ; enfin, la peur panique qu'elle éprouvait de dépasser le cap de ses quarante-deux ans ; ces différentes données se sont soudain emboîtées pour me révéler cette vérité cristalline : Victoria cherchait à se faire faire un enfant.

Cette idée ne m'a pas paru si détestable, je me suis même imaginé lui accorder ce surprenant cadeau, jouir dans son corps. Malheureusement pour Victoria, non seulement aucune semence ne s'était écoulée de mon sexe durant les quelques heures que nous avions passées dans les bras l'un de l'autre, mais j'allais ne jamais la revoir : mes principes me feraient disparaître à tout jamais dès le lendemain.

4

Quand je me suis installé à Paris à dix-huit ans pour étudier l'architecture, je n'étais parvenu à séduire aucune des trois jeunes filles dont j'étais tombé amoureux les cinq années précédentes. Seule une Alsacienne relativement quelconque s'était précipitée dans mes bras deux étés plus tôt à la faveur d'une impulsion inexplicable (que celle-ci plutôt qu'une autre ait été la seule à s'être intéressée à ma personne était resté pour moi comme une énigme ; elle était blonde aux cheveux courts ; j'avais passé le mois d'août à l'embrasser le soir sur la plage sans oser caresser sa poitrine ni introduire mes doigts sous l'élastique de sa culotte), mais en dépit des progrès que cet exploit m'avait laissé penser que j'avais faits, mon isolement ne s'était pas atténué. Je m'étais convaincu depuis longtemps qu'il faudrait m'éloigner de la banlieue, et m'évader de cette prison de discipline et de travail où mon père me tenait séquestré, pour rencontrer des personnes qui sauraient m'apprécier ; je me disais qu'elles auraient davantage de richesse intérieure et d'ouverture d'esprit que toutes celles que je fréquentais depuis des années, et surtout qu'elles pourraient découvrir un garçon moins replié sur ses angoisses que celui qui vivait dans la maison de ses parents. Cette perspective n'avait jamais cessé d'être apaisante, ni de me procurer de longues rêveries sentimentales.

Mon père avait construit lui-même le pavillon où nous vivions (il avait consacré l'essentiel de son temps libre, pendant quatre ans, à l'édification de cette maison, à une époque où nous occupions un deux-pièces d'une cité délabrée), implanté au bord d'une route à la sortie d'un village ordinaire. Né en Pologne, arrivé en France avec ses parents à l'âge de huit ans, mon père avait imité la plupart des hommes de sa famille en devenant maçon. Il avait travaillé comme manœuvre pendant de nombreuses années (souvent pour des agences d'intérim), avant d'être embauché dans une entreprise de construction de taille moyenne où il s'était fait remarquer par sa personnalité, ses compétences professionnelles et ses capacités d'encadrement. Un visage à la Burt Lancaster le distinguait du commun des mortels ; l'austérité de son tempérament exerçait sur tous ceux qui l'approchaient une immédiate autorité (il se montrait d'une exigence que j'ai toujours considérée comme maladive, à la lisière d'une certaine forme de harcèlement et de violence), toutes choses dont son patron avait bien vu le profit qu'il pourrait retirer. Mon père avait progressé dans la hiérarchie jusqu'à acquérir le statut de chef d'équipe, avant de devenir lui-même entrepreneur.

Mes parents s'étaient rencontrés au début des années soixante lors d'un bal du 14 Juillet qui s'était tenu dans un village du Sud-Ouest où mon père, en activité sur le chantier d'un collège à Toulouse, était venu se reposer deux jours (hébergé par les parents d'un ouvrier originaire de la région avec lequel il travaillait). Il avait été subjugué par la beauté du visage de ma mère. Sa ressemblance avec Grace Kelly est attestée par la plupart des photographies de cette époque (on me pardonnera de sublimer ce qui n'était peut-être qu'un très joli visage), et selon la légende familiale un frisson se serait propagé dans la foule quand au moment des slows cet étranger qui aimantait la curiosité de l'ensemble des jeunes filles avait trouvé le courage d'aborder la plus jolie d'entre elles (assise sur une chaise de bistrot au pied d'un platane) pour l'inviter à danser. Personne n'avait douté qu'il irait lui proposer cette danse. Une salve d'applaudissements avait éclaté quand le troisième des slows s'était achevé et que ma mère avait fait comprendre à son cavalier que trois danses suffisaient, et s'en était retournée au pied de son platane. Mon père n'avait pas tardé à la rejoindre en lui apportant un verre de vin blanc qu'il était allé chercher à la buvette, et ils avaient trinqué tous ensemble (il y avait avec eux l'ami de mon père, devenu depuis mon parrain, et la meilleure amie de ma mère, devenue la marraine de ma sœur). Burt Lancaster avait raccompagné Grace Kelly devant sa porte (elle habitait naturellement chez ses parents), où un baiser d'une flamboyance que j'imagine hollywoodienne avait conclu le déroulé de cette nuit décisive. Il avait été présenté dès le lendemain aux parents de la jeune fille, et ils s'étaient revus chaque week-end jusqu'à leur mariage, onze mois plus tard.

On ne pourrait compter le nombre de fois où les enfants qui sont nés de cette union ont réclamé à leurs parents qu'ils leur racontent par le détail cette nuit de fête. Mon père, comme s'il parlait d'astronomie, a toujours souligné l'exactitude avec laquelle les événements avaient semblé se succéder pour exaucer les intentions que la présence irradiante de ma mère avait fait naître dans son esprit (leurs corps fortuits lancés sous les platanes de cette belle nuit d'été avaient été orientés l'un vers l'autre à la faveur d'une mécanique d'une précision indiscutable), mais aussi la minutie avec laquelle il avait conduit ses affaires. Je trouve amusant que la naissance de leur couple ait obéi à ce principe que mon père a toujours placé plus haut que tout (alors même que ce principe est par nature si étranger aux affaires de l'amour), à savoir l'importance des choses bien faites, stables, tangibles, accomplies sans approximation ni état d'âme. « Toute la foule s'était tue, c'était dingue, plus personne ne parlait, tout le monde avait senti qu'il se passait quelque chose d'incroyable, disait mon parrain quand mon père résumait stoïquement son histoire. — Et quand j'ai entendu qu'on nous applaudissait, après la dernière danse, j'ai eu la certitude que j'allais l'épouser. Il n'y a rien d'autre à ajouter les enfants. La seule chose, j'ai pigé, quand j'ai vu son visage, pourquoi mon destin m'avait conduit dans ce foutu patelin... et alors... et alors j'ai fait comme d'habitude, comme au boulot, comme sur un chantier, j'ai bossé dur, avec application, en faisant marcher ma cervelle », disait cet homme autoritaire qui à l'inverse de son fils n'était ni romantique, ni sentimental, ni porté sur le sensible ou sur l'introspection. Rassurés de se savoir issus d'une nuit mathématique dépourvue de hasard, heureux de vérifier qu'avec un homme si méthodique l'histoire de nos parents n'aurait pas pu se dérouler différemment (il nous était révélé à cette occasion que nous n'aurions pas pu ne pas naître : cette vérité agréable à entendre déclenchait chez ma sœur et chez moi un doux sourire émerveillé, en partie édenté), nous avons réclamé durant toute notre enfance le récit de cette rencontre, malgré le petit nombre de variations que sa répétition entraînait.

La chose qui certainement nous fascinait le plus, c'était la beauté avérée des deux protagonistes. Mon père réunissait, en surplomb de son assiette fumante, en un cercle presque parfait, les majeurs et les pouces de ses deux mains, et il disait : « La taille de votre mère était si fine, je pouvais l'entourer comme ça avec mes mains ! — Mais tu rigoles ! je lui disais. Maman elle était tellement mince qu'elle pouvait passer par ce trou ? — Mais ça c'est pas possible, c'est n'importe quoi..., se lamentait ma sœur. Comment tu veux que la taille d'une femme... — C'est sûr que toi, grosse comme tu es, même à cinq ans tu rentrais pas dans ce trou ! — Mais je vous jure que c'est vrai ! se récriait mon père. — Pédé ! me répliquait ma sœur. Espèce de connard ! — Oui, c'est vrai, il a raison, j'étais toute maigre à l'époque, murmurait ma mère. — Pas maigre, mince ! rectifiait mon père. Mince, parfaite, comme un mannequin ! C'était de loin la plus belle du village ! » Malheureusement, si certes il subsistait dans son nez grec et dans l'ovale de ses yeux bleus des échos de sa grâce initiale, le visage de ma mère avait fini par se dégrader. Dès la fin de mon enfance, quiconque ne l'avait pas connue jeune fille ne pouvait soupçonner que cette dernière avait été sublime. Moi-même je devais le vérifier en exhumant d'un bel album les gigantesques photographies de leur mariage, ce qu'écolier et dévoré par un complexe d'Œdipe extravagant j'avais fait à de nombreuses reprises : sous les craquements de chacune de ces feuilles de papier cristal se révélait une jeune femme d'une beauté éclatante. Je me prosternais sur quelques-uns de ces clichés sacrés, en particulier sur celui où inclinée au-dessus d'une table, souriante, un stylo à la main, elle dépose sa signature sur le registre de la mairie. Il semblerait qu'un éclair d'étonnement la traverse : un jaillissement illumine son esprit et lui inspire un sourire immatériel qui confère à sa présence un air gracieux et étourdi. Par cet écarquillement de tout son être, ma mère attend l'avenir : elle s'ouvre en grand pour accueillir le bonheur qu'elle appelle de ses vœux, dont pour l'instant l'abstraction l'éblouit. En deux mots : elle est heureuse. Ou encore : elle ne sait pas où elle va. Ce dont elle est certaine : la vie va l'éloigner de ce qu'elle connaît. Un homme est venu : il l'emmène loin d'ici. Je n'ai jamais manqué d'apercevoir, dans ce sourire en suspension, la pensée d'un enfant : ma propre présence. C'est la lumière originelle de son amour pour moi que je trouvais dans ces clichés. Ma mère me cherche par la pensée : c'est à moi seul qu'elle adresse cet incertain sourire.

Mais tout cela avait fini par se flétrir, laissant place à un visage sanglé par la résignation. L'eau limpide de sa beauté s'était troublée, comme si les lourds poissons de vase qui circulaient dans son esprit avaient soulevé des désordres de particules qui ne retombaient pas, ou de la même manière que l'eau de ce seau bleu où elle essorait sa serpillière devenait grise et marron. J'ai fabriqué ces deux images pour expliquer la spécifique dégradation de sa personne, consécutive à une étrange combinaison de discipline et de laisser-aller, de rigueur et d'abandon, de constance et d'effacement. L'épuisement de son éclat résultait de sa séquestration, de l'absence de perspectives et d'enchantement, de la disparition de toute pensée rêveuse. Les mots plaisir, désir, projet ? Ils n'existaient plus. Tout souci de séduction avait été éliminé, ma mère ne délaissait son intérieur que pour faire ses courses dans un hypermarché des environs où les caissières qui lui disaient merci étaient les seules personnes qu'elle fréquentait — mon père détestait l'idée d'avoir des relations d'intimité avec quiconque. J'ai vu ma mère s'enliser dans la tristesse d'une existence dépourvue d'horizon, conditionnée par les seuls devoirs que lui imposait son statut de femme au foyer (et Dieu sait ce que mon père incluait d'abnégation dans son intransigeante définition de ce statut), d'où les gluants poissons de vase que j'évoquais plus haut, qui ondulaient lugubrement dans son esprit. C'est de cette époque que date l'angoisse que suscite en moi le principe de la femme au foyer. Ma mère ne souriait plus, toute situation imprévue ou toute proposition réjouissante que nous pouvions lui faire lui inspirait des réticences qu'il n'était pas possible pour nous d'éliminer (elle était contre : invariablement), ou déclenchait de larmoyantes protestations. Elle avait l'air de nous dire qu'ayant renoncé longtemps auparavant aux plaisirs de la vie, elle en avait perdu le goût et le désir. S'offrir une glace à la terrasse d'un café par une lourde après-midi d'été ? Elle ne voyait pas l'intérêt d'accepter cette brève extravagance : « On rentre. » Peu de choses ne lui paraissaient pas superflues. Elle avait fini par acquérir le physique de ces pensées déchirées.

À l'inverse, la beauté du visage de mon père était de celles qu'augmentaient les années, le travail, les insomnies, que densifiaient les contrariétés ou la mauvaise humeur, si bien qu'elle n'avait rien perdu de son impact.

Je m'étonnais que des parents si percutants aient pu donner naissance à des adolescents d'une telle banalité. Ma sœur était si disgracieuse que j'ai passé des années à en dénigrer l'apparence — je lui disais qu'en la dotant des attributs les plus spectaculaires de notre père : nez, oreilles, carrure, pilosité, la génétique s'était montrée à son endroit d'une ironie désopilante, et elle me répliquait par des insultes d'une rare violence, « Pédé, tantouse, suceur de bites, toi t'as la gueule d'une fille ! », ce genre de choses, en me lançant des fourchettes. Je n'étais pas aussi laid qu'elle mais quelconque, avec un visage aussi peu éclatant que pouvait l'être ma personnalité introvertie ; de la même manière qu'il m'était difficile de faire exister ma présence aux yeux des autres, mon visage restait comme enseveli en lui-même, enterré dans ses propres traits. Néanmoins, planté pendant des heures devant l'armoire de toilette de mes parents, je tentais de me convaincre que ma personne n'était pas aussi irrémédiablement ordinaire que je pouvais le redouter ; j'essayais d'identifier, dans quelque aspect confidentiel de mon visage, les prémisses d'une beauté implicite qui pourrait se déployer plus tard. Adolescent, je me disais que mon salut ne me viendrait que d'une rencontre avec une femme d'essence divine qui déciderait de me prendre sous son aile et de me protéger, mais comment pourrais-je attirer sur ma personne l'intérêt d'une femme de cette nature (dussé-je être le plus grand architecte des temps modernes) si mon visage continuait de rester drapé en lui-même sans émettre la plus petite lumière ? Certains jours, sous un certain angle, en certaines circonstances, mon apparence cessait de m'attrister : je parvenais à me trouver séduisant. J'avais pu être transfiguré par un sourire timide reçu entre deux portes ; ou alors un vingt sur vingt récolté pour un devoir de mathématiques m'avait valu les félicitations du professeur ; je me souviens de ces journées glorieuses où mon visage semblait s'illuminer d'une arrogance majestueuse. Mais ce plaisir qu'à force de les scruter il arrivait que mes traits me communiquent ne témoignait d'aucune beauté véritable : il s'agissait de qualités fictives, latentes, inabouties, que dans leur fugitive splendeur j'étais le seul à percevoir. Et c'est à force de regarder mon visage, d'en surveiller les vibrations, d'en accompagner les métamorphoses par le jugement et l'analyse (j'examinais mon reflet comme un peintre étudie la toile qu'il est en train de travailler ; de ce regard calculateur va résulter la petite touche que son pinceau va déposer ; de même, à ce désir que s'améliore mon apparence a correspondu la modification des paramètres que j'avais pu identifier comme perfectibles), c'est à force d'investir mentalement mon visage que j'ai fini par atteindre cet objectif que je m'étais fixé : le regard des autres a commencé à se modifier.

Vers l'âge de vingt-huit ans, à force de le vouloir, de les pousser, d'en réclamer le fleurissement, j'ai obtenu des nuances féminines de mon visage qu'elles se dilatent, qu'elles contaminent par des infiltrations de grâce ce que mon père m'avait transmis sans générosité, sous une forme édulcorée, comme hésitante. Cet héritage avait d'abord donné à ma tête l'apparence d'une marionnette, j'avais des traits rudimentaires qui me prêtaient un air grotesque et ahuri, à la suite de quoi il avait conféré à ma présence l'allure inconsistante d'un commercial en bureautique — j'avais fait mon entrée dans l'âge adulte avec un physique idéal pour remplir des bons de commande. C'est d'ailleurs amusant comme l'âpreté ouvrière de mon père avait muté dans ma personne vers le compromis du tertiaire, illustrant la dégénérescence de l'idéal viril dont s'accompagnait dans la société le développement du secteur des services. (Cela étant, à en juger par la nuit que j'ai passée, à l'âge de dix-neuf ans, avec cette inconnue qui dans la rue m'avait lancé ce sortilège : « Quel beau garçon », il devait déjà se trouver dans mon visage quelque attrait perceptible, ne serait-ce que dans l'obscurité d'une rue parisienne.) Ainsi, entre vingt-huit et quarante-deux ans, par la seule force de mon mental, le féminin a fleuri dans mes traits. J'ai vu des équilibres se modifier, certains détails s'accentuer et prendre le pas sur d'autres, devenir ornements. La beauté initiale de ma mère s'est mise à resplendir dans mon visage, certaines délicatesses que j'avais pu y repérer se sont épanouies, l'impact de ma présence s'est affirmé, une musique s'est fait entendre qui séduisait ses auditrices. Plus mon visage s'imprégnait de raffinement, plus les femmes l'appréciaient, s'y laissaient prendre, me le faisaient savoir.

J'ai ainsi réalisé à l'approche de la quarantaine mon vœu le plus cher : plaire aux femmes. Je veux dire : qu'il soit possible que des femmes se retournent dans la rue. Je l'ai voulu, j'y ai travaillé, je l'ai obtenu : c'est incroyable. (Je précise que tout cela a disparu depuis le drame ; aujourd'hui, toutes les fois que j'aperçois mon visage dans l'un des deux miroirs de ma chambre d'hôtel, l'ampleur de sa dévastation m'horrifie.) Grâce à l'impact qu'il arrivait que je produise, j'ai certes commis des incartades avec des corps rencontrés dans la rue (j'ai évoqué un peu plus tôt cet aspect de ma vie amoureuse), mais en revanche je n'ai jamais tiré profit de ces étincellements d'attirance quand ils émanaient de femmes qui m'impressionnaient. Je leur lançais de brefs sourires de connivence (du genre : je suis pris, mais vous êtes charmante), et les espoirs qu'insufflaient ces réactions renforçaient la pensée qu'un beau jour une femme hors du commun transformerait ma vie en roman. C'est ainsi que le cheminement de mon visage à travers les différentes étapes de sa transformation a abouti à ce jour où pour la première fois j'ai osé franchir le pas et aborder Victoria. Ce fut la première fois, ce sera la dernière, elle m'aura été fatale, comme si la voie que j'avais prise en entreprenant ce travail sur mes traits avait été dès le début une voie lugubre et mortifère.

Pardon de consacrer autant de temps à la biographie de mon visage (moi qui n'ai pas de temps à perdre ; cependant, il me semble que la tragédie dans laquelle j'ai été entraîné prend racine dans un nombre tellement élevé de paramètres que j'ai du mal à les écarter de mon chemin sans les soumettre à un examen détaillé, y compris les plus pitoyables), mais ce narcissisme est la grande histoire de mon adolescence. Sans vouloir me chercher la moindre excuse, les exigences démoniaques de mon père m'ont certainement encouragé à me tourner ainsi vers mon visage, que je considérais tout à la fois comme une blessure à apaiser et une promesse à accomplir, de la même manière qu'à cette époque je me vivais simultanément comme un obstacle à franchir et un dessein à réaliser — je rêvais de devenir architecte tout en sachant que ce serait difficile. Par son extrême sévérité, mon père ne m'a pas laissé d'autre choix que d'essayer de m'apprécier le plus possible (et d'une manière proportionnée à la folie avec laquelle il m'assiégeait), notamment en apaisant la relation conflictuelle de moi-même à mon image. En d'autres termes, qu'on ne soit pas deux à porter sur ma personne l'acuité d'un regard perpétuellement critique, et qu'au moins je puisse me soulager des blessures qu'on m'infligeait par l'élaboration d'une pensée rassurante. Mais je suppose que ce narcissisme était aussi le corollaire du douloureux rejet que les jeunes filles manifestaient pour ma personne, pour des raisons liées sans doute à mon physique, à ma timidité et aux complexes qui me minaient — mais aussi à l'isolement qu'entraînait ma réputation d'adolescent discipliné et insipide. Au sujet de ce dernier point (et pour conclure sur la question), il arrivait que je surprenne un air qui me semblait favorable ; certaines jeunes filles pouvaient se dire que finalement je n'étais pas si mal et qu'elles passeraient sans doute un agréable moment en ma compagnie (notamment toutes celles que rejetait l'ordinaire du jugement masculin), mais ces vibrations ne dépassaient jamais le stade du regard ambigu : toute discrète qu'elle ait été, mon impopularité était suffisante pour rendre problématique une trop grande proximité avec moi.

C'est sur ma personne que mon père exerçait son autorité avec le plus d'intransigeance. Il exigeait de moi une obéissance absolue, une rigueur continue, un comportement exemplaire, des résultats exceptionnels. Le moindre écart hors de ces normes l'insupportait, l'étourderie la plus minime, le laisser-aller le plus bref — je me trouvais sous une pression constante, y compris le dimanche ou pendant les vacances. Je devais, de ma propre initiative, par l'emprunt d'un nombre élevé de livres à la bibliothèque, consolider ma culture générale (histoire de France, sciences, littérature, histoire de l'art, etc.), ouvrages dont mon père contrôlait l'assimilation du contenu par de sévères interrogatoires. Cette notion qui revenait sans cesse dans ses propos : « de ma propre initiative », était la pièce maîtresse de ce dispositif d'excellence auquel il entendait que je m'astreigne : « T'arriveras à rien si ça vient pas de toi, si c'est pas de ta propre initiative ! On arrive à rien dans la vie si on se contente d'obéir et d'exécuter les ordres ! » hurlait-il à la table familiale alors même que ma moyenne pouvait difficilement s'améliorer. Ainsi, ce n'était pas seulement mes résultats qui devaient lui apporter la preuve de ma détermination à entreprendre de longues études, mais également mon attitude, les initiatives que je prenais pour améliorer mes performances, les phrases que je disais, les expressions de mon visage. Il avait développé à mon endroit, dans une région assez odieuse de son cerveau, une maladie qui s'aggravait de mois en mois, et qui rendait de plus en plus déraisonnables les exigences que mon avenir lui inspirait ; il me semblait qu'il devenait fou. J'aurais pu trouver du charme à la situation (d'autant plus qu'elle se fondait sur une estimation valorisante de mes capacités : au moins mon père, même si ses déceptions chroniques me dénigraient, exaltait mon potentiel) si une certaine violence psychologique n'en était pas le régime ordinaire — avec parfois des sévices corporels infligés à la ceinture, lesquels laissaient cet homme si désolé qu'il finissait par me présenter ses excuses.

Pour justifier les sacrifices qu'il attendait de moi, mon père mettait bord à bord l'histoire du prolétariat polonais, les efforts que lui-même et ses parents avaient déployés pour s'élever dans la société et enfin les devoirs que sur un plan moral il lui semblait que m'imposait cette filiation. Des hommes avaient souffert pendant des siècles en travaillant durement sous la domination des puissants. Mes grands-parents avaient souffert pendant des décennies en travaillant durement sous la domination des puissants. Lui-même mon père avait souffert pendant des années en travaillant durement sous la domination des puissants. Certes, il était devenu un peu plus puissant qu'aucun de ses ancêtres ne l'avait jamais été, mais malgré tout il se heurtait à d'innombrables difficultés. « Tu le vois bien comme c'est difficile ?! Tu veux finir avec une vie aussi merdique, pleine de problèmes ?! Hein, réponds ! Réponds-moi au lieu de faire le sourd, de te plonger la tête dans ton assiette bordel de merde ! » se mettait-il à hurler quand je ramenais un seize sur vingt à la maison. Ainsi, en mémoire de cette énorme quantité de souffrance endurée par ma famille pendant des siècles, je leur devais d'accomplir jusqu'à son terme ce processus d'affranchissement — en réalité, dans l'esprit de mon père, il s'agissait de prendre place du côté de ceux qui humilient les dominés. Nous avons souffert, nous avons travaillé, nous nous sommes battus pour en arriver là ; il n'est pas décent qu'à ton tour tu ne mettes pas toutes tes forces, je dis bien TOUTES, dans ce combat, pour être enfin du côté de ceux qui exercent l'autorité — voilà en substance ce que j'ai entendu presque chaque jour pendant toute la durée de mon adolescence. Et pour convaincre mon père que j'avais bien enregistré, dans ses plus fines subtilités, cette suprême exigence, il fallait que je désire la solitude la plus extrême et que j'assume celle-ci avec fierté comme étant la démonstration de ma supériorité : il faudrait bien, à un moment ou à un autre, que je rompe, pour pouvoir les dominer, avec les masses, autant le faire maintenant, me disait-il. « Tu auras tout le temps d'avoir des amis quand tu seras adulte. Tu perds ton temps avec ces abrutis. Tu vas pas gaspiller tes forces et ton énergie avec eux, ou à avoir des histoires de cœur avec ces connes ! Comme avec l'autre, comment qu'elle s'appelle déjà...

l'autre, merde, aidez-moi... brune, un air débile, des boutons... elle est venue deux fois un samedi, zut! s'impatientait mon père. — Arrête, laisse-le tranquille, il ne la voit plus de toute manière, lui disait ma mère en posant sa main sur la mienne. — Véronique! s'exclamait ma sœur pour me faire chier. Tu veux parler de Véronique! Il aurait bien voulu la baiser celle-là mais l'autre, pas conne, t'imagines, elle a pas eu envie de se faire enfiler par ce pédé! — Pauv' débile! Ferme ta gueule! T'as pas vu ta tronche de chauffeur poids lourd! — Véronique, voilà, c'est ça! bondissait mon père. Mais mon pauvre garçon comment tu peux! Mais des Véronique, des Véronique, des mille fois mieux que Véronique, tu en auras à la pelle quand tu seras plus grand! Mais à la condition qu'aujourd'hui tu te défonces! Ah ouiiii! À la seule condition que tu consacres tout ton temps, aujourd'hui et pas demain, maintenant et pas un autre jour, tout de suite et pas quand ce sera trop tard, à tes études! au travail! à la réussite! à la concentration! Des Véronique! Mais des Véronique! Mais mon pauvre ami des Véronique tu en auras des mille fois mieux quand tu auras réussi! Ça vaut le coup d'attendre! Laisse-moi te dire mon garçon que ça vaut le coup de laisser passer ton tour aujourd'hui! »

J'ai aimé Isabelle en sixième. J'ai aimé Dominique en quatrième. J'ai essayé de sortir avec Véronique en seconde. J'ai aimé Marie en terminale. À ma connaissance, je n'ai été aimé ni désiré d'aucune des quatre.

La perspective de m'éloigner de cette banlieue n'avait jamais cessé d'être apaisante (elle était douce la jeune fille à la chevelure ondulée que je voyais danser sous mes paupières avant de m'endormir), si bien qu'une fois mon bac en poche, impatient de m'introduire dans ce palais complexe et mirifique qu'était pour moi la vie d'adulte, je me suis installé à Paris avec l'ivresse de celui qui part à la conquête de son destin. Je me disais que le temps finirait par transformer mes espoirs en bonheur, par affirmer mes qualités, par faire de moi un homme abouti. C'est drôle, le temps aura été, pendant toute la durée de mon adolescence, en raison de la lenteur presque immobile avec laquelle il s'écoulait, une donnée détestée ; le temps est devenu depuis mon principal ennemi (il est, sur les chantiers, une donnée juridique, financière, conflictuelle, une matière incandescente) ; le temps m'apparaîtra sans doute, à l'approche de la soixantaine, comme animé d'une révoltante rapidité ; bref, j'aurai généralement considéré le temps sous le seul angle des dégâts ou des nuisances qu'il occasionne, mais quand je suis arrivé à Paris je l'envisageais comme une réalité aussi bénéfique qu'un fleuve qui coule et rend fécondes les terres qui l'environnent. J'allais me déployer : les années transformeraient le plomb en or. J'étais heureux de m'éveiller chaque matin, je respirais par la lucarne de ma mansarde le ciel immense de la ville. Cet espace qui s'étendait par-dessus les toits (parfois nuageux, tourmenté ; ou impassible, comme le ciment d'un trottoir ; ou alors rose, irréel, aussi léger qu'un foulard de soie qui vole au vent, etc.) me transmettait la sensation que j'allais m'édifier — mais aussi me surprendre, divaguer, me contredire, laisser le hasard bousculer par accident des ordonnances trop scrupuleuses, exactement comme ce ciel au cadrage immuable, au contexte identique, avec les mêmes antennes et les mêmes cheminées, m'apparaissait chaque matin dans une humeur, une expérience, une tentation, un état d'esprit différents. Je n'oublierai jamais cette période de ma vie faite d'angoisse, d'ambition, de rêves, de peurs, de volonté et de curiosité. Je sortais d'un environnement carcéral, celui de mon enfance, et pénétrais dans un espace de liberté, un palais de miroitements, un paradis par anticipation : l'inverse exact du paradis perdu. Je l'espérais de tout mon cœur : un paradis s'ouvrirait à ma personne pour la rémunérer de ses mérites (quelle délicieuse naïveté que celle qui consiste à croire au mérite…), de la même façon que les hommes avaient été privés du paradis en raison des manquements dont ils s'étaient rendus coupables ; le monde qui m'entourait se transformerait peu à peu pour moi en paradis, à mesure que je m'accomplirais ; pour le moment, il me semblait un peu indifférent à ma présence, sauf à travers de rares éclats qu'il arrivait que je perçoive, et ce sont ces éclats que j'allais rechercher avidement pendant toutes ces années (et que je continue, d'une certaine manière, à rechercher avidement), pour vérifier si le monde avait commencé à se rendre compte de mon existence. Je me souviens d'avoir eu réellement cette sensation quand je me suis endormi pour la première fois dans la chambre de bonne que j'avais pu louer : j'appartenais désormais à cette réalité absolument gigantesque qui m'entourait, nocturne et insondable, bruissante de vie et de mystères, de femmes sublimes et de secrets, d'intensité et de rendez-vous d'amour, de lettres glissées sous des portes et de silhouettes se déplaçant le long des rues, toutes choses dont paupières closes, en lisière du sommeil, j'énumérais les théories.

À travers la cloison opposée à mon lit, j'entendais quelquefois ma voisine prendre une douche, boire un verre en compagnie d'un garçon, écouter des symphonies en sourdine. Elle s'appelait Anne-Sophie, son arrière-grand-père avait fait construire l'immeuble à la fin du XIXe siècle mais sa famille n'était plus propriétaire que d'un vaste appartement au quatrième étage (où vivait sa grand-mère en compagnie d'une gouvernante), du studio qu'elle habitait et d'une chambre de bonne dont elle s'occupait en contrepartie de la perception du loyer. C'est dans cette chambre que grâce à Anne-Sophie j'avais pu m'installer et c'est encore grâce à celle-ci que j'avais fait la connaissance de Sylvie. Mon père avait fini par donner son accord pour que je loge à Paris (plutôt que de faire par le train des allers et retours qui m'épuiseraient), à condition que le loyer n'excède pas trois cents francs : « Débrouille-toi pour dénicher quelque chose à ce prix », m'avait-il dit, si bien que je m'étais rendu à Paris au début du mois de juillet pour voir s'il ne se trouvait pas, sur les panneaux d'information de quelques lieux dont j'avais fait la liste, des offres de location. J'avais décidé de commencer mes recherches par l'école d'architecture où je m'étais inscrit, rue Jacques-Callot, dans le sixième arrondissement.

Je venais d'arriver devant le panneau des annonces quand un pouce verni de rouge est venu y enfoncer une punaise à la hauteur de mon visage.

Comme j'avais pu intercepter les mots URGENT et CHAMBRE DE BONNE À LOUER avant que l'ongle ne se retire du bristol rose, je me suis précipité sur la propriétaire du doigt : « Attendez, je la prends ! » — et la jeune femme a plaqué sur sa poitrine cette main hâlée dont le pouce verni de rouge venait de décider d'une des orientations les plus décisives de mon existence (je ne le savais pas encore, mais jamais l'expression « coup de pouce du destin » n'aura revêtu un sens aussi clair que ce jour-là), pour signifier la frayeur que je venais de lui causer. « Vous m'avez fait peur ! » m'a-t-elle répondu en s'écartant. J'avais devant moi une jeune femme qui devait avoir mon âge, grande et massive, avec un nez volumineux et d'épais cheveux blonds. Elle était vêtue de l'uniforme bon chic bon genre que je lui ai toujours connu : mocassins, chemise d'homme au col relevé, collier de perles, carré Hermès et cardigan bleu marine. Elle m'a toisé. J'ai senti que ma modeste apparence de banlieusard entraînait son jugement vers des pensées défavorables ; mais qu'à l'inverse le regard que je posais sur elle, la douceur de mon visage, le soin avec lequel je m'exprimais produisaient sur sa personne une excellente impression. « Comment ça vous la prenez ? a-t-elle répété sur un ton d'incrédulité. Vous ne voulez pas la voir ? Vous ne voulez pas que je vous en dise un peu plus ? Vous n'avez pas lu l'annonce jusqu'au bout... » Elle fronçait les sourcils ; elle avait orienté vers le haut les paumes de ses mains. Je n'avais pas remarqué, à ce moment-là, la jeune femme qui accompagnait mon interlocutrice, et qui pourtant se trouvait derrière elle, me regardant fixement. « Je n'ai pas besoin d'en savoir davantage. J'ai besoin d'une chambre de bonne, celle-ci me conviendra. » Un court silence. « C'est important pour moi d'être logé à Paris », ai-je ajouté. La jeune femme avec laquelle je parlais m'a regardé avec perplexité pendant quelques secondes, avant de me dire : « Qu'est-ce que vous faites comme études... » Puis : « On va peut-être se tutoyer, nous avons le même âge... — D'accord, tutoyons-nous, je n'y vois pas d'inconvénient, ai-je répondu en rougissant. — Qu'est-ce que tu fais comme études ? Tu es dans cette école ? » C'est alors que mes yeux se sont posés sur le visage timide de sa copine, en retrait, absorbé par l'examen du mien ; une sensation s'est enfoncée vivement dans mon ventre, fulgurante, comme aspirée par une spirale vertigineuse ; c'était la première fois qu'un regard féminin me scrutait de cette manière, avec une bienveillante intensité, sans réticence ; pendant les heures qui ont suivi, j'ai senti un point de lumière au plus profond des ténèbres de mon corps, comme une étoile irradiante. « Je commence en octobre ma première année d'architecture, ai-je répondu en bégayant (j'étais devenu écarlate). Je veux être architecte. » La jeune propriétaire, qui semblait réfléchir à voix haute, « Bon, bien, parfait, c'est excellent », s'est mise à rectifier l'inclinaison du bristol, punaisé obliquement. Ce mouvement machinal devait avoir pour objectif de lui octroyer un bref instant de réflexion sur ce qui était pour elle une transaction commerciale à conduire avec discernement, sans se jeter impulsivement sur le premier venu ; je comprendrais plus tard qu'elle ne choisissait pas seulement un locataire (qu'elle désirait solvable et ponctuel), mais aussi son voisin le plus proche (calme et studieux). C'est alors qu'une étudiante l'a abordée : « Pardonnez-moi, je vois que vous, c'est votre annonce ? » Mon interlocutrice a retiré ses doigts du bristol comme si soudain il s'était mis à devenir brûlant. « En effet, lui a-t-elle répondu sur un ton désagréable. — Ça tombe bien ! a enchaîné l'étudiante en riant, joignant ses mains devant sa gorge. Cette chambre de bonne m'intéresse ! J'allais justement noter votre numéro de téléphone ! — Mais je crains qu'elle ne soit déjà plus libre. Je viens de la louer. — Je peux quand même noter le numéro, on ne sait jamais ? — Je ne crois pas que ce sera nécessaire, a tranché la jeune propriétaire. Je vous dis qu'elle est déjà louée », et je l'ai vue arracher son annonce d'un geste brusque avant d'abandonner sur le panneau une punaise esseulée ornée d'une collerette rose aux contours déchiquetés.

Nous avons marché une dizaine de minutes (je n'avais pas ouvert la bouche de tout le trajet, répondant brièvement à deux questions basiques que la jeune femme m'avait posées ; sa copine n'avait rien dit non plus), et c'est seulement quand nous sommes allés dans la chambre que je me suis renseigné sur le prix. Cet endroit m'enchantait, j'adorais la vue sur les toits et l'odeur exhalée par les murs — que je trouvais profondément parisienne, comme historique, aussi sacrée et envoûtante que le parfum d'une église. Mais, tandis que j'arpentais la pièce et caressais d'une main rêveuse la vieille commode en acajou, je me disais que j'ignorais le montant du loyer. Une angoisse s'était répandue au cœur de mon exaltation, je ne cessais de reculer l'instant où j'allais lui poser la question, un mauvais pressentiment me harcelait, j'avais peur de me mettre à sangloter si la transaction échouait. « Et le loyer, déjà ? », ai-je fini par demander — et une frayeur irraisonnée s'est emparée de moi. « Pardon ? » m'a interrogé la jeune femme, qui n'avait pas compris la phrase renfermée dans mes murmures. « Le loyer, ai-je répété. Il est de combien, déjà ? — Quatre cents francs par mois, m'a-t-elle répondu avec un air étonné. — Aïe, zut, pardon, c'est ma faute, j'aurais dû... », ai-je déclaré en évitant son regard (je redoutais d'y découvrir des crépitements de haine ; je me disais qu'elle allait manifester à mon égard le mépris le plus cinglant, la délinquance d'une silencieuse insulte de tout son être). « Dû *quoi* ? m'a-t-elle demandé, qu'est-ce que tu aurais dû ? — Demander le prix avant. Mais c'est... j'étais tellement content... je me suis emballé, pardon... Et l'étudiante... vous l'avez, qui aurait pu, vous auriez dû... » Je voyais les deux jeunes femmes côte à côte qui me dévisageaient avec une expression d'impuissance ; la balance de la tendresse penchait sensiblement du côté de la copine, dont le regard paraissait travaillé de l'intérieur par tout un tas de manifestations sensibles qui me semblaient favorables. « Quoi, c'est trop cher ? a fini par me demander la propriétaire. T'as quoi comme budget ? — Trois cents francs. Je peux peut-être monter, et encore, à trois cent cinquante, en rognant sur mon argent de poche. Mais je crois pas, ça va être, non mais tant pis, je suis désolé... » La jeune femme s'est tournée vers sa copine, puis vers mon visage, puis de nouveau vers sa copine. « Je suis vraiment désolé, je ne sais pas comment me faire... je vais écrire une nouvelle annonce, je vais aller la mettre moi-même, t'inquiète pas... tu trouveras un nouveau locataire sans problème... » Pendant que s'éjectaient ces phrases brisées assourdies par la honte, les deux jeunes femmes se parlaient par le regard, j'avais le sentiment que des pensées passaient de l'une à l'autre, il m'a semblé que la première expliquait à la seconde qu'à sa place elle dirait oui, qu'il fallait m'accorder la ristourne de loyer. Par discrétion (vu le degré d'intimité de cet échange), je me suis approché de l'œil-de-bœuf vermoulu, j'en ai ouvert l'un des battants en demi-lune pour regarder le ciel immense, bleu ce jour-là, par-dessus la mer de toits, les deux jeunes femmes se sont mises à murmurer en s'éloignant vers la porte d'entrée restée ouverte, un drapeau français flottait sur le sommet d'un monument orné de statues. C'était beau cette ondulation de toits gris et ces milliers d'antennes et de cheminées, il y avait des mouettes qui volaient dont j'entendais les cris dispersés au-dessus de l'immeuble ; nous nous trouvions non loin du fleuve. Les chuchotements dans mon dos n'ont pas tardé à s'apaiser, je ne doutais pas que la réponse me serait favorable, j'ai senti, en refermant le battant en demi-lune (« Laissez ouvert, on va aérer un peu, ça pue le renfermé dans cette chambre », ai-je entendu derrière moi), que je venais de remporter une chambre de bonne, mais aussi quelque chose comme la possibilité d'une histoire d'amour. J'ai oublié de dire que ce jour-là il faisait chaud, vraiment très chaud ; je transpirais sous ma chemise en synthétique. Je me suis approché de la jeune femme (j'ai également lancé un coup d'œil reconnaissant à sa copine, qui a baissé les yeux dans un sourire d'aveu), et elle m'a dit : « C'est d'accord pour trois cents francs. Je préfère un bon locataire à trois cents francs qu'un mauvais à quatre cents ! — Elle ne m'avait pas l'air d'être une mauvaise locataire, la jeune fille de tout à l'heure. Vous êtes certaine que vous pouvez renoncer comme ça..., ai-je hasardé. — Quoi ?! Une chipie ! Une vipère ! » — cette phrase avait fusé comme par inadvertance du visage de la copine. Nous nous sommes tournés vers cette dernière, elle avait plaqué sa main sur le rire qui déformait ses lèvres et elle disait « Pardon, excusez-moi, je sais pas ce qui m'a pris », à travers l'écartement de ses cinq doigts. « Je te présente Sylvie, m'a déclaré la jeune femme en riant, nous nous connaissons depuis la maternelle. Tu peux la remercier, elle a beaucoup insisté pour que je te laisse cette chambre... — Mais qu'est-ce que tu racontes ! Mais pas du tout ! Je t'ai juste dit... — *Mais tout va bien Sylvie.* Je suis contente de ce choix, tu as eu raison d'intervenir et de m'avoir convaincue, lui a-t-elle dit avec douceur. Je m'appelle Anne-Sophie, a-t-elle ajouté en se tournant de nouveau vers moi. J'habite à côté. Je veux dire : juste derrière la cloison. »

Avec l'adjectif stendhalien, hussard est le premier mot qui me serait venu à l'esprit si j'avais dû décrire Sylvie à l'époque où je l'ai rencontrée, ou expliquer ce qui m'attendrissait le plus dans sa personne. Non que son corps ait été particulièrement masculin : elle était femme comme un grand nombre de femmes déplorent de l'être, avec des hanches prononcées, des seins relativement lourds, des jambes qu'elle aurait préférées plus fines et des fesses moins massives. En revanche, à l'exemple de ces héroïnes de Marivaux qui se retrouvent dans l'obligation de se travestir, et qui paraissent d'autant plus douces qu'elles doivent grossir leurs voix et se rengorger comme des oiseaux prétentieux, Sylvie se laissait découvrir comme au milieu d'une malicieuse imitation d'attitude masculine. J'éprouvais cette sensation y compris quand elle s'habillait avec des vêtements de femme, même si Sylvie n'aimait rien tant que les pièces du vestiaire masculin (pour ne pas dire à coloration militaire), bottes en cuir noir, manteaux cintrés, pantalons d'équitation, chapeaux à large bord, gibecière portée en bandoulière ou pull à col roulé bleu ciel qui lui faisait comme une minerve de général autoritaire. Son espièglerie naturelle, ses regards qui crépitaient de stratagèmes, ses mines faussement sérieuses qui débouchaient sur des fous rires, cette manie qu'elle avait de prononcer comme par inadvertance la seule phrase qu'il ne fallait pas dire (je la voyais se défenestrer devant tout le monde), les attentats qu'elle commettait contre le bon goût dominant par des attitudes qu'elle savait dérangeantes mais dont elle simulait qu'elles lui avaient échappé (elle attirait parfois sur elle, en raison de ce comportement, des jugements d'une grande sévérité ; moi qui voulais m'inscrire dans la norme, et être apprécié du plus grand nombre, cette circonstance m'indisposait au plus haut point ; je lui en faisais le reproche couramment), bref, ce côté téméraire, ce caractère aussi bruyant qu'incontrôlable n'entrait pas pour rien dans l'impression qu'elle me donnait d'être une femme qui trahit sa fragilité sous les outrances d'un travestissement masculin. Il se trouve que cet effet était renforcé par son visage, lequel pouvait s'interpréter comme une tentative infructueuse, naturelle pourrait-on dire, de maquiller en visage d'homme un agréable visage de femme : Sylvie aurait pu être vraiment jolie si un certain nombre de distorsions qui semblaient comme ultérieures à la fabrication de sa physionomie n'avaient conféré à ses traits quelque chose d'un peu ingrat et d'un peu dur qui faisait flotter dans son air cette contenance masculine dont je parle. Des oreilles décollées, disproportionnées, coloraient ses regards d'une expression de bravoure ou d'entêtement. D'épais cheveux courts, noirs, volumineux, agrandissaient le volume de sa tête, et une mèche qui retombait sur ses sourcils dissimulait un front proéminent. Elle avait les yeux un peu trop proches l'un de l'autre, ce qui avait pour effet d'intensifier son visage, de lui donner la mine absorbée de celui qui est sur le point d'affronter un danger. Son nez étroit semblait pincé à son extrémité par le passage d'un sentiment offusqué dont on pouvait redouter qu'il se traduise par une provocation en duel. Sa lèvre supérieure, dont le contour dessinait comme une mouette aux ailes déployées, produisait le même impact ornemental qu'une moustache effilée. Enfin son regard noir, où derrière une transparente écume de légèreté s'épaississaient les ténèbres d'une gravité parfois tragique, laissait fuser par moments des accents d'une grande dureté. Je voyais vraiment Sylvie comme un hussard stendhalien à la mine juvénile, mais la femme dont on peut dire qu'elle possède un visage à la

Fabrice Del Dongo n'est pas de celles dont les hommes font l'éloge du charme et des qualités physiques — elle n'avait pas tellement de succès auprès d'eux. Moi je trouvais qu'il émanait de sa présence, en raison de cet emboîtement des genres, quelque chose d'émouvant qui n'avait pas tardé à me séduire — en dépit du fait qu'elle ne correspondait absolument pas à l'idée que je m'étais faite de la femme de mes rêves. Mais c'est précisément par ces légères défaillances de beauté, qui étaient ce qu'elle avait de plus personnel, que Sylvie avait su m'attendrir. Et puis elle a été la première femme que je rencontrais à manifester pour ma personne un intérêt véritable ; elle a été la première femme à tomber amoureuse de moi ; et de cela, en revanche, j'avais longtemps rêvé.

Il me semble que quelques-unes des phrases de ce portrait rendent perceptible la maladie que Sylvie allait déclarer. Est-ce qu'on sent, à la lecture de ces lignes, quand on ne dispose d'aucune information sur l'histoire de ma femme, ce qui lui arrivera deux ans plus tard ? Aurais-je, à l'âge où je l'ai rencontrée, si j'avais voulu évoquer sa personne, utilisé les mêmes mots, élaboré les mêmes phrases ? Si j'y réfléchis quelques minutes (ce que je viens de faire en regardant le paysage par la fenêtre de ma chambre d'hôtel), j'affirmerais que c'est exactement de cette manière qu'à dix-huit ans j'aurais choisi de décrire son regard, son esprit et son comportement social, où je sais que se laissait déjà pressentir, sans qu'à l'époque je puisse déterminer de quoi il s'agissait, ce quelque chose de divergent qui attirait mon attention. L'impact particulier de sa présence n'était pas contestable (il était même par moments obscurément dérangeant), il produisait chez certaines personnes un effet de gêne, de recul ou d'exaspération. En ce qui me concerne, j'ai compris deux ans plus tard qu'au milieu de tout un tas de choses qui chez Sylvie m'indisposaient, c'était sa maladie, avant même que je prenne conscience de sa réalité, qui m'avait magnétisé — la noirceur de son regard, une fantaisie inquiétante, quelque chose comme les grondements d'une bataille qui fait rage au loin dans la nuit (pardon pour ce cliché, mais il est éloquent), à l'arrière-plan d'une euphorie suspecte et irritante. Des attitudes que je trouvais chez elle si mystérieuses et attirantes, contrebalançant une certaine forme de banalité et d'humour ordinaire, me sont alors apparues pour ce qu'elles étaient réellement, les symptômes d'une maladie.

Sylvie était la fille d'un lieutenant-colonel de l'armée de terre et la sœur d'un garçon qui venait de s'engager comme simple soldat (il allait bientôt partir se battre au Tchad, où la France avait décidé d'envoyer des troupes). Pour moi, sur le plan des valeurs et de l'idéologie (mais aussi sur le plan politique), il n'était pas d'horreur qui puisse si peu s'atténuer, il n'était rien de plus terrible et répulsif que d'être un militaire : cette seule donnée m'entraînait dans des états d'indignation qu'il m'était difficile de ne pas évacuer — je n'avais d'ailleurs aucune envie de garder pour moi ces sentiments d'hostilité, quand bien même leur énonciation pouvait meurtrir Sylvie. En faisant un effort sur moi-même, je parvenais à dominer mon sectarisme et à tolérer certaines divergences avec les personnes que je fréquentais (ainsi, il m'était toujours possible de surmonter la détestation d'un camarade de classe pour la doctrine de Le Corbusier), mais la réalité du militaire, avoir en face de moi un militaire, entendre un militaire faire l'éloge de la vie militaire, c'était quelque chose d'insoutenable que la diplomatie requise par la vie en société obtenait que je puisse endurer — mais partiellement, peu de temps et au prix d'un effort colossal.

Lors des deux premières années, quand j'étais invité à la table des parents de Sylvie, le soin que je prenais à dominer ma répugnance m'immergeait comme en apnée dans un état de prostration muette dont l'hostilité ne pouvait pas échapper à un esprit aussi averti, en matière de belligérance, qu'un officier de l'armée de terre, tout abruti fût-il. Moi l'idéaliste, moi l'homme sensible qui haïssais l'autorité, j'estimais qu'il était compliqué de vivre une histoire d'amour avec la fille d'un militaire — mais plus encore avec une fille qui adorait son militaire de père. Quand, après deux verres de saint-émilion, je sortais de ma réserve diplomatique, j'étais capable de soutenir devant le père de Sylvie que la fragilité constituait sans doute l'une des plus belles qualités qu'on pouvait trouver chez l'homme. Nous avions déployé tous les deux des moyens considérables, pendant toute la durée du repas, pour éviter de mettre le pied sur une discorde ; à défaut des phrases tranchantes par lesquelles nous aurions pu maintes fois nous éventrer, nous nous étions lancé de brefs coups d'œil crispés qui regorgeaient de l'aversion que nous nous inspirions l'un à l'autre. À présent qu'arrivait la tarte aux pommes, nous nous sentions pressés par la nécessité d'affirmer nos identités, d'anéantir la quintessence adverse. Une fois ma phrase lâchée (« Moi, contrairement à ce que vous avez l'air de penser, j'affirme que la fragilité est l'une des plus belles qualités qu'on peut trouver chez l'homme »), la joie, l'ironie, l'impatience, la délectation dont s'accompagnait chez cet homme l'assurance qu'il allait me disloquer se répandaient sur son visage, ses narines se mettaient à frémir, ses lèvres devenaient luisantes, son regard s'imprégnait de gourmandise, son cou s'allongeait et surélevait sa tête de rossignol ; elle pivotait latéralement du visage de sa fille à celui de son épouse pour s'assurer qu'elles n'allaient pas rater l'anéantissement de ce jeune homme incongru échoué à leur table. Moi-même, attisé par la révolte qu'il déclenchait dans tout mon être, j'éprouvais la même envie virile d'en découdre à mains nues, de me laisser dominer par les pulsions les plus primaires, de me vautrer muscles contre muscles dans le combat le plus bestial. « Encore un peu de tarte ? » me demandait la mère de Sylvie pour faire diversion. (Je la considérais comme aussi conne que son mari. Mais elle me protégeait quand ce dernier m'asticotait ; elle avait le mérite d'arrondir les angles ou d'adoucir les frictions. Mais cela jusqu'à un certain point ; dès lors que le conflit se déclarait, invariablement savoureux, à fleurets mouchetés, où chacun s'octroyait le plaisir de sous-entendre à l'autre le ridicule qu'il pouvait lui trouver, la mère de Sylvie se raidissait et indignée finissait par se déporter du côté de l'ordre établi.) Les lèvres du père de Sylvie se révélaient de plus en plus suintantes, il secouait la tête avec des mouvements saccadés par lesquels pouvait se mesurer son impatience à me pulvériser. « Je veux bien, elle est très bonne, c'est vous qui avez fait la pâte sablée ? » répondais-je à la mère de Sylvie en tendant mon assiette. « Attendez une minute..., intervenait le père de Sylvie en interrompant sa femme d'une main levée. Attends chérie, ce que dit notre ami est très intéressant. Dites-moi jeune homme, poursuivait-il en essayant de contenir le rire atroce qui avait déjà commencé à humidifier son regard. Si j'ai correctement compris vos propos... » Sa tête de rossignol n'arrêtait pas de pivoter du visage de sa fille à celui de son épouse, escomptant qu'elles se laisseraient glisser dans la même hilarité. « Mais si, par malchance, je n'ai pas bien compris... ce genre de choses arrive... surtout n'hésitez pas à me le dire..., ajoutait-il en ayant le plus grand mal à ne pas déferler sur moi d'un rire énorme et monstrueux, surtout dites-moi si j'ai mal compris un truc... — Arrête, laisse-le tranquille, intervenait la mère de Sylvie. — Vous me dites que la fragilité, que la fragilité est quoi ? disait-il en grimaçant. *Que la fragilité est l'une des plus belles qualités qu'on peut trouver chez l'homme ?* C'est bien ça que vous venez de me dire ? — Vous aimez donc ma pâte sablée, continuait la mère de Sylvie sans prêter la moindre attention aux propos de son mari. Je vous confirme que c'est moi qui l'ai faite. C'est ma spécialité. J'apprendrai à Sylvie à la faire si vous voulez. Comme ça, quand vous serez mariés... — Maman ! Arrête immédiatement s'il te plaît ! — C'est bien ce que j'ai dit, répondais-je au père de Sylvie. La fragilité permet de lire la réalité d'une manière pénétrante... d'aller derrière les apparences... de voir des détails que personne d'autre ne peut voir... des vérités que tous ceux qui se vantent d'être dans une position de pouvoir, d'autorité et de domination, ne peuvent même pas... Si vous me permettez de vous dire vraiment ce que je pense... — Tout à fait, allez-y, je vous écoute, me répondait le père de Sylvie en remuant la main devant lui. — Eh bien je pense qu'à cause de la domination... et de l'autorité... qui selon moi caractérisent votre rapport à la réalité... Forcément, puisque vous êtes militaire... — Oui, eh bien ? s'impatientait le père de Sylvie. Où voulez-vous en venir ? — Eh bien, que la moitié de cette réalité vous échappe. Mais cela vous ne pouvez même pas le soupçonner, par la force des choses », osais-je dire au père de Sylvie en conclusion. Une déflagration de silence ; on sentait le dimanche vaciller sur son socle. « Ça va, c'est bon, laisse-le tranquille, va fumer ton cigare sur le balcon », intervenait la mère de Sylvie en anticipant la réponse ulcérée que son mari était sur le point de me faire. Celui-ci pivotait vers sa femme : « Comment ça laisse-le tranquille ! C'est la meilleure celle-là ! Je te rappelle chérie qu'on vit dans une démocratie ! Et si ce délicieux jeune homme a le droit de nous dire ce qui lui passe par la tête, moi j'ai le droit de lui répondre ! » À chaque fois qu'il utilisait l'expression, horriblement connotée, de délicieux jeune homme, je voyais se répandre sur son visage l'ironie la plus sordide. « Non mais quand même ! S'écraser, toujours s'écraser ! Ne rien dire, laisser parler ! C'est comme ça qu'une société dégénère, que nos valeurs, que nos valeurs ! Non mais tout de même ! » s'indignait-il en lançant sur la nappe sa serviette roulée en boule. À présent, tout soupçon d'hilarité avait disparu de son visage, une certaine gravité imprégnait ses expressions, nous sortions des limites de la plaisanterie familiale pour entrer de plain-pied dans le champ politique. « Tu peux quand même pas me demander, *à moi, à moi*, insistait-il en se frappant la cravate d'un doigt viril, de laisser passer une phrase comme ça, à ma table, sous mon toit ? — Mais qu'est-ce qu'elle a, cette phrase, après tout ? disait Sylvie, un peu gênée par la tournure que prenaient les événements. C'est juste une opinion comme une autre ! On va pas en faire tout un plat ! — Euh, ce n'est pas exactement ce que j'appelle une opinion..., hasardais-je sans parvenir à me faire entendre. J'estime pour ma part... — Eh bien justement ! enchaînait le père de Sylvie. Ce que vient de nous dire notre ami n'est pas une vérité mais bien une opinion. Je suis donc en droit d'exprimer l'opinion opposée. Car vous n'êtes pas sans savoir, vous qui prenez plaisir à vous liguer contre moi... — Personne ne se ligue contre toi, rectifiait la mère de Sylvie. — Soit dit en passant, je ne suis guère étonné de vous voir vous associer à notre ami. Car l'opinion exprimée par ce délicieux jeune homme est une opinion qu'on pourrait qualifier... comment dire... comment dire ça en restant respectueux... », disait-il en ayant l'air de faire un intense effort de réflexion (mais en réalité il désirait me rabaisser de la manière la plus outrageante en sous-entendant qu'il était difficile de qualifier mes propos sans émettre ce qu'il considérait comme une insulte). « Une opinion qu'on pourrait qualifier de *féminine* ? Voilà, peut-être pourrions-nous dire les choses de cette manière, que l'opinion exprimée par ce charmant jeune homme est une opinion *éminemment féminine* ? » Les regards du père de Sylvie étaient devenus mordants et sardoniques. « Il est donc tout à fait logique que les femmes se mettent de son côté. Mais moi je pense que si les hommes se mettent maintenant à faire l'éloge de la fragilité ! nous qui luttons, *je veux dire nous les hommes*, depuis des millénaires ! depuis l'âge de pierre ! contre le fléau ! le terrifiant fléau ! de la sensiblerie ! de la soi-disant délicatesse féminine ! on n'est pas sortis de l'auberge les enfants ! Si les hommes se mettent à faire l'éloge de la fragilité, ON N'EST PAS SORTIS DE L'AUBERGE ! » — et sur cette phrase définitive par laquelle le père de Sylvie se procurait le sentiment d'avoir remporté la bataille, il partait s'isoler sur le balcon pour fumer son cigare. La mère de Sylvie posait sa main sur la mienne avec tendresse un bref instant (l'air de me dire : les pères et leur fille, accepter de laisser partir sa fille avec un étranger, c'est quelque chose de difficile...) avant de se lever pour débarrasser la table, « Vous prendrez du café, David ? », tandis que Sylvie venait se mettre derrière ma chaise pour enlacer ma poitrine. On voyait le père de Sylvie, de dos lui aussi, à travers les vitres de la porte-fenêtre rabattue derrière lui, accoudé à la balustrade en fer forgé du balcon, regarder pensivement dans la rue en fumant son cigare.

L'erreur que j'ai sans doute commise, c'est d'avoir assiégé Sylvie pour qu'elle se mette à détester ce que ses parents représentaient pour moi. Après tout, personne ne me demandait de faire ma vie avec eux, j'aurais pu prendre les choses avec humour et détachement, ou aller voir ailleurs ; mais j'exigeais de son amour pour moi qu'il s'oppose à celui qu'elle éprouvait pour ses parents, je refusais l'idée qu'elle puisse concilier des sentiments qui me semblaient aussi antagonistes — qu'elle y parvienne me paraissait dégradant pour ma personne et révélateur d'un énorme malentendu, comme si Sylvie ne savait pas qui j'étais et ne pouvait comprendre ce que j'allais devenir. J'aurais voulu, j'étais naïf, qu'elle reconnaisse que son existence s'était construite sur des valeurs calamiteuses, j'aurais voulu qu'elle me remercie de lui avoir ouvert les yeux, qu'elle me dise oui, tu as raison, comment ai-je pu, heureusement que je t'ai rencontré ! « Ton père n'est jamais que lieutenant-colonel ! Si encore il était général, on pourrait comprendre qu'il se la pète, qu'il se comporte comme s'il sortait d'une entrevue avec Napoléon ! Mais ce minable n'est que lieutenant-colonel ! Putain, je rêve ! Ce raté, mais réalise ma pauvre Sylvie ! *Ce raté n'est que lieutenant-colonel !* — Tu as raison, ils sont présomptueux et ridicules. Je te jure, devoir parler avec ces cons ! Voir leurs gueules le matin au réveil ! Non mais t'imagines le supplice ! C'est atroce, j'en peux plus, comment j'ai pu les supporter, et supporter de voir leurs gueules, leurs gueules de notables, leurs doubles mentons, leur air replet et supérieur, *pendant dix-huit ans* ! David, sors-moi de ce cloaque qui pue la mort, les médailles, les épaulettes dorées, la vieille fourrure moisie ! » Sylvie, comme on peut l'imaginer, n'a jamais tenu ce genre de propos sur ses parents, mais en revanche elle m'entendait les lui servir régulièrement sous des variantes plus ou moins fines — et ces assauts avaient pour seul effet de la blesser, de rendre intolérables les dissensions qui par ma faute consumaient son esprit.

Quand j'ai fait la connaissance de Sylvie, son père travaillait dans un bureau au ministère de la Défense et quitterait Paris deux ans plus tard pour prendre le commandement du camp militaire de M., à environ trois heures de route. Ils habitaient dans un appartement que leur louait le ministère à l'arrière du théâtre du Châtelet, rue Bertin-Poirée, non loin des quais — on pouvait voir passer les bateaux-mouches sur le fleuve quand on allait sur le balcon. J'y retrouvais Sylvie plusieurs fois par semaine, la plupart du temps pour travailler dans sa chambre, moi sur son lit et elle à son bureau. Sa mère venait nous y servir des collations (c'est ainsi qu'elle dénommait ce qui n'était chez mes parents que le goûter), et certains soirs, afin que le dîner n'interrompe pas notre immersion, elle nous y apportait de complaisants plateaux-repas.

Sylvie était en classe préparatoire à HEC au lycée Hélène-Boucher, dans le vingtième arrondissement. La difficulté du programme, l'énorme volume de connaissances qu'elle devait absorber, l'inquiétude que ces concours pouvaient créer n'étaient pas tellement propices aux exigences d'une histoire d'amour qui commence (même si Sylvie avait décidé d'envisager ces deux années avec philosophie et de ne pas se laisser envahir par une trop grande anxiété), d'autant plus que ses parents exerçaient sur nos activités une étroite surveillance. Ainsi, nous nous aimions comme se seraient aimés deux détenus d'une même prison, il était tacite que l'on vivrait pleinement cette relation un peu plus tard, en particulier sur le plan sexuel ou ne serait-ce que comme un couple qui s'affranchit de toute juridiction extérieure pour devenir autonome. Durant les deux premières années, les trois fois où nous avons été invités à rejoindre les parents de Sylvie dans leur maison familiale en Bretagne, j'ai dû dormir dans une chambre qui se trouvait à un autre étage que la sienne. Sylvie aussi aurait préféré s'endormir dans mes bras, mais elle m'avait sévèrement recommandé de ne pas enfreindre les consignes paternelles en essayant de me glisser subrepticement dans sa chambre en pleine nuit pour en repartir aux premiers rayons du soleil, comme je lui avais dit que cela se pratiquait dans un grand nombre de romans du XVIIIe siècle, « Car on est un peu au XVIIIe siècle, dans ta famille ! Franchement, ne pas tolérer, *en 1984*, que sa fille de dix-huit ans dorme dans le même lit qu'un garçon comme moi, putain, on croit rêver ! Je suis pas un voyou ! *Ton père il pense quand même pas que je vais te violer !* » Sylvie ne riait pas : elle me fixait avec de la terreur dans le regard. « Quoi, qu'est-ce qu'il y a ? » lui demandais-je. Elle me répondait que si son père me surprenait la nuit à errer dans les couloirs de la maison, il le prendrait vraiment très mal. « Je te le demande instamment », me disait-elle avec une certaine gravité. (Elle avait son visage de hussard stendhalien quand elle fronçait les sourcils de cette manière. Et c'était sa fragilité que je voyais s'extraire de ces grimaces, s'extraire par gouttes, comme des larmes immatérielles.) « Je suis sérieuse. N'essaie pas de me rejoindre cette nuit dans ma chambre. Il y aurait un drame. »

Grâce aux protections dont cet homme encerclait sa fille (y compris par la démonstration d'une affection dévorante, laquelle devait avoir pour objectif de relativiser à mes yeux les sentiments que naïvement je croyais lui avoir inspirés ; il serrait Sylvie dans ses bras et les regards qu'il me lançait avaient l'air de signifier : « Vous voyez, le jour où elle vous aimera autant qu'elle m'aime, d'une manière aussi impérissable, on en reparlera »), je disposais d'une merveilleuse excuse pour me tenir éloigné des conditions d'un possible passage à l'acte. La perspective de faire l'amour avec Sylvie n'avait pas pour seul effet de m'emplir de frayeur, elle m'introduisait dans un secteur de mon mental où je n'existais plus. J'avais passé des années à rêver le sexe de la femme, à le considérer comme l'objectif suprême de mon adolescence, je l'avais sacralisé et rendu iconique à proportion du désir désespéré que j'en avais conçu. Le problème c'est qu'une chose envisagée pendant de nombreuses années comme un impensable, dès lors qu'on imagine de se trouver en sa présence, c'est soi-même qui instantanément devient cet impensable — je disparaissais de ma propre conscience toutes les fois que je m'envisageais dans la situation de pénétrer l'intimité de ma petite amie. Certes, j'avais pu voir des dizaines de femmes montrant leur sexe sur des pleines pages de magazines, mais l'idée de découvrir pour de vrai le sexe particulier de l'une d'entre elles me procurait le même sentiment d'absolue incrédulité que l'idée de découvrir pour de vrai le visage de François Mitterrand dans l'intimité d'un tête-à-tête autour des gravures de Vitruve — le même effet d'impossibilité radicale et de sidération anticipée, en particulier en raison du caractère transcendantal et incommensurable des deux objets en question, le sexe de Sylvie et le visage du président de la République. En tout état de cause, comme on peut en juger par l'absurdité de ce parallèle (mais dont je garantis qu'il remplit parfaitement sa fonction : l'absurdité de mon état d'esprit de cette époque est par ce biais fidèlement reproduite), j'étais à des années-lumière de toute sexualité limpide et naturelle. Mais pour autant, comme je l'ai déjà dit, il n'était pas utile que je m'interroge outre mesure sur le sujet : je disposais d'une excuse en or, la vigilance continuelle de ses parents, pour que nos relations demeurent confortablement platoniques.

Ces quelques mois se sont déroulés à la frontière brumeuse de l'enfance et de la vie d'adulte, à un moment où l'on se coule dans toutes les apparences de la relation amoureuse mais sans la consommer sexuellement, ni même s'autoriser la nudité. Cet âge se situe sans doute aujourd'hui aux alentours de quatorze ans ; j'en avais dix-huit.

Quand nous nous retrouvions dans ma chambre, la présence de son amie d'enfance de l'autre côté de la cloison nous dissuadait de retirer nos vêtements, excuse rocambolesque pour ne rien entreprendre. Le moment où nous ferions l'amour se différait en permanence, notre relation s'enroulait sur elle-même comme une vague qui se serait avancée vers le rivage sans se briser jamais ; c'est sans doute une expérience spécifique à l'extrême jeunesse, assez belle, pleine d'incessants vertiges. Depuis, j'ai compris que différer constituait le principal travers de mon tempérament, différer est un réflexe d'idéaliste contre lequel il m'a fallu lutter pendant longtemps pour en débarrasser mes pratiques quotidiennes. Remettre au lendemain, se dire qu'on a le temps, estimer que les meilleures conditions ne sont pas réunies, supposer qu'il serait préférable d'attendre encore un peu pour entreprendre telle ou telle chose, affronter tel obstacle, s'interroger sur tel ou tel sujet, se mesurer à telle épreuve intimidante, c'est sur ce mode d'une projection perpétuelle vers le futur que j'ai longtemps vécu, ce qui implique une étrange absence à soi-même pour tout ce qui concerne le faire et le concret, et en revanche une relation exacerbée avec le monde extérieur sur un plan émotionnel et sensitif, en deçà de toute prise de décision. Cette attitude dérive d'une position qu'on pourrait qualifier de cérébrale et qui consiste à considérer que la vie est moins ce qu'on vit chaque jour en se levant le matin que la pensée qu'on peut en avoir. Tous ceux qui rêvent leur vie adorent la voir irradier dans leur mental comme un absolu ; et naturellement on ne peut que différer le moment de partir à la conquête de l'absolu, puisqu'il est inscrit dans sa définition qu'il se situe au-delà de toute circonstance. C'est en désacralisant la vie, c'est en se déclassant soi-même dans la représentation qu'on peut s'en faire (au lieu de sanctifier la réalité et d'en attendre des événements qui en seraient l'écho sacré), c'est en envisageant l'existence comme un lieu de hasards, d'efforts, d'accidents, de volonté, de transactions, de compromis, de trahisons ou de rapports de force — c'est alors qu'on peut décider de ne plus différer et de se mettre à vivre, de se jeter avec les autres dans la fosse aux lions et de s'y battre. C'est quelque chose que j'ai mis des années, des années, des années à comprendre.

De par leur densité, de par l'extrême fraîcheur des événements que je vivais, j'ai l'impression que cette période a duré des années. Tout pour moi était nouveau, mais vraiment tout ; non seulement vivre à Paris dans une chambre de bonne accrochée au sommet d'un immeuble, mais avoir une petite amie, suivre des cours d'architecture dans une école effervescente, découvrir l'éclosion des saisons dans une grande ville, sentir naître des désirs inédits. Nous nous délections des sensations que nous procurait cette relation : ne plus être seul, se sentir rassuré, avoir quelqu'un à qui penser, à qui parler, à qui confier ses doutes ou sa tristesse ; humer la peau de l'autre, tressaillir à l'idée du corps de l'autre livré nu à de futures caresses... Quand je travaillais dans la chambre de Sylvie, nous nous rémunérions de nos efforts par des baisers réguliers (je me levais du lit pour aller me placer derrière sa chaise en la tenant par les épaules ; et Sylvie tournait la tête pour poser ses lèvres sur les miennes, avant de repartir m'allonger). Nous nous donnions des rendez-vous dans des cafés, où nous parlions en nous frôlant les doigts. Nous nous accordions des promenades dans Paris main dans la main. Je lui racontais que Charles Garnier avait fini par remporter le concours de l'Opéra (pour lequel les commentateurs de l'époque l'avaient donné perdant) en manifestant à l'égard de l'Empereur, par un dessin remanié à la dernière minute, la plus grande obséquiosité. En effet, comme chacun peut le constater à condition qu'il y prête une attention suffisante, la coupole reproduit le volume d'une couronne impériale (disais-je à Sylvie en lui montrant du doigt, depuis l'avenue de l'Opéra, le sommet du bâtiment), ce qui présentait l'avantage d'inscrire visuellement dans le paysage parisien l'identité du commanditaire. C'est ainsi que Charles Garnier, avec un projet politiquement plus astucieux que ceux de ses concurrents (« Même si c'était le moins bon sur le plan architectural »), avait remporté le concours — et nous nous remettions à descendre l'avenue de l'Opéra dans le froid vif de février. Sylvie, qui m'écoutait lui raconter ces anecdotes avec un évident plaisir, me répétait sans cesse que j'allais devenir un « immense architecte », selon ses propres termes. Elle me disait qu'elle l'avait senti à la première seconde, qu'elle l'avait vu dans mes yeux, où il s'élaborait à chaque instant des mondes complexes qu'elle trouvait fascinants. « Je pourrais passer des heures à regarder l'intérieur de tes yeux... à me plonger dans ton regard, me disait-elle en posant ses doigts par petites touches autour de mes arcades sourcilières. Il s'y passe toujours quelque chose... des pensées qui se mélangent à des sentiments... des sensations qui s'entremêlent à des calculs... on voit des rêves qui cohabitent avec des formes... des structures... des désirs... des visions... » Il arrivait que Sylvie s'exprime de cette manière, cette jeune femme était indubitablement singulière — même si souvent je trouvais que ses discours, ses embardées romantiques, ses plaisanteries un peu faciles s'imprégnaient d'un laisser-aller décevant et d'une immense ingénuité.

Le couple que nous formions datait d'environ huit mois quand Sylvie m'a dévoilé son corps lors d'une semaine de vacances dans la maison provençale des parents d'Anne-Sophie. Nous n'avons pas fait l'amour, nous nous sommes caressés timidement pendant six jours, je me souviens de cet instant dévastateur où les doigts de Sylvie se sont refermés sur mon sexe ; j'ai eu le sentiment, durant ce bref instant, que je venais de toucher l'absolu.

En revanche, je n'ai gardé aucun souvenir du jour où nous avons fini par faire l'amour (il est d'ailleurs curieux qu'un événement si capital ait disparu de ma mémoire), mais je crois que j'ai patienté plusieurs mois avant d'oser me couvrir de ridicule en essayant de pénétrer Sylvie. Quand, aux alentours du 20 septembre, deux mois après cette semaine en Provence, j'ai croisé dans la rue l'inconnue qui m'a lancé « Quel beau garçon » (avant de m'entraîner dans les ténèbres de son appartement), je me souviens que je me considérais comme un garçon sans beaucoup d'expérience.

Sylvie n'était pas vraiment mon genre mais personne ne me demandait de faire ma vie avec elle ni de prendre de décision irrévocable au sujet de notre avenir commun. Nous étions bien l'un avec l'autre. Elle convenait parfaitement à l'homme que j'étais *à ce moment-là*. Nous vivions cette relation sans nous poser la plus petite question.

Il arrivait que je me rêve un grand destin. Je deviendrais peut-être un célèbre architecte ou bien un jour il surviendrait quelque chose de décisif qui orienterait radicalement mon existence. Cet espoir était un peu comme le parfum laissé dans son sillage par un événement qui me devançait et qu'il faudrait que je rattrape. Mais je dois avouer que dans ce rêve j'étais accompagné d'une autre femme (ou bien c'était cette autre femme qui constituait l'événement que je devais rattraper). Je savais aussi que pour rejoindre cet événement je devais marcher vite sans perdre de temps et ne pas me tromper de direction.

Quelques semaines avant qu'elle ne déclare sa maladie, Sylvie m'a dit un soir, tandis que j'avais joui dans son sexe, qu'elle n'arrêtait pas de penser à son père quand nous faisions l'amour. Il était dans la chambre à la regarder, sa présence la bloquait, elle n'arrivait pas à éloigner ce regard qui l'empêchait de s'abandonner complètement. « Ton père ? lui ai-je demandé. Ton père nous regarde faire l'amour ? — Je n'arrive pas à ne pas penser à lui, à ne pas me demander ce qu'il pense de moi en me voyant faire l'amour avec toi. Je ne sais plus quoi faire… » Sylvie s'est mise à pleurer, j'étais abasourdi, je l'ai prise dans mes bras pour la serrer contre moi quelques minutes.

Je me disais que non seulement Sylvie ne me protégerait pas mais même qu'elle me rendrait plus vulnérable. Elle m'admirait, elle attendait de moi que j'accomplisse quelque chose de fascinant mais sans se demander si son propre épanouissement, si les succès professionnels qu'elle pourrait remporter ne m'aideraient pas à me sentir plus libre, plus en confiance, plus en sécurité. En dépit du fait qu'elle voulait faire une école de commerce, elle n'était pas si ambitieuse ; ce déséquilibre supposait que je devrais garantir à une éventuelle famille sa viabilité financière, tout reposerait sur ma personne. À supposer que j'en aie la force (mais après ce que j'avais vécu auprès de mon père, je pensais pouvoir faire face à n'importe quelle situation), avais-je envie d'engloutir mon énergie dans l'angoisse d'une responsabilité familiale ? Toutes les fois que je me posais la question, j'y répondais par la négative.

La vie me faisait tellement peur que depuis l'adolescence le désir de rencontrer une femme dont l'envergure m'apporterait la sensation d'être en sécurité à l'abri d'une muraille portuaire n'avait cessé de me poursuivre. Je me trouvais dans un étrange entremêlement de foi et de terreur, de ferveur et de défaitisme. Je pouvais m'imaginer comme un architecte acclamé, ou à l'inverse sous les traits d'un salarié insatisfait se consumant dans l'amertume d'avoir raté sa vie ; je savais que certaines circonstances pourraient me propulser vers les sommets d'une carrière éblouissante, mais qu'à l'inverse je pourrais m'échouer dans l'ordinaire d'une existence morose et sans éclat ; mon instinct me disait par ailleurs que la question de savoir si j'allais faire ma vie avec Sylvie n'était pas sans rapport avec les différentes orientations que mon destin pourrait prendre. Je marchais dans les rues pendant des heures en remuant toutes ces pensées, en essayant d'analyser ma situation et d'identifier mes désirs. Je me souviens que je visualisais ma jeunesse comme un carrefour de différents couloirs ; à les examiner de l'extérieur, aucun de ces couloirs ne se différenciait des autres ; il semblait même qu'il ne se dégageait aucun couloir visible mais seulement un vaste espace ouvert. Sauf que ces couloirs existaient réellement et qu'ils menaient chacun dans des vies différentes ; il s'agissait de ne pas se tromper.

J'étais dans cet état d'esprit, en suspension, à la croisée de différents destins, quand Sylvie est subitement tombée malade, un peu plus de deux ans après notre rencontre, vers le milieu du mois de septembre.

J'éprouve une drôle d'impression à me voir avancer de la sorte dans la pénombre de ma mémoire jusqu'à la lisière de cet événement. Progressant à pas réguliers vers le noyau de ma jeunesse, je me fais l'effet d'un comédien que le public suivrait des yeux pendant de nombreuses minutes tandis qu'il s'enfoncerait dans les obscures profondeurs de la scène. Cet homme qui se souvient n'est équipé que d'une lampe torche avec laquelle il éclaire avec peine les ténèbres qui l'environnent. Le public le verrait s'éloigner dans cette épaisse matière nocturne sans que sa silhouette ne soit arrêtée par aucun mur ni ne parvienne à disparaître entièrement, comme s'il marchait sur une plage à marée basse, en pleine nuit. Ainsi, avec le sentiment de trouble qu'une découverte de cette nature est susceptible de propager, il apparaîtrait peu à peu à chaque spectateur que la scène est un espace infini, que le théâtre où il est assis est le cerveau du comédien, que la nuit dans laquelle le spectateur voit s'éloigner ce personnage qui n'est rien d'autre que sa conscience est en réalité sa propre mémoire — et d'ailleurs il réalise que depuis quelques minutes il s'est mis à réfléchir à son passé. Assis dans mon fauteuil de spectateur, immobile devant les vitres noires de ma chambre d'hôtel battues par la pluie, je me regarde m'éloigner dans les ténèbres de ce théâtre tandis qu'au premier plan, sous les lumières des projecteurs, balayé par les pinceaux bleutés des gyrophares, le corps de Victoria est allongé sur la terre sèche d'une forêt estivale.

Je me dis que le corps de Victoria ne s'explique que par celui de Sylvie allongé au premier plan de cette même scène vingt-deux ans plus tôt.

Je me dis qu'une trajectoire aveugle et rectiligne, réfléchie, obscurément logique, m'a conduit de cet instant où Sylvie s'est écroulée sur les tomettes de sa mansarde jusqu'à celui où Victoria a été découverte dans la forêt de Sénart par le berger allemand d'un promeneur.

Que s'est-il passé ? À quoi se résume ma vie ? Je voudrais pouvoir entrevoir la substance de ma pensée au moment précis où l'événement auquel je songe s'est déclenché. Je voudrais savoir qui j'étais juste avant que mon existence ne prenne soudain la direction qu'elle a prise. Je voudrais pouvoir deviner ce que peut-être je serais devenu si l'incident que je vais relater ne s'était pas produit.

Nous étions vers le milieu du mois de septembre, deux ans après notre premier baiser. Sylvie avait été admise dans une modeste école de commerce et venait de commencer un stage de quatre semaines au siège social d'une compagnie d'assurances. Ses parents ayant quitté Paris durant l'été (son père avait pris le commandement du camp militaire de M.), Sylvie avait récupéré la chambre de bonne qu'un garçon rencontré en classes préparatoires venait de libérer (pour en occuper une autre un peu plus spacieuse, et équipée d'une douche, au même étage), dans un immeuble à l'angle des rues d'Assas et de Vaugirard, en plein sixième arrondissement, juste en face de l'Institut catholique. Le voisinage de cet ami n'était pas étranger à l'attrait qu'exerçait cette mansarde ; elle m'avait confié qu'elle avait peur de vivre éloignée de ses parents dans un immeuble où aucune personne ne lui serait connue.

Ce jour-là, nous nous étions donné rendez-vous chez elle vers dix-huit heures. Quand je suis arrivé, Sylvie m'a dit qu'elle avait envie de s'acheter des vêtements. « Quand, maintenant ? me suis-je étonné. — Oui, tout de suite, avant la fermeture des boutiques. Viens, partons, allons-y. — Et où va-t-on ? — Rue d'Alésia, au stock Cacharel, dépêche-toi, il est déjà dix-huit heures dix, il faut prendre le métro. » Je trouvais surprenant que Sylvie se laisse dominer par une envie aussi intempestive (elle n'était pas du genre coquette ou capricieuse), mais davantage encore que cette envie s'impose à sa raison à moins d'une heure de la fermeture des magasins. « Mais tu en as vraiment envie ? Tu veux vraiment qu'on y aille aujourd'hui ? Il est trop tard ! On n'y arrivera jamais ! » Elle insistait, je la trouvais rayonnante, nous nous sommes précipités vers le métro.

Comme nous courions par intermittence pour atteindre la boutique le plus tôt possible, comme de surcroît l'excitation des achats qu'elle allait faire électrisait son imagination, l'étrangeté de son comportement a mis du temps à m'apparaître. « J'ai envie d'une robe rouge ! chantait-elle en courant. D'un pantalon à carreaux ! D'un chapeau noir assorti à mon manteau ! » Sylvie tournoyait comme un disque autour de l'axe de certains arbres en se tenant d'une main à leur tronc (je l'entendais qui interprétait la chanson qui se trouvait gravée sur ce quarante-cinq tours), elle se lançait dans des sprints en plein milieu d'une phrase, elle concluait la plupart de ces courses par une séquence où transformée en petite fille elle jouait à la marelle sur un tracé imaginaire. « Mais qu'est-ce que t'as, Sylvie, ce soir ? Pourquoi t'es si excitée ? Qu'est-ce qui s'est passé aujourd'hui pour que tu sois dans cet état ? » — je la voyais avancer à cloche-pied de case en case. « Quoi, comment ça, qu'est-ce que j'ai, mais je suis normale ! me répondait-elle. Tu vois bien que je suis de bonne humeur ! On n'a pas le droit d'être de bonne humeur ? » J'essayais de regarder ses attitudes les plus singulières comme le résultat d'une banale excitation de fin d'après-midi, mais certaines me paraissaient si délirantes que j'en suis venu à me demander si Sylvie ne se trouvait pas sous la domination d'une puissance intérieure qui échappait à son contrôle — d'où la sensation que j'éprouvais, à certains moments, d'avoir perdu le contact avec elle ; il me semblait que je parlais à une petite fille.

Une fois dans la boutique, Sylvie s'est enfermée dans une cabine pour enfiler les vêtements qu'elle avait prélevés sur les portants — je lui donnais mon avis sur chacun. Je sentais qu'à cause du peu de temps dont elle disposait pour réaliser ses achats elle devenait de plus en plus fébrile ; elle hésitait, elle n'était pas satisfaite de ses choix, il manquait quelque chose à chacune des panoplies qu'elle composait. Un vendeur est venu m'informer qu'il ne restait qu'une dizaine de minutes, à peine, avant la fermeture des caisses, et qu'il fallait faire vite. « Oui, c'est bon, un instant, je me fais jolie ! » a-t-elle claironné depuis l'intérieur de la cabine, où l'on sentait qu'elle n'arrêtait pas de s'agiter. « Il faut bien se faire jolie ! Il faut bien le décorer, ce corps ! » Elle hurlait. On entendait des rires de rage. J'ai souri. Le vendeur s'est éloigné sans rien dire.

Le rideau ne cessait de s'ouvrir et de se refermer sur des scènes de plus en plus florissantes. Sylvie avait enfilé un pantalon sans retirer celui qu'elle venait d'essayer. Elle s'est montrée avec un pull par-dessus la robe qu'elle avait revêtue quelques minutes plus tôt en ayant gardé les pantalons. « Sylvie, qu'est-ce que tu fais, à quoi tu joues ? » Elle s'est mise à déambuler dans la boutique dans cet accoutrement avant de revenir dans la cabine encombrée d'une dizaine de vêtements ramassés comme au hasard, à la va-vite, sans être examinés. Le jeune homme est revenu me voir, dépêché par deux vendeuses qui observaient la scène silencieusement, pétrifiées par cela même qui les dissuadait d'insulter Sylvie pour le désordre qu'elle laissait derrière elle : la peur de l'inconnu. Les deux jeunes femmes la dévisageaient fixement, à l'écart, repliées sur elles-mêmes (l'une se rongeait les ongles), comme on regarde la scène d'un accident sur l'autoroute ; c'est d'ailleurs en voyant de quelle manière les deux vendeuses nous observaient que j'ai commencé à me persuader qu'il se passait quelque chose d'anormal. « Monsieur, m'a déclaré le vendeur. Il ne me semble pas possible que votre amie puisse essayer tous ces vêtements dans le temps qui nous reste avant la fermeture. Peut-être devriez-vous revenir un autre jour, plus calmement, dans de meilleures conditions, vous ne croyez pas ? » Il y avait de l'insistance dans son sourire : je devais convaincre Sylvie de me suivre docilement dans la rue.

Nous avons entendu le cliquetis des rideaux sur la tringle. Sylvie avait combiné de nouvelles pièces à toutes celles qu'elle portait déjà, son visage nous apparaissait dans l'ovale d'un chandail rose disposé autour de sa tête à la manière d'un voile de religieuse, un pantalon qui enserrait sa taille avait été noué sur son ventre (un nerveux quadruple nœud qui semblait s'étrangler de douleur), elle posait immobile devant nous en attendant notre verdict sur les qualités de cet étrange assemblage. « Sylvie », lui ai-je dit. Elle semblait ne pas me voir et ne plus exister qu'à travers l'exhibition de cette sculpture textile. « Alors ? m'a-t-elle interrogé en regardant un point de la boutique par-dessus mon épaule. Comment tu trouves ? — Sylvie, comment je trouve *quoi* ? — Monsieur..., a commencé à vouloir me dire le vendeur, que je sentais tressaillir à mes côtés. — Eh bien enfin, quoi, tu vois bien ! s'est-elle énervée, ramenant son regard sur mon visage, frappant du pied violemment sur le sol. T'es aveugle ou quoi ! — C'est absolument magnifique. Mais on nous demande de partir. Le magasin va bientôt fermer ses portes. — Dans quatre minutes », a confirmé le vendeur en regardant sa montre. Le cliquetis des rideaux sur la tringle a tiré un trait cinglant sur cette remarque désenchantée du commerçant : Sylvie a disparu de notre vue.

J'ai convaincu Sylvie de n'acheter qu'un pantalon et une robe. « Et le manteau, il te plaît pas ? — Si, je ne sais pas, un autre jour, nous reviendrons. Allez, dépêche-toi, ils nous attendent. » Nous nous sommes présentés à la caisse en laissant dans la cabine un désordre invraisemblable de vêtements.

« Deux cent soixante-seize francs », nous a dit la jeune femme.

Sylvie s'y est reprise à huit fois avant de tendre à la caissière un chèque correctement libellé, les sept autres ayant fini en confettis sur le comptoir. Nous étions quatre à la regarder se démener avec son stylo-bille qui griffonnait maladroitement sur le papier. Soit elle se trompait dans la transcription du montant, soit elle écrivait des chiffres qui ne correspondaient pas à ce dernier (« Pardonnez-moi, mademoiselle, lui disait la caissière. Vous avez inversé le 6 et le 7, vous avez écrit 267 au lieu de 276... »), soit elle écorchait l'orthographe du bénéficiaire, soit elle le remplaçait par la date du jour. Elle s'énervait contre elle-même avec une vive colère rentrée toutes les fois qu'elle s'apercevait d'une erreur qu'elle avait commise, mais c'était avec le plus grand calme, sereine et distinguée, comme si Sylvie se dédoublait continuellement, qu'elle présentait ses excuses à la caissière. « Excusez-moi, mon Dieu, où avais-je la tête ! » lui disait-elle sur le ton un peu outré d'une bourgeoise étourdie. Ainsi, les manières de Sylvie se partageaient entre une intense fébrilité d'écolière enragée (qui déchire minutieusement tous ses dessins ratés) et un simulacre de civilité datant d'une autre époque. C'est ce balancement d'un extrême à l'autre, d'une seconde à l'autre, avec la même brutalité sans nuance qu'un commutateur qu'on actionne, qui était le plus angoissant : il produisait sur les trois vendeurs une malsaine fascination.

De retour dans sa chambre, Sylvie m'a raconté qu'elle avait passé l'après-midi à faire l'amour avec un garçon rencontré dans la rue. « Tu as fait l'amour avec un garçon ? Aujourd'hui ? Mais qu'est-ce que tu racontes ! — La vérité. Cette après-midi. Il s'appelle Christophe. Nous avons parlé dans la rue. Je lui ai dit que j'avais envie de faire l'amour avec lui. Il est venu ici. C'était très bien. — Quand ? — Cette après-midi. — Tu n'étais pas à ton stage ? — Je n'y suis pas retournée après le déjeuner. Je suis venue ici. Vers quinze heures. Il est reparti à dix-sept heures. Il s'appelle Christophe. — Tu vas le revoir ? Tu as aimé ? — Normalement je le revois demain. J'espère qu'il ne va pas m'oublier. J'ai adoré. — Tu vas me quitter ? — Mais pourquoi te quitterais-je mon amour ? — Je ne sais pas... Tu me dis que tu fréquentes un autre garçon... C'est un peu spécial quand même... — Ah bon ? Moi je trouve pas. Il est très mignon. Je le revois demain après-midi. Il s'appelle Christophe. »

Je n'arrivais pas à croire à cette histoire — à moins que Sylvie ne se soit trouvée dans un état de perdition encore plus accentué que celui qu'elle avait connu dans la boutique. Quoi qu'il en soit, par-delà la blessure que cet aveu m'infligeait, penser qu'elle avait fait l'amour avec un inconnu provoquait chez moi une surprenante excitation — je me suis mis à bander, l'idée m'est même venue de venir les épier le lendemain et d'écouter Sylvie prendre du plaisir avec un autre. Mais cette pensée intolérable s'entremêlait si bien à l'anormalité de cette soirée que je la prenais comme une sorte de conséquence collatérale des événements : quand tout serait rentré dans l'ordre, mes pensées rentreraient dans l'ordre également.

Sylvie s'exprimait à présent avec une précision que je trouvais plus inquiétante encore que sa spectaculaire agitation de tout à l'heure — si bien que surmontant mes réticences, j'ai fini par téléphoner à ses parents pour les informer qu'il se passait avec leur fille quelque chose de bizarre. « Qu'est-ce que vous voulez dire ? m'a demandé sa mère. — Je ne sais pas. Elle est étrange. Je ne la reconnais plus. Vous devriez venir. — À onze heures du soir ? Passez-la-moi. — Elle ne veut pas. — Comment ça elle ne veut pas ? — Elle dit qu'elle ne veut parler à personne. — Vous nous demandez de venir à Paris en pleine nuit parce que ma fille ne veut plus vous adresser la parole ? — Vous faites comme vous voulez mais moi je vous dis qu'elle n'est pas dans son état normal… — Je vous passe mon mari », m'a-t-elle interrompu.

Un peu plus tard, Sylvie s'est effondrée sur le sol, comme si une résistance avait cédé. Je l'ai allongée sur le lit, elle m'a souri, je lui ai pris la main, « Tu veux qu'on fasse venir quelqu'un ? », elle m'a fait oui de la tête, j'ai appelé SOS Médecins.

« Et mes parents, tu les as prévenus, tu leur as dit que j'étais tombée dans les pommes ? — Ils vont venir. J'ai eu ton père au téléphone. Ils seront là dans deux-trois heures. — Il n'a pas tellement changé, depuis la maternelle, m'a dit Sylvie après quelques minutes de silence. — De qui tu parles ? — De Christophe. — Tu le connaissais ? — Ben bien sûr que je le connaissais ! s'est-elle exclamée en riant. Tu t'imagines quand même pas que je branche des inconnus dans la rue pour faire l'amour avec eux dans ma chambre ! » Sylvie riait mécaniquement, un peu comme un moteur qui tourne au ralenti, sans pouvoir s'arrêter. J'avais éteint toutes les lumières, à l'exception d'une petite lampe sur la cheminée ; il faisait sombre dans la chambre. « Tu me l'avais pas dit que tu le connaissais. — Je croyais. C'est moi qui l'ai reconnu. Il me dit que je confonds, qu'il est pas celui que je crois, *mais moi je sais qu'il ment*, a-t-elle murmuré en fronçant les sourcils. Il dit même qu'il s'appelle pas Christophe. *Mais moi je sais que c'est lui.* Sinon il aurait pas accepté de faire l'amour avec moi toute l'après-midi. » Elle empruntait pour certaines phrases des intonations de conspiratrice. Puis : « Je sais pas pourquoi il veut pas reconnaître que c'est lui. *Nous étions dans la même classe de maternelle à Paimpol.* Pourquoi j'aurais couché avec lui si c'était pas Christophe mon amoureux de quand j'avais quatre ans ! »

De deux choses l'une, ou Sylvie s'imaginait qu'elle avait passé l'après-midi avec un garçon abordé dans la rue, auquel cas elle était en train de délirer, ou elle avait réellement passé l'après-midi avec un Christophe qu'elle était convaincue d'avoir connu en maternelle malgré les dénégations que ce dernier lui avait opposées, auquel cas elle avait perdu le contrôle de ses actes. Dans les deux cas la situation était problématique et angoissante, j'ai essayé d'en savoir plus en attendant l'arrivée du médecin mais aucune des réponses de Sylvie ne m'a permis de privilégier l'une de ces deux hypothèses. Elle m'a seulement répété qu'elle devait revoir ce même garçon le lendemain à quinze heures — mais je ne suis pas arrivé à savoir si c'était vrai ou si Sylvie s'imaginait ce rendez-vous.

Sylvie a déclaré au médecin qu'elle ne dormait plus depuis une semaine, ce qu'elle était parvenue à me dissimuler alors que nous avions passé dans le même lit les deux nuits précédentes. Elle ne s'est pas arrêtée de parler pendant toute la durée de la consultation, elle insistait sur le fait qu'il fallait minimiser la gravité des symptômes que j'avais signalés, « C'est bon, c'est fini, c'était rien, c'était juste une plaisanterie, *je vous répète que je me sens parfaitement bien*, je me demande pourquoi on s'attarde encore sur cette histoire *qui n'a absolument aucun sens* », ne cessait-elle de répéter — et je sentais que cette propagation langagière ininterrompue lui permettait de nous tenir à distance de son mental, et d'éviter tout questionnement. « Elle est jolie votre sacoche, j'adore les vieilles sacoches de médecin, mon grand-père avait la même, toute craquelée, avec des fermoirs en cuivre ! Tu voudrais pas m'en acheter une pour mon anniversaire, on en trouve au marché aux puces ! Où vous l'avez trouvée, vous, votre sacoche, mais je suis bête, vous êtes médecin, on a dû vous l'offrir quand vous avez eu votre diplôme ! Il n'était pas du tout médecin mon grand-père mais colonel, colonel de l'armée de terre », disait Sylvie en mettant sa main à sa tempe à la façon d'un salut militaire, en rigolant. « Je ne sais pas comment il l'a eue, ni même ce qu'elle est devenue, il faudrait que je demande à ma mère. Bref, nous nous égarons, vous êtes médecin, vous êtes ici pour voir si tout va bien, j'imagine que vous êtes rassuré ! » Sylvie ne se rendait pas compte que cet accès logorrhéique, loin de pouvoir se faire passer pour un banal bavardage de circonstance (ce que de toute évidence il ambitionnait de paraître : elle s'efforçait d'avoir l'air insouciant), s'affirmait comme un comportement préoccupant. Désespérant de pénétrer cette cuirasse syntaxique, le médecin a fini par lui prescrire du Lexomil : « Vous vous trouvez dans un état d'épuisement général consécutif à vos nuits d'insomnie. Il faudrait dormir, vous reposer, vous avez besoin de sommeil. Si vous dormez, tout rentrera dans l'ordre. — Entendu mon général. Vos désirs sont des ordres ! — Au revoir, mademoiselle », a-t-il conclu en me faisant signe de le suivre dans le couloir. Je l'ai accompagné jusqu'au démarrage de l'escalier, il m'a demandé d'être plus précis sur ce qui s'était produit en fin d'après-midi, il avait l'air de ne pas prendre à la légère son entrevue avec Sylvie. « Vous me semblez préoccupé, c'est grave ? ai-je demandé. — Dites-moi d'abord ce qui s'est passé exactement », m'a-t-il répondu. Je lui ai raconté ce que j'avais vécu aux côtés de Sylvie dans la boutique de vêtements, mais aussi ce qu'elle m'avait rapporté au sujet de ce garçon abordé dans la rue. « Elle me dit qu'ils ont fait l'amour toute l'après-midi. Je ne sais pas si cette histoire est vraie. Dans tous les cas, elle est invraisemblable, donc inquiétante. — Je vous recommande la plus grande vigilance lors des tout prochains jours. — Pour quelle raison ? Qu'est-ce que vous... — Il est possible qu'il s'agisse d'un début de schizophrénie. Savez-vous si elle a connu par le passé des épisodes comparables ? — Non, je ne pense pas, elle ne m'en a jamais parlé. — C'est toujours délicat de faire un diagnostic dans ces conditions. Mais il faudrait s'assurer qu'il ne s'agit pas d'une crise de schizophrénie. Elle en a certains des symptômes. C'est l'âge auquel ce genre de maladies peut apparaître », a-t-il ajouté en écrivant un nom sur une carte. Je tremblais de tous mes membres ; même le médecin que j'avais sous les yeux s'avouait dépassé par l'événement auquel cette nuit me confrontait ; il avait posé un pied sur une marche un peu plus haute pour appuyer sa carte sur son genou ; il écrivait ; j'ai éprouvé un terrible sentiment de frayeur et de solitude. « Appelez de ma part ce médecin, m'a-t-il dit en me tendant la carte. C'est un psychiatre. Ce soir je ne peux que lui prescrire des médicaments qui lui permettront de s'endormir. Mais il faudrait vraiment qu'elle consulte. Je compte sur vous. Ne la laissez pas dans cet état sans rien faire, même si demain tout a l'air d'être rentré dans l'ordre », a-t-il conclu en descendant l'escalier en colimaçon.

La nuit s'est refermée, totale, impénétrable, sur cette silhouette engloutie par la spirale de l'escalier. J'étais anéanti, je n'osais pas lui crier de ne pas m'abandonner, j'ai entendu la porte vitrée se refermer au rez-de-chaussée. Je suis retourné auprès de Sylvie, que j'ai convaincue de se glisser dans son lit.

Quand ses parents sont arrivés (il devait être aux alentours de deux heures du matin), Sylvie avait fini par s'endormir. Je n'ai pas voulu qu'ils la réveillent, en dépit de l'insistance de son père à vouloir se rendre compte par lui-même de l'état où j'affirmais que se trouvait sa fille : « Il faut qu'elle dorme. Elle est épuisée. Vous la verrez demain matin. — Cette histoire n'a pas le sens commun, s'énervait-il. Qu'est-ce que vous entendez par bizarre ? — Un état d'agitation extrême. Un comportement irrationnel. Par exemple nous sommes partis… — Je ne veux plus vous écouter. C'est n'importe quoi. Tout cela est le fruit de votre imagination. Elle a besoin de voir ses parents. Vous comprenez, elle ne s'est pas encore habituée à vivre seule loin de nous, elle est juste un peu anxieuse, déstabilisée. Nous allons dormir ici, ma femme sur le lit et moi sur ce fauteuil. » J'ai essayé de leur faire part des inquiétudes du médecin sur la santé mentale de leur fille (sans prononcer le mot schizophrénie, naturellement) ; je leur ai dit qu'il nous recommandait la plus grande vigilance. « Il m'a donné les coordonnées d'un spécialiste, ai-je conclu en leur montrant la carte. — Vous voulez dire un *psychiatre* ! Vous voulez que ma fille consulte un *psychiatre* ! s'est exclamé le père de Sylvie sur le ton de la raillerie. Tout ça parce qu'un abruti vous l'a recommandé ! Les toubibs qui bossent la nuit, ils ne sont bons que pour les putes et les drogués ! »

Je suis revenu le lendemain matin une vingtaine de minutes avant que Sylvie ne parte travailler et j'ai pu constater qu'elle avait rassemblé le peu de forces qui lui restait pour rassurer ses parents. Elle se montrait d'une tendresse exemplaire, je l'ai vue vive et enjouée, c'est tout juste si sa mère admettait que son visage paraissait fatigué, « Tu as une petite mine ma cocotte, il faudrait que tu viennes te reposer chez nous le week-end prochain, la campagne te fera le plus grand bien », sans même s'apercevoir qu'elle s'était retirée dans une armure d'indifférence. Je voyais bien que nous n'avions devant nous qu'une image protégée par une vitre ; Sylvie s'était rendue durant la nuit d'une insensibilité absolue. Elle répondait aux questions que lui posait sa mère, elle acceptait les brèves conversations qu'engageaient ses parents, elle se pliait aux rituels d'affection que réclamait son père (ce dernier voulait me faire sentir à quel point il savait s'y prendre avec sa fille), mais d'une manière tellement lisse que ces comportements m'ont paru aussi vides de toute présence humaine qu'un salon d'où Sylvie se serait absentée : si j'étais sûr d'une chose, c'est qu'elle n'était déjà plus là. « Tu veux que je t'accompagne à ton stage ? lui ai-je demandé. — C'est pas la peine, j'y vais, je cours, à bientôt papa, à bientôt maman, à ce soir mon amour ! » — et Sylvie s'est enfuie. Il était manifeste que ses parents, pour la première fois depuis leur arrivée, avaient trouvé cette précipitation surprenante, mais leur désir de ne pas s'attarder sur un quelconque sentiment dérangeant a détourné leur attention de cet indice ; après avoir réuni leurs affaires, ils ont quitté la chambre comme si de rien n'était.

Il m'avait paru évident qu'il était inutile d'accompagner Sylvie, on ne s'impose pas auprès d'une personne qui s'est absentée d'elle-même, cette circonstance aurait fait de moi un caniche. J'avais l'intention de lui téléphoner au bureau durant la matinée pour m'assurer qu'elle allait bien. Par ailleurs, l'idée de vérifier si à quinze heures Sylvie serait dans sa chambre avec cet inconnu qu'elle prétendait devoir y retrouver ne s'était pas retirée de mes pensées.

Quand j'ai appelé à son bureau, vers onze heures, d'une cabine téléphonique de la rue Jacques-Callot, la jeune femme à qui j'ai demandé si je pouvais parler avec Sylvie m'a révélé qu'elle n'était pas venue travailler. « Hein, Sylvie n'est pas venue ! ai-je répété sur un ton affolé. Et elle vous a prévenue, vous l'avez eue au téléphone ? — Pourquoi toutes ces questions ? Qui êtes-vous, c'est personnel ? — Je suis son ami. Je l'ai laissée vers neuf heures moins le quart, elle devait venir travailler. Vous êtes certaine qu'elle n'a appelé personne ? *Putain, c'est pas vrai*, ai-je murmuré pour moi-même. — Pas à ma connaissance. Écoutez, vous avez l'air paniqué, j'ignore de quoi il s'agit..., m'a dit la jeune femme en hésitant. Mais c'est-à-dire... — Quoi ? Qu'est-ce que vous voulez dire ? — C'est-à-dire que votre amie... — Oui ? Eh bien ? — Non, rien, je n'ai rien dit, s'est rétractée mon interlocutrice, qui me semblait dans l'embarras. — Si, s'il vous plaît, parlez, dites-moi, qu'est-ce que vous vouliez dire ? — Je ne sais pas comment vous en parler, ni si je dois le faire, c'est délicat. — Je suis son ami. Je suis inquiet. Sylvie ne va pas bien. C'est peut-être grave. Si vous avez quelque chose à m'apprendre à ce sujet, alors il faut me raconter, c'est important... — Écoutez, effectivement, comment vous dire. Sylvie nous a paru, ces derniers jours, en particulier hier... elle a fait des choses un peu bizarres... — Comme quoi par exemple ? — Comme par exemple, à la cantine, prendre une dizaine de desserts, rien d'autre, et picorer dans chacun d'eux. Ou alors passer la matinée à faire des centaines de photocopies. — Faire des centaines de photocopies ? — Je lui avais demandé de me photocopier trois contrats. Comme j'étais en réunion je n'ai pas pu l'interrompre, il y avait des piles de photocopies sur mon bureau, sur le sol, des murailles de photocopies, tout le stock de papier y est passé. — Je vois », ai-je répondu d'une voix étouffée. J'avais le plus grand mal à m'exprimer, je craignais d'éclater en sanglots à chaque mot que je prononçais ; j'économisais mes phrases. « Si Sylvie, si elle réapparaît, s'il vous plaît, dites-lui que j'ai téléphoné, que je viendrai la chercher ce soir, je vous rappelle pour savoir si vous avez du nouveau. » La jeune femme s'est montrée d'une grande délicatesse. Elle ne m'a posé aucune question intrusive. Elle me disait des phrases gentilles auxquelles je répondais par de vibrants silences. Elle m'a affirmé que je pouvais lui téléphoner autant de fois que je le jugerais nécessaire.

J'ai alors, depuis la même cabine, téléphoné à ma mère, pour lui raconter ce qui s'était produit durant la nuit. Il se trouve qu'elle avait cherché à me joindre pour me parler d'une conversation qu'elle avait eue une heure plus tôt avec Sylvie, où cette dernière s'était montrée incohérente et mystérieuse. « Qu'est-ce qui se passe, vous vous êtes disputés ? Je l'ai trouvée méconnaissable… — Je te dirai après. Qu'est-ce qu'elle t'a dit, est-ce que tu sais où elle était ? — Elle m'a dit *qu'elle m'aimait*, que j'étais la personne *qu'elle aimait le plus au monde*. Elle répétait les mêmes phrases en boucle, elle voulait me dire qu'elle m'adorait avant de partir en voyage. Je lui ai répondu que je savais pas qu'elle devait partir en voyage, je lui ai demandé où tu vas, elle m'a répondu je pars pour un très long voyage, je me souviens de l'expression *très long voyage*… Alors je lui ai dit mais quel voyage, où ça, quand ? *Où tu pars ?* — Et alors ? Qu'est-ce qu'elle t'a dit ? — C'était pas clair, elle me parlait d'une couleur rouge, elle répétait sans cesse *la couleur rouge, la couleur rouge*, j'ai cru comprendre qu'elle devait retrouver quelque chose…

quelque chose qu'elle aurait peut-être perdu... un oiseau. — Un oiseau ? — C'était pas clair. — Elle t'a parlé d'un oiseau ? Putain... c'est pas vrai... Et après ? — Elle m'a parlé d'un espace qu'elle allait traverser, j'ai pas très bien compris, *un espace qu'elle devait franchir*, c'était confus. Elle savait pas si elle allait rentrer de ce voyage, c'est pour ça qu'elle me téléphonait, pour que je sache qu'elle m'avait toujours adorée, qu'elle avait été heureuse de me connaître. — Elle parlait au passé ? Tu es certaine qu'elle t'a dit j'ai été, qu'elle disait avoir été, ce genre de trucs ? — Écoute, je sais pas, il me semble, c'était vraiment bizarre... Mais qu'est-ce qui se passe avec Sylvie ? » Je pleurais, le front posé contre le téléphone. La porte en verre a fait du bruit, je me suis retourné, un homme qui patientait (ou qui plutôt s'impatientait), voyant ce flot de larmes se déverser sur mes joues, m'a adressé un geste d'excuse en me signifiant que je pouvais continuer ma conversation téléphonique, et je l'ai vu qui s'éloignait de la cabine. J'ai alors raconté à ma mère ce qui s'était produit la veille, ce que m'avait confié le médecin. « Qu'est-ce qu'il faut faire, maintenant, maman ? Où est-ce qu'elle est, Sylvie, maintenant ? Pourquoi je l'ai laissée partir, putain, ce matin ? Et ses parents... ces cons... qui se sont rendu compte de rien ! Qu'est-ce qu'ils sont cons, c'est pas possible ! Ça crevait les yeux qu'elle allait mal ! Ça crevait les yeux qu'elle allait mourir ! Elle était déjà complètement partie quand je l'ai vue dans sa chambre ce matin ! Il aurait fallu réagir ! la retenir de force ! faire venir un médecin ! appeler les pompiers ! c'est nous qui l'avons tuée, voilà ! Ses parents, *ma cocotte par-ci, ma chérie par-là, tu as une petite mine, il faut venir te reposer à la campagne*, putain, non ! » Je n'arrivais plus à parler tellement ma salive s'était épaissie, j'avais l'impression d'avoir de la purée dans la bouche, des hoquets catapultaient contre les vitres des mots mouillés de larmes et de salive ; je sanglotais en me frappant le front contre le fer du téléphone. « T'inquiète pas, me disait ma mère. Ça va aller, qu'est-ce que tu veux qu'il lui arrive ? Je vais attendre qu'elle me rappelle, et alors, je te promets, je lui dirai de rester où elle est, je te dirai où la rejoindre. Va dans ta chambre, n'en bouge pas, je te rappelle, dépêche-toi. » Je pleurais ; je me taisais ; je me tenais immobile, les yeux fermés, contre le téléphone ; je ne voulais rien faire d'autre que d'écouter la voix de ma mère. « David, qu'est-ce que tu fais, pourquoi tu dis plus rien ? Dépêche-toi, va dans ta chambre, elle t'a peut-être appelé toi aussi, elle t'a peut-être laissé un message, qui sait ? Allez, je te rappelle dès que j'ai du nouveau. Allez mon garçon, vas-y, je te rappelle dans vingt minutes. »

Je me suis installé dans ma chambre de bonne. Ma mère m'appelait toutes les heures pour savoir si j'avais des nouvelles. Après l'avoir importunée à trois reprises, j'ai laissé mon numéro de téléphone à la jeune femme avec qui j'avais parlé durant la matinée, afin qu'elle puisse me prévenir si Sylvie finissait par se manifester.

Les quelques heures que j'ai passées à attendre que Sylvie réapparaisse figurent parmi les plus cruelles que j'aie jamais vécues. J'ignorais que les plus dures seraient à suivre, consécutives aux événements qui étaient en train de se produire pendant que j'arpentais d'un pas nerveux les sept mètres carrés de ma chambre de bonne.

C'est ma mère qui la première m'a apporté des nouvelles, en milieu d'après-midi. Sylvie avait été retrouvée à la station Porte de Clignancourt, au terminus de la ligne de métro, dans un état de confusion extrême. Elle était descendue sur les voies et s'était engagée dans l'obscurité du tunnel jusqu'à l'endroit où l'on garait la nuit les rames de la ligne, elle se promenait comme un fantôme entre les voitures, elle ramassait des cailloux sur le ballast et les entreposait dans ses poches avant de les lancer contre un bidon de vidange — c'est ce bruit qui avait fait qu'on l'avait repérée. Prenant la mesure de l'hébétude où il voyait divaguer cette jeune fille, l'employé qui était venu à sa rencontre avait jugé prudent de prévenir les pompiers, alors qu'il aurait pu la reconduire vers la sortie. Elle s'était évanouie dans ses bras avant l'arrivée des secours, les pompiers l'avaient conduite vers les urgences de l'hôpital Fernand-Widal où j'ai appris plus tard qu'on orientait les toxicomanes ramassés dans la rue ; on l'avait suspectée d'être sous l'emprise d'un stupéfiant. Nous n'avons jamais su ce que Sylvie avait fait entre le moment où elle m'avait quitté et celui où s'aventurant sur les rails du métro, ivre des images et des mots d'ordre qui affluaient sans doute dans son esprit, elle avait été interceptée par un mécanicien de la RATP. Chose étrange qui par la suite ne manquerait pas de me convaincre que ma personne imprégnait ses pensées (c'est la raison pour laquelle je me suis accusé d'avoir été le déclencheur de sa crise, en particulier par mon comportement, l'arrogance de mes ambitions, les réserves qu'inconsciemment j'avais manifestées concernant notre avenir), Sylvie, lors de son admission à l'hôpital, avait transmis aux policiers le nom et les coordonnées téléphoniques de ma mère. Je l'ai priée de bien vouloir prévenir d'urgence les parents de Sylvie (qui étaient déjà rentrés à M. ; je n'avais pas la force de les appeler) et je me suis rendu à l'hôpital Fernand-Widal, où un délai interminable s'est écoulé avant qu'une infirmière ne m'introduise auprès d'elle.

Sylvie m'est apparue au bout d'un long couloir devant la porte de sa chambre. Le temps pendant lequel je me suis approché m'a permis de constater que sa silhouette n'était pas accablée — même, à mesure que la distance s'amenuisait, je remarquais qu'une humeur triomphale se dégageait de son comportement. Elle a tourné la tête vers nous en entendant les claquettes de l'infirmière sur le carrelage : « Ah, voilà enfin mon prince charmant ! Il serait temps de se préoccuper de sa petite Sylvie ! Comment allez-vous, mon ami ? » Elle est venue à ma rencontre, avant de se saisir de mon menton : « Vous avez une triste mine ! a-t-elle ri en faisant pivoter mon visage. Est-ce que quelque chose vous préoccupe ? *Est-ce moi, mon ami, qui vous préoccupe à ce point ?* — Tu m'as un peu inquiété, Sylvie, aujourd'hui, lui ai-je dit au moment où je recevais une petite tape sur la joue. Pourquoi tu as disparu comme ça ? Où est-ce que tu étais passée ? — Il serait trop long, et un peu fastidieux, de te raconter ce que j'ai fait aujourd'hui. Mais c'était prodigieux, oui, je peux dire que l'expérience que j'ai vécue... car figure-toi, viens... donne-toi la peine d'entrer dans cette pièce, installons-nous sur ce lit... » C'est ainsi que Sylvie s'est engagée dans un voluptueux monologue — avec une envergure qu'elle était loin d'avoir même effleurée la nuit précédente quand elle avait voulu enliser dans sa syntaxe le médecin qui était venu l'ausculter. Je la trouvais sublime, elle était d'une beauté éblouissante, je la voyais se déplacer le long du couloir non pas avec l'aisance d'une comédienne (car elle ne jouait pas, elle ne se forçait pas, elle était naturelle), mais avec le rayonnement d'une personnalité hors du commun. C'était stupéfiant : avec exactement les mêmes paramètres que la veille, la même physionomie, la même intelligence, le même tempérament et la même expérience, Sylvie, comme à la suite d'une minutieuse intervention chirurgicale à l'intérieur de son cerveau, libérée de toute entrave, avait fini par accéder à la plénitude de ses possibilités — cette jeune femme qui la veille encore n'assumait pas son visage semblait ce soir s'être allégée des pollutions qui d'ordinaire empêchaient qu'il émane de sa personne plus de 30 % de sa lumière intérieure, comme nous tous, *exactement comme nous tous*, et c'est pourquoi cette incroyable métamorphose me fascinait. Elle était devenue une autre — elle était devenue elle-même. Je découvrais qu'en libérant la totalité de sa substance Sylvie était d'une puissance érotique sidérante.

J'essayais de l'interroger sur son état intérieur. Est-ce qu'elle se sentait bien ? S'estimait-elle capable de sortir dès ce soir ?

Je trouvais préoccupant que son monologue ne se soit pas interrompu une seule fois pendant les vingt minutes que je venais de passer en sa compagnie ; d'ailleurs, malgré le ravissement que sa présence me procurait, une vague angoisse a commencé à m'envahir. Sylvie négligeait de répondre à mes questions, elle avait l'air de fuir mes phrases comme un navire essaie de s'échapper de la zone d'un typhon. Elle s'est mise à dire des vers, j'ai reconnu *Le Bateau ivre* d'Arthur Rimbaud dans les intonations de sa voix grave qui s'amplifiait le long du couloir — Sylvie se déplaçait sans cesse et avec grâce, comme une châtelaine. Le plus étonnant, une dizaine de minutes plus tard, est qu'elle ait commencé à déclamer un texte en langue allemande — elle a fini par me révéler qu'il s'agissait d'une prose de Goethe. « Parce que tu connais par cœur des textes de Goethe ?! — *Les Souffrances du jeune Werther.* — *Tu connais par cœur en allemand des extraits des* Souffrances du jeune Werther *?* — Les souffrances de la jeune Sylvie ! — C'est nouveau... Toi qui étais censée être nulle en allemand... — Mais mon ami, a-t-elle commencé à me dire sur un ton mélodieux, avec douceur. Tu t'imagines me connaître, tu m'as mise dans une boîte une bonne fois pour toutes, *la boîte de la brave fille.* Mais laisse-moi te dire une chose, c'est que tu t'abuses toi-même en prétendant m'avoir épuisée ! s'est-elle exclamée dans un rire affectueux, sans la moindre agressivité. Il y a beaucoup de choses que tu ignores, *figure-toi,* et qu'il te plairait sans doute de découvrir... si seulement tu t'en donnais la peine... si même tu éprouvais l'envie que je t'étonne... comme je le fais ce soir, si mes impressions sont exactes. Mais tu pars du postulat qu'il ne peut plus rien se produire en moi qui soit de nature à te séduire... Je te fais honte, tu m'empêches toujours de parler devant les autres, tu as toujours peur que je te compromette par une bêtise que je dirais, par une gaffe que je ferais, par une vulgarité qui surgirait de ma gaieté, par une provocation à laquelle je n'aurais pas résisté ! » Je n'en croyais pas mes oreilles : ce que disait Sylvie était rigoureusement exact — mais j'étais surpris qu'elle exprime ces réalités sur un ton enjoué dénué d'amertume, sans formuler le plus léger reproche. « Je t'aime, je t'adore, je veux vivre avec toi. *Si je suis certaine d'une chose c'est que tu seras le seul amour de ma vie.* » Sylvie me regardait : du haut de ce piédestal d'intelligence et de beauté, elle m'écrasait. À la suite de quoi elle s'est éloignée en laissant se déverser de son visage un ruissellement de langue allemande.

Le médecin qui m'a reçu m'a parlé d'un épisode maniaco-dépressif particulièrement virulent. Il m'a dit qu'ils n'allaient pas pouvoir la garder et qu'ils allaient l'orienter vers l'hôpital Sainte-Anne. « Vous allez la mettre à Sainte-Anne ? ai-je murmuré. Mais... c'est un hôpital psychiatrique ! Vous allez mettre Sylvie dans un hôpital psychiatrique ?
— Je ne peux pas la garder, sa présence ici n'a aucune raison d'être. En même temps, il serait déraisonnable de la laisser rentrer chez elle. »

Je me trouvais toujours en compagnie du médecin (que j'étais en train d'interroger sur la psychose maniaco-dépressive, maladie dont j'entendais parler pour la première fois) quand les parents de Sylvie ont fini par arriver. Au bout de quelques phrases prononcées par le médecin, la mère de Sylvie est intervenue en posant une main sonore sur le bureau : « Je vous arrête tout de suite, il n'y a pas de fou dans la famille, il n'y en a jamais eu, ça ne vient pas de nous. » Le médecin m'a paru étonné. Je l'ai entendu dire : « D'abord, chère madame, qui vous parle de folie ? — Vous voulez mettre ma fille à Sainte-Anne ! Je vous répète qu'il n'y a pas de fou dans la famille ! — Ensuite, a poursuivi le médecin en parlant en même temps que la mère de Sylvie, le problème ne se pose pas en ces termes. Il ne s'agit pas de vous incriminer, ni de chercher un quelconque responsable. — *Et pourtant vous devriez* », est intervenu le père de Sylvie avec un air entendu en secouant la tête verticalement. Le médecin a tourné son regard vers ce dernier : « Que voulez-vous dire par là ? — Je veux dire par là que ma femme a raison, il n'y a pas de fou dans la famille, nous sommes tous parfaitement équilibrés. Vous ignorez certainement que je suis lieutenant-colonel de l'armée de terre, et que je dirige le camp militaire... — Je ne doute pas que vous soyez, vous et votre femme... — Et vous avez raison de le croire. J'ai exercé au ministère de la Défense des responsabilités... — Je ne vois pas tellement le rapport. Où voulez-vous en venir ? — Si vous m'interrompez sans cesse, il va être difficile de se comprendre. — Alors je vous écoute, a répondu le médecin en me jetant un rapide coup d'œil. — Comme il n'y a pas, je vous le répète... et qu'il n'y a jamais eu, dans la famille, aucun fou... aucun pervers... aucun malade mental... ni même aucun original, jamais, j'insiste formellement sur ce point... Par ailleurs, a poursuivi le père de Sylvie après une petite pause (il s'épongeait le front avec un mouchoir blanc sorti d'une poche de son blouson), comme notre fille, par le passé, n'a jamais connu ce genre d'incident... comme notre fille a toujours été saine, raisonnable, équilibrée… comme enfin elle est bien éduquée, avec des pensées, comment vous dire… *normales*, qui n'essaient pas de se distinguer, ni d'être *originales*… la cause du mal n'est pas à rechercher chez nous, ni même chez elle… — Ni même chez elle ? l'a interrompu le médecin. — Ni même chez elle, tout à fait, vous m'avez bien entendu. — Mais dans ce cas, selon vous, où la cause de ce mal serait-elle à chercher ? lui a demandé le médecin en me lançant un nouveau regard, comme s'il voulait me prémunir d'un coup imminent. — Vous n'aurez pas à aller bien loin, faites-moi confiance, a poursuivi le père de Sylvie en me désignant négligemment d'un mouvement du menton. — Que voulez-vous dire par là, cher monsieur ? lui a de nouveau demandé le médecin. — J'espère que nous aurons l'occasion d'avoir sur le sujet une conversation en privé, où je pourrai développer ma pensée. Mais pour faire court il est en train de la rendre folle, il est en train de la détruire… Ma fille n'a nullement besoin d'un psychiatre, ni de passer la nuit à Sainte-Anne, contrairement à ce que vous avez l'air d'imaginer. Soyons logiques et rationnels… ce qui n'est pas le fort des gens de votre espèce, je sais, ni celui de ce garçon… mais peut-être accepterez-vous, ce soir, par mesure d'exception, de faire un effort… Ma fille n'a besoin d'aucun soutien psychiatrique puisqu'elle n'est pas folle… — Ou si elle l'est, c'est qu'elle l'est devenue, et nous n'y sommes absolument pour rien, cette histoire n'a rien à voir avec nous, est intervenue la mère de Sylvie sur un ton péremptoire en faisant résonner le caisson du bureau avec son alliance. — Tout à fait, a enchaîné son mari. Par conséquent, le moyen le plus efficace de résoudre le problème n'est pas d'interner notre fille... — Vous risquez même d'avoir de sérieux ennuis avec mon mari, qui a des relations au ministère..., l'a interrompu la mère de Sylvie. — Car vous voulez l'interner, n'est-ce pas, si j'ai bien compris ? — Nous allons ramener notre fille à la maison dès ce soir. »

Quand j'ai rendu visite à Sylvie le lendemain à l'hôpital Sainte-Anne, j'ai été conduit dans une salle où prostrée sur un tabouret, oblitérée par les neuroleptiques, dévastée par l'incendie dont son mental venait de réchapper, elle m'a donné le sentiment que je la revoyais après des mois d'éloignement, comme si elle revenait de ce très long voyage annoncé la veille à ma mère.

Un poids énorme semblait peser sur son corps. Elle parlait comme une petite fille, l'ingénuité de son écoute réclamait qu'on se comporte vis-à-vis d'elle avec les manières douces et simplifiées qu'on réserve d'ordinaire aux enfants, elle fronçait les sourcils en secouant la tête à chaque fois qu'une phrase lui parvenait qu'elle n'arrivait pas à ouvrir, elle avait l'air de me la rendre par le regard comme une noix dont je devais briser la coque. J'ai même eu peur à un moment qu'elle ne se mette à jouer sur le carrelage ; mais elle était descendue du tabouret pour ramasser un chausson tombé de son pied.

Sylvie n'avait pas conscience de l'endroit où nous nous trouvions, elle n'avait conservé aucun souvenir des événements qui s'étaient produits la veille et qui l'avaient conduite à l'hôpital Fernand-Widal. Des cris retentissaient dans la salle, des individus répétaient sans cesse la même séquence énigmatique, erraient dans la lumière des baies vitrées avec la langueur d'un animal en captivité depuis sa naissance. Une femme ridée dont les pourtours des lèvres étaient blanchis par du lait qui avait séché n'arrêtait pas de venir nous murmurer la même confidence. D'autres personnes ne bougeaient pas, leur regard vide se mélangeait à la clarté du réfectoire comme on mêlerait de l'air à de l'air, de l'eau à de l'eau, un regret immortel à ce même regret immortel — j'étais troublé que ma petite amie ne se distingue aucunement de ces personnes prostrées sur leur chaise, mûres ou âgées pour la plupart d'entre elles, comme s'il était déjà acquis qu'elle allait passer sa vie dans cet endroit conçu pour recevoir les imprudents qui ont laissé entrevoir à la société qu'ils ne pouvaient descendre dans le métro sans se laisser avaler par la puissance d'attraction des tunnels. Sa présence racornie me glaçait, une angoisse mêlée d'effroi a commencé à m'envahir — voir Sylvie dans cet état me dévastait, je la voyais réduite à presque rien, vulnérable et dégradée, rendue débile par les neuroleptiques, recroquevillée dans une hideuse et dérisoire robe de chambre en coton. Elle ne me posait aucune question sur la durée ou sur la raison d'être de ce séjour, elle se contentait de me sourire, de me sourire mécaniquement, un peu comme le visage de la vieille femme venait nous répéter la même sentence insensée — j'étais même étonné que Sylvie ne soit pas édentée. Au peu de phrases qu'elle a essayé de me dire j'ai compris qu'elle avait du mal à parler, que les médicaments empêchaient les mots de se former dans sa bouche, et peut-être même dans ses pensées. J'essayais d'injecter le plus d'images possible dans son imaginaire (je lui disais que nous irions nous reposer dans sa maison familiale en Bretagne ; je lui parlais des balades que nous ferions tous les deux sur les berges du canal) mais elle n'y répondait que par de rares mouvements de tête et des sourires déconnectés ; je constatais par moments une complète indifférence à ma présence, à l'existence d'une quelconque relation entre nous. Je l'ai saluée, elle ne m'a presque pas répondu, je suis sorti sans obtenir de sa silhouette qu'elle pivote vers la porte que j'allais prendre. Elle était comme une sculpture au dos rond, enfouie dans un vêtement d'intérieur bon marché qui s'était mis à pelucher dès sa sortie d'usine.

J'ai appris du psychiatre qui m'a reçu que la psychose maniaco-dépressive connaissait toujours des rechutes ; que si Sylvie allait sortir de cet état où je la voyais, je devais savoir qu'elle y retournerait obligatoirement. « Quand ? lui ai-je demandé. Souvent ? — À un moment ou à un autre. Ce sera peut-être dans six mois, ce sera peut-être dans dix ans, personne ne peut prévoir ni la fréquence avec laquelle la maladie va revenir, ni le degré de gravité de chacune de ses manifestations. Il peut y avoir des crises anodines... ou à l'inverse des crises plus significatives... comme celle que votre amie vient d'affronter, particulièrement prononcée. » Ce même psychiatre m'a révélé que le père de Sylvie avait obtenu de l'hôpital militaire du Val-de-Grâce qu'il accueille sa fille dès qu'une chambre se serait libérée, « Demain après-midi au plus tard ». J'ai appris que ses parents refusaient de s'attarder dans l'enceinte de l'hôpital Sainte-Anne, ils s'étaient contentés de déposer quelques affaires (les chaussons et la robe de chambre à carreaux que je lui avais vus) et n'avaient rencontré leur fille que peu de temps, avant de s'éclipser honteusement.

À peine transférée à l'hôpital du Val-de-Grâce, les neuroleptiques qu'on lui avait prescrits ont provoqué chez Sylvie une réaction allergique d'une telle violence qu'elle est tombée dans le coma.

C'est de nouveau ma mère qui m'a prévenu en téléphonant au secrétariat de mon école après avoir été informée de cette tragique péripétie par la mère de Sylvie. On est venu me remettre en classe un billet où j'ai pu lire : « David Kolski, rappeler sa mère d'URGENCE », avec le mot urgence nerveusement souligné. Depuis la même cabine téléphonique de la rue Jacques-Callot que la dernière fois, j'ai entendu ma mère me déclarer, émue mais forte, la voix tremblante mais volontaire (pour me soutenir de toutes ses forces dans cette épreuve qui s'annonçait) : « Écoute David, il faut que je te dise... J'ai une mauvaise nouvelle... » J'ai immédiatement paniqué, frappant la vitre avec mon poing en regardant la façade de l'école. « Il va falloir, il ne faut pas que tu paniques, c'est un peu dur, tu ne dois pas t'inquiéter. — Quoi, qu'est-ce qui se passe ? Ils se sont rendu compte qu'elle était folle ? Ils vont la renvoyer à Sainte-Anne ? *Elle va être internée, elle ne va plus jamais sortir ?* — Pas du tout, calme-toi, écoute-moi. Elle a fait une allergie, une allergie aux médicaments, quelque chose de très rare. — Et alors ? Qu'est-ce qui s'est passé ? — Elle est dans le coma depuis ce matin. — Hein, quoi, *qu'est-ce que tu dis,* dans le coma ? Mais qu'est-ce que tu... mais le coma... mais putain c'est super grave un coma ! — Normalement elle devrait s'en sortir, c'est ce qu'ont dit les médecins. — Non mais le coma, le coma ! Les gens deviennent comme des légumes ! Mais qu'est-ce que tu racontes ! — Pas toujours... Attention, pas toujours... On peut rester dans le coma une seule journée, en sortir sans séquelles..., m'a dit ma mère de sa voix la plus douce, la plus tranquillisante. Il y a plein de gens qui tombent dans le coma et qui y restent très peu de temps, c'est fréquent... Prends M. Morandini, quand il a été renversé par une voiture... il est resté dans le coma deux jours, il est revenu comme avant, il continue à aller faire ses courses en vélo... — Fréquent, fréquent, mais putain... En plus tu dis *normalement*, que *normalement* elle va s'en sortir ! *Normalement !* — On en saura un peu plus dans la journée, peut-être qu'elle va se réveiller avant ce soir, ne t'inquiète pas. En tout cas tu peux aller la voir, la mère de Sylvie m'a dit que tu pouvais aller la voir mais seulement en fin de journée, en fin d'après-midi, vers dix-sept heures, ils ont laissé ton nom à l'entrée. Il faut que tu donnes ton nom à l'entrée, c'est un hôpital militaire, on n'y rentre pas comme ça, il est très surveillé paraît-il. — Putain mais c'est pas vrai, mais qu'est-ce qui se passe depuis deux jours ! — Ne t'inquiète pas, Sylvie va s'en sortir. Appelle-moi si tu as besoin que je vienne te soutenir. Je t'accompagne à l'hôpital si tu veux. »

Comme si en soi la situation n'était pas suffisamment terrifiante, on accède au service de réanimation de l'hôpital du Val-de-Grâce par l'entrée des urgences situées à l'arrière du bâtiment. J'empruntais la chaussée qui contourne ce dernier (et pour cette seule raison je sentais qu'elle conduisait dans l'enfer de la douleur et des corps fracassés) et je m'introduisais dans l'hôpital par la cabine où stationnent les pompiers pour décharger les personnes qu'ils ont véhiculées — j'avais toujours peur que mes yeux ne se posent par inadvertance sur un détail atroce qu'ils n'auraient pas dû voir. Ce garage éclairé aux néons n'était pas encore l'hôpital mais n'était plus tout à fait le monde extérieur, je franchissais cette entrée dénudée avec le sentiment de traverser une zone intermédiaire entre la vie et la mort, le bonheur et le malheur, la chance et la malchance, le monde où la chose ne s'est pas encore produite et celui où elle vient juste de se manifester — c'était strident et aussi affolant que le fracas d'un hélicoptère, je percevais cette entrée aveuglante comme la matérialisation de cette seconde où ma mère m'avait révélé que Sylvie était tombée dans le coma. Je n'avais pas seulement la sensation, toutes les fois que je transitais par ce passage, de m'introduire dans l'hôpital où se trouvait Sylvie, mais de pénétrer dans mon propre malheur : je ressemblais moi-même à cette entrée tragique située à l'arrière du bâtiment. D'ailleurs, pendant les cinq jours où Sylvie est restée dans le coma, mon arrivée a coïncidé plusieurs fois avec celle d'un accidenté qu'on véhiculait avec un empressement précautionneux (et comme dans un miroir je reconnaissais la gravité de ma situation dans l'urgence lancinante de cette scène, je me donnais l'impression d'être à la fois l'ambulance, l'accidenté, le traumatisme et le médecin qu'il me semblait que j'étais pour moi-même), on s'agitait autour du brancard avec la même fébrilité que si l'infortuné risquait de trépasser au milieu du couloir tandis que j'attendais qu'une infirmière vienne me chercher pour me conduire dans la petite pièce où je devais revêtir une panoplie aseptisée — ce blessé qui peut-être allait mourir s'éloignait sur son chariot dans la blancheur de l'édifice, je me sentais seul, aucun ami ne pouvait m'assister dans cette épreuve, ni apaiser l'effroi que j'éprouvais ; je brûlais comme dans un incendie individuel au milieu de tout ce personnel qui s'affairait sans se préoccuper de ma douleur, chaussé de sabots blancs, vêtu de blouses où à l'endroit des poches je voyais de longues biffures accidentelles de stylo-bille. Une fois que dans la petite pièce où l'on avait fini par m'enfermer j'avais enfilé les protections qui m'avaient été remises, une infirmière surgissait de l'univers électronique des évanouis (« Bonjour, vous êtes prêt, je peux vous accompagner ? ») et m'introduisait dans une salle où se trouvait un alignement de dormeurs séparés par des paravents. Il y régnait une atmosphère religieuse, les signaux sonores émis par les appareillages (connectés à des corps blancs que j'entrapercevais dans les box) résonnaient comme le tempo d'un requiem que l'on n'entendait pas — il me semblait qu'il n'y avait que des morts dans cette salle, des morts que l'on pleurait depuis longtemps. J'étais vêtu moi-même comme une sorte de sacristain (chaussons, pantalon, blouse, gants, bonnet et masque de couleur verte), et si Sylvie n'avait pas été endormie, c'est seulement par mon regard qu'elle aurait pu me reconnaître.

J'ai appris que l'allergie qu'elle avait déclarée s'intitulait « syndrome malin des neuroleptiques » et qu'en raison du niveau de gravité auquel la crise s'était manifestée elle risquait de ne jamais sortir de son coma. Sylvie avait deux chances sur trois d'en réchapper (on évaluait ses statistiques de survie à 65 %), mais moi c'était le chiffre en creux qui me vrillait : à chaque instant de ces cinq jours d'incertitude, à chaque endroit de cet espace empli de cris où stagneraient mes insomnies, je n'entendrais que cet énorme 35 % qui la voyait mourir. Si l'on y réfléchit, ce pourcentage est absolument colossal : trois jeunes femmes de vingt ans boivent le thé ; à l'issue de ce thé, l'une des trois doit mourir — c'était le genre d'arithmétique qui venait clarifier ma souffrance. Ainsi, empruntant l'une des trois portes devant lesquelles nous attendions qu'elle se réveille (ou ne se réveille pas), j'allais peut-être dans quelques jours serrer dans la mienne la main glaciale de ma petite amie, et caresser le cadavre de la seule femme avec laquelle j'avais connu une relation intime et amoureuse.

Je passais de longues minutes à lui parler, j'essayais de prononcer des phrases qui semblables à des diamants pourraient avoir assez d'éclat pour resplendir dans son imaginaire et réveiller ses pensées en sursaut — un peu comme le matin dans la maison des parents d'Anne-Sophie le soleil me tirait du sommeil, à cause de la chaleur qui s'attardait sur mon visage et des rayons qui transperçaient mes paupières. Serais-je capable de croire suffisamment, du plus profond de mon être, à chacune des phrases que je lui murmurais, pour que leur imagerie vienne transpercer ses paupières de recluse ? J'étais déterminé à réinventer ma relation avec Sylvie, *il fallait que désormais mon existence soit généreuse avec la sienne* (me répétais-je en lui serrant les doigts) et que j'arrête de me protéger par principe des visions qui parfois s'exprimaient dans ses phrases (ainsi, toutes les fois qu'était prononcé le mot bébé, que miroitait le mot mariage ; toutes les fois qu'elle évoquait l'idée d'un studio loué à deux ou d'un voyage que nous pourrions nous offrir (« Dans quelques années », prenait-elle soin de préciser), j'éludais, je me hérissais, je refusais de me laisser circonscrire par aucun projet qui émanerait d'une autre source que celles de mon désir ou de mon intérêt à long terme), je lui serrais la main, je la priais solennellement de bien vouloir me pardonner, je lui disais que ma défiance ne témoignait que de mes peurs devant le monde et des insuffisances que la lucidité me laissait percevoir dans ma propre personne — *et non pas dans la tienne*, me disais-je à moi-même avec tellement de force que cette pensée pénétrerait peut-être dans son cerveau, *et non pas dans la tienne*... Je lui baisais les doigts, la lumière de mon amour coulait déjà à flots dans ce cachot obscur où ses traits clos indiquaient qu'elle gisait, environnée d'épaisses ténèbres. Le soleil de mes phrases s'introduisait dans ses oreilles, je créais pour elle seule par la syntaxe de mes murmures l'équivalent d'une joyeuse atmosphère de campagne, on entendait des oiseaux dans l'environnement de mes mots, leur gazouillement était celui d'une matinée d'été pleine de promesses, « Nous n'avons que vingt ans, toute la vie devant nous, pour quelles raisons nous angoisser ? Sylvie, écoute-moi, je te parle, pourquoi nous mettre dans cet état ? Nous n'allons pas passer notre vie l'un avec l'autre ? Je te le dis ce soir, j'ai la ferme intention de m'accrocher à toi ! Alors, pourquoi rester dans ce sommeil inutile ? », mais ces oiseaux que j'inventais pour la ravir, mais ce soleil que j'orientais sur les parois de son visage seraient-ils assez persuasifs pour perforer la peau de ses paupières d'absente ? « Tu m'entends ? Dis, Sylvie, tu m'entends ? » lui chuchotais-je à l'oreille. « C'est moi, c'est David, je suis là, reviens, je t'attends. » Sylvie ne bougeait pas, des tuyaux lui sortaient du nez et de la gorge, une perfusion la nourrissait par l'avant-bras. À cause de cet appareillage, je n'arrivais pas à décider si son apparence était celle qu'elle aurait eue si elle avait été plongée dans son sommeil habituel (elle respirait paisiblement), ou si l'état de coma conférait au retrait de sa conscience quelque chose de particulier qui expliquait le malaise que m'inspirait son visage. Celui-ci me semblait dominé par une légère contrariété, comme si Sylvie s'était fixée sur une pensée figée ; j'aurais pu la comparer à un dormeur enfermé à un endroit d'un rêve qui se serait soudain interrompu, comme un métro s'immobilise sous un tunnel. (Pour être honnête, il arrivait que j'éprouve du dégoût pour ce visage altéré par la maladie. Que Sylvie soit peut-être en train de mourir me la rendait comme étrangère, aussi lointaine qu'une inconnue. L'impudeur avec laquelle elle maintenait sous mon regard cette crispation de son visage me mettait mal à l'aise, comme si Sylvie me montrait quelque chose qu'un amoureux ne doit pas voir, la face cachée de l'intime le plus cru (comme un étron expulsé d'un anus). Tout cela injectait dans mon imaginaire des sensations de finitude humaine, je me disais que plus jamais je ne pourrais l'embrasser ou avoir avec elle une relation intime sans penser à la mort ou me souvenir de son visage sur ce lit d'hôpital (d'autant plus qu'il n'était pas sans similitude avec celui qu'on peut avoir au moment de la jouissance). Mais ces pensées par lesquelles il était sans doute nécessaire que j'évacue mon angoisse se retiraient aussi vite qu'elles m'avaient envahi — et mon amour pour Sylvie finissait par reprendre le dessus.) Je lui parlais des enfants que nous aurions, de la maison avec jardin que nous achèterions (Sylvie ne supportait pas de vivre en appartement, c'est quelque chose qu'elle m'avait dit à différentes reprises, moi qui adorais le désordre des grandes villes et qui rêvais de m'installer un jour à New York...), « Combien tu veux d'enfants ? Dis-moi mon amour, combien tu veux d'enfants ? Deux, trois, quatre ? Je suis d'accord pour cinq ». Aucune réponse ; palpitation des appareils respiratoires ; tempo inéluctable du requiem. J'entendais des cliquetis d'ustensiles sur des plateaux métalliques ; des roulettes de chariot sur le carrelage ; les plantes de pieds d'une infirmière martiniquaise sur ses claquettes. Il n'était rien que je trouvais plus angoissant que cet environnement sonore de l'hôpital (associé de surcroît à son environnement olfactif ; une odeur écœurante flottait autour de nous, accentuée par la chaleur qui régnait dans la salle), ces bruits constituaient la quintessence de l'atmosphère qui se répand dans les parages de l'agonie — de la même manière que le fracas des vagues, les cris des mouettes, les rires des enfants qui s'amusent sont les ingrédients de l'atmosphère qui se dilate dans notre tête quand on s'allonge sur une plage les yeux fermés. Cependant, en dehors des bip-bip scandés par les régulateurs (aussi régulièrement, avec la même indifférence que la machine océanique donne l'impression de délivrer les vagues), le silence l'emportait largement sur la fréquence et sur l'intensité des bruits divers qu'il arrivait que je perçoive. « Sylvie, tu m'entends ? Je suis d'accord pour cinq enfants, trois filles et deux garçons ! À moins que… je te connais, ah oui, je te connais ! » lui disais-je à voix basse en essayant de rire (je n'avais pas, jusqu'à présent, pensé possible l'éclat de rire ; mais peut-être qu'en définitive, éclater d'un rire démonstratif, accidenté, durablement, en grelottant sur ma chaise, se révélerait la solution la plus efficace pour réveiller Sylvie et quelques-uns de ses voisins d'infortune ?), « Ah ça, je te connais, tu serais bien capable ! Ah oui, tu serais bien capable de me faire ce coup-là ! » poursuivais-je en essayant de démarrer le moteur du fou rire comme un matin d'hiver celui d'une vieille voiture complètement froide, « Tu serais bien capable, si moi je suis d'accord pour cinq enfants, de vouloir cinq garçons ! Je te dis OK pour cinq enfants — et toi tu me réponds : j'ai envie de cinq garçons ! Mon officier romantique, tu serais bien capable de vouloir faire un escadron ! Cinq garçons, six hommes à la maison pour toi toute seule ! » Je lui serrais les doigts en décrivant le visage du premier bébé hussard que nous aurions, je déclinais pour chaque partie de son visage ce qu'il emprunterait à son père et ce qu'il serait fier de tenir de sa mère, « Le principal c'est qu'il ait ton petit nez, qu'il ait mes yeux que tu aimes tant… mais qu'en revanche il ait tes oreilles… tu le sais que j'adore tes oreilles, on ne risque absolument rien dans la vie quand on possède de telles oreilles ! Je voudrais qu'il ait ton front, ton front immense empli d'intelligence... il y en a de la place dans ce front pour y ranger des choses (lui disais-je en passant de légers doigts sur son grand front bombé), des rêves... du désir... des pensées... des idées... des souvenirs... de l'amour... de l'ambition... Tu m'aideras à devenir architecte, on s'y mettra à deux ! Moi tu sais j'aurai du mal à y arriver si tu ne m'aides pas un peu... Avec toi, avec ce front, avec les choses si belles que tu y ranges depuis toujours, on va faire un malheur ! » lui disais-je en posant ma tête sur son ventre. « Tu ne crois pas ? Dis, Sylvie, tu ne crois pas ? »

Sylvie ne me répondait pas. Je la voyais qui respirait sans m'écouter, indifférente, irrésolue.

Je revenais chaque jour en fin d'après-midi. Je ne dormais plus, l'angoisse brûlait mon ventre et ma poitrine, des diarrhées me conduisaient dans les toilettes les plus diverses. J'avais l'impression qu'on mangeait mon cerveau à la petite cuillère.

Dévasté par l'idée que Sylvie allait peut-être mourir, toute autre peur que celle de ce désastre avait été éradiquée. Je me sentais d'une résistance éperdue mais surtout j'éprouvais la plus totale indifférence à l'égard de ma propre personne. J'ai le souvenir que certains soirs je traversais les rues sans presque regarder si des voitures arrivaient.

À chaque fois que je sortais du service de réanimation, je ne savais pas où aller ni que faire. J'étais égaré dans ma propre vie comme on peut l'être dans une ville étrangère, sans repère pour m'orienter, sans autre désir que le réveil de Sylvie et le pardon qu'elle pourrait m'accorder. Je pouvais m'asseoir sur un banc et y rester longtemps sans vraiment m'en apercevoir. Je ne mangeais quasiment plus.

On est passé à l'heure d'hiver durant la deuxième nuit de Sylvie à l'hôpital du Val-de-Grâce. Quand je me suis retrouvé dehors au terme de ma troisième visite, non seulement il faisait plus sombre que la veille mais la nuit n'a pas tardé à tomber. Je m'en souviens, je marchais sur le boulevard, j'ai accueilli cette modification de l'éclairage avec reconnaissance ; j'étais heureux qu'il se répande sur la réalité une atmosphère moins insouciante, atténuée, plus poétique et favorable au recueillement, une atmosphère dont j'ai senti qu'elle était habitée par quelque chose de mystérieux qui me protégeait. C'est ce soir-là que pour la première fois l'automne m'est apparu comme un espace où la douceur de l'intériorité pourrait me consoler de mes souffrances — et faire flotter autour de moi la sensation d'un ailleurs idéal à atteindre. Ce soir-là et ceux qui ont suivi, j'ai eu le sentiment de voir s'ouvrir mon avenir ; j'ai été presque heureux en marchant pendant des heures dans ces nuits renouvelées.

Je regarde ma montre, il est quatre heures vingt du matin, l'hôtel est parfaitement silencieux, je me demande si je ne suis pas le seul client.

Mon visage se reflète sur les vitres, l'obscurité où s'enfonce mon regard produit sur moi le même effet que les ténèbres qui s'amoncellent dans les théâtres aux abords des plateaux, environnant d'une nuit cosmique les comédiens qui les arpentent et les histoires qu'ils communiquent à nos mémoires.

Je me regarde dans ce mélange de nuit mentale et de reflets. Une seule lampe est allumée derrière moi, je n'arrête pas de boire du whisky et d'allumer des cigarettes. Je ne sais pas depuis combien de temps je m'avance dans l'épaisseur de cette matière nocturne pour essayer de retrouver l'état précis où je me consumais quand Sylvie était coincée dans son sommeil, mais il me semble que je suis parvenu à faire luire dans mon corps le timbre exact de quelques-unes des sensations qui pendant ces cinq jours ont accompagné mes prières, le cheminement de ma terreur. Le visage de Sylvie se trouve à présent à portée de mes doigts, il se confond sur la vitre avec le pâle reflet du mien, je le vois respirer avec peut-être davantage d'acuité qu'au moment où je le regardais pour de vrai, entre deux paravents de l'hôpital du Val-de-Grâce, il y a maintenant vingt-deux ans.

Ma douleur d'aujourd'hui n'est pas moins forte ni d'une atrocité moins indicible que celle qui m'écrasait quand j'avais peur que Sylvie ne survive pas à son coma. C'est la même douleur imprégnée de mort et de culpabilité, d'effroi et de tristesse, de solitude et de rupture inéluctable avec les autres, le monde, la vie d'avant le drame. La différence entre ces deux états c'est qu'aujourd'hui aucun espoir ne peut diminuer la douleur qui m'accable : Victoria ne sortira jamais des ténèbres où par ma faute elle a été engloutie (et mes deux filles ne pourront jamais me pardonner le mal que je leur ai fait, ni tirer un trait sur ce qu'elles savent que leur père a commis), quand en revanche j'avais pu me répéter pendant cinq jours que l'absence de Sylvie serait peut-être momentanée.

J'allume une cigarette en laissant s'égarer mes pensées dans cette obscurité accumulée à la surface des vitres. Sylvie est connectée à des machines sonores où des écrans font défiler des profils de montagnes. À regarder attentivement son visage, on pourrait croire qu'elle se concentre sur une recherche dont la stérilité la terrorise, comme si Sylvie avait tout lieu de redouter le surgissement d'une catastrophe et qu'elle cherchait à découvrir laquelle, à quel moment elle surviendrait, à quel endroit. Une intuition s'est répandue dans son esprit qui l'exhorte à se souvenir d'un événement qui ne s'est pas encore produit : la grimace qui s'attarde sur ses traits témoigne de l'impuissance de son mental à triompher de cette épreuve. Ou alors elle se sent comme prisonnière d'un métro arrêté sous un tunnel, enfermée dans une image unique, abstraite, éblouissante, qu'il faut d'abord qu'elle élucide pour pouvoir s'en échapper — pour conjurer ce dont cette image fixe semble être la saisissante prémonition.

Je sais maintenant quel était cet événement dont Sylvie portait sur le visage l'écho anticipé.

L'image que son sommeil essayait d'élucider s'est révélée à sa conscience vingt-deux ans plus tard en faisant irruption dans sa vie avec une violence dont aucun d'entre nous ne s'est vraiment remis : des policiers qui envahissent notre maison un matin à six heures pour se livrer devant mes filles à une perquisition dévastatrice (y compris dans leur chambre), avant de m'embarquer dans une voiture banalisée, menotté, sous les regards de mes voisins regroupés dans la rue. La fixité du visage de Sylvie se superpose à l'état de douleur immobile où les événements que nous avons vécus il y a trois mois ont arrêté nos vies. Cet hôtel de la Creuse, cette petite chambre noyée dans la pénombre, cet homme qui se persuade qu'il n'osera plus réapparaître devant ses filles, c'est certainement ce que Sylvie aurait apprécié d'apercevoir dans les ténèbres de son coma avant de décider que le prometteur David Kolski était bien l'homme avec lequel elle voulait vivre. Elle disposait pourtant d'un certain nombre d'indications pour deviner que l'amour de ce jeune homme ne serait pas aussi durable qu'elle imaginait le sien. « Pourquoi ne m'aime-t-il pas autant que je l'aime ? » : cette inquiétude avait fini par devenir obsessionnelle, je m'en étais rendu compte alors qu'elle prenait soin de m'en dissimuler la mécanique. À mesure que les indices qu'elle recueillait consolidaient sa certitude qu'elle finirait par être abandonnée, elle s'était dirigée vers l'épisode maniaco-dépressif qu'elle allait traverser (c'est ce que je pense en fait qu'il s'est passé), d'autant plus que notre couple avait toujours présenté une sorte de discordance élémentaire : à cause d'un carburant particulièrement sophistiqué qu'elle savait qu'elle n'était pas en mesure de me procurer, elle redoutait de ne pouvoir alimenter mes sentiments pendant encore longtemps, ni mon imaginaire, ni mon besoin de poésie, ni mon désir d'une vie radieuse et triomphante — de tout cela je suis certain que Sylvie possédait l'intuition, peut-être même entrevoyait-elle que notre amour serait un désastre si d'aventure elle parvenait à me conserver auprès d'elle… Ainsi, si j'avais pu m'introduire dans son cerveau pendant ces cinq jours, si j'avais pu y promener le faisceau d'une lampe torche, est-ce ce spectacle que j'aurais découvert : une chambre d'hôtel envahie par la pénombre, avec, assis dans un fauteuil devant des vitres noires, un homme anéanti, ivre de douleur et de whisky ? *Est-ce que je me trouve en ce moment même dans la matière nocturne de ce coma où Sylvie était plongée il y a vingt-deux ans ?* Tout ça m'a l'air si irréel, cette chambre à l'apparence de lieu mental, cet isolement, l'obscurité illimitée qui m'environne, la pluie sur la campagne, cette forêt qui fait comme une masse sombre au fond du paysage, ces gouttes de pluie qui descendent sur les vitres en laissant des traînées sinueuses sur le visage de ma femme apparu en transparence du mien, je ne suis peut-être qu'une pensée qui est née en 1985 dans l'esprit d'une jeune fille plongée dans le coma, reliée à des machines par des tuyaux et des fils électriques. J'avale une longue rasade de whisky — si seulement je pouvais ne pas exister mais n'être que la vision d'une jeune fille qui s'horrifie de ne pas être aimée suffisamment, si seulement Sylvie pouvait se réveiller et son cauchemar se dissoudre... si seulement je pouvais me dissoudre en même temps que cette jeune fille se réveillerait... si seulement je pouvais retrouver mon existence d'avant le drame, d'avant la mort de Victoria, d'avant ma garde à vue, d'avant Christophe Keller, d'avant la parution de mon portrait dans les journaux...

Peut-on concevoir une pire torture que celle où votre femme et vos enfants, vos parents, vos collègues, apprennent par la télévision, à l'occasion de son assassinat, l'existence d'une maîtresse « attitrée », et découvrent son visage, son identité et sa biographie, et pour finir sont informés du rôle peu reluisant que vous avez joué dans sa disparition ?

Y a-t-il quelque chose de pire que de se tenir pour responsable de la mort d'une personne, quand bien même, sur un plan strictement judiciaire, la société vous considère comme innocent, et vous a relâché, et vous renvoie chez vous avec un regard impossible à oublier (je pense au visage de Christophe Keller quand la garde à vue s'est terminée : « Vous êtes libre, au revoir, bon courage pour la suite »), un regard où perçait comme une condamnation confidentielle, aussi aiguë que la pointe d'une aiguille plantée dans l'avant-bras ?

Je jette contre le mur mon verre de whisky, qui se brise en laissant sur les motifs floraux du papier peint un dessin d'explosion.

Je me rends dans la salle de bains, j'allume le plafonnier, je m'examine dans le miroir en me lavant longuement les mains.

Je ne me suis jamais autorisé à essayer d'imaginer ce que mon existence serait peut-être devenue si Sylvie n'était pas tombée dans le coma. Ma vie tout entière s'est décidée pendant ces cinq jours où je suis venu la voir, où je me suis trouvé dans la situation de délivrer ce qui ressemble à une parole sacrée. Quand on y réfléchit, les situations sont rares où les phrases que l'on peut dire ont un prix inestimable ; c'est le cas quand par ces phrases, par les promesses qu'elles articulent, par les offrandes qu'elles accomplissent, on achète la vie d'un être aimé : on garantit leur valeur en échange d'une vie humaine. La sortie du coma a entraîné la création d'une zone mentale sanctuarisée, interdite à toute spéculation, où aucune pensée ne s'est jamais aventurée que par hasard ou honteusement — de la même manière qu'on se refuse à imaginer la mort d'un enfant. Dans cette zone se trouve conservée comme dans un coffre la question du lien qui nous unit. Je n'ai jamais trahi les phrases que j'ai dites à Sylvie pendant les cinq jours de son coma.

Une nuit que j'allais me mettre au lit, le père de Sylvie m'a téléphoné pour me dire qu'il voulait me voir de toute urgence. À entendre la texture de ses phrases, je me suis dit qu'il avait dû s'enivrer pendant des heures du sentiment de haine qu'il éprouvait pour moi ; je percevais sa répugnance à m'accorder ne serait-ce que le son de sa voix, ainsi qu'à accueillir le moindre mot porté par la mienne. « Vous voulez me voir..., ai-je répondu avec méfiance. Vous avez quelque chose de particulier à me dire ? — Je n'ai rien de particulier à te dire. Ce n'est pas à moi de raconter ce qui s'est réellement passé, et qui fait qu'aujourd'hui ma fille se trouve dans le coma. » Le père de Sylvie se débattait dans un état de douleur indescriptible, les efforts qu'il devait faire pour ne pas s'écrouler tendaient ses phrases comme des cordes de piano, je les entendais qui vibraient dans sa voix dans une étrange combinaison de tension et de tremblements, d'agressivité et de tristesse, de violence et de fragilité. « Je ne comprends pas où vous voulez en venir... Je crois qu'il vaudrait mieux mettre un terme... — Tu ne comprends pas où je veux en venir ! m'a-t-il interrompu dans un mélange de rire haineux et de chuchotement démentiel. Il me semble qu'il est grand temps qu'on ait tous les deux une vraie conversation entre hommes. — Je ne comprends pas de quoi vous voulez parler. Je ne sais pas ce que vous entendez par une conversation entre hommes. — Une conversation d'homme à homme », m'a-t-il dit sur le même ton retenu mais avec une puissance sonore qui m'a paru décuplée, comme si soudain le volume de sa voix avait été poussé à fond (j'ai commencé à avoir peur, je me suis dit que cet homme était en train de devenir fou, il avait ouvert les portes de son mental et les phrases qu'il prononçait résonnaient comme sous les voûtes d'une cathédrale). « Qu'on arrête l'hypocrisie. Qu'on aille enfin à l'essentiel. Qu'on se parle comme deux hommes qui ont des couilles. »

J'ai retrouvé le père de Sylvie une demi-heure plus tard dans un café du quartier Saint-Placide. Nous nous sommes assis de part et d'autre d'une petite table le long des vitres — il a commandé un demi et moi un verre de côtes-du-rhône. Notre conversation s'est déroulée dans le plus grand désordre, il paraissait tellement évident qu'elle ne nous mènerait nulle part qu'il aurait été plus raisonnable d'y mettre un terme dans les premières minutes — mais il faut croire que nous avions besoin de prolonger cet affrontement outrageant, ne serait-ce que pour éviter le plus longtemps possible la torture de nos nuits sans sommeil. Les rares consommateurs de ce café (des ivrognes accoudés au comptoir pour la plupart d'entre eux) devaient nous regarder comme deux lutteurs à bout de forces dont le combat finit par ressembler à un pesant, à un épais, à un voluptueux corps à corps. Je ne parvenais pas à me détacher de cet homme et du plaisir que ses insultes me procuraient, je n'arrivais pas à mettre un terme à l'ignominie de nos attaques respectives. La teneur de nos propos était tellement sordide que celui de nous deux qui relançait les hostilités s'humiliait lui-même avant de blesser l'autre, nos phrases se dépeçaient mutuellement au lieu d'examiner la réalité extérieure qu'elles désignaient, nos échanges finissaient par ne plus parler que d'eux-mêmes, nous ne cessions d'aller puiser dans des injures proférées quelques minutes plus tôt la matière d'une virulence accentuée — ainsi, ce face-à-face qui s'étirait en se piétinant lui-même était devenu comme une modalité de cette attente sans fin et sans issue où l'on s'exténuait depuis trois jours : la folie de l'attente pure qui s'enroule sur elle-même.

Par la plupart des questions qu'il me posait, le père de Sylvie enfonçait de longs poignards dans son propre ventre, il réclamait de ce jeune homme qu'il haïssait qu'il lui délivre au sujet de sa fille les confidences les plus intolérables, comme s'il fallait qu'il meure avant de devoir vivre la mort de cette enfant, et qu'il meure au nom de son amour pour elle, et qu'il succombe à des blessures qu'on infligerait à l'idée qu'il se faisait de sa pureté. « Il faut qu'on parle de sexe. Il faut qu'on ait une conversation d'homme à homme », me disait-il. « Comment elle est, Sylvie, au lit, je veux dire sexuellement ? J'exige que tu répondes à cette question. Est-ce que Sylvie aime le sexe, ou bien elle est plutôt timide et réservée, ce que personnellement j'aurais tendance à croire ? Si tu veux savoir la vérité, je suis convaincu que tu salis ma fille, que tu la dégrades, que tu la baises comme une pute », me disait le père de Sylvie, le visage écarlate et transpirant, les mains tremblantes. « Comment tu la prends ? C'est quoi tes positions préférées ? Tu as l'air choqué. Allez, fais pas l'innocent, ce n'est quand même pas la première fois que tu parles de ces choses avec un autre homme. Je répète ma question, c'est quoi tes positions préférées, c'est quoi ses positions préférées. Est-ce qu'elle t'a déjà demandé que tu lui fasses des trucs spéciaux. Quoi par exemple. Je me vois dans l'obligation, compte tenu de la gravité des événements, de te poser la question de la manière la plus directe, et d'exiger que tu répondes », me disait le père de Sylvie. « Est-ce qu'elle prend du plaisir, est-ce que tu l'as déjà fait jouir ? », me disait le père de Sylvie (il était secoué de tics ; son visage produisait de brèves sculptures instantanées qui apparaissaient en même temps que certains mots qu'il prononçait, comme le mot jouir). « Raconte, je veux savoir, sois précis, est-ce qu'elle te suce, c'est important de connaître la vérité, de comprendre ce qui s'est passé. Est-ce que tu prends ma fille en levrette ? J'imagine que tu sais ce que c'est que la levrette », me disait-il dans un éclat de rire. « Tu la baises comme une pute, je suis sûr que tu la prends par-derrière comme une pute, je suis certain que tu l'humilies en la baisant comme une chienne, ça se voit sur ta tête. C'est toi qui l'as rendue malade, elle est devenue folle à cause de toi, c'est par ta faute que ma fille a perdu les pédales. C'est toi qui l'as détruite, tu l'as détruite parce que tu la baises comme un salopard. Je suis certain que le seul recours que ma fille a trouvé pour ne plus avoir à se soumettre à toutes tes saloperies, c'est de griller un fusible », me disait le père de Sylvie. « Tu dois te demander comment je le sais. Tu dois vraiment te demander comme je sais que tu n'es qu'un pervers et un malade mental. Tu te dis putain, lui il est fort, il est pas lieutenant-colonel pour rien », me disait le père de Sylvie. « C'est parce que j'ai trouvé dans la chambre de ma fille, sous son lit, des magazines de cul. Ça t'en bouche un coin. Tu montres à ma fille des magazines de cul ? Tu as besoin, pour te stimuler, de montrer à ma fille, avant de la baiser, tu as besoin de lui montrer des magazines pornographiques ? », me disait, titubant de douleur et de haine, le père de Sylvie. « Ma femme a trouvé, dans un tiroir de sa commode, des porte-jarretelles. Tu lui fais mettre des porte-jarretelles à ma fille ? Tu l'habilles comme une pute, tu lui fais mettre des trucs de pute, tu lui montres ces saloperies de magazines pornographiques pour t'exciter et après tu la baises ? », me disait le père de Sylvie. « Et la sodomie. Parlons de sodomie. Ma fille, tu l'as déjà sodomisée ? Allez, vas-y, d'homme à homme, regarde-moi dans les yeux, je suis certain que tu l'encules, je suis certain que tu l'encules, je suis certain que tu lui mets ta bite dans le cul. Je suis certain qu'il s'est passé un truc comme ça. C'est ma femme qui la première a émis cette hypothèse, *Ce pervers en serait bien capable, c'est sans doute un truc comme ça qui s'est passé*, c'est ce qu'a dit ma femme un matin et je suis sûr qu'elle a raison. Tu l'as sodomisée, tu l'as brutalisée, tu l'as baisée comme on baise une pute. Allez, d'homme à homme, réponds-moi, ma fille, ma petite fille, tu l'as déjà enculée ? Réponds-moi ou je te brise les dents », me disait le père de Sylvie. « Mais putain qu'au moins tu aies les couilles d'assumer, de reconnaître que tu n'es qu'un pédé refoulé », me disait le père de Sylvie avec une maîtrise effrayante (comme si j'avais en face de moi toute une armée en position d'attente, quelque chose d'hostile et d'impassible, de contenu et de potentiellement dévastateur). « Tu es d'accord pour admettre avec moi qu'on peut te considérer comme un pédé refoulé ? Ma femme et moi on en est sûrs depuis le premier jour, tu n'es qu'un pédé pervers qui n'ose pas s'assumer, qui va souiller de pauvres jeunes filles avec ses vices, qui va les égarer, les abîmer, espèce de sale pédé, de salopard, je sais pas ce qui me retient de te casser la gueule, de te péter les dents », me disait le père de Sylvie.

Nous avions fini par payer nos consommations et par nous retrouver sur le trottoir. Nous n'arrivions pas à nous détacher l'un de l'autre et à retourner dans la solitude qui nous attendait — nous préférions nous insulter que d'affronter la douleur du silence. Je répondais méthodiquement à chacune des phrases qu'il proférait contre moi, j'y répliquais par des observations minutieuses, énoncées calmement, sur les valeurs, la mentalité, l'idéologie des militaires, et des bourgeois conservateurs.

« Toujours ces trucs de poésie, d'architecture et de philosophie », me disait le père de Sylvie en guise de dernière phrase au moment de s'éloigner (mais à peine avait-il prononcé cette dernière phrase qu'il revenait vers moi pour en dire une autre ou bien répondre à celle qui venait de fuser de mes lèvres en réponse à la sienne, etc.) « Tous ces livres compliqués que tu trimballes en permanence ! C'est quoi celui que tu trimballes ce soir, même dans ces circonstances si dramatiques, je te convoque dans un café et toi tu viens avec un livre dans la main, montre-moi, montre-moi la couverture, Gérard de Nerval, *Les Filles du feu*, putain, espèce de fou, lire ces trucs de grand malade, Nerval, lire Nerval un jour comme celui-ci. Ma fille se trouve dans le coma, elle va peut-être mourir cette nuit, on se voit dans un café pour avoir une explication d'homme à homme et toi tu viens au rendez-vous avec un livre de Gérard de Nerval dans la main », me disait le père de Sylvie (j'ai vraiment cru à ce moment qu'il allait me frapper, à cause de Gérard de Nerval ; il avait levé la main derrière sa tête comme si celle-ci allait me retomber lourdement sur la joue, côté phalanges). « Tu as rendu ma fille complètement folle, tu lui as tourné la tête, elle ne sait plus où elle en est, elle ne sait plus, à cause de toi, où se trouvent la réalité et le rêve, le fantasme, l'illusion, tu lui as brouillé sa perception de la réalité avec ces trucs de poésie, d'ambition artistique, devenir architecte ! Architecte, l'architecture, l'art, la poésie ! » me disait le père de Sylvie en s'éloignant. « Regarde où tous tes trucs ont mené ma fille, à l'hôpital Sainte-Anne ! Ma fille, elle a besoin de vivre dans un environnement concret, rassurant, où les choses portent des noms invariables, où les événements sont clairs, où ce qu'on vit n'évolue pas d'une minute à l'autre comme dans une poésie. On ne peut pas vivre dans une vie qui bouge sans cesse comme des nuages dans le ciel, où la réalité change de nom, de forme, de contenu, à chaque instant ! », me disait le père de Sylvie, à vingt mètres de moi, en hurlant pour se faire entendre. « Avant de te connaître, ma fille, avant d'être embarquée dans tes trucs, elle avait les pieds sur terre, le monde où elle vivait était stable, rationnel, immuable, elle savait où elle allait, personne ne lui avait tourné la tête, on n'avait pas chamboulé ses valeurs ! »

Il s'est éloigné de moi. Je regardais sa silhouette traverser la rue de Rennes.

J'ai hurlé : « Pauv' con ! »

Le père de Sylvie s'est retourné, il a sorti les mains des poches de son blouson, je l'ai vu qui hésitait à revenir vers moi, je me suis mis à courir dans la nuit pour me réfugier dans ma chambre de bonne.

5

Normalement, si je m'en étais tenu à mes principes, je n'aurais jamais dû revoir Victoria.

Après la nuit que nous avons passée à faire l'amour, il devait être aux alentours de dix heures trente quand je me suis réveillé. J'ai ouvert les rideaux, il y avait du soleil, à en juger par la langueur des personnes qui marchaient sur le trottoir la température devait être agréable ; un homme portant sa veste à la main était en train de traverser la rue. Je me suis lavé, je suis descendu pour payer la chambre et c'est seulement en fin de matinée que j'ai pu m'installer sur la terrasse devant l'hôtel.

Le bonheur qu'avait laissé dans mon corps la nuit inespérée que je venais de vivre se doublait du plaisir qu'il y avait à sortir dans la rue quand tout avait déjà commencé. L'ivresse physique peut déclencher des phénomènes vraiment curieux dans les cerveaux de ceux qu'elle incendie — et c'est ainsi qu'un matin un esclave de mon espèce peut se glisser dans l'illusion d'être un aristocrate affranchi de toute contrainte, ou une personne auréolée par des dispositions d'une telle rareté qu'elles le dispensent depuis toujours de la même existence fastidieuse que les autres. Moi qui suis plutôt du genre à me réveiller aux aurores pour m'assurer que la réalité ne va pas s'enclencher en dépit du bon sens (ce que j'ai remarqué qu'elle avait tendance à faire quand je n'étais pas là ; c'est d'ailleurs ce en quoi consiste essentiellement mon métier, empêcher que la réalité ne se mette à dérailler), j'appréciais de faire mon apparition à l'heure la plus suave qui puisse s'imaginer, quand tous ceux qui doivent travailler sont déjà absorbés par leurs tâches. Je voyais mes contemporains marcher dans la rue une sacoche à la main, je les apercevais à l'arrière d'un taxi ou au volant de leur voiture, deux jeunes femmes se déplaçaient derrière les vitres de l'immeuble d'en face en téléphonant. J'éprouvais à l'égard de tous ces gens un sentiment de vague pitié pour leur indifférence à la beauté du monde, et pour le fait qu'en cet instant rien de sublime ne venait les traverser. J'oubliais que le lendemain je serais de nouveau exactement comme eux, dans une servilité équivalente et peut-être même encore plus prononcée.

Avoir passé la nuit à donner du plaisir à une femme, un plaisir fou, à de nombreuses reprises (et pour la première fois, je pense, de toute mon existence, à quarante ans passés), n'était pas étranger à cette ivresse, comme on peut l'imaginer. L'euphorie qui m'habitait avait détruit les parasites qui dernièrement avaient porté atteinte à cette chose-là qui est chez moi si versatile et qu'on appelle l'estime de soi. Je me voyais de l'extérieur comme un objet de qualité — alors que bien souvent je me sens enlisé dans ma propre personne comme dans une matière molle et absorbante, absurdement répétitive et monotone, où je deviens pour moi-même insipide, sans contour ni relief. J'étais heureux de pouvoir me considérer ce matin-là comme quelque chose d'aussi aigu que le directeur de travaux de la tour la plus élevée de France (de toute évidence, si on y réfléchit cinq minutes, j'occupe un poste qui fait de moi une personnalité de premier plan dans l'univers de la maîtrise d'œuvre d'exécution), ce qu'à cause de l'accablante lourdeur de chaque journée je n'avais plus considéré sous une lumière aussi valorisante depuis longtemps. En me réveillant ce matin-là dans ma chambre d'hôtel de Mayfair, j'ai eu la sensation d'avoir retrouvé une part non négligeable de ma fraîcheur, et de ma vérité.

Qui a dit que tromper son conjoint est condamnable ? Une action considérée comme immorale peut-elle s'accompagner d'effets si bénéfiques, sur ce même plan moral ? Ce matin-là j'aurais eu tendance à considérer qu'en certaines circonstances il devrait nous apparaître comme un devoir vis-à-vis de soi de s'accorder des échappées de cette nature, si belles et si précieuses qu'elles en deviennent sacrées — à l'opposé de toute idée d'indignité ou de bassesse. Je ne m'étais pas senti aussi bien depuis longtemps, être sur cette chaise à laisser mon corps se remémorer les quelques heures que je venais de vivre me procurait la sensation de m'absorber dans la contemplation d'un paysage ensoleillé après des mois d'un temps instable et nuageux (alors même que dernièrement, si on m'avait posé la question, j'aurais répondu que j'allais plutôt bien, « Plutôt pas mal, j'ai connu pire », aurais-je même précisé). Ce que j'avais vécu avec Victoria s'entourait déjà pour moi d'une aura magnétique, aucun recul ne l'avait encore sanctifiée mais je savais que cette nuit-là resterait comme l'une des plus marquantes de toute ma vie ; je savais que je viendrais me réchauffer régulièrement auprès de ces images, pour me donner des forces ou me souvenir de qui j'étais. D'autant plus que je n'allais jamais revoir cette femme — elle se contenterait de demeurer dans mon souvenir comme une icône de sexe et de voracité, un pur concept de femme cinglante et enflammée.

Je voyais des lampadaires vert foncé, des façades en brique avec des fenêtres blanches, une cabine téléphonique, un trafic clairsemé et de nombreuses personnes sur les trottoirs. Il y avait, de l'autre côté de la rue, une boutique d'antiquités comme je les aime, emplie de meubles, de statues, de tableaux, de miroirs. Je me suis dit que j'irais la visiter quand je me serais sustenté.

Comme il était déjà trop tard pour le petit déjeuner mais encore un peu tôt pour le premier service du déjeuner, le serveur qui est venu me voir s'est excusé de ne pas être en mesure de me servir les œufs brouillés dont je rêvais — j'ai dû me contenter d'un café déplorable accompagné de quelques sucres. Je me sentais physiquement un peu faible : non seulement j'avais dormi à peine trois heures (ayant mis pas mal de temps, après le départ de Victoria, à trouver le sommeil), mais je m'étais nourri la veille au soir d'une quinzaine d'huîtres et d'une mousse au chocolat à peine entamée.

La lumière qui régnait sur Londres, dorée, métaphorique, m'apparaissait comme un retentissement de mon bonheur dans l'espace de la ville. Cet embrasement donnait une charge particulière aux personnes que je voyais passer, comme si chacune se trouvait à l'extrême pointe d'elle-même et sur le point de découvrir sur son destin une vérité de la plus haute importance. Mais tous ceux qui défilaient sous mon regard dans l'imminence de leur résurrection ne le savaient pas encore, c'était ma seule félicité qui l'entrevoyait pour eux : j'avais envie de m'élancer sur le trottoir pour dire à chacun d'eux la profondeur du sentiment d'exister, pour leur confier ma certitude qu'il pouvait leur arriver à eux aussi ce qui venait de se produire dans ma vie — pour peu qu'ils arrêtent de se renfermer sur eux-mêmes, d'être aveugles et craintifs, pour peu qu'ils prennent la décision de regarder autour d'eux et de s'ouvrir aux autres. « Voyez, regardez cette lumière, le monde s'est enchanté, profitez-en, réveillez-vous, il est possible d'être heureux et de se donner du bonheur entre nous, je l'ai vécu moi-même cette nuit, je viens de passer dans les bras de l'une d'entre vous une nuit absolument inoubliable, l'une des nuits les plus importantes de l'histoire de l'humanité… Vivez, il est impératif de se remettre à vivre ! » avais-je envie de murmurer à toutes les femmes qui passaient sous mes yeux. Je n'arrêtais pas de me pincer le sexe, il y stagnait comme dans une cuve un mélange explosif de plaisir et de plainte — car je n'avais pas joui, le plaisir que j'avais pris ne s'était pas converti en orgasme, tout était encore à l'intérieur comme un esprit qui s'agenouille en suppliant. Je me disais qu'il faudrait que j'aille me masturber dans les toilettes de l'hôtel avant de partir en promenade (sinon je risquais de ne pouvoir me concentrer sur rien, et en particulier sur aucune des œuvres d'art que j'irais voir au musée).

C'est alors que j'ai reçu un sms de Victoria me demandant si je m'étais réveillé. Elle me disait qu'elle avait passé avec moi une nuit inoubliable.

Un autre sms est arrivé quelques instants plus tard me déclarant que cette sublime lumière d'automne la mettait d'excellente humeur : elle se réjouissait de la promenade qu'elle allait faire à l'heure du déjeuner.

J'ai fait disparaître de l'écran le deuxième message de Victoria et j'ai demandé au serveur un deuxième café déplorable — après avoir essayé d'obtenir un double expresso, mais j'ai été informé qu'à cette heure-ci personne n'était en mesure de faire fonctionner le percolateur.

Je me demandais ce que j'allais faire, j'hésitais, mon Eurostar quittait Londres en fin d'après-midi, je n'avais plus envie de me rendre au British Museum, j'irais peut-être me promener dans un parc ou visiter le bâtiment de la Tate Modern réhabilité par Herzog et de Meuron. J'ai pris mon téléphone et j'ai commencé à répondre aux deux messages de Victoria.

Voilà comme dans la vie il peut arriver qu'on se laisse entraîner sur un chemin qu'on ne voit pas. On effectue quelques pas qu'on suppose anodins mais sans s'apercevoir qu'ils sont en train de créer un chemin, mais sans comprendre que le premier de tous les pas que l'on peut faire nous engage toujours dans une direction. Pendant qu'on multiplie les sms sur le clavier de son smartphone et que s'enchaînent les phrases et les réponses et les sourires pensifs qu'elles occasionnent, on ne voit devant soi que le vide de l'inconnu et l'espace vierge de ce qui n'a pas encore eu lieu ; en réalité, rien d'autre n'est perceptible que sa propre énergie. Il suffirait de se retourner pour mesurer la distance qu'on vient de parcourir et qui fait qu'à présent on se trouve assez loin de son point de départ ; on comprendrait du même coup qu'il sera difficile de se remettre dans la situation initiale, à moins de produire un effort inflexible, de prendre une décision violente ou de se renier brutalement.

Quand j'étais enfant, je me laissais dériver parfois loin de la plage dans un bateau gonflable poussé par le mistral — je regardais l'immensité du ciel en écoutant le clapotis des vagues contre le caoutchouc. Cette étendue de bleu qui m'absorbait annulait le concept même de temps humain et faisait de ma personne un morceau d'éternité secoué avec douceur par le mouvement aléatoire de la mer. Le hasard de ces ondulations manifestait la solitude de notre planète dans l'infini du cosmos ; les vagues qui me berçaient me transmettaient la certitude que l'homme est absent des lois physiques qui régissent la matière ; il n'y avait rien d'humain dans ce ciel où je me répandais, j'étais seul, le principe même de vie humaine avait disparu de mes pensées, c'était la machinerie de l'univers que j'entendais clapoter contre la coque en caoutchouc, ploc, ploc, ploc, comme un tic-tac glacial et hasardeux, ironique, imprévisible. Quand il fallait que je relève la tête (au bout d'un nombre de minutes que je suppose aujourd'hui important), je m'apercevais que le mistral avait déroulé une distance effarante entre le littoral et mon embarcation, ce dont aucun indice n'avait pu m'informer durant ce long dialogue avec le ciel immobile. Si je scrutais la plage avec soin (les vacanciers n'y étaient pas plus grands que des insectes), j'apercevais la silhouette de ma mère plantée au bord de l'eau, je la voyais m'adresser d'amples gestes de rapatriement qui étaient aussi des mouvements d'un profond pessimisme. Elle paniquait de voir son enfant se laisser aspirer par l'abstraction d'un horizon indifférent.

Une vigie qui gesticule sur le rivage : voilà l'image qui me revient quand je songe à ce qui peut nous arriver lorsqu'on se laisse dériver loin de sa vie en égarant ses pensées dans un espace aussi indéfini qu'un ciel vide sans repère. Allongé dans la douceur d'une rêverie insouciante agitée par les lois mêmes du mouvement amoureux, on a envie d'oublier le monde, on a envie de n'écouter que l'horlogerie de son destin contre la coque d'une situation aussi sublime qu'immémoriale : un homme rencontre une femme, ils se désirent, ils se séduisent, ils ont envie de faire l'amour, vaguelettes qui s'insinuent sous notre embarcation et nous soulèvent le cœur.

C'est ainsi qu'à l'issue d'un échange hasardeux où il fut successivement question de terrasse, de baisers, de petits plats et de promenade dans Londres à l'heure du déjeuner, j'ai fini par découvrir cette injonction : « *Reste où tu es, j'arrive, je serai là dans quinze minutes* », sans que j'éprouve la moindre envie de dissuader Victoria de me rejoindre, « *OK, je ne bouge pas, à tout de suite* », ai-je répondu en me surprenant moi-même pour cette réponse éclair (je savais que ce « *OK* » avait enfreint radicalement toutes les résolutions que j'avais prises, ainsi que mon principe le plus précieux). Voilà, c'était fait, j'avais vu l'enveloppe de mon message s'envoler avec des ailes hors de l'écran, la chose à éviter venait de se produire, j'étais en train de m'éloigner du littoral en regardant l'immensité du ciel. Si alors j'étais revenu à moi, je me serais vu sur le rivage sous l'apparence d'une réprobation affolée réalisant de grands gestes rotatifs de rapatriement ; mais je refusais de considérer qu'une situation nouvelle était sur le point de se constituer (comme d'ailleurs, enfant, j'aimais m'offrir le vertige d'une semblable insouciance, quand je repoussais le moment où je devrais vérifier ma position par rapport à la côte). Je m'étais remis à bander, j'avais envie de sentir sous mes doigts l'épaisse poitrine de Victoria, j'avais envie de voir ses jambes à la lumière du jour, j'avais envie d'avoir envie d'elle en apercevant ses mollets au milieu d'autres jambes. J'avais envie de vérifier l'impact de son visage, je me remémorais les contractions de son sexe autour du mien. Je voulais lui dire que notre nuit avait été la plus belle que j'avais jamais vécue ; je voulais voir une pellicule de larmes apparaître dans ses yeux fixés sur mon visage au moment où ils refléteraient cet aveu. J'avais déjà commencé à avoir besoin d'elle.

Victoria est arrivée, splendide et bouleversante, chaussée d'escarpins noirs à fins talons, les jambes gainées de bas couleur chair. Elle s'est assise en face de moi avec un grand sourire, sans m'embrasser, en posant sa main sur la mienne.

Nous avons essayé d'avoir une conversation mais nos corps étaient déjà partis dans un espace de confidences inaccessible au langage ; toutes les phrases que nous pouvions nous dire avaient l'air de voyageurs qui ont raté leur train et considèrent dépités la voie déserte... « Pardon, excuse-moi, qu'est-ce que tu... Tu m'as posé une question...

— Moi ? Tu me demandes si je t'ai, lui répondais-je en souriant.

— Oui, si tu m'as, à l'instant. Je crois que j'ai. Qu'est-ce que tu m'as dit ? » Nous nous superposions par le regard comme deux figures décalquées l'une de l'autre, je voyais son visage comme une vision mentale qui m'absorbait, je m'enfonçais dans cette image comme on s'abîme dans une pensée illimitée. « Ce que je t'ai dit ? Mais quand ?

— Là, tout de suite, juste avant, me disait-elle. Arrête ! Tu as oublié ? » Je sentais le genou de Victoria sous la table et il bougeait, il s'appuyait contre le mien, il me confiait le désir qu'elle éprouvait de venir dans mes bras — les expressions de son regard m'en donnaient la traduction dans un langage un peu plus articulé que celui dont sa rotule était capable, sa rotule et aussi nos cerveaux. « Allons-y, je n'en peux plus, il faut que je t'embrasse, a-t-elle fini par me dire. Il faut absolument qu'on fasse l'amour.

— Mais où tu veux qu'on aille ? Chez toi ?

— Non, pas le temps. » Elle regardait sa montre en réfléchissant : « J'ai une réunion dans trois quarts d'heure... Je peux éventuellement arriver un peu en retard, il faudra juste que je prévienne mon assistante... » Elle a levé la tête avec un sourire que j'ai vu s'épanouir lentement après qu'elle eut fini sa phrase : « Je crois que je vais prendre une chambre. On va aller faire l'amour dans une chambre, maintenant, tout de suite, allons-y, prends tes affaires, viens avec moi. »

Victoria s'est rendue à la réception — je l'ai attendue un peu plus loin dans le hall sans détacher mes yeux de sa silhouette. J'étais conscient de vivre en cet instant une situation d'une beauté bouleversante, je n'en revenais pas qu'une chose pareille puisse m'arriver et de surcroît avec la femme qui accoudée au comptoir dans une posture légèrement déhanchée était en train de récupérer sa carte de crédit et de la ranger dans son sac à main, j'avais envie d'enfoncer mon sexe entre ses fesses en la tenant fermement par le bassin, debout, derrière elle, contre un mur, dans le parfum de ses cheveux dénoués — j'étais presque obligé de me le répéter à moi-même pour y croire : j'avais fait la connaissance d'une femme qui pouvait obéir aux injonctions de son désir en prenant l'initiative de louer une chambre dans un hôtel quatre étoiles pour une durée de trente minutes. L'autorité de son impact s'est reflété un instant sur le visage du réceptionniste alors qu'il lui tendait des documents (elle avait dû le regarder avec une lueur érotique dans les yeux, une lueur d'impatience : je ne voyais Victoria que de dos, de loin, ébloui par cette scène inouïe), tandis qu'au même moment une jeune femme blonde était en train de se diriger vers la réception en compagnie d'un homme massif et Victoria éclipsait sans pitié la séduction de cette sylphide inconsistante — dans aucun de mes rêves les plus irréalistes je n'avais même envisagé qu'une telle scène puisse un jour se produire. Victoria se détache du comptoir et évite de justesse l'homme corpulent qu'elle allait percuter, je vois ses lèvres former la locution « Excuse me » et elle revient vers moi avec une expression confuse sur le visage. J'observe qu'elle est émue, je suppose que c'est la première fois qu'elle loue une chambre à l'heure du déjeuner, sans valise, pour un temps limité — et cela sans qu'il soit possible d'en dissimuler la finalité à l'employé qui l'enregistre. « L'hôtel était complet, j'ai dû lui expliquer que j'en avais besoin pour peu de temps... Je crois que j'ai rougi quand il a compris pourquoi je voulais absolument cette chambre... », me confie Victoria en me prenant par le bras. Nous nous orientons vers les ascenseurs, je n'entends plus que des murmures mélangés à des sourires de gaieté, « Mon Dieu, qu'est-ce qui m'arrive, tu as vu de quoi je suis capable à cause de toi...

— C'est merveilleux au contraire... Victoria, je t'assure, je trouve ça merveilleux, lui dis-je en appuyant sur la pastille d'appel. Mais comment tu as fait si l'hôtel...

— J'ai pris une suite.

— Une suite ? On va se retrouver dans une suite ?

— Qu'est-ce que tu veux, on n'a qu'une vie ! C'était la seule chambre disponible, mais à la condition qu'on la libère avant ce soir. Je ne savais plus où me mettre quand j'ai dit oui, d'accord, avant ce soir, et même avant quinze heures si vous voulez... » Victoria se met à rire en posant sa tête sur mon épaule, « Si t'avais vu son regard quand je lui ai dit ça... », et nous nous engouffrons dans l'ascenseur. « Cinquième étage, vite ! » me dit-elle en regardant le numéro de la chambre sur la carte, les portes se referment en même temps que je glisse ma langue entre les lèvres de Victoria et sa main est en train de caresser mon entrejambe quand cinq étages plus haut les portes de l'ascenseur s'ouvrent de nouveau, avec la même douceur silencieuse que ses doigts sur le tissu.

J'avais faim, la tête me tournait, je ne suis pas arrivé à bander. Victoria a fait pleuvoir sur mon corps les friandises du minibar, nous avons mangé des barres chocolatées et des biscuits au fromage, elle a tenté de ranimer mon sexe avec sa bouche mais sans succès. De toute manière, maintenant que des faiblesses s'étaient manifestées, la peur de l'échec qui m'avait infiltré rendait difficile toute perspective de résurrection ; je me disais que j'aurais dû rester sur le souvenir de notre nuit. J'ai fait jouir Victoria avec ma langue (les poils de son sexe étaient soyeux, avec des reflets blonds ; elle avait des lèvres rose pâle, un clitoris saillant qu'elle adorait que j'emprisonne entre mes dents ; elle suffoquait en me serrant les poignets ; elle a hurlé tout à la fin en enfouissant son visage dans l'oreiller), puis nous nous sommes rhabillés, les trente minutes avaient fini de s'écouler depuis longtemps ; nous approchions certainement des soixante.

« On va se revoir ? m'a-t-elle demandé.

— Tu penses vraiment qu'il est utile de poser la question… », lui ai-je dit sur un ton étonné. Victoria m'a souri tandis qu'elle enfilait ses bas. « Oui, tu as raison », m'a-t-elle répondu. Je la regardais faire coulisser l'ouverture de sa jupe par l'imposante envergure de ses hanches, l'agrafer sur son ventre plat, lui imprimer une rotation afin d'en ajuster la symétrie. « Je voudrais te faire oublier…

Je suis vraiment…, ai-je dit à Victoria en lui montrant sur les draps les emballages des friandises.

— Je t'adore, m'a-t-elle répondu en me passant une main sur l'épaule. C'est normal, on a fait l'amour toute la nuit, tu me dis que tu n'as rien mangé… Franchement, je t'aurais pris pour une machine si ce matin…

— Tu reviens quand, à Paris ? » l'ai-je interrompue. Nous étions en train de sortir de la chambre, j'ai claqué la porte derrière moi, nous nous sommes engagés dans le couloir. « Je ne sais pas, bientôt, je te dirai. Je pars à Hong Kong dans une semaine, j'en profiterai pour faire un saut au Vietnam, peut-être à Bombay, puis je reviens à Londres.

— Tu passes ton temps à voyager en fait…

— Je serai à Paris, sûr, le 4 novembre. Peut-être avant mais sûr le 4 novembre. » J'ai appuyé sur la pastille d'appel de l'ascenseur. Je regardais Victoria me parler, elle avait récupéré son aura de femme d'affaires, j'ai senti qu'elle pensait davantage à sa réunion qu'à ma présence à ses côtés. « Le 4 novembre ? Je vais noter cette date.

— Peut-être avant, je te dirai. Mais le 4 novembre je le sais car j'ai une réunion hyper importante avec les syndicats pour la fermeture d'un site en Lorraine, un truc un peu chaud. Mais qu'est-ce qu'il fait cet ascenseur ! s'est irritée Victoria en appuyant par saccades sur la pastille d'appel qui clignotait. Je vais avoir une journée assez lourde, c'est peut-être pas l'idéal pour se voir, je risque d'être un peu cuite. Mais je ne sais pas si j'aurai la force de résister à l'appel d'une soirée avec toi… », a-t-elle conclu avec un regard malicieux.

Nous sommes sortis, Victoria a fait savoir au portier qu'elle avait besoin d'une voiture. Elle m'a caressé la joue en me disant « Porte-toi bien », nous nous sommes embrassés brièvement, elle est montée dans un taxi. J'ai aperçu son visage qui donnait une adresse au chauffeur puis elle a tourné la tête vers moi pour me sourire d'une main levée à travers les reflets des vitres tandis que la voiture démarrait.

J'ai vu une étrangère me saluer d'une main conventionnelle avant de se rendre à une réunion. Je me suis senti blessé par la vitesse avec laquelle le taxi s'est engouffré dans la rue. J'ai observé qu'à cet instant Victoria regardait dans la direction opposée à celle où je me trouvais, pour vérifier l'état de la circulation.

Une fois la carrosserie perdue dans le trafic, j'ai été saisi par un intense sentiment d'angoisse et de solitude. Je me suis installé à la terrasse de l'hôtel pour déjeuner.

Le départ de Victoria avait rabattu quelque chose d'assez violent sur mon bonheur de la matinée. La lumière de mon séjour londonien me parvenait désormais comme à travers des volets à claire-voie.

Une nostalgie cuisante s'est mise à m'envahir. Être séparé de cela même que je venais de vivre m'était tout simplement insupportable. Je voulais tout recommencer une nouvelle fois avec la même intensité.

J'avais le goût du sexe de Victoria dans la bouche, l'odeur de son corps flottait dans l'atmosphère, je sentais la pointe de son clitoris au bout de ma langue, son visage apparaissait sans cesse dans mes pensées.

Je n'arrêtais pas de revoir la silhouette de Victoria accoudée au comptoir de la réception ; je n'arrêtais pas de revoir Victoria à quatre pattes devant le grand miroir, ses épais cheveux bruns collés sur son visage ; je n'arrêtais pas de revoir Victoria manipulant la tige d'une fleur de l'autre côté de la nappe blanche, la veille au soir, au restaurant, elle avait sur le visage un sourire dupliqué des pétales que je touchais ; je n'arrêtais pas de revoir le lit carré où comme des papillons les emballages des friandises qu'elle m'avait fait manger, nue, agenouillée sur le matelas, s'étaient multipliés ; je n'arrêtais pas d'être subjugué par la beauté de ces images, je souffrais d'être désormais à l'extérieur de leur éclat et de devoir les savourer de loin comme on regarde une île sur le pont d'un bateau. Je ne voulais pas retourner dans ma vie mais rappeler Victoria pour qu'on se voie un soir de plus, une nuit supplémentaire ; je voulais rester en dehors de la réalité encore un peu, m'attarder sur ce territoire que j'avais découvert en me faufilant par l'interstice que Victoria avait créé dans l'écorce de ma vie ; je voulais m'y introduire de nouveau subrepticement et y rester jusqu'au lendemain. Mais une telle chose ne semblait pas possible, à moins de se mettre à franchement déconner ; mais pourquoi pas après tout ?

Je ne savais pas de quelle nature pouvaient bien être les sentiments qu'elle m'inspirait ; je la connaissais mal, nos modes de vie nous opposaient, certains aspects de sa personne me déplaisaient. La seule chose dont j'étais sûr c'était que cette femme m'avait entraîné dans un endroit qui désormais faisait un vide dans ma vie.

Un serveur est arrivé devant ma table pour savoir si j'étais disposé à passer ma commande. J'ai orienté vers lui un visage qui devait être d'une grande tristesse et lui ai demandé une cuisse de poulet accompagnée d'une purée de pommes de terre. « Something to drink ?

— Water, sparkling water. And a beer. » J'ai regardé le sol en silence, le serveur ne bougeait pas, j'ai fini par lui dire : « What kind of beer do you have ?

— Carlsberg, Kronenberg…

— Carlsberg », l'ai-je interrompu. Le serveur a retiré la deuxième assiette et les couverts qui l'accompagnaient, comme si j'étais devenu veuf entre le moment où je m'étais installé à cette table et celui où le serveur était venu me voir pour prendre ma commande ; il avait d'ailleurs retiré les effets du défunt avec beaucoup de componction et de délicatesse. « Very well, sir », m'a-t-il dit en s'inclinant gravement, avant de demander à un homme qui terminait son repas à la table d'à côté si tout se passait bien.

J'ai pensé que j'allais me mettre à pleurer, une larme est apparue, une seule, que j'ai laissée couler jusqu'à mes lèvres ; je l'ai ensuite essuyée avec ma langue.

Je ne m'étais pas attendu à souffrir de la sorte, j'avais même cru que les bienfaits de ce séjour à Londres se prolongeraient pendant plusieurs semaines, qu'ils me fortifieraient. La situation de douleur où je me trouvais était advenue aussi brutalement qu'un accident de la circulation ; le taxi qui emportait Victoria m'avait renversé.

J'ai passé mon déjeuner à essayer d'organiser

mes pensées de telle sorte que mon angoisse puisse reculer. À la lumière de quel concept envisager ma situation pour que celle-ci ne soit plus une situation problématique mais favorable à mon bien-être, bénéfique, encourageante ? C'était un peu comme un objet qu'on vient de vous offrir et pour lequel il faut trouver dans son appartement le meilleur endroit possible ; je devais déterminer quelle place allait prendre dans mes pensées, dans mon imaginaire, ce que j'avais vécu depuis la veille.

Je me suis dit que je devais continuer d'échanger des messages avec Victoria jusqu'à mon retour à Paris. J'avais peut-être seulement besoin qu'on rapatrie mon corps avec un peu moins de brutalité que dans cette silencieuse indifférence. Londres est une ville qui m'a toujours paru hostile, trop vaste et incompréhensible, je la connaissais mal ; y être abandonné n'arrangeait pas mon angoisse, elle en accentuait les effets. Une fois débarqué gare du Nord, je n'aurais plus besoin de Victoria ; je repartirais dans ma vie habituelle sans le moindre état d'âme.

Cet arrangement ne diffusait dans mon humeur qu'une lumière insipide.

Je me suis dit qu'il fallait peut-être supprimer ces volets que le départ de Victoria avait brusquement rabattus sur mon séjour londonien. Je pouvais décréter qu'il n'existait aucune limite à mon désir, aucun espace fermé obscurci par l'angoisse — mais à l'inverse un vaste avenir où m'élancer, une situation à investir, une relation qui débutait.

J'étais en train de désosser la cuisse de mon poulet quand cette seconde hypothèse est advenue. Un sentiment de joie s'est propagé dans mon esprit pour disparaître presque aussitôt sous un orage de considérations désastreuses.

Il n'était pas question que je m'abandonne à une histoire sentimentale avec cette femme. Il fallait que je résiste, c'était impératif, je le savais. J'ai porté le verre de bière à mes lèvres. L'homme d'affaires qui se trouvait à la table d'à côté s'est éloigné de la terrasse en m'adressant un sourire.

Ou alors, sans aller jusqu'à la suppression de toute limite, saurais-je rouvrir ces volets une fois de temps à autre pour faire entrer dans ma vie la séduction de l'imprévu, des saveurs romanesques ? Saurais-je le faire sans basculer dans les atrocités d'une double vie, sans éprouver pour Victoria des sentiments qui deviendraient envahissants ?

Je m'apercevais que la seule façon de faire renaître un peu de joie dans mon esprit était d'envisager un ultime rendez-vous avec elle. L'idée me réjouissait de retrouver Victoria début novembre dans les étages d'un hôtel parisien, à la tombée du jour, clandestinement, avec une pluie d'automne tombant sur les passants. De lourdes tentures, une pénombre étudiée, une cheminée surmontée d'un miroir, nos corps sur un grand lit ; j'entrouvrirais les rideaux pour regarder les carapaces des parapluies au milieu des lumières de la nuit, il y aurait des traits de pluie obliques qui luiraient à la clarté des lampadaires. Nous ferions l'amour hors du monde, en secret, suspendus dans le désir de devenir inaccessibles ; nous nous serions dissimulés dans un recoin insoupçonnable de la grande ville, à l'insu de nos réalités respectives, professionnelles et familiales. Je nous voyais comme deux cambrioleurs qui se sont cachés dans un palace après avoir dévalisé le coffre-fort d'un appartement des beaux quartiers, ils se caressent au milieu des diamants, des pierres précieuses qui étincellent. Ces heures seraient d'autant plus belles qu'elles seraient rares, fugaces, dangereuses, dérobées à des instances qui détestent se savoir abusées : une épouse et des patrons. Victoria contenait comme un noyau ce fantasme de la femme magicienne qui apparaît comme par miracle pour exaucer l'envie ardente d'être regardé, d'être célébré, d'être consolé et magnifié, avant de repartir pour une durée imprévisible. C'est ainsi qu'elle s'était laissé apprécier quand je l'avais croisée dans la galerie marchande. C'est aussi dans cet imaginaire de fulgurances que je l'avais vue se déployer durant les dernières heures.

Une femme que j'ai trouvée jolie est passée sur le trottoir, diaphane, typiquement britannique, avec des bottines à lacets.

J'avais du mal à me projeter dans ce rôle de l'amant régulier ; il suppose un lien constant avec la femme dont on s'éprend, des échanges continus, la conception de laborieux mensonges ; de la sincérité et du dédoublement ; je ne me voyais pas avec ce poids de vie supplémentaire sur les épaules. Mais surtout Victoria consentirait-elle à se soumettre à un arrangement de cette nature, épisodique et clandestin, avec un homme dont elle découvrirait qu'il n'était pas disponible ? Quelle réaction opposerait-elle à mes aveux quand ils lui apprendraient qu'elle avait fait l'amour avec un homme marié ? Une femme comme Victoria n'acceptera jamais de limiter nos relations à de discrets rendez-vous dans des hôtels.

J'étais en train de porter le verre de bière à mes lèvres quand je me suis souvenu du soupçon qui m'était venu au petit matin : elle cherchait à se faire faire un enfant. Cette pensée m'était sortie de l'esprit quand tout à l'heure nous étions montés dans la chambre. J'ai souri en réalisant que le principe de ma fécondité lui avait déjà coûté un dîner hors de prix et une suite dans un hôtel quatre étoiles : aucune goutte de semence en échange. Elle devait me détester ; elle allait certainement se poser des questions sur l'opportunité de m'avoir choisi comme étalon.

J'ai levé la main pour attirer le serveur à ma table. J'avais envie d'un double express serré.

J'ai passé l'après-midi à traîner, je n'avais envie de rien, j'attendais que le temps passe.

Je me suis mis à envoyer des mails alors que j'avais fait savoir à mes collaborateurs que j'allais rester à Londres pour mon plaisir une journée supplémentaire, « Je serai en RTT, ne vous attendez pas à recevoir des nouvelles de ma part », avais-je dit à mon assistante dans l'euphorie du départ, « Super, c'est pas trop tôt, on va enfin pouvoir respirer vingt-quatre heures ! » m'avait répondu Caroline en me rendant mon sourire — et me voilà à leur poser des questions sur des problèmes restés en suspens. Sentir une réaction humaine à l'autre bout de mon smartphone, c'était un peu comme de pouvoir se raccrocher à une bouée alors qu'on nage loin du rivage ; j'ai caressé quelques minutes le doux plastique mouillé qui flottait sur les vagues et j'ai conclu cet échange après avoir reçu un agréable « À demain, passe une belle journée à Londres » envoyé par Caroline à la suite de mon dernier message.

Je suis allé m'allonger au milieu de Hyde Park. J'avais des crampes qui me tordaient le ventre.

N'avoir reçu aucune nouvelle de Victoria me désolait, ma personne avait dû devenir indiscernable au milieu de ses nombreuses occupations. J'essayais de me raisonner, je savais qu'elle était en réunion et qu'elle avait du travail, mais je ne pouvais m'empêcher d'imaginer que mon souvenir lui inspirait dès à présent des sentiments de doute.

J'ai commencé à repenser à l'objectif que mes patrons m'avaient fixé quelques semaines plus tôt à l'occasion d'une réunion exceptionnelle. Il fallait faire en sorte que le retard de la tour se résorbe, et qu'il se résorbe au plus vite, et qu'il devienne rapidement, si possible, de l'avance, « Une belle et grande avance qui pourrait nous être utile par la suite, *si vous voyez ce que je veux dire, David* », avait conclu le dirigeant de l'entreprise de promotion immobilière (classée troisième au rang mondial). Le souvenir de cette phrase m'a fait frémir — ainsi, il avait fallu que Victoria retourne d'où elle était venue pour que surgisse dans toute sa cruauté ce qu'elle avait peut-être servi à éclipser pendant le temps relativement bref qu'avait duré son apparition : les terrifiantes difficultés qui s'attachaient à la réalisation de cet objectif. Ce même homme m'avait dit d'utiliser tous les moyens possibles pour triompher des difficultés que je rencontrerais, mais à la condition qu'aucune incidence budgétaire ne puisse être observée : « Que les choses soient bien claires entre nous. Il est impératif que ce retard de deux mois se résorbe. Mais ne venez pas me raconter par la suite que ce rétablissement nous aura coûté je ne sais pas combien de centaines de milliers d'euros... C'est bien clair ? On est d'accord ? À bientôt, bon courage, je vous laisse voir le détail avec Daniel et Jean-François », avait-il murmuré en se levant (il avait fait le signe du téléphone avec sa main contre une oreille en regardant Jean-François, et celui-ci avait secoué la tête un bref instant en fermant les paupières, ostensiblement rassurant et déterminé), avant de disparaître. Daniel et Jean-François sont mes supérieurs hiérarchiques directs ; ce sont eux les vrais responsables ; mais c'est moi qui suis sur le terrain ; c'est à moi finalement qu'on s'adresse quand les décisions ont été prises, théoriquement judicieuses, dans le confort d'un grand bureau avenue Montaigne. Ce qui signifiait que les moyens évoqués par ces hommes seraient naturellement mes propres moyens — et rien d'autre que mes propres moyens. C'est-à-dire mon énergie, mes convictions, mon imagination, mon opiniâtreté, mes qualités de persuasion ; mes équipes que je devrais motiver ; ma force vitale et ma substance la plus intime, celle qui fait battre le cœur d'un homme et qu'il me faudrait bientôt démultiplier pour assurer la pulsation d'une machinerie colossale : le chantier d'une tour de cinquante étages qui peine à voir le jour selon le calendrier établi. J'ai arraché un brin d'herbe avec mes dents, je l'ai mâché, j'en ai broyé les fibres à l'aide de mes molaires, j'avais les yeux fermés, j'ai laissé se mélanger le goût de l'herbe à celui du sexe de Victoria qui hantait mon haleine, âcre et profond, aussi amer qu'un médicament.

Le lendemain, comme je l'avais conjecturé, j'allais parfaitement bien : je conservais de ce séjour à Londres un souvenir irréel et sublime. Des images couplées à du plaisir s'agitaient dans tout mon corps comme une couvée d'oiseaux rares ; leur duvet était doux ; leurs battements d'ailes me caressaient le ventre. Maintenant que j'étais rentré à Paris, je comprenais que mon angoisse de la veille avait été la conséquence d'un arrachement intolérable : j'avais à peine rencontré Victoria que j'avais dû déjà y renoncer.

Cette journée du lendemain a débuté par une réunion un peu houleuse pendant laquelle j'ai déployé une éloquence qui surpassait ce dont je suis capable ordinairement.

Dominique est venu me voir à la fin pour me dire à quel point il avait été bluffé par mon intervention, il me demandait où j'avais pu trouver tous ces trésors d'autorité et de diplomatie, « Tu les frappais et tu les caressais dans la même phrase, putain... comment t'as fait ? », je l'ai regardé avec un sourire, je venais de glisser une pièce de cinquante centimes dans la fente du distributeur de café, j'avais envie ce matin-là que la tour Uranus se réalise à un tel rythme que celui-ci ferait dire à toute la profession que David Kolski devait être considéré à partir de maintenant comme le meilleur directeur de travaux de toute l'Europe — voilà exactement dans quel état d'esprit je me trouvais. « J'ai mes secrets, ai-je répondu en retirant de la machine mon gobelet d'expresso. Tu veux un café ?

— Non, ça va... Avant la réunion je m'étais dit qu'on n'arriverait jamais à réconcilier ces deux types, que ce conflit nous pourrirait la vie… *Mais putain comment t'as fait pour les neutraliser ?*

— Je te dirai peut-être mon secret, un jour, en échange d'un autre truc…

— L'enfoiré, ça c'est tout toi, en échange d'un autre truc…

— Ce qui est sûr c'est que je suis en pleine forme. »

Je savais pertinemment d'où me venait cette force : elle me venait de la présence de Victoria dans mes pensées et surtout du plaisir qui m'envahissait toutes les fois que je me laissais surprendre par l'éventualité qu'on se revoie le 4 novembre — de l'ivresse pure qui comme des flashes s'illuminait dans ma tête aux moments les plus inattendus. C'est ainsi qu'après le déjeuner, assis sur les marches de l'escalier extérieur qui distribue les trois étages du préfabriqué qui abrite les bureaux de la maîtrise d'œuvre d'exécution (sur un terrain vague entouré par un hôtel, un parking en béton et des immeubles de bureaux, à une centaine de mètres de la tour Uranus), j'ai eu envie de témoigner ma gratitude à Victoria pour ces décharges de bonheur qu'elle me procurait. Les fesses posées sur du métal galvanisé refroidi par les températures déclinantes du mois d'octobre, j'ai écrit impulsivement sur mon ordinateur portable ces quelques lignes :

« *Qu'ils m'ont paru banals, disciplinés, échoués et soumis (comme des esclaves de luxe), tous ces gens qui m'entouraient hier soir dans l'Eurostar ! On le voit bien qu'ils ne vivent rien, qu'ils laissent leur vie s'écouler dans le réel comme un robinet resté ouvert laisse s'écouler de l'eau dans un évier. Ils étaient tous à travailler, à lire des documents, à envoyer des mails, à consulter des notes qu'ils avaient prises, à isoler des phrases avec des traits de Stabilo, à calculer des commissions, je voyais mes voisins s'absorber dans des tableaux Excel affichés sur leur écran, consulter des documents commerciaux illustrés par des photographies de choses inconnues (un homme assis à mes côtés regardait sur son ordinateur des objets métalliques de forme abstraite dont je me suis dit qu'ils devaient être des pièces détachées de centrale nucléaire), alors que moi je me sentais incapable de rien faire d'autre que de penser à toi, à ton sexe, à tes yeux, à tes seins, à tes mains, à tes lèvres, à tes oreilles, à tes poignets (à toutes ces pièces de chair et de sang qui permettent le fonctionnement de cette petite centrale qui m'alimente désormais en désir), j'avais du mal à ne pas me caresser le sexe, qui était dur… les images de notre nuit défilaient dans ma tête avec la même constante intensité que le paysage de l'autre côté des vitres. Je me rends compte que l'heure tourne, je t'écris ce long message un peu lyrique sur mon ordinateur portable (j'espère seulement qu'il n'est pas ridicule d'exprimer sans les filtrer les sentiments que le souvenir d'une femme peut inspirer à l'homme auquel elle manque), je suis à ce point avec toi que j'en ai oublié l'existence du chantier, j'ai une réunion qui commence dans trois minutes et je dois me dépêcher… Je terminerai en te disant que je suis stupéfait de la surprise que ton corps a faite au mien.* »

J'ai reçu de Victoria le soir même, peu avant minuit, au moment où j'allais me mettre au lit, la réponse suivante. Je me suis installé sur le canapé du salon pour la lire :

« J'ai enfin un peu de temps, dans cette journée complètement folle, pour m'abandonner aux effets que ton mail a eus sur moi. J'anime juqu'à vendredi un séminaire avec l'ensemble de mon équipe RH du monde entier. Le programme est intense. Imagine le choc que j'ai reçu, complètement décalé par rapport à ce que j'étais en train de faire, quand j'ai découvert ton mail qui s'affichait sur mon BB. Je t'ai lu avidement à la première interruption de séance, presque chancelante. Le désir m'a envahie brutalement, comme une intense nécessité. Tout se superposait dans ma tête : notre soirée, les coupes de champagne, le plaisir de faire l'amour avec toi et d'en avoir encore tellement envie, encore et encore, encore et encore, chaque fois que j'y repense.

Il est 22 h 30 et je suis confortablement installée dans mon lit, au milieu de tous mes oreillers. J'ai passé la journée, tout ce temps incommensurable, à refréner mon envie de répondre à tes phrases, je me sentais comme l'otage de mon rôle de grande chef... Imagine, je devais m'occuper d'une vingtaine de directrices des ressources humaines venues du monde entier pour ces trois jours de séminaire que j'anime. Mes idées sont en vrac et peu organisées, il faut que tu y voies la force de mon désir, l'affolement de mes sens, le plaisir d'avoir enfin un peu de temps pour te dire : encore, encore, encore... »

J'ai écrit à Victoria quelque chose d'assez long qui se terminait de cette manière : « *J'ai adoré ce qui s'est révélé de toi dans notre intimité et la manière dont cette femme inconnue m'a offert son corps et pris le mien. Étant si bien l'un avec l'autre, je trouve qu'il est assez stupéfiant qu'on se soit détectés immédiatement, instinctivement, dans une galerie marchande, au milieu de la foule. Je poursuivrai ce mail un peu plus tard car j'ai encore beaucoup de choses à te dire. Je t'embrasse tendrement.* »

Victoria s'est contentée, le lendemain, d'une réponse assez brève, je me suis dit qu'elle avait dû avoir un vendredi chargé en raison de son séminaire. Je suis rentré chez moi relativement tard, j'ai entendu dans ma voiture que la météo annonçait du soleil pour le week-end ; pourtant, à cause d'une petite pluie qui s'était mise à tomber, je venais d'enclencher les essuie-glaces. J'étais heureux du temps que j'allais pouvoir passer avec mes filles.

Nous sommes allés le samedi en forêt de Fontainebleau escalader des rochers et ramasser des châtaignes. Nous avions mis nos bottes en caoutchouc, j'adore marcher l'automne dans les feuilles mortes et l'herbe humide ; à un moment Vivienne s'est enfoncée dans des fougères si gigantesques que leurs ramages la dissimulaient tout entière, elle circulait comme dans une crypte à l'intérieur de cet espace sans que je puisse savoir où elle était ; Sylvie et moi avons fait semblant de nous inquiéter, avant d'entendre un fou rire qu'elle n'arrivait plus à contenir.

Salomé a voulu m'accompagner au vidéoclub en fin d'après-midi, Sylvie avait envie d'une comédie dont nous pourrions regarder le début avec les filles. Je n'arrivais pas à choisir, nos regards traînaient sur les rayonnages et par moments nous avancions la main pour attraper une boîte, lire le texte au verso, nous montrer l'illustration.

« Ce film, je suis sûr que c'est bien, ai-je dit à Salomé.

— Non mais c'est bon, on a décidé tout à l'heure qu'on prenait *Le Magicien d'Oz* ! Tu vas pas faire comme maman !

— Qu'est-ce que tu veux dire par là ?

— Tu sais très bien de quoi je veux parler. De pas savoir choisir... de passer vingt minutes à hésiter entre deux trucs...

— Non, rassure-toi, aucun risque que je devienne comme elle, ou ma vie professionnelle deviendrait un enfer... Tiens, regarde, c'est un chef-d'œuvre du cinéma. » Je donne le DVD à Salomé, elle le prend, l'examine, me le rend. « Pourquoi ta vie elle deviendrait un enfer si t'avais le même truc que maman ?

— Pour la bonne et simple raison que mon métier consiste à prendre dix décisions à la minute. Alors, si je devais ne pas savoir quoi faire, ni quoi choisir, à chaque fois qu'un problème... et qu'il fallait que j'y passe vingt minutes, tu imagines ! Souvent je dois prendre une décision avant même que la question n'ait eu le temps de me parvenir, on appelle ça anticiper... C'est-à-dire qu'idéalement je dois avoir vingt minutes d'avance sur les questions...

— Ah bon ? Ben pas ce soir en tout cas, me dit Salomé sur un ton ironique.

— Il faut croire que je suis un peu meilleur sur les chantiers... Mais pourquoi tu parles de ça ?

— De ça quoi ?

— De maman... des vingt minutes qu'elle prend...

— Parce que c'est de pire en pire.

— Non, je crois pas, vraiment.

— Moi je te dis que c'est de pire en pire. Je sais pas mais moi je pense qu'elle va finir... » J'attends que Salomé termine sa phrase en regardant son profil — mais elle ne termine pas sa phrase. Pendant que nous parlons, elle promène un doigt distrait à la surface des DVD exposés sur les murs, je vois son ongle suivre les contours des visages, emplir d'arrière-pensées les lettres des titres qui sont écrits sur les boîtes, ou dessiner de mystérieux motifs. « Qu'elle va finir par quoi ?

— Je sais pas.

— Arrête avec ton doigt, regarde-moi... » Salomé tourne vers moi son visage. « Comment ça tu sais pas ?

— Non, je sais pas comment ça va se terminer mais elle me fait flipper, voilà. »

Nous continuons de laisser dériver nos regards à la surface du mur. Nous ne parlons plus pendant quelques minutes.

« Et ça ? dis-je à Salomé, tu crois que c'est bien ? » Je lui montre un DVD, elle me fait non de la tête. « Bon, d'accord, je te fais confiance, je croyais que c'était bien », lui dis-je en remettant la boîte sur le rayonnage. « Pourquoi tu dis que ça va mal finir ? Elle a toujours un peu de mal à choisir, elle a souvent tendance à hésiter, bon, d'accord, et alors... Ce truc fait partie d'elle, c'est un peu son charme...

— Son charme, son charme, tu parles... », me dit Salomé en tapant rythmiquement avec deux doigts sur le front de Nicole Kidman. « On voit bien que t'es jamais allé avec elle à Carrefour. C'est infernal, ça me tue, j'en ai marre...

— Tu t'inquiètes pour rien Salomé.

— J'ai l'impression de faire les courses avec une folle. Elle arrête pas de prendre des trucs puis de changer d'avis, de faire demi-tour, de les remettre dans les rayonnages...

— Tu exagères un peu, non ?

— Pas du tout. L'autre jour...

— Maman va bien. Je te dis qu'elle va bien. Regarde, on va prendre ce film-là.

— Non mais t'es fou, ça va pas !

— Quoi, c'est pas bien ?

— Non mais c'est pas ça ! Si, c'est bien, c'est pas mal ! C'est que ce film je l'ai vu plusieurs fois, comme normalement quelque chose comme je sais pas, *vingt millions de Français* !

— Mais moi je l'ai pas vu. Je suis le seul Français à pas l'avoir vu. Ce soir j'avais envie de le voir. C'est ce film-là que je cherchais. Mais tu es contre visiblement... »

Nous nous sommes installés tous les quatre dans la chambre après dîner pour regarder *Le Magicien d'Oz*. Vivienne, comme à son habitude, s'était mise au milieu, elle avait voulu se blottir contre un corps d'homme et contre un corps de femme, sentir d'un côté les poils de mes cuisses et de l'autre la douceur de sa mère, tandis que Salomé s'était étendue à nos pieds en travers du lit, à plat ventre, appuyée sur les coudes. Sylvie s'était étonnée qu'on revienne avec le DVD du *Magicien d'Oz* alors qu'elle avait réclamé une comédie sans prétention ; j'avais fait valoir qu'il s'agissait d'un souhait de Salomé qui m'avait paru judicieux et qu'ensuite c'était un film que les enfants pourraient regarder en entier et pas seulement les vingt premières minutes. Mon euphorie post-londonienne ne m'avait pas quitté et mes deux filles avaient vite compris les avantages qu'elles allaient pouvoir en tirer ; elles avaient couru vers moi pour que je les prenne dans mes bras, « Papa ! Papa ! Merci papa ! », dès que je m'étais mis à négocier avec leur mère, dont la première réaction avait été d'être opposée à mon idée : « Elles sont fatiguées, leur semaine a été dure, elles ont besoin de se reposer », verdict qui avait été accueilli par une déferlante de sautillements à mes côtés, j'avais dû venir me serrer contre Sylvie en emportant ma cargaison de corps joyeux afin qu'on puisse former un bloc de quatre, « Bon, d'accord », avait capitulé Sylvie devant la bonne humeur générale, « mais c'est bien parce que c'est vous ». Ainsi, plongés dans le bien-être des oreillers accumulés derrière nos têtes (à l'exception du visage de Salomé dont le profil clignotait dans l'obscurité sous la lumière de l'écran), nous avons regardé *Le Magicien d'Oz*, il arrivait que des soupirs d'émerveillement poussés par ma Vivienne soient comme des oiseaux blancs qui se seraient envolés d'un étang au clair de lune. J'ai passé la soirée à superposer aux images du film des images du corps de Victoria entre mes bras, c'était un peu comme deux sources qui m'auraient alimenté simultanément, l'une continue, fluide, élaborée, l'autre fragmentaire, répétitive, obsessionnelle. La deuxième source, l'éclatée, celle du désir et du souvenir, ressemblait plus à l'idée qu'on peut se faire du cinéma que la première, celle de ce classique des années quarante qui traversait notre soirée avec la même vitesse égale que celle d'un train.

Ce n'est que le lendemain que j'ai reçu un message de Victoria. Je m'étais réveillé tard, j'avais tondu la pelouse, changé la prise d'une lampe et commencé un livre dont on parlait beaucoup dans la presse. Vivienne avait tellement insisté que j'avais fini par accéder à son désir de la conduire au jardin public (où elle espérait retrouver un garçon dont j'ai supposé qu'elle était tombée amoureuse ; j'étais mal placé pour ne pas vouloir la satisfaire entièrement sur ce plan-là), et assis sur un banc j'avais remarqué qu'elle surveillait l'entrée du jardin en dévalant interminablement la pente argent d'un toboggan ; car le garçon qu'elle voulait voir n'était pas là. J'avais parlé quelques minutes avec le père d'une petite fille que Vivienne connaissait, il travaillait dans l'informatique, il m'avait interrogé sur mon métier de directeur de travaux. Il connaissait l'existence de la tour Uranus par sa fille (Vivienne disait à qui voulait l'entendre que son papa était en train de construire le gratte-ciel le plus haut, le plus complexe, le plus tordu du monde : *un éclair en béton*), mais aussi par un reportage télévisé qu'énormément de gens avaient vu — on m'avait pas mal abordé durant les quelques jours qui avaient suivi sa diffusion au journal de vingt heures de France 2 (car dans ce reportage on apercevait brièvement mon visage, le temps d'une phrase sur la difficulté des porte-à-faux : « Si on arrive à construire cette tour... on pourra dire à la fin qu'on a été bons, et qu'on aura eu chaud... mais bien souvent je me demande si vraiment nous serons à la hauteur de la tâche », avais-je conclu dans un éclat de rire, à une époque où il était valorisant pour moi de souligner la complexité de l'édifice : je pensais que nous la surmonterions sans problème. À présent que nous étions dans la merde, cette phrase résonnait dans mon souvenir d'une lugubre manière). « C'est un beau bâtiment mais dites-moi, d'après ce qu'ils disaient, pas facile à construire, pas facile à construire ! » s'était exclamé cet homme affable qui me tenait compagnie. Et c'est à cet instant, vers dix-huit heures, que mon BB a vibré, je l'ai sorti de la poche de mon manteau et j'ai vu que Victoria venait de m'envoyer un mail accompagné d'une pièce jointe. Le message disait seulement : « *Petite pensée dominicale de Victoria.* » Je me suis tourné vers mon interlocuteur (qui venait de me dire quelque chose sur les porte-à-faux de la tour Uranus) et je lui ai demandé de bien vouloir m'excuser un instant (« Une urgence... Voyez, même le dimanche... — Faites, bien sûr, aucun problème, à plus tard », m'a-t-il répondu) et je me suis installé sur un autre banc. « Vivienne ! ai-je crié. Je suis là, sur ce banc, ne t'inquiète pas ! » Après m'avoir souri un instant, ma fille est repartie dans la construction de son château, lequel château était le seul du bac à sable à présenter la caractéristique d'être plus élevé qu'étendu. Elle se tenait accroupie les pieds posés bien à plat sur le sol, je la trouvais vraiment craquante, elle essayait de lisser avec ses mains la surface d'une construction de forme oblongue qui pouvait faire penser à un sex toy — mais qui était probablement ce sur quoi son héros de papa passait loin d'elle l'essentiel de ses journées.

On était bien dans ce jardin public, il faisait bon, la lumière était douce, la pièce jointe que j'ai ouverte s'est affichée sur mon écran.

J'ai observé qu'elle portait comme en-tête l'intitulé COMPTE RENDU DE RÉUNION.

Je précise dès à présent que cet en-tête serait l'estampille de la plupart des textes que je recevrais par la suite (car bientôt Victoria allait prendre l'habitude de m'envoyer spontanément de larges extraits de son journal intime), ce qui veut dire qu'elle utilisait la matrice de ses écrits de DRH pour rédiger ses écrits personnels : la matrice COMPTE RENDU DE RÉUNION. C'était sans doute par commodité qu'elle le faisait, ou parce que Victoria voulait dissimuler ses pensées les plus secrètes derrière les apparences d'un document professionnel, mais cet usage produisait une étrange impression : la lecture de ces pages ne pouvait jamais se départir de la pensée qu'elles avaient été écrites par la DRH d'un groupe industriel implanté dans une vingtaine de pays — et j'ai compris assez vite que Victoria ne se détachait jamais elle non plus de cette pensée, elle se vivait intensément, en permanence, de cette manière, et c'est peut-être en partie pour cela qu'elle se montrait si décidée sur le terrain des relations amoureuses : elle savait exactement ce qu'elle voulait et voyait mal pour quelle raison elle n'appliquerait pas à ses désirs de femme le même traitement radical qu'à ses projets professionnels. L'intitulé COMPTE RENDU DE RÉUNION placé en tête de ses écrits signifiera toujours pour moi la chose suivante : sa vie privée était à ce point entremêlée à sa vie professionnelle ; les temps et les espaces dévolus à chacune de ces deux sphères se trouvaient à ce point mélangés, confondus, interchangeables ; il était à ce point difficile pour elle-même de distinguer la femme intime de la femme de pouvoir ; l'exercice de son métier nécessitait à ce point de mêler le mental au technique, la sincérité au calcul, la vérité de l'être au mensonge de l'entreprise que ces deux pôles qu'elle fusionnait ne formaient plus qu'une seule et même entité : l'entité Victoria de Winter. Je le sentirai à chacune de nos rencontres : il y avait la femme privée d'un côté, la DRH de Kiloffer de l'autre et le principe Victoria de Winter qui résultait de la fusion des deux : femme de pouvoir déterminée, mobile, multiple, sexuelle et ardente. C'est cette dernière qui m'avait foudroyé dans la galerie marchande, c'est avec cette dernière que j'avais dîné et passé la nuit, c'est cette dernière qui négociait avec les syndicats, c'est cette dernière que je tiendrais dans mes bras toutes les fois qu'elle viendrait me rejoindre à Paris.

« *COMPTE RENDU DE RÉUNION*

Objet : Dimanche 16 octobre

Auteur : Moi

Diffusion : Toi peut-être

Dimanche, une merveilleuse journée ensoleillée d'octobre. Je viens juste de terminer mon homework, le soleil entre à flots dans la cuisine où je viens de m'installer.

Je suis délicieusement fourbue, j'ai nagé ce matin plus d'une heure, mes muscles sont encore chauds et palpitants, j'adore cette sensation.

Un petit café à la main, une petite barre de chocolat entre les dents (j'avoue ma gourmandise), en arrière-fond Les Noces de Figaro. *Je me prépare à l'opéra que j'écouterai samedi prochain à Paris.* »

J'ai interrompu ma lecture pour regarder où se trouvait Vivienne.

J'étais surpris que Victoria me parle d'un opéra qu'elle allait voir à Paris dans quelques jours : elle m'avait dit ne revenir en France que le 4 novembre.

« Je profite mieux de la musique quand j'arrive imprégnée du livret, des mélodies et des péripéties de l'histoire. Je connais certaines des arias quasiment par cœur, il faut dire que Mozart m'accompagne depuis que je suis toute petite, c'est un vieux copain et j'écoute cet opéra en boucle depuis la semaine dernière. »

Maintenant que sa tour était achevée, Vivienne escaladait les barreaux d'une cage en fer.

Ainsi, Victoria écoutait des opéras de Mozart le dimanche dans son appartement après avoir fait de l'exercice dans un club de sport ultra huppé, fréquenté par la bonne société londonienne.

Je ne suis jamais allé à l'opéra : pour moi, si un critère permet de départager les individus selon leur extraction sociale et le niveau culturel du milieu où ils ont grandi, c'est bien la musique classique. À cet égard, il n'était pas indifférent que Victoria ait fait le choix d'ouvrir le premier texte qu'elle m'envoyait par la description de ses loisirs de mélomane. Que cette initiative ait été consciente ou pas des significations qu'elle pouvait revêtir aux yeux d'un homme comme moi, elle n'en affirmait pas moins un territoire, une différence et une identité — et en effet rien ne s'accordait mieux au pouvoir effectif de Victoria que d'écouter chez soi *Les Noces de Figaro* : elle n'était pas seulement issue de la grande bourgeoisie, elle jouissait du privilège d'appartenir au conseil d'administration d'un groupe industriel coté en Bourse (ce qui n'est pas le cas de toutes les DRH, comme elle avait déjà eu l'occasion de me l'expliquer) et fort naturellement elle se délectait d'apprendre par cœur des arias qu'elle écoutait depuis l'enfance, c'était logique, l'ensemble m'apparaissait d'une cohérence et même d'une perfection plastique indiscutable. J'aurais pu me sentir diminué par cette démonstration de supériorité (et en effet ma première réaction a été de me sentir exclu par le naturel de ce tableau idyllique que je savais si éloigné de ce que ma culture me permet d'apprécier), mais il y avait quelque chose d'incroyablement doux dans cet effort produit par Victoria pour me représenter son intimité : j'avais la sensation qu'elle désirait m'y accueillir, qu'elle m'ouvrait son univers comme elle m'avait offert son sexe — et l'ivresse que j'en retirais était d'autant plus profonde que la réalité où elle évoluait me semblait éloignée de la mienne, aussi inaccessible et mystérieuse qu'une montagne entrevue dans la brume.

J'imaginais Victoria en survêtement ou en déshabillé, une tasse de café à la main, glissant dans son appartement. J'imaginais un lieu immense et lumineux, avec des meubles contemporains superposés à des antiquités, à des tableaux du XVIIIe siècle ; un loft dans une usine réhabilitée par un architecte sur les berges de la Tamise. Elle croquait sa barre de chocolat en chantant les arias qu'elle venait d'apprendre par cœur, elle se laissait tomber sur un sofa en cuir et envoyait voler ses chaussons sur du ciment ciré.

Vivienne essayait de reprendre sa pelle à un petit garçon qui la lui avait empruntée quand elle se trouvait dans la cage à poules, ils la tenaient chacun par une extrémité avec une détermination sans faille et la tiraient, j'ai senti que le petit garçon allait se mettre à pleurer, « Vivienne ! ai-je crié. Laisse-lui la pelle, tu as le râteau, il te la rendra !

— Mais papa ! C'est pas à lui la pelle, c'est la mienne, j'en ai besoin !

— Il va te la rendre dans une minute, utilise le râteau. Sois mignonne, allez », et j'ai vu ma Vivienne abandonner sa pelle au petit garçon.

J'ai reporté mon regard sur l'écran et j'ai repris le texte où je l'avais laissé :

« *Je ne vais pas tarder à aller faire un tour à mon bureau et préparer quelques dossiers pour que mon équipe puisse continuer le travail lors de mes déplacements de cette semaine. Je sais que je vais en profiter pour t'envoyer ce texte. Je devine et suppute ton silence de ce week-end, cela me va bien et souligne encore plus l'étranger que tu es, dont j'ignore absolument tout.* »

Je me suis arrêté de lire, j'ai levé la tête, mes yeux se sont posés sur Vivienne accroupie au milieu du bac à sable. Elle était en train d'aplanir le sommet du pâté qu'elle venait de faire avec son seau.

L'onde de choc de la phrase que je venais de lire ne s'était pas encore interrompue, elle éclairait chacun de mes organes d'une sensation particulière et délicieuse, précisément différenciée dans les nuances les plus subtiles de la félicité et du plaisir.

Victoria avait deviné que j'étais marié, elle avait deviné que j'avais des enfants, elle avait peut-être deviné que je lirais son texte assis dans un jardin public pendant que ma cadette serait accroupie au milieu du bac à sable sous mon regard attendri. Et Victoria me disait tranquillement, à la faveur d'une phrase d'un naturel aussi stupéfiant que celui avec lequel je l'avais vue se déshabiller lors de notre première nuit à Londres, que cette réalité qu'elle « supputait » ne lui posait aucun problème : elle l'acceptait.

Voilà le sens de ce texte qu'elle m'avait écrit et posté sous l'étrange intitulé COMPTE RENDU DE RÉUNION : elle m'acceptait tel que j'étais.

J'ai achevé la lecture de sa lettre : « *C'est toujours intimidant de faire la connaissance d'une nouvelle personne et de découvrir un univers inconnu, avec ce que l'on pourra en aimer et en comprendre, et ce que l'on ne pourra pas en accepter.* » J'ai levé la tête : bémol : il y a des choses qu'elle ne pourra pas accepter, mais quoi ? Qu'est-ce qu'elle ne serait pas capable d'accepter si elle était capable d'accepter que je sois marié ? « *De même, je me demande jusqu'où je te laisserai aller, jusqu'où je pourrai me dévoiler. C'est un peu comique de parler de "dévoiler" alors que nous étions plus que nus l'un devant l'autre il y a quelques jours... Mais cette nudité-là était celle de nos corps, elle a joué comme deux aimants avidement attirés l'un par l'autre, qu'en sera-t-il de l'autre nudité, celle de nos êtres ?* »

Ainsi se terminait la lettre de Victoria, je l'ai enregistrée dans un dossier que j'ai créé pour l'occasion et que j'ai baptisé « Etincelle.doc » — c'est ce dossier que j'ai maintenant sous les yeux tandis que je relis les textes que j'ai reçus pendant dix mois. Je me suis levé du banc pour aller vers Vivienne, je me lève de ma chaise et m'oriente vers la fenêtre pour regarder le paysage, il ne pleut plus, la nuit ne va pas tarder à tomber, je commence à avoir un peu faim. Vivienne pose sur moi son regard : « On y va ? je lui demande.

— D'accord, papa, me répond-elle. On reviendra ?

— Si tu veux ma chérie.

— J'adore venir avec toi au jardin public, ajoute-t-elle avec tendresse.

— Moi aussi j'aime beaucoup venir ici avec toi. J'ai passé un merveilleux moment, on reviendra quand tu veux », ai-je conclu en m'accroupissant pour l'embrasser. Vivienne a réuni ses affaires, je l'ai aidée à retrouver sa pelle, le petit garçon l'avait abandonnée sur le banc où sa mère était assise (mais ils étaient partis pendant que je lisais le texte de Victoria : je ne les avais pas vus s'éloigner), nous sommes sortis du jardin public, ma voiture n'était pas garée très loin, j'ai installé Vivienne sur son siège enfant à l'arrière et nous sommes rentrés à la maison — où je me souviens que nous attendait le parfum d'un pot-au-feu cuisiné par Sylvie. Je suis en train de pleurer, il ne pleut plus mais des larmes ont remplacé les gouttes qui ont coulé toute la journée sur les vitres de ma chambre d'hôtel, je pleure à la pensée que je n'ai plus revu Vivienne depuis trois mois et que j'ignore à quel moment je trouverai le courage de me présenter à nouveau devant elle — moi qui suis devenu un monstre, moi qui me sens si laid. Je m'éloigne de la fenêtre, prends mon manteau, sors de la chambre, tire la porte derrière moi et descends l'escalier. Je demande à la propriétaire de l'hôtel si elle saurait où je pourrais manger un pot-au-feu, j'ai posé l'extrémité de mes deux mains sur le rebord du comptoir derrière lequel elle se trouve, assise sur une chaise, en contrebas, devant un ordinateur. « Un pot-au-feu ? me demande-t-elle avec étonnement.

— Oui, tout à fait, un pot-au-feu.

— Un pot-au-feu, un pot-au-feu, un pot-au-feu,

répète-t-elle pour elle-même en réfléchissant, une main sur le bas du visage. Euh, non, je sais pas, je vois pas, peut-être à Guéret ? Ou à Aubusson ? Plutôt au Lion d'Or, à Aubusson.

— Je vais essayer Aubusson, vous avez raison, c'est une très bonne idée. »

Elle me regarde attentivement pendant quelques secondes.

« Tout va bien ? Je veux dire… Excusez-moi… J'ai l'impression…

— Que quoi ? » je lui demande. Elle ne me répond pas. Devant son long silence embarrassé, nuancé d'un sourire délicat : « Pourquoi vous me posez cette question ? Je n'ai pas l'air d'aller bien ?

— Je n'ai pas dit ça… », me répond-elle avec gentillesse en sortant de derrière son comptoir.

Nous nous tenons l'un devant l'autre sans rien nous dire ; elle m'observe en silence avec une expression affectueuse. Je suis dans son hôtel depuis trois mois, je la paye à la fin de chaque semaine avec des billets de cinq cents euros que je prélève dans une mallette dissimulée sous des vêtements dans l'armoire de ma chambre, elle doit être intriguée par ce séjour inexplicable. Son établissement est une auberge décorée avec goût et qui recrute sa clientèle parmi les citadins désireux de s'offrir des week-ends de détente : ma présence est ainsi d'autant plus inhabituelle qu'elle se prolonge anormalement, que je suis seul et que je passe l'essentiel de mes journées enfermé dans ma chambre. Le premier soir, quand la propriétaire m'avait demandé combien de temps j'avais l'intention de rester, je lui avais répondu : « Quelques jours, je vous dirai, on verra bien », avant de me figer dans une réserve tellement glaciale qu'elle n'avait pu que dissuader toute tentative de conversation. Ce n'est que récemment que nous avons commencé à échanger de brèves paroles et c'est la première fois que la propriétaire s'adresse à moi d'une manière aussi directe, sur un sujet aussi intime que mon état psychologique. En réalité, comme mon visage avait été un peu montré par les télévisions et par certains journaux à grand tirage (quand le corps de Victoria avait été découvert et que ce crime atroce était devenu un fait divers idéal : il offrait aux journalistes qui le couvraient une indéniable délectation), l'idée m'avait terrorisé qu'on puisse soudain me reconnaître et par un raccourci trompeur de la mémoire faire peser sur ma personne le soupçon d'une responsabilité plus importante qu'elle ne l'avait été dans les faits (ou la nimber de ce quelque chose de réellement malsain qui émanait de cette histoire), tant et si bien que j'avais tout fait pour ne pas me trouver dans la situation de devoir expliquer aux propriétaires les raisons pour lesquelles je m'étais retranché dans l'une de leurs chambres — celle dont le porte-clés en bois représentait un sanglier.

« Vous avez les yeux rouges. On jurerait... », me dit doucement la propriétaire. Je la vois qui hésite à poursuivre. « Que j'ai pleuré ? » Elle me sourit pour me dire oui. « J'ai pleuré, effectivement. Mais ça va mieux, c'est pourquoi j'ai assez envie d'un pot-au-feu. Ça va sans doute s'arranger, tout s'arrange avec le temps, ne vous inquiétez pas », lui dis-je en m'éloignant. « En tout cas... », me dit-elle tandis que je marche vers la porte. Je me retourne : « En tout cas, si vous avez besoin de quoi que ce soit, vraiment, je vous assure... », me dit-elle sans terminer sa phrase. Ses yeux sont aussi noirs que la nuit, profonds, lumineux, on croirait le pelage d'un loup dans une peinture ancienne, un pelage noir accrochant des éclats de lumière. « Vous êtes gentille, je n'y manquerai pas », je lui réponds.

À partir de ce dimanche d'octobre, nous avons commencé à entretenir des relations régulières par mail et sms. C'est alors qu'un matin un message de Victoria m'a annoncé qu'elle devait venir à Paris le lendemain pour participer à un colloque sur les ressources humaines, elle venait de décider qu'elle y passerait la nuit au lieu de faire l'aller-retour dans la journée, est-ce que j'avais envie de la voir, pouvions-nous envisager un dîner, boire un verre, nous croiser quelque part ?

Je lui ai répondu par un message ennuyé qui néanmoins laissait la porte ouverte à une possible entrevue (« *Mais tu me préviens tard ! Qu'est-ce que tu crois, je suis un homme important, très demandé ! Sans rire, je ne sais pas si je vais pouvoir me libérer des engagements que j'ai pris pour demain soir, je suis invité à l'inauguration d'un immeuble de bureaux avenue Kléber, l'architecte tient beaucoup à ma présence, c'est ma boîte qui a suivi le chantier, c'est important que j'y sois. Je vais essayer de partir un peu plus tôt pour te voir avant cette inauguration...* »), attitude qui s'expliquait par l'intérêt qu'il pouvait y avoir pour moi d'apparaître à cette cérémonie, mais surtout par l'indécision où la venue de Victoria m'avait soudain et curieusement précipité : je ne savais plus si je souhaitais que ce désir de la revoir qui hantait mes pensées depuis des jours devienne un événement qui aurait lieu dès le lendemain — je ne savais plus si j'étais prêt à assumer la dimension concrète de cette histoire, qui me donnait la sensation de se refermer sur moi comme un couvercle. Quand le rendez-vous envisagé avait été éloigné dans le temps, je m'étais délecté des plaisirs qu'il annonçait, la perspective de cette soirée m'avait rendu heureux, elle avait fait qu'en quelques circonstances j'avais trouvé les ressources d'une combativité salutaire ; un certain nombre d'épisodes avaient eu lieu sur le chantier que je n'aurais pas vécus avec le même courage si je n'avais pas senti que Victoria était à mes côtés. Mais maintenant que sa venue devenait imminente et qu'il fallait que je décide si oui ou non nous allions nous rencontrer, je paniquais, l'envie de la revoir se dédoublait, j'aurais voulu que cette soirée soit reportée d'une semaine et ainsi me remettre à rêver, me remettre à attendre, me remettre à échanger des messages d'impatience.

Néanmoins, le lendemain, savoir qu'il suffisait d'un « *OK* » envoyé par téléphone pour qu'il me soit possible de tenir son corps entre mes bras et de voir son sourire se refermer radieusement sur mon sexe tandis qu'elle me regarderait dans les yeux (je n'arrivais plus à me concentrer sur mon travail, mes collègues me parlaient et j'étais obligé de leur faire répéter deux fois la plupart de leurs phrases ; il y avait des bruits partout sur le chantier et je hurlais : « Hein, quoi, qu'est-ce que t'as dit ? — Je dis ! Je disais ! La banche ! Elle est pourrie la banche ! On peut pas la garder ! Il faut la refaire !

— Ben OK ! Très bien ! Demande à Dominique de commander une nouvelle banche ! »), je me suis dit que je pourrais rencontrer Victoria avant de me rendre à l'inauguration — celle-ci se prolongerait assez tard, je pourrais même, au pire, rejoindre mes amis pour le dîner, qui se tiendrait en petit comité dans un restaurant du quartier. J'appréciais beaucoup la personne qui avait été le directeur de travaux sur ce projet de restructuration, je connaissais par ailleurs l'architecte, un architecte de grand renom sur les bâtiments duquel j'avais travaillé à différentes reprises. J'avais été flatté que son assistante me téléphone deux jours plus tôt pour m'informer qu'il comptait sur ma venue ; prendre conscience du désir que ma présence pouvait inspirer le même soir à des personnes si importantes donnait un prix particulier à cette journée, m'apparaissait comme un signe de bonne fortune et me mettait d'excellente humeur. Ainsi, j'ai envoyé un sms à Victoria lui annonçant qu'on pourrait se voir en fin d'après-midi, elle m'a demandé dans quel endroit j'avais envie qu'on se retrouve, je lui ai répondu que je n'en savais rien, elle m'a dit « *Mais encore...* », je lui ai envoyé un sms rédigé comme une comptine où je lui laissais le choix entre un café, un jardin public, le musée du Louvre ou alors son hôtel, elle était libre de décider ce qu'elle souhaitait.

Les quelques heures que nous avons passées dans sa chambre du Concorde Saint-Lazare se sont déroulées dans un climat de féerie que j'ai rarement retrouvé par la suite. Comme Victoria se montrait insatiable et que son corps m'attirait de plus en plus (le plaisir que celui-ci indiquait qu'elle prenait m'excitait terriblement), à peine nous interrompions-nous que nous avions déjà envie de recommencer, et nous recommencions.

Le temps s'écoulait en retenant son allure, je le sentais briller autour de moi comme une matière de pierres précieuses et de pièces d'or qui empliraient la malle où nos deux corps auraient été dissimulés. Chaque seconde me procurait la sensation d'être une émeraude, une perle, un éclat d'or, dans la précieuse épaisseur temporelle qui nous protégeait du monde extérieur : c'était le temps l'atmosphère de cette chambre, un temps presque immobile, incandescent. Il s'y passait un plus grand nombre de phénomènes physiques, mentaux et sensoriels qu'il n'est possible habituellement.

On m'attendait, il y avait une soirée où il n'était pas concevable que je renonce à me présenter, j'avais la chance qu'un architecte mondialement connu ait insisté pour que j'assiste à l'inauguration de son bâtiment et au lieu de m'y précipiter je n'arrivais pas à m'arrêter de faire l'amour. Plus nos montres indiquaient que le temps s'écoulait et moins il devenait envisageable de me présenter à l'inauguration, ou d'apparaître au dîner qui se tiendrait dans la foulée — et étrangement les perspectives telles que perçues par mon esprit ont fini par s'inverser, l'importance de ce à quoi je renonçais donnait tout son prix à ce pour quoi j'y renonçais, je n'étais pas angoissé à l'idée de rater cet événement dans la mesure où j'en vivais un autre qui me semblait d'une telle beauté qu'il justifiait qu'il supplante le premier. Il m'arrivait d'avoir une pensée pour les personnes avec qui j'aurais dû me trouver à cet instant précis et je me disais qu'elles auraient sans doute aimé avoir la chance de faire l'amour avec passion dans la chambre d'un hôtel parisien. Tandis que j'entendais des cris perçants qui s'échappaient des lèvres de Victoria, je m'imaginais que le grand architecte serait heureux de me voir vivre un moment aussi beau, il serait fier que je sois parvenu à débusquer, au milieu de notre réalité si peu propice à l'enchantement, une enclave d'une telle rareté. Son regard d'esthète fixé sur moi accentuait la densité de ce moment unique que je vivais.

En raison des doubles vitrages, un silence absolu régnait dans la chambre. À chaque fois que j'entrouvrais les rideaux, j'étais surpris de découvrir à l'extérieur autant d'effervescence : toute une ville sous nos yeux, privée de son, en contrebas. Des piétons marchaient vers la gare pour attraper leur train, des carrosseries étaient emprisonnées dans les embouteillages, des gens allaient dîner, pénétraient dans les brasseries devant l'hôtel, une multitude d'enseignes lumineuses resplendissaient sur les immeubles. Quand j'en avais assez de regarder dans la rue, je me retournais en laissant les rideaux retomber sur les vitres et je voyais Victoria allongée sur le lit, pulpeuse et gigantesque, aussi fracassante qu'un chef-d'œuvre de l'Antiquité, elle me tendait la main en me disant : « Tu es beau, j'aime tes fesses, j'ai presque envie de te sodomiser quand je te vois comme ça…

— Allons, Victoria…

— Je commence à te faire peur ! Mais non, ne t'inquiète pas, je ne vais pas te sodomiser ! Allez, viens me faire l'amour, j'en ai trop envie… »

Ainsi, après nous être aimés à différentes reprises pendant un temps relativement long, Victoria m'a proposé que nous dînions dans sa chambre. J'avais définitivement renoncé à me rendre à la cérémonie d'inauguration : j'ai accepté.

Il devait être aux alentours de vingt-deux heures, nous étions nus tous les deux, les draps étaient défaits, nos vêtements se trouvaient dispersés dans la chambre, nous venions d'appeler le room service pour passer notre commande. « Victoria, je voulais te dire une chose, c'est important pour moi, je m'en veux de te le dire seulement maintenant. Le moment est malvenu, mais le moment est toujours malvenu pour avouer ce genre de choses, alors autant le faire maintenant. » Victoria m'a regardé avec un air suspendu qui me priait de poursuivre. « Je voulais te dire que je suis marié, que je ne suis pas libre. J'ai deux enfants, deux filles, l'une de cinq ans et l'autre de treize. Je suis avec cette femme, ma femme, depuis vingt et un ans.

— Je m'en doutais.

— Tu t'en doutais ?

— Les hommes comme toi ne sont pas libres.

— J'aurais pu avoir divorcé. Être libre momentanément, après un divorce.

— La preuve que non. En tout cas, j'étais convaincue que tu avais des enfants. Que tu sois libre ou pas, je savais qu'il y aurait des enfants.

— Tu t'en es doutée le premier week-end, à cause de mon silence ?

— Je me suis dit que tu étais en famille, avec ta femme et tes enfants, et qu'il t'était difficile, ne serait-ce que par principe, de communiquer avec moi.

— Tu n'avais pas tort.

— Pourtant ces mêmes principes ne t'ont pas empêché de communiquer avec moi le week-end d'après.

— Tu ne vas pas m'en faire le reproche !

— Pas du tout. Continue de tromper ta femme avec moi, je suis d'accord.

— Je ne trompe pas ma femme.

— Tu ne trompes pas ta femme ? Qu'est-ce que tu fais, alors ?

— Je ne sais pas, mais je ne la trompe pas. Je vis quelque chose d'autre, quelque chose de plus, mais je lui reste fidèle. Je déteste le mot tromper. L'expression tromper sa femme, je la trouve atroce.

— Et pas seulement parce que c'est atroce de tromper sa femme ? C'est l'expression en soi qui te déplaît ?

— Tu trouves ça atroce de tromper sa femme ?

— J'imagine que c'est atroce de découvrir qu'on est trompée, que l'homme avec lequel on vit a une maîtresse. Je te fais confiance pour que ta femme ne découvre jamais que tu as une maîtresse.

— Mais je n'ai pas de maîtresse, Victoria. Tu te trompes si tu penses que j'ai une maîtresse.

— Qu'est-ce que je suis, alors, si je ne suis pas ta maîtresse, allongée nue sur ce lit avec toi ?

— Nous nous voyons, nous sommes ensemble sur ce lit, nous faisons l'amour, on s'envoie des messages, on décide si on se voit ou pas, on prend des rendez-vous pour se toucher, pour se regarder, on peut décider de tout interrompre d'un moment à l'autre, on va peut-être d'ailleurs décider, tellement ce soir c'était parfait, de tout arrêter, et de rester sur ce souvenir. C'est ce que je n'ai pas arrêté de me dire pendant toute la soirée, et c'est pour ça que j'ai voulu qu'elle soit si belle, et que j'ai tout fait pour qu'elle te plaise autant, c'est que c'est la dernière, c'est la dernière soirée que nous passons tous les deux. Je ne suis pas un homme qui trompe sa femme, pour reprendre ton expression, et j'ai d'autant moins envie de la tromper que la femme avec laquelle je le fais utilise cette expression.

— Alors je la retire. D'habitude je suis trop fière, j'ai trop d'orgueil pour retirer quelque chose que j'ai dit. Mais si tu veux ce soir je retire cette expression, tromper sa femme.

— Je t'en remercie, mais je ne sais pas si ça va changer quelque chose au fait que c'est sans doute la dernière soirée que nous passons tous les deux.

— Je n'arrive pas à comprendre si tu parles sérieusement.

— Je ne le sais pas moi-même. Peut-être que je parle sérieusement. Je le crois.

— C'est comme tu veux, je ne suis pas en position de t'imposer quoi que ce soit. Je comprends ce que tu veux dire, je suis heureuse d'avoir passé toutes ces heures avec un homme qui dit ce genre de phrases. Tu es une belle personne, c'est très beau ce qu'il y a à l'intérieur de toi. J'ai envie de continuer, il faut que tu le saches.

— Moi aussi j'ai envie de continuer. Mais je ne veux pas que tu deviennes ma maîtresse. Je voudrais que ce soit autre chose.

— Autre chose comme quoi ?

— Autre chose comme ce soir. Quelque chose de suspendu. Quelque chose de sensoriel et de physique mais qui n'aurait pas lieu dans la réalité, qui aurait lieu dans notre mental, dans notre imaginaire. Que chaque rencontre soit comme un rêve qu'on aurait fait, on se réveille de ce rêve et on repart dans notre vie. Et le rêve qu'on a fait n'a aucune autre incidence sur notre vie réelle que le souvenir qu'on en conserve, et qui nous enrichit de quelque chose de plus, de très précieux, qu'on ne perdrait pour rien au monde. Je raconte n'importe quoi, c'est pathétique de tenir de pareils propos, excuse-moi. C'est précisément la raison pour laquelle il faut que j'évite d'avoir une maîtresse.

— Tu me plais. Tu es un drôle de garçon mais tu me plais.

— Toi aussi tu me plais. Depuis que je t'ai rencontrée, j'ai gagné en force et en confiance d'au moins 40 %.

— Si je pouvais avoir la même efficacité sur les 12 000 personnes dont j'ai la charge, si chacune d'elles, grâce à mes bienfaits, pouvait gagner en force et en confiance d'au moins 40 %, tu imagines le bond de l'action Kiloffer !

— Et le bond en avant de toutes tes stock-options...

— Je te couvrirais de cadeaux.

— Tu es déjà un merveilleux cadeau.

— J'ai une question à te poser. Je me doute un peu de la réponse mais je vais quand même te la poser, est-ce que je suis la première femme avec laquelle tu entretiens...

— C'est la première fois. Je sais que ça paraît, de loin, pas très crédible, mais je peux te garantir...

— Que c'est vrai, m'interrompt Victoria.

— Que c'est vrai. Exactement. Je ne vais pas essayer de te faire croire que j'ai été fidèle pendant vingt et un ans. C'est vrai, j'ai eu un certain nombre d'aventures…

— Tu t'es protégé, au moins ! sursaute alors Victoria.

— Naturellement que je me suis protégé.

— Mais comment je pourrais en être sûre alors qu'avec moi tu ne t'es pas protégé ?

— Je te dis, Victoria, que je me suis toujours protégé. Tu peux ne pas me faire confiance, auquel cas appelons le room service pour qu'en plus de ta daurade et de ma côte de bœuf, qui ne vont pas tarder à arriver… D'ailleurs, il faudrait peut-être que l'on s'habille…

— Tu as raison, je ne peux pas recevoir le type du room service complètement nue !

— Tu n'auras qu'à leur demander une boîte de préservatifs. Quand je te prendrai à nouveau, après dîner, tu seras protégée.

— Alors peut-être que tu jouiras.

— Alors peut-être que je jouirai.

— C'est pour ça que tu ne jouis pas ?

— Je ne pense pas. Il serait pratique pour moi de te répondre que c'est pour ça, mais pas du tout.

— Pourquoi tu ne jouis pas, alors ?

— Je ne sais pas.

— Tu jouis, d'habitude ?

— Rarement. Je veux dire avec les inconnues.

— Je ne t'excite pas assez pour que tu jouisses ?

— Comment tu peux oser me dire un truc pareil alors que je t'ai fait l'amour toute la soirée ?

— Je vais te faire jouir. Tu verras qu'avec moi tu vas jouir.

— J'en suis certain. Personnellement je ne me

fais aucun souci. Ce n'est jamais que la deuxième fois que l'on fait l'amour, Victoria.

— Tu peux jouir en moi, David. J'aimerais beaucoup que tu jouisses en moi.

— Qui me dit que tu prends la pilule ?

— Tu crois vraiment qu'à mon âge je voudrais que tu me fasses un enfant ? À ton insu ?

— Je plaisantais. Cela étant, si tu voulais un enfant, je veux dire un enfant toute seule, ce serait le moment ou jamais, et tu le ferais à mon insu.

— Ainsi, quand tu m'aurais fécondée, je disparaîtrais ?

— Moi aussi, avec les femmes, j'ai l'habitude de disparaître une fois que j'ai obtenu ce que je voulais. »

On avait frappé à la porte pendant que je disais cette phrase, Victoria s'était levée pour aller dans la salle de bains, j'ai tiré les draps sur mon corps pour le recouvrir en entier. J'ai vu Victoria dans un épais peignoir blanc marcher pieds nus sur l'épaisse moquette rouge à motifs floraux et s'orienter vers la porte, l'ouvrir en grand. Un homme revêtu d'une livrée est entré dans la chambre en poussant un imposant chariot à roulettes où se trouvaient, enfermés sous des coupoles en argent, nos deux plats, il y avait une bouteille de grand cru choisie par Victoria, les verres et les couverts, l'ensemble sur une nappe blanche. L'homme a soulevé deux rallonges qui permettaient que l'on obtienne une belle table, et nous avons pris place de chaque côté, je m'étais rhabillé mais Victoria était restée vêtue de son peignoir.

Pendant le dîner, Victoria m'a révélé que le jour où nous nous sommes rencontrés elle avait rendez-vous avec un homme qui n'était pas venu — elle l'avait attendu un certain temps à l'endroit où mes yeux étaient tombés sur elle. Elle n'arrivait pas à le joindre, elle lui avait laissé plusieurs messages et le dernier lui disait qu'elle l'attendrait jusqu'à vingt heures dans un café de la galerie marchande. Désespérant de le voir apparaître, elle s'était rendue dans la salle de bowling pour libérer la colère qui s'était accumulée en elle : « J'étais vraiment dans un drôle d'état. Mais cette séance de bowling m'a fait le plus grand bien.

— Où est-ce que tu as appris à jouer ? Je t'ai trouvée carrément forte, c'était impressionnant.

— Avec une copine, quand j'étais plus jeune, vers vingt-deux ans, on allait draguer les mecs au bowling le vendredi soir. J'aime bien, je suis assez douée.

— Et cet homme, qui c'était ? Qu'est-ce qu'il avait de particulier, ce rendez-vous ?

— Tu veux vraiment qu'on parle de ça ce soir ?

— Pourquoi pas ? Je t'ai bien dit que j'étais marié.

— Tu as raison. Mais je suis plus pudique que toi.

— Je ne crois pas. Un peu moins courageuse, peut-être.

— Nous avions rompu quelques jours plus tôt. Si je dois être précise, nous avions eu une discussion au sujet de notre couple, il avait posé des conditions qui ne me convenaient pas, je le lui avais dit, il m'avait répondu que dans ce cas il fallait rompre, je lui avais dit d'accord, séparons-nous. Je ne veux pas de ces conditions que tu essaies de m'imposer, alors on se sépare. Et nous avions rompu.

— Et quelles étaient ces conditions, si je peux me permettre de te poser la question ?

— Tu peux te permettre de me poser toutes les questions que tu veux, mais je peux me permettre de ne pas y répondre. Je suis d'accord, à ta demande, pour te raconter cette histoire, mais certains détails vont devoir rester dans l'ombre quelque temps.

— Il est vraiment sublime, ce vin, tu as goûté ?

— Pas encore », me répond Victoria en prenant son verre, qu'elle avance en direction de mon visage. Je lève le mien, ils se rencontrent dans un tintement de nos regards qui se sourient et du cristal qui s'entrechoque avec douceur, « À cette soirée, à notre rencontre, à la magie de ces moments, dis-je à Victoria.

— Au hasard, aux bienfaits du hasard et de la providence, me répond-elle avec lyrisme. Il est sublime, effectivement, me confirme-t-elle quelques secondes plus tard tandis qu'elle fait rouler une gorgée sous sa langue. J'ai choisi un Château Haut-Brion 1995.

— Tu es complètement folle…

— Il me semblait que la première de nos soirées parisiennes méritait un grand vin. Surtout si ça doit être la dernière.

— Je trouve que ce vin s'accorde à merveille à ton corps, à l'odeur de ta peau, à ta voix qui me parle quand tu jouis, au silence de cette chambre, à l'atmosphère de cette obscurité d'octobre qui est dehors quand j'entrouvre les rideaux et que je vois toutes ces lumières. Il est fort et complexe. »

Victoria me regarde avec un sourire sur les lèvres, sa fourchette un peu levée au-dessus de sa daurade. La blancheur de son peignoir fait ressortir sa peau dorée et ses taches de rousseur. Ce vêtement d'intérieur qui protège son corps nu, et sur lequel viennent dévaler ses cheveux au tombé impeccable, opère un raccourci saisissant entre la femme intime et la femme de pouvoir. Je lui demande, après avoir tranché ma côte de bœuf : « Si vous aviez rompu, pour quelle raison aviez-vous rendez-vous dans cette galerie marchande ? Et pourquoi dans cette galerie marchande, devant cette boutique de vêtements ? C'est un drôle d'endroit pour se donner rendez-vous…

— À l'heure que je lui proposais pour qu'on se voie, il devait être dans ce quartier. Il y a dans cette galerie marchande une boutique de vêtements où je m'achète pas mal de choses. Il aimait bien m'accompagner dans les magasins, faire du shopping avec moi, me donner son avis… Il adorait m'offrir de la lingerie.

— Moi aussi j'aime bien accompagner les femmes quand elles font du shopping. La lingerie, je m'en fous, mais j'aime bien les vêtements.

— Nous irons, alors. Tu as du goût, tu es toujours très élégant. C'est bizarre, d'ailleurs, pour un mec qui travaille sur un chantier.

— Je ne vois pas le rapport. Plusieurs de mes collègues sont comme moi.

— Je suis d'accord, c'est stupide ce que je dis, m'interrompt Victoria. Pardonne-moi. Lui, en revanche, c'était catastrophique, il s'habillait n'importe comment tout en étant convaincu qu'il était super chic.

— Qu'est-ce qu'il fait, comme métier ?

— Mathématicien. Assez connu dans son domaine.

— Et pourquoi deviez-vous vous revoir ?

— J'attendais la question.

— Naturellement, tu en as de bonnes ! Comment peux-tu t'imaginer que nous ayons cette conversation sans que je puisse te demander la raison d'être de ce nouveau rendez-vous, fixé par toi en plus, alors que vous aviez rompu quelques jours plus tôt ? C'est même la seule question qu'il faille poser…

— Pour lui dire que j'étais d'accord.

— D'accord pour quoi ? Pour accepter ses conditions ?

— Pour accepter ses conditions.

— Mais pourquoi as-tu changé d'avis et décidé…

— Pour le garder, évidemment. Pour qu'il revienne, pour qu'il accepte de rester avec moi. Je n'avais pas envie d'être seule.

— Ce qui signifie qu'au bout du compte les conditions qu'il t'avait posées étaient quand même acceptables.

— Elles ne l'étaient pas. Mais j'ai fini par considérer qu'elles pouvaient l'être, dès lors que ma tristesse l'emportait sur l'aversion qu'elles m'inspiraient, ou plutôt sur les réticences que j'éprouvais à devoir m'y soumettre, et m'y soumettre durablement. C'est-à-dire que celles-ci ne soient plus seulement occasionnelles, mais le principe de notre union. Et c'est ce qu'il voulait.

— Je déduis de cette longue phrase un peu tordue que ton ami t'imposait quelque chose qu'il t'arrivait d'accepter, et il t'arrivait de l'accepter parce que peut-être ça te plaisait, ou tout du moins en certaines circonstances, mais que tu refusais que ça devienne une habitude, que ça devienne le principe de vos relations.

— Tu es très intelligent.

— Il reste à éclaircir ce que cet homme t'imposait.

— Et que j'aimais qu'il m'impose.

— Et que tu aimais qu'il t'impose.

— Je te le dirai un autre jour, c'est promis. En tout cas il n'est pas venu, je lui ai laissé quatre ou cinq messages pendant que j'attendais, et puis après tu m'as abordée, tu m'as donné ton numéro de téléphone, j'ai compris que nous allions devenir amants. Ainsi, trois heures plus tard, quand il m'a rappelée pour s'excuser de ne pas être venu au rendez-vous, il m'a demandé quelle était la bonne nouvelle que je voulais lui annoncer (car je lui avais laissé un tout dernier message où je lui disais que j'avais quelque chose d'agréable à lui raconter, qui lui ferait sans doute plaisir à entendre), j'ai répondu que j'avais rencontré un autre homme. Il avait l'air surpris. Un autre homme, mais qu'est-ce que tu racontes ? Un autre homme, j'ai eu le coup de foudre pour un autre homme, nous n'avons donc plus rien à nous dire. Mais quand, quand est-ce que tu l'as rencontré, cet homme ? En t'attendant, je lui ai répondu. Je t'attendais et un autre homme m'a vue t'attendre, je lui ai plu, il trouvait ça révoltant qu'on puisse poser un lapin à une femme comme moi, il m'a abordée, je ne veux plus te voir. Il m'a dit qu'il ne me croyait pas, que c'était un peu gros comme ficelle. J'ai tellement insisté qu'à la fin il m'a crue, il m'a dit qu'il me recueillerait quand ce vulgaire dragueur de rue m'abandonnerait, je lui ai répondu que si j'étais certaine d'une chose c'est que la relation que j'allais démarrer avec cet homme serait durable. Ah bon, et à quoi tu vois ça, il m'a demandé en riant. À son regard, je lui ai répondu, et qu'est-ce qu'il a, ce regard, il m'a demandé, il est doux, sincère, profond, impressionné par ma présence, par le souci de me plaire, je lui ai dit. C'est le premier regard comme ça que je vois posé sur moi depuis quinze ans, je lui ai dit. J'y suis peut-être allée un peu fort, je venais quand même de passer avec Laurent plusieurs années de ma vie, mais je pensais ce que je disais.

— Vous n'habitiez pas ensemble ?

— Nous étions dans deux lieux séparés. Depuis, il n'arrête pas de me téléphoner, il me laisse des tonnes de messages. Il essaie de me séduire à nouveau. Il voudrait qu'on sorte tous les trois.

— Et qu'est-ce que tu en fais, de ces messages ?

— Je n'y réponds pas.

— Elle est quand même incroyable cette histoire. Tu as remplacé un amant par un autre presque instantanément, sans une minute d'interruption. Tu donnes rendez-vous à ton ex pour lui dire que tu veux renouer avec lui, il te pose un lapin et c'est pendant que tu l'attends que tu rencontres celui qui va le remplacer. Cet enchaînement me laisse songeur.

— Oui, c'est vrai, c'est fou. La vie peut être miraculeuse, quand elle s'en donne la peine.

— Sur ce point je suis entièrement d'accord avec toi », ai-je dit à Victoria en avançant mon verre contre le sien, et nous avons trinqué. « À nos amours, m'a dit Victoria.

— À cette dernière soirée entre nous.

— Sale type », m'a répondu Victoria avec un sourire qui se voulait mordant.

J'ai écrit le lendemain, après avoir reçu un texte de Victoria où elle me racontait l'après-midi qu'elle avait vécue avant notre soirée, puis le bonheur qu'elle avait eu de la vivre :

« *Ma chère, très chère Victoria,*

Comme j'ai trouvé beau ce texte si spontané que tu viens de m'envoyer ! Tu as bien fait de me le faire parvenir tel quel sans le reprendre. J'aime sa facture échevelée, un peu froissée, heureuse et emportée, qui fait qu'il ressemble un peu à la Victoria que j'ai laissée sur le seuil de sa chambre après cette parenthèse d'amour, d'intelligence et de complicité. Je t'ai dit ce matin par sms que j'ai adoré notre soirée d'hier au Concorde Saint-Lazare. Je ne t'ai pas dit en revanche que j'avais décidé la veille de ne pas te voir à Paris et que c'est le matin même (et peut-être même un peu plus tard) que j'ai cédé à l'envie de te retrouver. J'aime tellement la description que tu fais des moments qui ont précédé notre rendez-vous, qui s'accorde si parfaitement avec celle que je pourrais faire également. Comme j'aimerais pouvoir t'entraîner toujours, de rendez-vous en rendez-vous, de soirées volées en soirées volées, dans cet état d'exaltation et d'anxiété, d'impatience et d'émotion, et comme j'aimerais que ces rencontres physiques et cérébrales, sensibles et sensuelles, t'apportent toujours ce qu'elles t'ont apporté ce jour-là... J'aime t'imaginer déserter ton colloque, errer sur les boulevards, te préparer mentalement, douter de moi, regarder les vitrines des Galeries Lafayette, avoir peur de ton corps, jouir de cet automne irréel, penser, frémir, ne plus avoir envie, redouter la déception, attendre que je t'appelle. Tu ne peux pas savoir à quel point, et pour quelles raisons précises, la description de cette errance résonne avec mon univers. Tu as été ce jour-là comme une femme que j'aurais pu inventer et décrire de toutes pièces, sortie de mon imagination. Comprends-tu réellement ce que je suis en train de te dire ? Je ne me lasse pas de te pénétrer, de t'embrasser, de te lécher le sexe, il est incroyable que ton corps et ton visage continuent de produire sur moi cet effet. Je n'ai pas le souvenir d'avoir jamais fait l'amour aussi longuement sans éprouver la moindre envie de m'interrompre. Il y a quelque chose d'évident dans la manière dont mon sexe s'épanouit à ton contact et s'accorde avec le tien, je ne sais pas comment décrire cette évidence exempte de doutes, de craintes, de frime, d'ambitions déplacées... Et aujourd'hui Victoria j'attends avec impatience de te revoir à Paris le 4 novembre, puis, si tes projets sont maintenus, le 17 — et de t'aimer, et de t'aimer encore, et de t'aimer aussi passionnément que lors de nos deux précédentes rencontres, chacune m'ayant permis de te connaître un peu mieux, et de te désirer un peu plus encore. Et je m'enivre de l'idée que tu m'appartiens, que tu es à moi, que tu es ma Victoria. Délicieux paradoxe en forme de post-scriptum : D'être possédé par l'autre nous rend à nous-même. »

6

Tout allait se passer désormais comme si les quelques jours qui avaient précédé cette soirée allaient servir de matrice aux premiers mois de notre relation. Victoria avait eu pour effet de décupler mes forces, elle était devenue pour mon imaginaire un principe d'enchantement (même, il me semblait n'avoir jamais été aussi heureux que depuis que je l'avais rencontrée), mais c'était dans la distance que j'éprouvais ce sentiment avec le plus d'intensité, dans la tension du manque et de l'absence, à travers des échanges qui se limitaient le plus souvent à des conversations téléphoniques et des envois compulsifs de messages. Ainsi, exactement comme à la veille de me rendre au Concorde Saint-Lazare, j'avais parfois du mal à envisager avec sérénité les rendez-vous qui ponctuaient ces relations : pas seulement en raison de la culpabilité qu'ils pouvaient entraîner (et qu'étrangement je n'éprouvais pas dans le cadre de nos communications écrites ou téléphoniques, alors même que celles-ci, par leur contenu et leur fréquence, nous entraînaient relativement loin dans l'engagement sentimental et l'addiction), mais en raison de réticences qu'il me serait difficile d'expliquer sauf à les comparer à l'action mécanique d'une sorte de résistance interne : quelque chose d'indéfini frottait sur la roue de mon désir ou actionnait une mystérieuse pédale de frein toutes les fois que mes pensées essayaient d'avoir envie du rendez-vous auquel je devais me rendre quelques heures plus tard. La veille encore je me réjouissais de la soirée du lendemain, la perspective de revoir Victoria se mêlait à ce point au paysage de nos échanges quotidiens imprégnés d'impatience que j'en retirais la même allégresse que des messages qu'elle m'envoyait. Le matin même, cette échéance se découpait un peu plus nettement sur l'arrière-plan de nos relations habituelles ; et dans les heures qui précédaient le rendez-vous, celui-ci se révélait de plus en plus menaçant, il effrayait le désir comme un incendie dans une forêt fait fuir les animaux sauvages, il arrivait que je m'y rende en n'ayant pas envie de le vivre ou d'assumer la dimension concrète de ce pour quoi je m'y rendais. Au début, je pouvais vaincre cette résistance en trois minutes et retrouver la même intensité d'attirance que si nous nous étions quittés la veille ; et les quelques heures que nous passions à faire l'amour étaient magiques. Mais à mesure que les mois passeraient, surmonter cet obstacle exigerait des efforts de plus en plus pénibles, pour des raisons qui deviendraient de plus en plus précises. C'est dans le creuset de ce curieux paradoxe que se fabriquera la tragédie où je me laisserai entraîner, à la faveur d'une émulsion assez malsaine.

Mais au début, lorsqu'elle était à Londres ou en voyage, ce lien constant diffusait dans ma conscience l'estime de soi propre aux élus, et c'est ainsi que pendant les premiers mois j'ai affronté la réalité du chantier avec un peu plus de spontanéité et d'assurance, comme si ma taille avait augmenté et que le monde extérieur était davantage à ma mesure. Ce n'est pas que j'avais besoin d'être un peu mieux proportionné aux difficultés de mon métier (j'ai toujours eu la réputation d'être un excellent directeur de travaux), mais ce chantier s'est révélé nécessiter un peu plus de folie, de rage, de détachement et d'inconscience que mon tempérament n'est susceptible d'en déployer — et c'est précisément ce que l'étrange substance mentale que Victoria m'inoculait s'est mise à diffuser dans mon esprit, en plus d'une permanente euphorie.

Le planning prévoyait que le gros œuvre devait être terminé le 20 décembre, ce qui voulait dire qu'à cette date la tour Uranus devait avoir été construite et son sommet apparaître comme un point culminant dans le ciel de la Défense, avant que ne soit abordée la phase de son aménagement intérieur. Pendant la réunion qui s'était tenue début septembre avec le patron de l'entreprise de promotion immobilière, j'avais fait valoir qu'en raison des deux mois de retard que nous avions pris il serait difficile de respecter cette échéance du 20 décembre, mais qu'en revanche nous ferions tout pour terminer le gros œuvre à une date raisonnable. « Raisonnable : voilà un mot intéressant, m'avait fait observer ironiquement le grand patron. Quelle date vous semblerait-il *raisonnable* de nous proposer aujourd'hui ?

— Je ne sais pas, c'est difficile à dire. Soit nous considérons qu'à ce stade l'enjeu n'est déjà plus de rattraper le retard, mais d'éviter qu'il ne s'aggrave. Auquel cas nous pourrions nous engager à terminer le gros œuvre, je ne sais pas, vers le 20 février. Ainsi…

— Je croyais que vous aviez compris depuis longtemps qu'une telle chose était exclue, m'avait-il interrompu.

— Je sais, c'était une hypothèse. Je ne faisais qu'énumérer les différentes hypothèses.

— Mais il n'a jamais été question que cette hypothèse soit envisagée, avait dit sèchement Jean-François, mon supérieur hiérarchique direct, comme pour se protéger.

— En espérant que les équipes du gros œuvre ne butent pas sur de nouvelles difficultés, et que cette date du 20 février ne se transforme pas en 20 mars », avais-je précisé pour lui faire sentir à quel point sa remarque était inappropriée. Après une petite pause : « Mais je suis d'accord pour ne pas prendre en considération l'hypothèse d'une aggravation de ce retard, ni même de son maintien à l'identique. Considérons la situation avec optimisme.

— Au point critique où nous en sommes, je suis étonné de vous entendre parler de quelque chose d'aussi vague que d'optimisme », avait sarcastiquement surenchéri le grand patron. Il s'adressait à moi sur un mode qui n'était pas blessant mais devenait de plus en plus incisif : il voulait obtenir de mon tempérament notoirement scrupuleux qu'il envisage avec un peu de déraison la perspective d'une échéance utopique, c'est-à-dire lucrative : il aurait rêvé que je lui dise, dans l'ivresse d'une absolue déraison, que nous lui livrerions la tour finie le 20 décembre. Le grand patron avait poursuivi, après s'être arrêté quelques instants en me regardant fixement dans les yeux : « Il ne s'agit pas d'être optimiste, ou au contraire d'être pessimiste, ou encore d'être fatigué, d'être hésitant, de mettre des cierges ou de croiser les doigts. Il s'agit d'être réaliste, d'être efficace, d'être déterminé, d'être dans un processus décisif, de savoir anticiper les problèmes. Vous connaissez la liste de ces vertus aussi bien que moi. Il s'agit d'améliorer le rendement des équipes, de remplir les objectifs.

— Dans ce cas, puisqu'il ne paraît pas envisageable, j'espère que nous serons d'accord sur ce point, de terminer le 20 décembre...

— Tout à fait, m'avait répondu impatiemment Jean-François.

— Dans ce cas, avais-je continué, nous pouvons nous donner pour objectif de réduire de deux semaines ce retard de deux mois, c'est-à-dire de terminer le gros œuvre dans les premiers jours de février. Par exemple le 5 février.

— Je vous propose qu'on essaie de le réduire d'un mois. Que ce retard ne soit plus de deux mois mais d'un seul.

— Il faut être réaliste, quand même, avait répliqué Jean-François. Franchement, je suis d'accord avec David, avant début février...

— Essayons quand même. Essayons de livrer le gros œuvre le 20 janvier. Vous êtes d'accord pour vous engager sur cette date ? » lui avait demandé le grand patron.

Jean-François m'avait regardé par-dessus la

table de réunion et j'avais fait oui de la tête à l'interrogation silencieuse de la sienne.

« On va essayer, avait-il alors répondu.

— Vous nous confirmez que c'est possible ? m'avait demandé le grand patron en se tournant vers moi.

— En tout cas vous pouvez compter sur moi, sur mes équipes, pour qu'on s'investisse à deux cents pour cent. Nous n'allons pas économiser notre temps, nos peines, notre énergie. Nous nous battrons. Voilà à quoi je m'engage. »

J'aurais pu ajouter : « Pour le reste, advienne que pourra », mais je me suis abstenu.

« Je n'en attendais pas moins de vous, m'avait-il répondu en se levant. Réduisez-moi ce retard, et qu'il devienne, même, une belle et grande avance... une belle et grande avance qui pourrait nous être utile par la suite, *si vous voyez ce que je veux dire, David*. Utilisez tous les moyens dont vous disposez pour y parvenir, y compris les pressions juridiques et les menaces de pénalités sur l'entreprise de construction. Je compte sur vous pour y aller franco, pour multiplier les lettres recommandées, il faut aussi leur faire peur », avait-il ajouté en se tournant vers Jean-François. Revenant vers moi : « Ne lâchez plus François Gall, mettez sur François Gall une pression de tous les instants, aidez-le si vous jugez qu'il a besoin d'être assisté pour motiver ses troupes. Soyez derrière lui, soyez auprès de lui ou soyez contre lui en fonction des circonstances. J'exige de vous, David, que François Gall termine le gros œuvre le 20 janvier : ne le lâchez pas. Mais attention, aucune incidence budgétaire. Je dis bien : *aucune incidence budgétaire*. Que les choses soient bien claires entre nous. Il est impératif que ce retard se résorbe, mais ne venez pas me raconter que ce rétablissement nous aura coûté je ne sais pas combien de centaines de milliers d'euros... C'est bien clair ? On est d'accord ? À bientôt, bon courage, je vous laisse voir le détail avec Daniel et Jean-François », avait-il murmuré en se levant, avant de s'éclipser.

Ce que ces hommes de pouvoir ont compris, c'est qu'ils se trompent rarement quand ils supposent qu'aux objectifs démesurés qu'ils sont conscients d'imposer à leurs collaborateurs ces derniers réagiront avec une telle servilité qu'ils les rendront réalistes. Non pas parce qu'ils le sont, non pas parce que ces hommes qui obéissent considèrent qu'ils peuvent l'être, *mais simplement parce qu'ils finissent par les réaliser* — au prix de leur santé, de leur sommeil, de leur quiétude et d'un ensemble de sacrifices difficilement évaluables à moyen terme, en particulier sur le plan familial. Ce n'est pas parce qu'un objectif est irréaliste qu'il ne faut pas essayer de l'imposer : voilà une doctrine qui n'a jamais manqué de me révolter, et qui m'a révolté ce jour-là comme toutes les autres fois.

Cette réunion était celle dont le souvenir m'avait valu, à Londres, sur le gazon de Hyde Park, quand j'avais arraché des brins d'herbe avec mes dents, une résurgence d'angoisse et d'amertume. Je me souviens que le jour où elle s'était tenue il nous restait vingt-deux étages à construire ; si nous voulions terminer le gros œuvre à la date du 20 janvier, cela signifiait que nous allions devoir sortir un niveau tous les huit jours pendant quatre mois — alors que la cadence la plus probable était plutôt d'un étage par tranche de dix jours, ce qui donnait comme point d'aboutissement la date du 5 février annoncée en préambule.

Néanmoins, pour tout un tas de raisons évidentes, nous omettions de prendre en considération qu'avec ce bâtiment il était difficile d'anticiper scientifiquement la cadence de construction. La silhouette de la tour Uranus n'étant pas régulière, chaque nouvelle zone se présentait comme un cas particulier ; nous ne pouvions nous appuyer sur aucune des expériences que nous avions connues dans les niveaux inférieurs pour nous projeter dans le futur. Par exemple, les deux premiers porte-à-faux nous avaient donné un mal fou alors qu'à l'opposé le troisième s'était laissé construire sans résistance particulière : les accélérations se révélaient aussi peu prévisibles que les ralentissements, nous étions condamnés à avancer dans l'inconnu comme les navires des temps anciens progressaient dans la brume, en espérant ne rencontrer aucun obstacle. Ainsi, m'étais-je dit début septembre avec une boule dans le ventre en sortant de cette réunion, peut-être ces vingt-deux étages connaîtraient-ils le même destin que le dernier des porte-à-faux, peut-être arriverait-on à les édifier hyper vite, peut-être parviendrait-on à respecter cette cadence infernale d'un niveau tous les huit jours ? Je cherchais à m'en persuader en descendant l'escalier du parking souterrain, avenue Montaigne, mais franchement j'en doutais. Je m'en voulais de m'être laissé imposer des conditions d'urgence aussi terribles, qui s'expliquaient par le souci du promoteur de ne pas voir sa marge se rétrécir. Car s'il ne livrait pas la tour dans les temps, il s'exposait à des pénalités de la part de ceux à qui il l'avait vendue, une grande banque et tout un tas d'investisseurs. Ces pénalités pouvaient se révéler colossales.

J'étais dans cet état d'esprit, je m'en souviens, quand j'ai croisé Victoria dans la galerie marchande : entre le moment où la réunion avait eu lieu et celui où mon regard avait allumé dans le sien l'étincelle qui nous avait réunis, vingt jours s'étaient écoulés et nous n'avions construit que deux étages (il serait trop long d'expliquer pour quelle raison, à cet endroit du bâtiment, nous nous sommes mis à piétiner). Le calcul était rapide à faire : à ce rythme intolérable de deux étages tous les vingt jours, il nous faudrait sept mois et demi pour terminer le gros œuvre, le promoteur serait alors dans un état de tension nerveuse et de violence psychologique que je n'osais même pas imaginer — et que répercuteraient sur ma personne les récriminations d'une hiérarchie déchaînée.

C'est tout l'inverse qui s'est passé : l'enfer surviendrait plus tard, quand le gros œuvre aurait été achevé et que nous commencerions l'aménagement intérieur. En revanche, les quatre mois qui ont suivi ma rencontre avec Victoria resteront comme quelques-uns des plus intenses de ma carrière : j'ai accompagné l'achèvement du gros œuvre comme on se représente que les compositeurs terminent leurs symphonies, en transe, emporté par un jaillissement insensé d'énergie, d'inspiration et de confiance, de puissance physique et de ferveur créatrice.

Le chantier était tellement complexe que le meilleur moyen d'y faire face était de se sentir en permanence comme au-dessus des contingences, sans se laisser capturer par aucune inquiétude insidieuse. C'est non seulement ce que l'observation du mode de vie de Victoria avait servi à me remettre en mémoire (être à la fois *dedans* et *au-delà*, *partout* et *nulle part*, autrement dit ne jamais se laisser *affecter* : je reviendrai plus amplement sur cet aspect fondamental de sa personne), mais c'est aussi ce que les forces qu'elle me donnait m'ont permis d'appliquer pour moi-même. Il faut une force particulière pour refuser que les ennuis vous emprisonnent.

Le simple fait que je sois parvenu à rendre Victoria aussi dépendante de ma personne que je l'étais devenu de la sienne me suggérait l'idée que tout était possible désormais dans ma vie : être à ce point apprécié de cette femme-là m'avait rendu invulnérable.

Je ne crois pas qu'il serait juste de parler d'amour (ou si j'ai cru qu'il s'agissait d'amour c'est brièvement, dans des moments d'extase, submergé par le bonheur de penser à Victoria ou de tenir son corps entre mes bras), mais en revanche les sentiments qu'elle m'inspirait avaient ceci en commun avec la passion amoureuse qu'ils me transfiguraient. J'évoluais sur un plan un peu plus ensoleillé, situé au-dessus de celui où je me trouvais d'habitude, et cette légère surélévation avait modifié en grande partie mon rapport à la réalité : j'avais à la fois davantage de recul, de discernement et de hauteur d'esprit que quand je piétinais dans la boue avec les autres, mais de surcroît une sensation de supériorité venue se mélanger à l'élixir de mon humeur a rendu possible qu'un tempérament aussi mesuré que le mien devienne capable de la folie que nécessite la conduite d'un projet de cette envergure, une folie nuancée de prudence, d'exactitude et de lucidité, mais une folie quand même, une folie indéniable.

Pendant ces premiers mois, le chantier ne m'est pas uniquement apparu comme beaucoup plus supportable, je l'ai vécu comme beaucoup plus excitant. Fréquenter Victoria exacerbait chez moi le goût du risque, de l'obstacle, du combat et de l'adversité, en d'autres termes le goût de la victoire — lequel est assez différent de celui de la réussite. J'étais dans l'énergie, la rage et la gaieté, dans l'impatience de balayer les obstacles, de franchir les étapes, de terminer ma tour ; dans l'impatience du prochain message de Victoria ; dans l'impatience de son prochain sourire téléphonique ; dans une forme de voracité, d'euphorie, de gourmandise ; je revivais, littéralement. Quand je rentrais chez moi, je roulais beaucoup plus vite que d'habitude, je m'offrais même de petites pointes de vitesse sur l'autoroute ; j'avais conscience de sortir de mon enveloppe d'homme ordinaire comme une chrysalide devient un papillon. J'avais envie de me battre et de prouver que j'étais capable de tenir tête à la plus infranchissable des situations de crise. J'étais comme un guerrier qui veut montrer à sa fiancée qu'il est parvenu à conquérir la province voisine. J'oubliais que les papillons n'ont qu'une durée de vie limitée : mais il n'y avait pas lieu de se faire à l'époque ce genre de réflexion.

Avec François Gall, *directeur de projet pour la structure, la charpente métallique, la maçonnerie et le terrassement*, en d'autres termes le gros œuvre ;

avec José Delacruz, *chef de groupe maîtrise*, c'est-à-dire la personne, un Portugais rugueux et chevronné, constamment mécontent et de mauvaise humeur, qui dirigeait les chefs d'équipe et les compagnons ; avec Olivier Berger, *conducteur gros œuvre*, l'un des ingénieurs qui avaient conçu le coffrage autogrimpant et l'ensemble des outils spécifiques ; avec enfin mon ami Dominique Mercador, nous avons fini par former un noyau qui n'avait jamais été aussi uni : insécable.

Nous nous sommes soudés pour balayer les obstacles et avancer sans faillir jusqu'à l'image que nous visions : boire du champagne le 20 janvier au sommet de la tour terminée. Pourtant, faire accepter à nos collègues cette échéance invraisemblable n'avait pas été une mince affaire.

Tous ceux qui travaillent dans le bâtiment ont rencontré au moins une fois dans leur carrière cette situation où le découragement prédomine, où les équipes se voient imposer des objectifs tellement démesurés qu'elles finissent par intérioriser la certitude qu'elles n'y arriveront pas : elles capitulent silencieusement, elles se laissent glisser peu à peu dans un état de pesanteur et de résignation. Alors, dans ce climat d'accablement, il peut se faire qu'un individu qui n'a jamais baissé les bras parvienne à insuffler la conviction qu'il ne faut pas abandonner la partie — et c'est comme ça qu'au bout du compte, grâce à la détermination d'un seul qui en devient le guide et la lumière, un chantier peut retrouver son élan et triompher de difficultés qu'on supposait insurmontables.

Après la réunion de début septembre, le seul à ne pas s'être laissé abattre était François Gall. J'ai déjà dit que moi-même j'en avais pris un sacré coup dans l'aile, d'où cette après-midi que j'avais passée à ramper dans Hyde Park ; et José Delacruz marmonnait toute la journée qu'il n'était pas possible d'aller plus vite que la musique, « Ils font chier ces cons, ils ont qu'à mettre les bleus de travail et venir sur le chantier nous filer un coup de main, ils ont qu'à grimper sur le coffrage et ils verront si c'est facile d'accélérer la cadence ! Accélérer la cadence, accélérer la cadence, je vais t'en foutre moi d'accélérer la cadence ! » À l'image de José Delacruz, la plupart des collaborateurs de François Gall ne pouvaient s'empêcher de laisser se déverser leur écœurement, de répéter que tous ces « technocrates » étaient des « enculés », que c'était vraiment « dégueulasse » d'avoir à se soumettre à des conditions aussi infernales quand les « capitalistes » qui les leur imposaient s'en foutaient plein les poches ; ils disaient qu'il était impossible de terminer dans un temps aussi court alors que des écueils n'arrêtaient pas de survenir, qui les ralentissaient. Même les patrons de François Gall n'y croyaient plus, ils passaient leur temps à accuser François Gall des pénalités qu'à cause de ce retard ils redoutaient de devoir débourser — alors que celui-ci s'évertuait à leur démontrer qu'il pourrait livrer le gros œuvre comme convenu le 20 janvier, « Peut-être même le 18 », ajoutait-il parfois avec confiance. Je pouvais voir sur le visage de ses patrons des expressions d'exaspération : « François... Tu nous dis ça depuis le début... Ça fait des mois, des mois et des mois que tu dis que tu vas rattraper le retard. Mais maintenant, qu'est-ce qu'on fait ? Qu'est-ce que tu nous proposes comme formule magique pour qu'enfin on y arrive ? » François Gall n'était pas tombé de la dernière pluie, c'était un homme de cinquante ans qui avait passé sa vie à couler du béton et à construire des bâtiments ; on lui devait quelques-unes des plus belles tours de la Défense ; il connaissait son métier et il n'était pour rien dans le retard que le gros œuvre de la tour Uranus avait pris, attribuable en grande partie à un problème de conception des outils. Et malgré ça il avait beau expliquer les raisons pour lesquelles, à différents endroits, il avait été ralenti ; il avait beau justifier méthodiquement, avec des arguments irréfutables, chacun de ces retards ; il avait beau expliquer qu'il n'y avait aucune raison que de nouveaux obstacles se manifestent, ses phrases se fracassaient sur un mur de froideur : « Il va falloir que tu nous expliques, il y a peut-être un truc qu'on n'a pas bien compris. Comment tu comptes t'y prendre, par la magie ? Par quel miracle tu arriverais à respecter des engagements plus difficiles que jamais, alors que depuis deux ans tu n'as pas arrêté de faire mentir les projections que tu nous présentais ? » Le grand patron déclarait : « François, il n'est pas question de ne pas respecter la date du 20 janvier. Je t'explique : si tu respectes cette échéance, on va pouvoir éviter les pénalités... je négocie dans ce sens en tout cas. Tu comprends ? Mais si tu la dépasses... si tu dépasses la date du 20 janvier... si tu termines le 14 mars... si par exemple tu termines le 14 mars ou le 22 avril... ça va se chiffrer en centaines de milliers d'euros pour la boîte. Tu comprends ? *Ça va se chiffrer en centaines de milliers d'euros pour la boîte.* Et alors là laisse-moi te dire qu'on risque vraiment de passer un très mauvais quart d'heure. Toi, moi, nous, tout le monde. Un très mauvais quart d'heure. » Et François Gall répondait : « Non mais maintenant j'en suis certain, ça va marcher, on est tous super motivés », et son patron répondait : « Laisse-moi rire, il suffit juste de faire un tour sur le chantier pour s'apercevoir que personne n'y croit plus », et François Gall répondait sans faiblir : « Ils sont un peu démotivés, je sais, j'ai vu, mais je vais les remettre dans la course », le grand patron laissait s'écouler quelques secondes, « OK, je note, merci, c'est bon, j'ai des doutes mais je prends note de ta détermination, t'as intérêt à respecter ta parole cette fois-ci, je peux te dire que t'as vraiment intérêt, putain, cette fois, à pas déconner », et François Gall répondait sans trembler : « Je suis sûr de mon coup, je vais y arriver », et ses patrons le regardaient avec un air dubitatif, et ses équipes sur le chantier tournaient au ralenti, et si quelqu'un avait surgi dans la pièce en disant : « J'ai trouvé la perle rare pour nous tirer de ce mauvais pas, c'est un Américain qui n'a jamais dépassé une échéance de toute sa vie », François Gall aurait été viré dans la minute.

Je me demande encore comment François Gall n'a pas craqué, la pression qu'on mettait sur lui était tellement forte qu'il était un peu comme une noix sur laquelle se referment les mâchoires d'une tenaille. Sur les chantiers de cette envergure, l'humain est soumis à rude épreuve ; il n'est pas rare que des hommes flanchent, se délitent, démissionnent, tombent subitement malades ou se suicident. Il peut arriver qu'on convoque un homme un matin et qu'on lui demande de partir : il n'a pas le choix, une heure plus tard il est dans sa voiture et il roule vers le siège social pour discuter d'un reclassement avec la DRH. Je l'ai vu faire assez souvent, en particulier sur des opérations où les enjeux financiers étaient lourds ; c'est d'ailleurs de cette manière que mon ami Dominique Mercador est arrivé sur le chantier de la tour Uranus, en remplacement d'un homme fragile, d'humeur instable, qui n'était pas à la hauteur du poste.

Quand François Gall disait à ses collaborateurs que c'était le moment ou jamais de fournir un effort éperdu, ces derniers lui répondaient : « À quoi bon, c'est foutu, on n'y arrivera pas », et François Gall devait séduire, contredire, convaincre, argumenter, il devait transmettre ses certitudes à l'ensemble des personnes qui travaillaient avec lui, il devait réanimer les chefs d'équipe, les conducteurs de travaux, chacun des compagnons qui se trouvaient sur le chantier.

À ce stade de solitude, quand une personne doit porter sur ses épaules un défi colossal que l'inertie de tous ceux qui l'entourent précipite à sa perte, il ne faut pas seulement y croire, il faut avoir la foi. On n'imagine pas à quel point il arrive que ce soit essentiel, sur un chantier, d'avoir la foi.

Avec François Gall, nous avons monté des réunions où nous avons parlé pendant des heures. J'ai expliqué à des hommes écrasés sur leur chaise, découragés, que la seule façon de ne pas être victime du bâtiment était de respecter cette échéance du 20 janvier.

« Montrez-leur que vous en êtes capables ! Dites-leur merde à tous ces hommes que vous méprisez, dites-leur merde non pas en vous mettant en faute, ce serait vraiment trop con ! Les mecs, putain, réfléchissez, vous allez pas vous torpiller vous-mêmes en livrant Uranus le 12 mai ! Déchaînez-vous ! Montrez-leur de quoi vous êtes capables ! Contrairement à ce que vous avez l'air de penser, se déchaîner pour qu'Uranus soit livrée dans les temps, ce n'est pas leur obéir ! Au contraire ! Au contraire, les mecs, putain ! C'est juste pour qu'on soit fiers, pour qu'on n'ait rien à leur devoir ! C'est notre tour, c'est nous qui la faisons avec nos mains ! Avec nos mains, les mecs ! Là, ça va, on est en octobre, il fait encore relativement bon, mais dans deux mois, fin décembre, début janvier ! Quand on arrivera début janvier sur le chantier, à deux cent vingt mètres du sol, quand on en sera, allez, je suis sympa avec vous, je vais pas vous démoraliser, quand on en sera au quarante-sixième étage… c'est-à-dire pratiquement tout en haut, à quatre étages du bout, il fera quoi ? moins six ? Là-haut, à six heures du matin, à deux cents mètres du sol, début janvier, moins six, moins sept, moins dix parfois ? Il fera nuit et c'est vous, à la lumière des néons, qui finirez la tour avec vos mains ! Avec vos mains, putain, la nuit, par moins huit ! Et c'est vous qui un soir planterez le drapeau ! Et alors on appellera les guignols, on les appellera du portable, on leur dira ça y est. Et vous voulez qu'on nous vole ce moment ? Vous voulez que ces types, ces enculés de technocrates, vous allez tolérer qu'ils vous volent ce moment où vous pourrez leur dire ça y est, on a terminé, on est dans les temps — sous-entendu on t'emmerde, nous on est des bons, salut, mes amitiés à ta femme ? Alors ça oui, je vous confirme qu'ils viendront pas vous remercier, qu'ils viendront pas vous distribuer des biffetons. Si c'est ça que vous voulez savoir, je vous le dis, c'est non. Non, je vous confirme que non, vous verrez pas la couleur d'un biffeton, ou d'un remerciement, ou d'une quelconque gratification. Si c'est pour cette raison qu'éventuellement vous pourriez vous remettre au travail, je vous le dis : vous pouvez rester chez vous, faites-vous faire un arrêt maladie et moi je vous remplace. C'est comme ça, on vit dans ce monde-là, c'est à peine s'ils vous diront merci, c'est à peine s'ils auront un regard pour vous. Ils viendront vérifier, ils monteront tout là-haut, ils seront quatre ou cinq, ils constateront que c'est terminé, qu'on est bien au cinquantième étage, ils se féliciteront entre eux, je peux vous dire qu'ils se féliciteront entre eux de ce succès extraordinaire, de la beauté du bâtiment, puis ils repartiront. Deux jours plus tard ils reviendront en compagnie du PDG de la banque accompagné de deux ou trois courtisans, la directrice de la communication, le conseiller spécial pour l'immobilier, nos grands patrons à nous. Pas un de vous n'aura droit à une petite poignée de main de la part du PDG de la banque, par exemple, ou du PDG de l'entreprise de promotion immobilière, ils sont trop élevés, ce sont des astres, ils vous éblouiront de leur lumière. Mais voilà, est-ce que ce sont des raisons suffisantes pour pas se défoncer ? C'est une raison suffisante, selon vous, leur mépris, pour ne pas essayer, par tous les moyens, en se défonçant comme des malades, de livrer le gros œuvre le 20 janvier ? Il y en a qui répondent oui, à cette question ? Bon, parfait, je préfère. Car c'est précisément l'inverse, les mecs ! Voilà où je veux en venir, et vous mener, depuis dix jours ! Voilà où mes sermons veulent vous conduire depuis dix jours, à ce moment où enfin vous comprendrez que c'est tout l'inverse ! C'est justement parce que quoi qu'on fasse il y aura toujours une barrière entre ces types et nous, leur système et le nôtre, le système tout court et nos réalités quotidiennes, leur vie et la nôtre, leurs exigences et notre fierté, les abstractions de leurs projets et la réalité physique des nôtres, leurs putains de comptes en banque et nos putains de découverts, c'est parce qu'il y aura toujours cette frontière entre nous, que dis-je : ce gouffre, qu'il faut qu'on soit nickels, qu'on soit réglos, hyper pros, inébranlables, qu'on n'ait rien à se reprocher, vous comprenez ? Qu'on soit fiers de la victoire qu'on aura remportée sur nous-mêmes, sur le temps, sur la matière, sur leur mentalité ! C'est pour nous qu'il faut qu'on se défonce ! Cette tour nous appartient ! Quand vous serez vieux et que vous passerez sur l'autoroute de Versailles, et que vous verrez cet éclair inouï dans le ciel de la Défense, vous direz à vos petits-enfants : tu vois, la tour, là-bas, l'éclair énorme, c'est moi qui l'ai construit, il y a longtemps. Et j'aimerais que vous puissiez leur dire, à vos petits-enfants, dans quarante ans, que c'est l'un des souvenirs les plus forts de votre carrière, peut-être même le plus beau de tous vos souvenirs. Je suis là aujourd'hui pour cette unique raison, pour que vous puissiez prononcer cette phrase dans quarante ans. Et pas : tu vois, là-bas, la tour, mon petit, c'est papy qui l'a construite, j'ai failli y laisser ma peau, c'était un cauchemar, c'est le pire souvenir de ma carrière, on a fini avec un an de retard. »

C'est alors qu'en l'espace de quelques jours un miracle a commencé à avoir lieu. Une résistance de la matière s'est diluée, les compagnons ont pris le pli, la situation s'est débloquée et la tour a grimpé : c'est devenu magique.

Accélérer l'essor d'un édifice de cette complexité suppose d'anéantir en soi l'idée d'échec, de mobiliser la même détermination que pour anéantir un adversaire. Il suffisait que je regarde les compagnons, que je regarde les chefs d'équipe les diriger pour le comprendre, ils faisaient en sorte que la matière mette le temps à ses pieds, ils se battaient pour maintenir sous leur domination une donnée qui peut paraître indiscernable mais qu'il est parfois possible de voir agoniser, quand justement on la domine : ce temps narquois qui échappe à l'emprise de l'action, enlise celle-ci, ralentit l'homme et étire les calendriers. Les compagnons obtenaient que le temps se transforme en mètres cubes de béton propulsés, en parois qui s'élèvent, en étages qui s'empilent, et que ces deux principes se superposent scrupuleusement : qu'il y ait autant de matière construite que de temps qui a passé, au lieu que celui-ci s'écoule inutilement, s'égare, s'amuse de l'impuissance des hommes, pendouille comme un drapeau un jour sans vent. Grâce à l'action des compagnons, le temps était tendu au maximum : de cette tension surgissait un bâtiment au maximum de sa vitesse. Même, nous éprouvions parfois la sensation d'obtenir un peu plus de matière qu'il n'y avait eu de temps pour la produire : c'est dans ces circonstances qu'on parle de « temps qui se dilate ».

Il arrive que des individus réunis par le même

désir finissent par devenir une seule entité, une énergie unique, *une véritable intelligence* : c'est alors que l'improbable se met à advenir, ça paraissait impossible et soudain le truc fonctionne — il faut l'avoir vu au moins une fois dans sa vie pour en comprendre la fabuleuse beauté. C'est cette osmose que j'ai vue apparaître, je me promenais sur le chantier et je me disais : « Putain, comment ils font ? Les conditions sont infernales, ça devrait ne pas marcher, qu'est-ce qui se passe, qu'est-ce qui fait que la machine fonctionne, s'emballe, démultiplie sa puissance, surmonte tous les obstacles ? » Ce que ces hommes transfigurés par cet effort indescriptible faisaient surgir au milieu du ciel n'était plus seulement un édifice, c'était un rêve, un reflet de leur désir, un effet de leur mental, une expression du sentiment profond qui les liait. C'était palpable, ils donnaient corps à quelque chose qui existait déjà dans leur cerveau, qui semblait moins sortir de leurs mains que de leur imaginaire. Comme un enfant qui dessine une maison allongé sur le sol de sa chambre, ou qui construit un édifice avec des cubes. Ils s'appliquaient, ils étaient concentrés sur une image du bâtiment qui se trouvait ancrée dans leur tête, et cette image grimpait dans la réalité jour après jour, étage après étage, en fer et en béton, comme une lente mais fidèle récompense.

Je pensais à Victoria à chaque instant de ces journées. Je me sentais unique et important.

Victoria avait beau être en réunion ou occupée, elle s'efforçait toujours de réagir aux sms que je lui adressais, ne serait-ce que brièvement ou par de laconiques émoticônes ; ces seuls sourires que sa présence me renvoyait suffisaient à me donner du courage.

MOI : « *Tu me manques, j'aurais voulu te dire un mot, ton téléphone sonne dans le vide, où tu es ?* » 08 : 32

ELLE : « *Sorry, je suis déjà en réunion avec mon staff. J'ai vingt personnes autour de moi. Toi aussi tu me manques.* » 08 : 34

MOI : « *Je suis au sommet de la tour, on est en train de monter le quarante-quatrième étage, je suis à deux cent vingt mètres du sol, au bord du vide, il fait beau, le ciel est bleu, c'est sublime. Nous avançons à un train d'enfer depuis trois jours, c'est miraculeux, je n'en reviens pas, je voudrais que tu voies ça. J'avais envie de partager mon euphorie avec toi, je n'ai jamais vu les compagnons travailler avec autant de rapidité et de détermination que depuis la semaine dernière. Un vent puissant nous emporte et pour la première fois je sens que nous allons gagner.* » 08 : 40

ELLE : « *Je ne peux pas t'écrire aussi longuement. Mais je te dis BRAVO ! Je T'ADORE !* » 08 : 41

MOI : « *Mais c'est grâce à TOI Victoria. Si je ne t'avais pas rencontrée, nous n'en serions pas là sur le chantier.* » 08 : 45

ELLE : « *Ah bon ? Mais quelle drôle de pensée ! Why ? : -))* » 08 : 52

MOI : « *Il faut que je te laisse, on se parle ce soir ?* » 08 : 55

ELLE : « *Pas ce soir, je pars en Allemagne avec mon patron, je ne serai jamais seule, ou alors tard. Demain matin plutôt.* » 08 : 58

MOI : « *Oui, c'est vrai, j'avais oublié ce voyage. OK. Je t'embrasse tendrement Victoria.* » 08 : 59

ELLE : « *Moi aussi.* » 09 : 00

À un moment, quand les choses ont commencé à vraiment bien tourner, nous étions comme l'équipage d'un transatlantique qui fait la course en tête, l'énergie que nous brûlions était d'autant plus forte que la cadence de construction s'accélérait, dans une sorte de spirale vertueuse ; l'approche du sommet nous rendait de plus en plus rapides et impatients.

C'est ainsi que nous avons achevé le gros œuvre non pas le 20 janvier mais le 5, avec quinze jours d'avance sur le planning. Ainsi, une fois le gros œuvre terminé, le retard de la tour Uranus a été ramené de deux mois à trois semaines.

Je me dis parfois que les choses se seraient peut-être passées de la même manière si le chef d'orchestre de la tour Uranus n'avait pas rencontré Victoria, si celui-ci ne s'était pas shooté pendant quatre mois à cette pure héroïne, je me dis parfois que la seule détermination de François Gall aurait sans doute suffi à emporter les équipes. Peut-être, c'est difficile à dire, mais peu importe d'une certaine manière puisqu'il se trouve que le chantier a connu sa période de grâce au moment même où dans ma vie privée je vivais cet enchantement. Les deux événements se sont superposés, comme si chacun devait à l'autre la beauté de son existence, comme si Victoria devait une partie de sa beauté à la réussite du chantier et le chantier une partie de sa réussite à la beauté de Victoria. Comme dans les contes de fées, un coup de sa baguette magique avait permis que les difficultés s'aplanissent et que la tour sorte de terre aussi facilement qu'un champignon une nuit d'automne.

C'est la raison pour laquelle, à chaque fois que je

m'interrogeais sur notre relation, j'arrivais à la conclusion qu'il serait périlleux de modifier un seul des paramètres de ce subtil équilibre entre ma vie privée, l'énergie de mes équipes et le rythme du chantier. Le processus pouvait encore s'enrayer et la cadence de construction retomber à un étage par tranche de huit, voire de dix jours, au lieu des sept prévus par le planning et des six jours qu'à force d'accélérer nous allions finir par atteindre. Ce qui se passait était magique, fragile et merveilleux, j'étais heureux dans ma vie d'homme et dans ma vie professionnelle, il fallait tenir quatre mois à ce rythme infernal et nous serions les grands vainqueurs de cette étape, avant d'aborder la phase suivante avec confiance : l'aménagement intérieur du bâtiment, où je serais cette fois en première ligne.

J'avais plus ou moins décidé que je m'éclipserais quand notre histoire aurait connu son apogée : celle du gratte-ciel que Victoria m'aurait permis d'édifier à ses côtés. Nous monterions là-haut le jour où le gros œuvre serait achevé, j'ouvrirais une bouteille de champagne, nous nous embrasserions, j'aurais peut-être allumé un brasero et nous ferions l'amour dans le ciel de la Défense, absolument seuls, sur un plateau ouvert à tous les vents, et nous verrions les étoiles par des rectangles béants sur l'infini, comme au sommet d'un phare. Le lendemain j'expliquerais à Victoria que je voulais que notre histoire s'arrête et je disparaîtrais de sa vie. Voilà le scénario par lequel je répondais à mes interrogations angoissées toutes les fois qu'elles vrillaient ma conscience — et ce dénouement avait fini par devenir pour moi quelque chose de tacite (c'était aussi une manière de ne pas assumer mes responsabilités et de remettre à plus tard toute prise de décision, j'en étais assez conscient). En attendant j'étais décidé à vivre à fond les quelques mois qui nous restaient, d'autant plus qu'ils revêtaient sur le chantier l'apparence d'une sublime épopée : pour la première fois, peut-être, de toute mon existence, je me vivais comme un héros, et Victoria savait s'y prendre pour magnifier cette impression. Quand nous nous étions croisés dans la galerie marchande, elle s'était demandé devant moi si l'étincelle allumée par nos regards existerait encore à notre prochaine rencontre : il fallait convenir qu'elle n'avait jamais disparu, elle survivait depuis plusieurs semaines à sa propre extinction imminente, nous nous étions installés tous les deux dans l'extraordinaire intensité d'une étincelle — et j'aimais me répéter qu'à quatre-vingt-quinze ans, vieil homme usé rêvant dans un fauteuil, je me souviendrais sans doute avec une émotion extrême, et peut-être même une lueur d'érection, de ces quatre mois d'incandescence. Une étincelle qui se perpétue elle-même à chaque seconde de son abrogation théorique, on appelle ça tout simplement un miracle.

Quand on devait se retrouver, on se donnait rendez-vous au bar de son hôtel, et nous buvions une ou deux coupes de champagne avant de monter dans sa chambre. Nous parlions de ce que nous étions en train de faire (je racontais la progression du gros œuvre et Victoria les exténuantes batailles syndicales qu'elle devait conduire en Lorraine), elle était assise en face de moi dans un fauteuil, il y avait entre nous une table basse sur laquelle des ramequins de biscuits apéritifs étaient posés entre nos coupes, où montaient de légères bulles qui éclataient à la surface.

Le visage de Victoria était celui d'une femme de quarante-deux ans investie de responsabilités importantes, on pouvait la percevoir de loin comme une femme d'un grand sérieux, un peu austère. Quand, pénétrant dans le bar, je m'apercevais qu'elle était déjà arrivée (elle lisait un dossier, prenait des notes, téléphonait), il m'arrivait d'avoir du mal à admettre que c'était avec elle que j'avais rendez-vous. Il y avait toujours un décalage entre le souvenir de nos dernières étreintes, les sms qu'on s'envoyait et la rigueur de cette figure construite, respectable, presque technique, dont on sentait qu'elle s'était battue toute la journée sur des dossiers compliqués. L'ingrédient féminin se diluait dans l'apparence fortement codifiée, sans différenciation de sexe, du dirigeant mondialisé : observée à son insu dans l'atmosphère impersonnelle d'un bar d'hôtel, elle avait un impact d'une nature équivalente à celui de la quasi-totalité des cadres de haut niveau (quels que soient leur sexe, leur pays d'origine ou leur secteur d'activité), tels qu'on peut les apercevoir dans les voitures de première classe de l'Eurostar. C'est cela que je voyais quand mes yeux se posaient sur son visage aux traits tirés, où ma présence subitement révélée faisait naître un sourire.

Je m'asseyais, j'étais toujours un peu tendu, nous nous mettions à parler. Il me fallait un peu de temps pour m'acclimater.

Je me disais parfois que je n'arriverais pas à monter dans sa chambre, que la distance apparue entre ces deux principes : la femme pragmatique un peu lourde, efficace, pas tout à fait sexy, et la maîtresse enfiévrée que j'avais connue la dernière fois, ne se comblerait plus. Nous devions boire une ou deux coupes de champagne pour qu'il me soit possible d'entrevoir la seconde dans les vestiges de la première, qui peu à peu finissait par s'estomper.

Quand nous montions et que je l'embrassais, qu'elle m'arrachait mes vêtements et qu'enfin nous étions nus, quand je la pénétrais et que les heures défilaient à s'aimer, un autre visage m'apparaissait, un visage d'adolescente.

Dans l'intimité d'une telle proximité physique, mais surtout sous l'éclairage d'une mise à nu aussi entière de son mental, ses traits, sa peau, ses regards et la lumière de son visage étaient ceux d'une jeune fille de seize ans. Victoria transpirait toujours avec abondance et les gouttes que je voyais sinuer à la surface de ses expressions radieuses me faisaient penser à des perles de rosée sur les pétales d'une fleur, car sa peau avait alors le velouté d'une rose, elle était douce et juvénile, virginale, renouvelée : je voyais Victoria comme émerveillée par la découverte de l'amour et des hommes. Il y avait quelque chose d'inexplicablement originel dans la présence de ce nouveau visage tout juste éclos : tandis que je prenais avec fougue cette belle adolescente à la candeur si lumineuse, j'avais la conviction de faire l'amour avec le souvenir que Victoria pouvait avoir d'elle-même, il y avait dans son regard comme la conscience d'un abandon périlleux (et la confiance qu'à seize ans l'on fait savoir que l'on accorde à l'homme qui vous déflore : quelque chose comme un regard de vierge qui se donne en connaissance de cause), et à chaque fois je m'en voulais d'avoir envisagé Victoria comme une bourgeoise corrompue par l'argent, pétrie de conceptions toxiques, passant son temps à satisfaire les exigences d'un actionnariat insatiable. Je pense n'avoir jamais rencontré aucune femme qui à ce point possédait la capacité de se montrer si différente selon l'angle où on la regardait, ou la distance, ou le contexte. Victoria avait littéralement plusieurs visages, des visages qui n'avaient rien à voir les uns avec les autres, qui traversaient les âges et les fonctions, les imaginaires et les territoires, et je trouvais cette faculté surnaturelle, surnaturelle et subjuguante.

Je n'ai jamais autant aimé un visage que celui que je parvenais à lui faire retrouver par mes baisers, un visage comme lavé par la pluie, radieux et d'une étrange pureté, aussi cristallin qu'une éclaircie après des heures d'ondée : comme la naissance momentanée et illusoire d'un nouvel âge. C'est cette plastique d'adolescente qui me tenait amarré à notre lit pendant des heures et qui faisait que je rentrais chez moi en pleine nuit, sans autre excuse que d'improbables conversations inextricables et chronophages, dictées par les ennuis et par l'urgence, avec les ingénieurs du chantier.

Assis un soir dans mon bureau, j'ai envoyé à Victoria ce sms : « *J'aimerais te donner quelque chose qu'aucun autre homme ne t'a jamais donné. Toi, c'est fait.* » Tout le monde était parti depuis longtemps et je laissais la tension de la journée mourir en moi avec douceur comme un feu de cheminée qui s'éteint. On pourrait dire aussi qu'à la manière d'un long-courrier qui commence sa descente une demi-heure avant que ses roues ne se posent sur le bitume de l'aéroport mes préoccupations professionnelles avaient amorcé leur descente vers la piste de ma vie familiale : il me fallait un peu plus de temps que ne durait le trajet jusque chez moi pour m'acclimater aux rôles de père et de mari que je devais réendosser quand je passais le seuil de ma maison, alors que curieusement le rôle d'amant était en connexion directe avec celui de directeur de travaux, en miroir l'un de l'autre.

J'ai éteint mon bureau et je me suis dirigé vers ma voiture sur le parking ; au moment où j'ai appuyé mon pouce sur le porte-clés pour actionner le déverrouillage électronique des portières, j'ai éprouvé la sensation d'être heureux. J'ai démarré et je me suis échappé du territoire grandiose de la Défense en circulant sur la bretelle d'un échangeur dominée par la masse sombre et imposante des immeubles et des tours, puis j'ai roulé jusque chez moi en écoutant à fond le premier album des Arctic Monkeys. Je me trouvais à un feu rouge, à l'entrée de la petite ville où je réside, quand j'ai voulu vérifier si Victoria ne m'avait pas répondu par un mail. C'est ce qu'elle avait fait, effectivement, pour plus de commodité, et j'ai pu lire ceci :

« *Mon très cher David,*

Je suis enfin seule, allongée dans mon lit, il n'est pourtant que 21h30, une pile de livres et de journaux à mes côtés.

Mais surtout j'ai emporté avec moi, dans mon BB, ton étrange sms : "J'aimerais te donner quelque chose qu'aucun autre homme ne t'a jamais donné. Toi, c'est fait."

Mystère, qu'ai-je fait ? Je voudrais vraiment le savoir, le savourer, en mesurer toute la portée. Je t'ai donné quelque chose que tu n'avais pas encore reçu ? Ma manière de t'aimer (je ne crois pas), mes mails et ma manière de nous raconter, de te confier mes pensées de femme ? Comme tu vois, ton petit sms me plonge dans des gouffres de réflexion. »

Ce n'est pas ce qu'avait voulu lui dire ce sms énigmatique mais il est vrai qu'à cette époque elle avait déjà commencé à me faire parvenir, sous l'intitulé COMPTE RENDU DE RÉUNION, les pages de son journal intime qui relataient nos rendez-vous — et ces lignes étaient pour moi d'autant plus troublantes que Victoria ne paraissait pas les avoir écrites en se disant qu'elle me les enverrait : elles me semblaient vraiment intimes, véridiques, d'une absolue sincérité. J'en voulais pour preuve que Victoria allait jusqu'à s'interroger sur ma personne et que ces textes n'étaient pas exempts d'un regard critique sur nos relations, voire d'un certain désarroi.

Ainsi, à la suite de la rencontre qui a eu lieu quelques jours plus tard, j'ai reçu ce document :

« *COMPTE RENDU DE RÉUNION*

Objet : Lundi 7 novembre

Auteur : Moi

Diffusion : Toi peut-être

Quand je suis descendue de ma chambre, il était déjà assis dans le bar à la même place que la dernière fois. J'étais un peu plus sûre de moi et détendue, car nous avions eu quelques conversations téléphoniques ces derniers jours qui nous avaient permis d'un peu mieux nous connaître, et nous démysti-

fier… bref, j'étais dans le plaisir de savourer ce que j'étais en train de vivre. En revanche, David m'a semblé contrarié et gêné de se trouver là avec moi, comme déjà à plusieurs reprises depuis que je le connais. Il s'est mis à me parler de son chantier, il avait l'air mal à l'aise et nerveux, comme s'il se demandait ce qu'il faisait là. Ses envolées et ses monologues où il part tout seul sur une idée m'interpellent toujours autant…

Nous avons commandé deux coupes de champagne rosé, puis deux autres, qui ont été coupées, ce qui ne m'a pas plu du tout, par un coup de téléphone… de sa femme ! Il m'a ensuite annoncé qu'il ne pourrait pas rester avec moi toute la soirée, comme nous l'avions prévu.

Tout à coup il a pris ses affaires et comme la dernière fois j'ai failli ne pas comprendre ce qu'il voulait, j'ai cru un bref instant qu'il voulait partir mais absolument pas, le temps pressait et il voulait qu'on puisse en profiter. Je me suis dirigée à son bras vers les ascenseurs et nous nous sommes enfermés dans la chambre.

Je me demande quelle est cette force qui me jette primairement dans ses bras, cette même force qui faisait rayonner mon plexus solaire dans la galerie marchande lorsqu'il m'a adressé la parole pour la toute première fois.

Puis la séparation. Lui marchant vers le parking souterrain pour récupérer sa voiture, je décide de ne pas me retourner alors que nous nous éloignons l'un de l'autre, je sais pertinemment qu'il attend de me faire un dernier geste de la main.

Il me dit qu'il doit rejoindre sa femme, qu'elle ne va pas très bien, qu'il y a ce soir une urgence et qu'il m'expliquera. Je le soupçonne de maquiller légèrement, je n'y crois pas tout à fait à cette histoire... c'est une impression que j'ai, irrationnelle, sans aucune justification, qui me vient du fond des tripes.

Il est 20h40, si je me dépêche je peux encore me faire une séance de ciné à l'Opéra. Marcher dans la fraîcheur nocturne de novembre me calme à peine. Je suis furieuse d'avoir organisé ma venue un jour plus tôt pour rien, pour me faire larguer avec une excuse que je ressens comme bidon et maladroite. Mais qu'est-ce qu'elle a, sa femme, c'est une petite fille ou quoi ?

Je me calme un peu devant les magnifiques devantures du Printemps Haussmann et des Galeries Lafayette, ma frivolité de femme coquette n'est jamais loin pour me consoler... Puis de nouveau furieuse à cause du dragueur qui m'aborde en me disant que je suis belle et étrange... Ne voit-il pas ma fureur ? Où est le respect ?

Finalement, un peu honteuse, j'achète un billet pour une daube américaine dont je n'ose pas avouer le titre. »

Sylvie, pendant la journée, m'avait envoyé plusieurs messages où elle m'avait paru inquiète, à la suite de quoi elle m'avait téléphoné pour m'informer qu'elle était angoissée : elle me demandait de rentrer au plus vite dès que mon dîner serait terminé (je lui avais raconté que je devais passer la soirée avec un entrepreneur qui fêtait son anniversaire). J'avais senti l'angoisse se déployer depuis déjà plusieurs jours, perceptible à sa voix assourdie comparable à un tissu gorgé d'eau, ou à une cloche dont la sonorité paraît emprisonnée par deux doigts qui la pincent. Il pouvait lui arriver, comme à tout le monde, de se sentir inquiète sans raison apparente, mais ce qui m'alarmait était que Sylvie montrait des signes de fragilité que je n'avais plus identifiés dans son comportement depuis de nombreuses années. Que se passait-il ? Quand je suis arrivé chez moi après avoir abandonné Victoria devant la gare Saint-Lazare, j'ai découvert qu'elle n'était que banalement anxieuse, stressée par des bêtises de la vie quotidienne, déprimée par le poids que commençait à faire peser sur son mental la désastreuse réputation du mois de novembre — en définitive, tout s'était déroulé comme si Sylvie avait su que je voyais ma maîtresse et qu'elle avait voulu me jouer un mauvais tour. J'étais soulagé de la trouver dans un état moins critique que son appel téléphonique ne me l'avait fait craindre, mais je me suis mis en colère en lui disant qu'à cause d'elle j'avais dû écourter un dîner important pour moi sur le plan professionnel. « Mais tu travailles dix heures par jour ! m'a répondu Sylvie. Ça ne suffit pas, de travailler dix heures par jour, pour obtenir ce que l'on souhaite ? Comment ça se fait, alors que tu passes ton existence sur le chantier, comment c'est possible que tu te retrouves dans la situation où un dîner puisse avoir une importance fondamentale pour toi sur le plan professionnel ? » Sylvie ne me parlait pas avec agressivité : elle faisait cette simple observation d'une voix éteinte, à peine audible, recroquevillée dans une épaisse couverture écossaise sur le canapé du salon, le regard absorbé par les images privées de son qui se succédaient sur l'écran du téléviseur : une ville terne, couleur ciment, sur un sol de caillasse et de poussière, et des personnes tout aussi poussiéreuses, avec des armes en bandoulière, qui patrouillaient ; sur l'image d'après, des enfants qui jetaient des cailloux vers des soldats placides réfugiés derrière des buissons de barbelés ; partout, sur toutes les images, la même poussière, les mêmes cailloux, la même terre sans goudron ; le même sol naturel, désolé, frappé par un soleil impitoyable, que dans la Bible. J'ai reporté mon regard sur Sylvie en lui disant que les choses n'étaient pas aussi simples et qu'il fallait qu'on aille se coucher : « Tout ira mieux demain, lui ai-je dit. Enfin, pour nous tout du moins », ai-je rectifié en lui montrant les images sur l'écran.

Après la réception des quelques pages relatives à cette soirée tronquée, j'ai répondu à Victoria en lui confirmant que ses comptes rendus de réunion produisaient sur mon imaginaire un effet toujours plus vif : « *C'est pour moi incroyablement émouvant, excitant, flatteur, mais aussi un peu déstabilisant. Je te promets que je vais essayer de m'améliorer sur les quelques points défectueux que tu signales !* lui ai-je écrit en retour. *En particulier, je vais faire en sorte de moins monologuer : il peut m'arriver, c'est vrai, de dissimuler ma timidité derrière la façade du discours, une façade qui peut prendre parfois des proportions excessives, mais je te promets que ça va s'arranger et que dorénavant nous prendrons moins de temps pour parler, et davantage pour nous aimer.* » En ce qui concernait le soupçon qu'elle avait eu que je l'avais laissée en plan au motif d'un événement bidon, j'ai promis à Victoria de lui dire la prochaine fois la raison de mon départ : « *Ma femme a été très malade, autre-*

fois, psychiquement parlant. Elle ne l'est plus, elle ne l'a plus été depuis de nombreuses années. Mais à chaque fois qu'elle m'envoie un signal, je m'inquiète un peu plus qu'il ne le faudrait, et surtout un peu trop vite : une pointe d'angoisse qu'elle formule ou que je sens chez elle peut m'amener à la plus grande vigilance, voire à un peu d'inquiétude. Ce soir-là, vraiment, quand elle m'a téléphoné, je l'avoue, j'ai paniqué : je te demande de me pardonner. D'autant plus qu'elle n'allait pas si mal que ça, en vérité : je lui en ai beaucoup voulu, même, si tu veux savoir, et je lui fais la gueule depuis deux jours. » J'ai conclu ce message en disant à Victoria qu'elle m'était précieuse, que je pensais à elle à chaque instant de mes journées, et que j'avais hâte de la revoir. C'est ainsi que je terminais la plupart des messages que je lui envoyais.

Un soir que nous venions de faire l'amour (c'était, je crois, notre troisième rencontre à Paris, celle du 14 novembre, mais peut-être celle d'après : j'ai oublié), je regardais dehors entre les lourdes tentures, je n'avais toujours pas joui et je me suis souvenu de cette idée selon laquelle Victoria cherchait peut-être à se faire faire un enfant. L'enseigne de la brasserie Mollard étalait ses cursives sur la façade de l'immeuble d'en face, des personnes qui sans doute étaient aussi affamées que je l'étais moi-même poussaient la porte du restaurant, j'en voyais d'autres derrière les vitres qui dégustaient des crustacés. J'étais nu, je frissonnais en m'imprégnant de l'atmosphère extérieure un peu fraîche, il devait être aux alentours de vingt-deux heures et en dehors des olives vertes qui avaient accompagné les deux coupes de champagne que nous avions bues avant de monter dans la chambre, nous n'avions rien mangé. Je suis retourné sur le lit, où Victoria ne m'avait pas lâché des yeux, je me suis agenouillé devant elle, j'ai pris son pied entre mes doigts et je lui ai demandé si elle avait faim. Elle m'a répondu qu'elle avait faim, que les huit heures de pourparlers qu'elle avait eues avec les syndicats lui avaient creusé l'estomac ; elle ne s'était nourrie que d'un léger sandwich au thon. « Qu'est-ce que tu veux faire ? lui ai-je demandé. Tu veux qu'on descende chez Mollard ou qu'on dîne dans la chambre comme la dernière fois ?

— Je ne sais pas. Tu as jusqu'à quelle heure ?

— Je devrai partir vers minuit, quelque chose comme ça. Je ne peux pas arriver chez moi après une heure, c'est difficile.

— Alors il vaut mieux qu'on dîne ici, c'est plus simple et plus intime, c'est plutôt bon en plus. J'ai un peu la flemme de m'habiller et de sortir, il fait si froid... Et comme ça on pourra refaire l'amour, a-t-elle ajouté en secouant son pied avec espièglerie entre mes mains.

— Tu es vraiment insatiable, Victoria.

— Mais c'est toi qui me rends insatiable... Avec toi j'en ai toujours envie, il suffit que mes yeux se posent sur toi, je te désire... »

Victoria a souri, un grand sourire qui est resté longtemps, à la fois affirmé par ses contours et pensif en son milieu, comme un miroir qui aurait reflété son désir. Je l'ai regardée en silence quelques instants, avant de demander : « Pourquoi est-ce que tu n'as pas d'enfants ? C'est un choix délibéré ? Tu avais décidé que tu n'aurais pas d'enfants, ou ça s'est trouvé comme ça ?

— Pourquoi tu me poses cette question, là, maintenant ?

— Excuse-moi, c'est peut-être un peu abrupt, je manque de délicatesse…

— Non, pas spécialement, c'est juste que cette question est bizarre, qu'elle tombe un peu comme un cheveu sur la soupe…

— Je ne sais pas, ça m'est venu en regardant dehors. Je me suis demandé comment il se faisait qu'une femme comme toi était célibataire et sans enfants. Il n'y a pas de problème, je trouve ça parfait, mais comme c'est plutôt rare…

— Qui te dit que je n'ai pas d'enfants, et que je suis célibataire ?

— Comment ça ?

— Oui, qui t'a mis dans la tête que je n'avais pas d'enfants, et que j'étais célibataire ?

— Excuse-moi, je ne comprends pas, qu'est-ce que tu veux dire ?

— Que je ne t'ai jamais dit que je n'avais pas d'enfants, ni que j'étais célibataire.

— Je ne vois pas où tu veux en venir. Tu ne m'as jamais dit non plus que tu avais des enfants, ni que tu vivais avec un homme.

— Mais tu ne m'as jamais posé la question, David. Tu ne m'as jamais demandé si j'avais des enfants, ou si j'étais mariée…

— Comment ça, qu'est-ce que tu racontes, mais bien sûr que je t'ai posé la question ! Peut-être pas d'une manière explicite, mais c'était évident ! » Puis, après un bref silence, comme Victoria restait muette : « Tu veux dire que tu as des enfants, que tu es mariée ? » Victoria me regarde avec un sourire et se remet à agiter son pied entre mes doigts, à l'agiter frénétiquement comme si elle voulait me consoler, me faire rire. « Tu devrais voir ta tête, me dit-elle.

— Quoi, qu'est-ce qu'il y a ? Qu'est-ce qu'elle a, ma tête ?

— Elle est toute plissée, toute paniquée !

— Excuse-moi mais tu es quand même plus ou moins en train de me dire... » Je marque une pause et regarde Victoria : un grand sourire moqueur, radieux, provocateur, est accroché à son visage comme l'enseigne lumineuse de la brasserie Mollard sur la façade de l'immeuble d'en face. Je m'étais dit qu'elle allait poursuivre ma phrase mais pas du tout, Victoria semble décidée à me laisser lui extorquer, à la faveur d'une sorte de spéléologie opiniâtre, chacune de ses révélations. Je finis par lui dire : « Tu as des enfants ?

— J'en ai quatre.

— Quatre enfants ?

— Quatre filles. Quatre merveilles. Seize ans, quatorze ans et des jumelles de neuf ans. Toutes très jolies, vives, intelligentes. Je ne suis que leur brouillon.

— Tu me fais marcher...

— Pas du tout. »

Je me dis qu'elle va peut-être se mettre à déballer ses secrets d'un seul coup, mais je la vois qui conserve un silence obstiné. Elle n'a pas l'air d'avoir peur que je réagisse mal : c'est plutôt l'amusement que lui procurent mes tâtonnements qui la retient de m'orienter. Mon désarroi la fait rire, comme si cet épisode me prêtait l'effarement d'un enfant.

Je lui dis : « Victoria. »

J'ai accompagné d'un regard insistant, un peu autoritaire, le *Victoria* que je viens d'articuler : ces trois syllabes résonnent dans la pénombre comme le nom de quelque chose qui est pour moi de plus en plus insaisissable, un concept, une organisation dont je découvrirais peu à peu la complexité des méandres.

« Victoria. Tu as vraiment quatre filles ?

— Tu n'as pas l'air de me croire. »

Du temps s'écoule entre chacune de nos répliques, du temps et des pensées précautionneuses, comme si elles gravissaient un escalier et découvraient un paysage de plus en plus étendu au fur et à mesure de leur ascension.

« Et le père ?

— Quoi, le père…

— Ben, je sais pas… Le père, quoi…

— Tu veux dire mon mari ?

— Parce que tu es mariée ?

— Naturellement que je suis mariée ! Tu me prends pour qui ? Tu penses peut-être que dans mon milieu, et a fortiori dans celui de mon mari, *dans la famille de Winter*, on peut faire quatre filles sans être mariée ! »

Elle avait dit « dans la famille de Winter » avec un air pincé et caricatural : j'ai supposé qu'elle imitait quelqu'un qu'elle détestait (peut-être sa vieille belle-mère désagréable et sentencieuse). Si Victoria avait conçu, pour me faire marcher, une histoire invraisemblable improvisée au gré de son inspiration, elle ne se serait pas adressée à moi sur un ton moins facétieux, elle aurait eu dans les yeux les mêmes crépitements, son pied aurait réalisé entre mes mains les mêmes petites rotations amusées, des rotations qui avaient l'air de me dire, sur le même ton qu'une comptine : « Alors, c'est vrai, c'est pas vrai ? C'est un mensonge, c'est pas un mensonge ? Elle est mariée, elle est pas mariée ? » Je scrutais gravement le visage de Victoria pour essayer de savoir ce qu'il en était.

« Et il est où, ton mari ?

— À Paris.

— À Paris ? Tu veux dire que vous êtes séparés ?

— Absolument pas. Nous sommes mariés et nous vivons maritalement. Tout se passe à merveille, sauf qu'il travaille à Paris et moi à Londres. On se retrouve un week-end sur deux à Londres ou à Paris.

— Ton mari vit à Paris et nous sommes... Tu prends une chambre à l'hôtel alors que tu possèdes un appartement à Paris avec ton mari ?

— Comme tu peux le constater.

— Mais... Ton mari, excuse-moi, un truc m'échappe. Il le sait que tu es à Paris ce soir ? » Victoria me dévisage avec un air atterré, comme si la question qui venait de lui parvenir était d'une stupidité à peine concevable. « Bien sûr que non, me dit-elle. Sinon, comment je pourrais...

— Évidemment. Excuse-moi. Sinon, comment tu pourrais...

— Évidemment.

— Et tu n'as pas peur qu'il découvre que tu es à Paris ?

— Comment le pourrait-il ?

— Je ne sais pas, il pourrait te croiser dans la

rue, appeler ton assistante ? N'arrivant pas à te joindre sur ton portable, il pourrait joindre ton assistante, qui lui dirait que tu es à Paris ?

— Il n'appelle jamais mon assistante.

— Et s'il appelle tes filles ?

— Il les appelle tous les soirs.

— Et alors, tu es censée être dans quelle ville, cette nuit, pour ton mari et pour tes filles ?

— Je leur ai dit que je dormais cette nuit à Francfort. Ils me croient tous en Allemagne à potasser les dossiers d'une fusion/acquisition infernale. Franchement, on est quand même mieux ici, me dit Victoria avec un sourire qu'elle a de plus en plus de mal à refréner (j'ai l'impression que devant ma gravité grandissante elle va finir par éclater d'un rire incontrôlable).

— Tout va bien, donc.

— Tout va bien, oui. »

Un long silence.

J'essaie de me représenter sa situation et plus j'y réfléchis, moins je parviens à ne pas la trouver dérangeante — alors qu'en définitive il ne s'agit de rien d'autre que d'avoir pris une chambre dans un hôtel, et d'y passer la nuit. Que Victoria mente à son mari ne me gêne pas (c'est moi-même ce que je suis en train de faire avec Sylvie), mais en revanche l'idée me heurte qu'elle soit capable de dormir dans la ville où il réside en lui faisant croire qu'elle séjourne à Francfort. Le mensonge géographique, je ne sais pas très bien pourquoi, m'apparaît comme une infraction qui n'est pas anodine — ou plus exactement je sens que j'aurai besoin d'un peu de temps pour en assimiler toute la portée, comme s'il touchait à quelque chose d'identitaire. J'ai l'impression qu'il faut, pour se placer avec son corps au cœur d'une contrevérité aussi entière, enfreindre au préalable un interdit majeur — mais je suis incapable de préciser, en cet instant de dévoilement, de quel interdit il s'agit : je sais seulement que j'aurais du mal à faire croire à Sylvie que je passe la nuit à Londres si je suis resté à Paris. Certes, au bout du compte, ce mensonge de Victoria n'est pas plus grave que la plupart de ceux que l'existence nous fait commettre (il est seulement plus audacieux, un peu plus périlleux), mais en revanche j'ai l'impression qu'il est aussi autre chose que cela, qu'il se dédouble de sa fonction utilitaire pour affirmer obscurément la chose suivante : que la personne qui le professe est elle-même un mensonge. En fait, la falsification qui rend possible que le corps nu de Victoria soit allongé sous mes yeux à l'insu de son mari ne révèle pas uniquement la stratégie qu'elle a suivie pour pouvoir passer du temps en ma compagnie, cette falsification révèle l'aisance avec laquelle elle prend des libertés avec la vérité. Cette aisance est un espace, c'est un espace qui est sa vie, sa vie est une fiction où elle embrasse éperdument le monde réel — au plus aigu de toutes les falsifications que ses désirs l'invitent à investir, dans un constant raccourci de ces derniers vers les richesses qui peuvent les assouvir. Victoria est à la fois à Paris et à Francfort, elle se trouve véritablement à Francfort en même temps qu'à Paris (elle aura demain matin une longue conversation téléphonique avec chacune de ses quatre filles, à qui elle décrira le ciel d'Allemagne, le dîner qu'elle aura pris la veille au soir dans une bruyante taverne), Victoria possède la faculté de dépasser les vérités qui l'embarrassent pour en inventer d'autres un peu plus haut où elle agit métamorphosée — comme une déesse dont les pouvoirs sont sans limites. Je le comprends : je suis en train de caresser les chevilles d'une femme pour qui tout est possible et tout à coup je trouve cette situation incroyablement stimulante, enivrante, libératrice, comme si dans cet élan qui est le sien nous pouvions tout nous permettre et que plus rien ne nous serait désormais interdit. Mais cette fascination n'a pas manqué de produire sur mon imaginaire, au même instant, un effroi adjacent, comme peuvent le faire les hélices d'un avion sur le tarmac d'un aéroport : c'est une réalité assez belle que ce cercle immatériel en suspension (on se dit que grâce à cette hélice on va pouvoir s'élancer vers le ciel : grâce aux pouvoirs de Victoria je pourrai m'élancer vers une félicité longtemps convoitée), mais il suffit d'en approcher le bras pour que leurs pales le déchiquettent. Il en allait ainsi de Victoria allongée sur le lit : j'ai eu l'intuition qu'il ne fallait surtout pas engager le scepticisme de mon esprit à travers la fiction qu'elle incarnait, dont l'illusion de fluidité résultait du mouvement circulaire, à haute vitesse, telle une hélice, d'un certain nombre de convictions tranchantes.

« Mais ça doit te faire drôle, quand même, d'être dans une chambre d'hôtel, alors que tu vis à moitié à Paris ?

— Et toi, ça te fait drôle ?

— Mais moi je rentre dormir chez moi : je vais partir dans une heure pour rentrer chez moi.

— Ça veut dire une seule chose, c'est que je me débrouille mieux que toi. Si tu étais plus inventif, nous passerions la nuit dans les bras l'un de l'autre. J'ai une vision plus poétique de l'existence, c'est tout », me dit-elle sur un ton malicieux.

Je me dis qu'elle a raison. En définitive, cet arrangement qu'elle a pris pour qu'on puisse se voir dans les meilleures conditions possibles manifeste une propension au poétique, ou plus exactement au romanesque, qu'il serait malhonnête de lui retirer.

« Mais quand on ne se voit pas et que tu viens à Paris, tu dors où ?

— Chez mon mari. Chez nous, quoi.

— C'est pas clair. C'est chez toi ou chez ton mari ?

— Notre vraie maison, avec toutes nos affaires, c'est à Londres. Nous avons un pied-à-terre à Paris, où mon mari réside pour son travail. Cette situation est provisoire.

— Qu'est-ce qu'il fait, ton mari ?

— Il est violoncelliste.

— Violoncelliste ?

— Oui, violoncelliste. Il a fait plusieurs disques et joué en soliste avec de grands orchestres. Il a une petite notoriété. C'est quelqu'un d'estimé dans le milieu de la musique. »

Une fine épée transperce mon corps : j'éprouve une jalousie cuisante pendant le bref instant où la pointe de cette révélation pénètre à l'intérieur de mes pensées.

Je n'aurais jamais imaginé que Victoria, si elle était mariée, le serait avec un violoncelliste : j'arrive de moins en moins à la cerner, elle me paraît de plus en plus inattendue à mesure que je la fréquente, sans compter que le statut de son mari est pour moi un facteur de contrariété (le fait qu'il soit un artiste de renom quand de mon côté j'ai renoncé à toute ambition architecturale : j'ai fait ce qu'aurait fait cet homme si poussé par une vision pessimiste de ses propres moyens, ou simplement de l'existence, il était devenu professeur de violoncelle dans un quelconque conservatoire). Et en dépit de ces données contradictoires qui me bousculent, ou peut-être en raison de ce désordre, je sens bien que s'est allumé au fond de moi un point dont je connais pertinemment l'existence, mais surtout la nature : le point ardent de l'attachement, voire de l'amour. Je sais que c'est à cet endroit que naît l'amour, quand il naît. C'est là que tout commence, en général. Cette étoile a clignoté quelques secondes, puis j'ai senti qu'elle s'éteignait, qu'elle se mettait en veilleuse.

« Qu'est-ce que tu as ? » me demande Victoria.

Je ne lui réponds rien. Je lui caresse l'intérieur de la cuisse les yeux fermés. J'entends Victoria qui me dit : « J'adore quand tu fais ça, c'est bon, continue... » Je finis par rouvrir les yeux et je la dévisage longuement. Je lui demande : « Mais ça va, avec ton mari ?

— Et toi, avec ta femme ? » J'éclate de rire et embrasse le pied de Victoria. Je lui dis : « Bien joué... Non, je voulais dire, j'ai du mal à mesurer...

— Quoi, qu'est-ce que tu as du mal à mesurer ?

— Si vous êtes, si votre couple...

— Si nous sommes en crise ? Si nous avons besoin de prendre de la distance, de faire le point ? C'est ça que tu veux savoir ? » Je lui souris et dissimule brièvement mon visage derrière sa cuisse, de honte, avant d'avouer : « Oui, ce genre de choses.

— Eh bien je vais te dire, je ne quitterai jamais mon mari. Je l'aime et c'est le père de mes quatre filles. C'est un être exceptionnel, je le respecte et je suis fière de lui, je l'admire aujourd'hui comme je l'admirais il y a vingt ans, quand je l'ai rencontré.

— Moi c'est pareil, je ne quitterai jamais ma femme non plus. Je ne sais pas si je l'admire, c'est sans doute un sentiment d'une autre nature mais tout aussi important. Il est inconcevable que je la quitte.

— Alors c'est parfait, de quoi nous plaignons-nous ?

— Mais personne ne se plaint…

— Si, un peu. Tu m'as l'air un peu perturbé par ce que tu viens d'apprendre.

— Non, je suis juste perturbé de ne l'apprendre que maintenant.

— Quelle différence cela fait-il que tu l'apprennes seulement maintenant ?

— Je ne sais pas, tu aurais pu me le dire avant, non ? Qu'est-ce qui t'en empêchait ? » Victoria ne me répond pas. Elle finit par me dire : « À quoi bon dire les choses, donner des explications, alourdir le présent. Nous n'avions pas besoin de cette information, l'autre soir, pour être heureux, alors pourquoi aurais-je risqué de rompre cet équilibre en te racontant ma petite vie ?

— La dernière fois, dans ce même hôtel, j'ai pris la parole d'une manière un peu idiote pour te dire que j'avais un aveu à te faire, que j'étais marié et que j'avais des enfants, tu m'as laissé dire, tu aurais pu, à ce moment-là, me répondre que toi aussi…

— Qu'est-ce que ça aurait changé ?

— Absolument rien, sauf que dans une relation normale, une relation honnête entre les gens, on se dit les choses. J'irai plus loin, il y a des choses qui sont tellement importantes qu'on ne peut pas s'empêcher de les dire.

— Il peut y avoir des choses tellement importantes qu'on peut aussi décider, au contraire, de les taire.

— C'est ce qui s'est passé ?

— Même pas ! éclate-t-elle de rire. Même pas ! » Je la regarde rire un instant, puis je lui demande : « Alors ? Pourquoi tu n'as rien dit ?

— Mais ça te pose vraiment un problème que je sois mariée ?

— Et l'homme dont tu m'as parlé l'autre jour, c'était qui ? Tu enchaînes les amants ? » Victoria me regarde en silence. Son visage n'exprime aucun sentiment, ni gaieté, ni angoisse, ni panique : elle attend que je dévide ma pelote. « Il est au courant, ton mari, que tu enchaînes les relations ?

— Je n'enchaîne pas les relations.

— Tu n'avais pas un amant, avant de me rencontrer ? Le jour où nous nous sommes croisés…

— Ça s'est trouvé comme ça. Ce n'est pas que je cherchais un nouvel amant pour remplacer le précédent.

— Même si ça t'arrangeait, en fait, je suppose, de n'avoir aucun temps mort entre la fin de ton histoire précédente et le début de la nouvelle…

— Quelle perspicacité. Tant qu'à faire, oui, je l'avoue, je préfère n'avoir aucun temps mort.

— C'est-à-dire que pour toi, l'idée de vivre avec ton mari sans avoir un amant ne t'est pas supportable ?

— Pas du tout. Si j'avais dû ne plus avoir d'amant, je me serais résignée à ne plus avoir d'amant.

— Ce n'est pas tout à fait ce que tu m'as dit la dernière fois. » Victoria, soudain, a l'air perdu : quelque chose passe dans ses yeux. Elle me demande : « Qu'est-ce que je t'ai dit, la dernière fois ?

— Que tu avais décidé de renouer avec ton amant et d'accepter les conditions qu'il voulait t'imposer. Pour ne pas être seule. »

Victoria détourne le regard. Elle commence à manifester des signes de lassitude : je sens qu'elle devient froide.

« Tu n'as pas répondu à ma question.

— Laquelle ? me demande-t-elle en soupirant. C'est un véritable interrogatoire de police...

— Si vous avez passé une espèce d'accord, avec ton mari. Tu sais, ces accords que passent certains couples, chacun sa liberté...

— Pas du tout, aucun accord.

— Est-ce qu'il se doute que tu as des amants ?

— Il tomberait de sa chaise ! me répond Victoria en éclatant de rire. Il me voit comme la mère de ses enfants, une femme intègre qui lui a juré fidélité. Il sait que je l'admire, il ne peut pas imaginer qu'un autre homme puisse me plaire. D'où son absence de jalousie, ce qui m'autorise un peu plus de latitude que s'il me surveillait constamment.

— Tu me dis qu'il te voit comme la mère de ses enfants...

— Il n'a jamais été très porté sur le sexe.

— Vous ne faites pas l'amour ?

— Si, bien sûr, mais c'est moi qui dois prendre l'initiative. Il aime le sexe modérément, il peut vivre sans. C'est peut-être aussi pour cette raison qu'il n'est pas jaloux.

— Qu'est-ce que tu veux dire par là ?

— Il ne pense pas tellement au sexe, il ne me voit pas comme une femme qui peut provoquer du désir chez les hommes. Il sait que je suis attirante, mais il n'imagine pas à quel point le regard des hommes, à l'inverse du sien, peut être sexualisé, extrême, bestial... et quel feu ce regard peut parfois allumer chez sa femme... »

Je me suis mis à bander.

« Ça me donne envie de faire l'amour avec toi de t'entendre raconter ça.

— Alors viens...

— Non, attends, j'ai encore des choses à te demander.

— Et toi, avec ta femme, vous faites souvent l'amour ? me demande Victoria dans un sourire.

— Pas très souvent. Mais j'aime bien faire l'amour avec elle. Elle me plaît.

— Alors pourquoi vous faites l'amour rarement ?

— Je n'ai pas dit rarement, mais peu souvent.

— OK, peu souvent...

— Le désir ne se mesure pas seulement à la fréquence des rapports. J'ai envie de ma femme en permanence, par exemple il m'arrive de me caresser en imaginant que je lui fais l'amour... et pourtant il peut ne rien se passer de sexuel entre nous pendant un temps relativement long. C'est fort, aussi, et c'est même assez beau, d'intérioriser le désir qu'on peut avoir pour son conjoint, de le garder au fond de soi comme un trésor. Je ne sais pas comment t'expliquer. Pour moi faire l'amour n'est une preuve de rien, ne pas le faire non plus. Ce qui compte, je crois, c'est l'imaginaire qu'on associe à sa femme, à son couple. C'est quand l'imaginaire est mort qu'un couple est mort. Dans cet imaginaire, la charge érotique liée à son conjoint peut avoir un rayonnement incroyable, sans se traduire pour autant par des faits : on s'en fout. Ma femme continue de m'inspirer, de m'émouvoir, son corps continue de me raconter des histoires…

— Je crois que je comprends.

— C'est aussi qu'on passe sa vie à agir : on est quand même avant tout des soldats qui obéissent. Alors, le soir, quand on rentre chez soi, on peut avoir envie de ne plus obéir, ne serait-ce qu'à son désir ou à l'attrait du corps de sa femme. On peut vouloir s'abandonner, se contenter de contempler la personne avec qui l'on vit, se dire qu'elle est belle et qu'on l'aime, se blottir dans ses bras.

— Tu vois l'amour comme une corvée ? C'est original…

— Je ne vois pas l'amour comme une corvée, quoique, par moments, je me demande…

— C'est une corvée ? Tu te forces ? Quand tu me prends pendant des heures, c'est comme si tu montais sur un échafaudage pour construire un étage de ta tour ? », et Victoria éclate de rire. « Pas du tout, je lui réponds. Mais là j'ai faim, si tu me proposes qu'on fasse l'amour au lieu de commander quelque chose à manger, alors oui je le ferai comme une corvée !

— J'espère qu'au moins tu aurais l'idée de me dire non, Victoria, j'ai faim, je ne fais plus l'amour !

— Mais il n'est pas toujours facile de te résister, ni d'empêcher le désir de s'imposer à la volonté... »

Victoria a l'air de réfléchir. C'est moi qui reprends la parole : « Il a été ton amant pendant combien de temps, celui qui t'a quittée au moment où nous nous sommes connus ?

— Deux ans et demi. Je croyais que tu avais faim ?

— Deux ans et demi !

— Qu'est-ce qui t'étonne ?

— Que tu sois capable d'avoir un amant pendant une période aussi longue. Une chose pareille ne m'est jamais arrivée.

— C'est ça, c'est ça... Je les connais, les hommes, avec leurs belles déclarations...

— Je n'ai jamais dit que je n'avais jamais eu de maîtresse. En revanche, il ne m'est jamais arrivé de voir une femme plus de deux fois. »

Victoria me regarde sans répondre.

« Et avant lui, avant cet amant, il y en a eu combien ?

— Presque aucun. Rien d'important. C'est le hasard si je t'ai rencontré et qu'un nouvel amant a succédé si vite au précédent. Ne va pas t'imaginer...

— Je n'imagine absolument rien. Comme tu peux le constater, mon imagination est assez limitée : je n'avais rien anticipé. D'ailleurs, je suis probablement d'une grande crédulité en m'en tenant à cette version des faits : il est probable que tu n'as pas arrêté d'avoir des amants, depuis le tout début de ton mariage. »

Victoria a ramassé les cartes sur la table de nuit.

« Je t'ai dit que non. Qu'est-ce que tu veux prendre ?

— Comme la dernière fois, le chateaubriand sauce béarnaise.

— Moi, la daurade grillée.

— C'est pour ça que tu n'es pas restée toute la nuit avec moi à l'hôtel, et que tu as prétendu que tu devais te changer, qu'une DRH ne pouvait pas venir au bureau deux jours de suite dans les mêmes vêtements ?

— Je suis encore étonnée que tu aies pu avaler ça ! me dit Victoria en riant. Il fallait que je sois rentrée avant le réveil de mes filles, je n'avais pas trouvé de meilleure excuse que mes vêtements à changer... Bon, j'appelle le room service. On va boire un grand cru. Ça se fête, toutes ces révélations ! »

Un jour, à l'heure du déjeuner, tandis que nous parlions au téléphone, Victoria m'a déclaré qu'une réunion qui devait avoir lieu dans la matinée du lendemain avait été annulée, et qu'elle se retrouvait, « Chose exceptionnelle dans ma vie de DRH », avec une plage de temps totalement vierge. Johanna, son assistante, ne s'était pas encore préoccupée de disposer sur ce créneau quelques-uns des rendez-vous en attente qu'elle devait réussir à caser, « Il me reste un quart d'heure avant qu'elle rentre de déjeuner, qu'est-ce que tu fais demain matin ? » me demande brusquement Victoria. Je lui réponds que je serai sur le chantier, mais je me suis mis à bander : j'ai deviné où elle veut en venir et je commence à me caresser doucement à travers la laine de mon pantalon. Je viens de terminer de déjeuner : il reste, sur le dessus de mon bureau, le papier d'emballage du sandwich que j'ai mangé, une serviette en papier roulée en boule, une canette presque vide de 1664. Mes collaborateurs sont partis prendre un café au Valmy ; je leur ai dit que je les rejoindrais plus tard.

« Tu crois que tu pourrais ? me demande Victoria d'une voix suave.

— De quoi ? Si je pourrais me libérer pour te voir ?

— Exactement. Qu'on fasse l'amour comme des fous pendant une heure, demain matin. Je dis à Johanna que je remplace cette réunion par un rendez-vous important avec je ne sais pas qui, mon notaire par exemple, on le décide maintenant, comme ça, spontanément, sans réfléchir.

— À quelle heure tu peux être à Paris ?

— Je peux prendre l'Eurostar qui arrive à dix heures dix-sept. Je réserve une chambre au Terminus Nord et je t'attends sur le lit à dix heures et demie. Je reprends l'Eurostar qui part à midi treize pour être à Londres vers treize heures trente, j'ai un rendez-vous important à quatorze heures. Je serai un peu en retard mais c'est pas grave.

— Tu es complètement folle…

— Tu vas t'en plaindre ? Tu en connais beaucoup des femmes qui décident de faire cinq heures d'Eurostar dans la matinée pour faire l'amour pendant une heure et demie ?

— Non, je ne connais aucune femme qui en soit capable. Je vais m'arranger pour être au Terminus Nord de dix heures et demie à midi. Je vais me débrouiller avec Dominique pour que mon absence ne soit pas gênante. » Victoria se met alors à chanter son bonheur, elle dit que c'est génial, qu'elle est heureuse et que la vie est une chose insensée, ses mots dévalent dans mon oreille comme des boules de billard propulsées par une ligne mélodique ondulante. J'interromps son récital : « C'est quand même cool le capitalisme... Vous avez de ces vies, quand on y réfléchit...

— À qui le dis-tu !

— Franchement, je finis par me demander si le plaisir ne se trouve pas du côté de tes valeurs...

— Tu le reconnais enfin ! Je te l'avais bien dit qu'à mon contact tu deviendrais libéral ! Tu le vois bien que c'est idiot, aujourd'hui, et complètement arriéré, d'être un homme de gauche ! De rester figé dans des principes hyper rigides, qui datent de Mathusalem !

— Arriéré, certainement pas. Tout dépend de quoi on parle.

— Qu'est-ce qu'ils t'apportent, comme satisfaction, les gauchistes ? Qu'est-ce qu'ils te promettent, comme ivresse, à part la révolution ? Qui n'arrivera jamais, en plus ! Alors que moi, tu as vu ça ? C'est du concret ! C'est tout de suite !

— Ce qui est sûr c'est que vos vies de nantis sont vraiment favorables au plaisir : les vrais libertins d'aujourd'hui sont certainement dans ta mouvance. L'érotisme a changé d'opinion politique : je commence à en être convaincu.

— C'est très exactement ce que je pense. Le sexe était du côté des hippies dans les années soixante-dix, il est du côté des DRH dans les années 2000 ! Ça, David, crois-moi, c'est une info qui vaut de l'or, c'est véridique ! Tu as découvert un grand secret bien gardé !

— Je n'irais pas jusque-là. Mais que tu sois

capable de venir de Londres pour faire l'amour à Paris, en pleine semaine, pendant le temps d'un film, je trouve ça fascinant. Ça m'excite terriblement.

— C'est joli ce que tu dis. C'est vrai que notre rencontre de demain va durer le temps d'un film. »

J'ai reçu deux jours plus tard, sous l'habituel intitulé COMPTE RENDU DE RÉUNION, un texte de Victoria qui relatait notre entrevue au Terminus Nord, ce vieil hôtel majestueux implanté devant la gare du Nord comme un paquebot de pierres de taille.

Elle écrit dans ce texte qu'elle a tourné en rond « *comme une panthère* » dans la chambre 548 où elle attendait que je la rejoigne. Elle raconte que pour une fois nous ne sommes pas passés par la case conversation dans un bar tamisé avec champagne rosé qui tourne la tête, mais que nous nous sommes jetés l'un sur l'autre avidement. Plus exactement, rectifie-t-elle à la phrase d'après, elle s'est jetée sur moi avidement. Elle a senti chez moi un peu de retenue, une réticence à me livrer, comme si j'étais tourné sur moi-même davantage que vers la joie de nous revoir : « *Des doutes ?* » s'est-elle interrogée en me voyant « *si songeur, un peu récalcitrant* ». Elle se demande si nous n'aurions pas dû laisser plus de temps avant de nous jeter sur le sexe, comme si c'était le Kilimandjaro à vaincre à tout prix. C'est en tout cas ce qu'elle s'est dit quand un peu plus tard, allongée contre mon corps, elle m'écoutait lui raconter l'attaque dont j'ai été l'objet à la fin du mois d'août devant un distributeur de billets du vingtième arrondissement, vers deux heures du matin. Elle note que tout naturellement, à l'occasion de ce récit, nous étions en train de nous redonner du temps, celui de la découverte de l'autre : « *Le temps est essentiel. Mais où trouver le temps dans ces vies à multiples facettes où tout se fait dans des espaces-temps de plus en plus accélérés et démultipliés ?* » Elle écrit que pendant que je lui parlais de cette attaque, elle me regardait, elle me découvrait, elle voyait se superposer le petit garçon que j'avais dû être en cours de récréation et l'homme adulte à qui cette aventure était arrivée. Elle s'est imaginé un enfant un peu gauche, timide, avec un visage absolument craquant, des cheveux bruns comme du bois, des yeux frangés de très longs cils, un garçon fin et pâle, tout en douceur. Elle écrit qu'elle m'a demandé si je me faisais embêter pendant la récréation quand j'étais petit, je lui ai avoué que oui et Victoria s'est alors dit qu'elle m'aurait pris dans sa bande et que personne n'aurait été autorisé à lever le petit doigt sur moi : elle m'aurait défendu bec et ongles. Elle m'a dit, à ce moment-là de ses réflexions, que j'avais eu tort de ne pas me défendre contre les trois voyous qui m'avaient forcé à tirer une grosse somme d'argent au distributeur, elle m'a dit que dans les mêmes circonstances elle se serait défendue et que personne ne pourrait lui voler quoi que ce soit sans qu'il faille le lui arracher de force et subir tous les coups qu'elle pourrait distribuer, je lui ai dit que c'était totalement débile de se faire défigurer pour trois cents euros, Victoria m'a répondu que dans la vie il faut savoir se faire respecter et ne jamais accepter la domination des autres, je lui ai dit que devant trois voyous armés de couteaux, en pleine nuit, il n'y a rien d'autre à faire qu'obtempérer, elle m'a répondu que pas du tout, qu'il fallait résister et que c'était une question de principe et moi j'ai coupé court à cette conversation qui s'enlisait en lui disant que décidément nous n'avions pas les mêmes principes. Victoria conclut ce passage en écrivant : « *Je l'ai un peu énervé, hum... j'ai été un peu raide, là, c'est vrai...* »

Victoria relève ensuite que ce qu'elle veut absolument consigner par écrit pour ne jamais l'oublier, c'est l'éblouissement de la dernière demi-heure, comme si nos corps avaient trouvé le rythme idéal.

« *Il bandait dur et fort, j'étais sur lui, nous avons été surpris par une houle de plaisir qui nous a saisis de la tête aux pieds... Comment expliquer ce voyage si particulier et en même temps la certitude que cela ne pourrait pas se faire sans lui, sans sa présence, sans ses caresses ?*

En me sentant aussi chaude et humide, il m'a traitée tout à coup de salope, me disant que j'aimais ça et que j'étais une vraie salope.

Mélange de trouble et de peur, de honte, d'indignation. Je n'ai pas apprécié de me faire traiter aussi mal alors que j'étais à un point culminant de mon plaisir, que j'étais concentrée sur notre rythme, sur mon corps frissonnant de jouissance. J'étais tellement entière et honnête à ce moment-là, j'aurais mieux supporté des mots fous sans queue ni tête, ou des mots d'amour, ou son râle de plaisir, plutôt qu'un mot aussi cru que salope.

Est-ce que je fais peur ? Il m'a dit que j'étais insatiable, que je semblais ne jamais en avoir assez... mais comment ne pas être insatiable quand le moindre effleurement me met dans des états pareils ? Cela m'a fait mal d'entendre ce mot à un moment où j'étais tout entière livrée à lui, et en même temps de manière absolument perverse ce mot m'a excitée. D'ailleurs il l'a bien senti que j'étais blessée, il m'a demandé si ce mot me choquait, je lui ai répondu qu'il me choquait et que je le trouvais déplacé dans un tel contexte, et alors le gredin il m'a demandé pour quelle raison dans ce cas je m'étais mise à mouiller encore plus une fois que je l'avais entendu me le dire à l'oreille. My God, le traître, me dire ça ! Il avait raison ! David me regardait dans les yeux avec un sourire tandis que je continuais de le chevaucher méthodiquement (je n'avais pas cessé d'aller et de venir sur son sexe), il m'a répété que depuis qu'il m'avait traitée de salope j'étais littéralement inondée... »

Victoria rédige un peu plus loin un paragraphe que je trouve de la plus haute importance pour comprendre notre histoire :

« *Mais je reste sur ma faim... je ne comprends toujours pas comment il jouit, quel est le déclic de son plaisir, quelle est sa Clé ?* »

Je ne le savais pas moi-même et c'était précisément le problème auquel j'étais confronté dans ma relation avec Victoria : je n'arrivais pas à trouver le déclic, ou la Clé, pour accéder à la jouissance.

Victoria m'excitait, mon sexe en érection témoignait tangiblement de la réalité de ses attraits, mais en revanche je n'arrivais pas à faire émulsionner mon imagination de telle sorte qu'elle produise un orgasme. Le paysage où j'essayais de le conquérir était lisse et sans encoches, comme s'il m'avait fallu gravir un mur de métal : mon plaisir ne pouvait pas se hisser vers la clarté entrevue au sommet, il restait sur le carrelage. Je n'aurais jamais pensé qu'un tel problème puisse survenir chez un homme, je m'étais toujours dit que les deux seuls écueils de la sexualité masculine étaient l'impuissance et l'éjaculation précoce (si quelqu'un m'avait parlé un jour de l'existence de cet obstacle, je me serais étonné qu'il ne soit pas spécifique au plaisir féminin), et voilà que ma relation avec Victoria me faisait découvrir qu'un homme aussi pouvait buter sur ce problème. Ne pas trouver la voie de la jouissance est un peu comme être enfermé dans une pièce entièrement vide qui n'arrêterait pas de se dilater à mesure que l'esprit se concentrerait sur l'objet de sa recherche. Ou encore : c'était comme si je recherchais la corde qui aurait pu me tracter vers le plaisir ; cette corde, ce pouvait être une pensée, une image, un fantasme, les gémissements de Victoria, une sensation amorcée par la vision d'un détail corporel ; mais rien ne s'enclenchait ; toutes les pensées sur lesquelles j'arrêtais mon esprit se révélaient incapables de me mettre en mouvement ; je faisais l'amour avec Victoria sans voir de corde autour de moi ; et quand enfin il me semblait l'avoir trouvée et que je commençais à m'y agripper, je découvrais quelques secondes plus tard qu'elle n'était reliée à rien, qu'elle était ballante. J'avais beau m'ouvrir en grand au spectacle de Victoria qui prenait du plaisir, fixer des yeux sa poitrine opulente, écouter ses cris, contempler ses petits pieds, ses hanches de statue grecque ou son visage d'adolescente expatriée dans les hautes sphères de l'ardeur la plus vive, mon sexe en érection et le mental assoiffé qui lui était associé étaient exactement comme un individu à la recherche d'un illusoire point d'eau au milieu du désert.

« *Quand j'étais sous la douche, il s'est approché. Mon train devait partir une vingtaine de minutes plus tard, j'étais pressée, il bandait si magnifiquement et il s'est plaint que je le laisse dans cet état. Sur mon injonction, il s'est mis à se caresser devant moi.*

J'ai observé son geste, il est d'une grande douceur et d'une certaine lenteur, assez féminin, juste sous son gland, un petit geste ferme et doux, concentré sur un seul point minuscule... et là en le regardant faire j'ai compris sa nature : elle a besoin de Temps. Découverte merveilleuse : la clandestinité, l'urgence, le secret, à l'inverse du Temps officiel, du Temps marital, du Temps conjugal, l'empêchaient peut-être de jouir : cet homme ne jouissait peut-être que dans la sécurité du Temps tranquille. »

Victoria conclut son compte rendu de réunion en écrivant que le seul souvenir de cette heure et demie passée avec moi dans cette chambre du Terminus Nord précipite dans son ventre des douleurs nostalgiques. Elle voudrait qu'on puisse se donner davantage de temps l'un à l'autre. Du temps et des espaces paisibles.

Au fil de nos rencontres et des conversations que nous avions (en particulier quand je rentrais chez moi le soir en voiture : je mettais mon téléphone sur haut-parleur et nous parlions en général assez longtemps), Victoria m'a laissé découvrir des pans entiers de son passé. Elle se pliait à mes interrogations avec les apparences de la meilleure volonté (aucune question que je pouvais lui poser ne suscitait jamais chez elle la moindre réticence), mais je sentais parfois qu'elle ne disait pas la vérité ou qu'elle brodait avec aisance à côté du sujet — je devais faire preuve de la plus grande insistance, ou la mettre devant ses contradictions, pour qu'acculée elle consente à m'éclaircir. Il y avait beaucoup de légèreté, des deux côtés, dans ces opérations de dévoilement : il faisait partie du jeu que Victoria ne se laisse pas déshabiller si volontiers, puisqu'il avait fini par nous paraître évident que son passé était peut-être un peu plus sulfureux que ce à quoi j'avais pu m'attendre quand je l'avais rencontrée, et que le mien l'avait été.

« Il y a une question que je me pose, c'est pour moi un grand mystère, lui ai-je dit un jour. Tu vas sans doute la trouver naïve, mais c'est pour moi une vraie question. » Nous nous trouvions ce soir-là dans une chambre de l'hôtel du Louvre qui donnait sur le Palais-Royal. « Je t'écoute, m'a répondu Victoria en se moquant par avance de ma naïveté. Quelle est donc cette question que tu te poses ?

— Comment une femme comme toi, qui a grandi dans un milieu bourgeois, conservateur et religieux...

— Qui ne transige pas avec les principes, si c'est ça que tu veux dire.

— Exactement. Ton mari m'a tout l'air de quelqu'un d'estimable, il te fait confiance, c'est une personne que j'imagine sensible, peut-être un peu fragile. Tu m'as parlé plusieurs fois de ta belle-mère, une espèce de duchesse effroyable qui vit dans un château...

— Elle ne m'a jamais acceptée, au motif que je suis issue d'une famille moins prestigieuse que la leur. Mais tu sais ce qui les choque le plus, y compris mon mari ?

— Non, dis-moi. Mais n'essaie pas de détourner la conversation du sujet que j'étais en train d'aborder, je te connais.

— Je ne détourne pas la conversation, on va y revenir. Je fais juste une digression dont je pense qu'elle va t'intéresser, toi qui te dis féministe.

— Je le suis réellement. Autrement, je ne serais pas avec toi dans cette chambre.

— Je le sais bien. Alors écoute, ils m'en veulent de ne pas avoir besoin d'eux, d'être indépendante. Si mon mari vivait seul, c'est sa mère qui l'entretiendrait. Ses revenus sont largement inférieurs aux miens, même quand il sort un disque, qu'il fait des concerts ou qu'il récolte un prix… Il n'aime pas tellement l'idée que ce soit moi qui fasse vivre la famille, ça l'atteint dans sa conception du rôle de père et de mari, il s'en veut de ne pas être à la hauteur de son idéal de virilité : il aurait voulu pouvoir nous nourrir avec son art, je peux comprendre. C'est une question taboue, à la maison, l'argent, mes responsabilités, mes progrès dans la hiérarchie : je ne peux pas dire à mon mari que j'ai été augmentée, que j'ai reçu tel nombre de stock-options, que mon patron a élargi le périmètre de mon poste, il se dirait que j'ai voulu lui faire sentir ma supériorité… c'est peut-être tout simplement ma réussite qui lui déplaît. Les mentalités sont ainsi faites qu'un homme ne peut pas supporter l'idée que sa femme réussisse. Même en étant hyper évolué, mon mari n'arrive pas à sortir de ce schéma : il ne sait pas comment gérer le simple fait que je suis puissante, que je gagne beaucoup d'argent, que je n'arrête pas d'être contactée par des chasseurs de têtes du monde entier.

— Je ne pourrai jamais comprendre ce genre d'attitude.

— C'est moi qui paye pratiquement tout mais personne ne doit le dire, le sujet est tabou, mon mari le refoule en permanence : du moment que cette réalité reste un non-dit, tout va bien entre nous. En revanche, aux yeux de ma belle-famille, je suis ce que le monde contemporain peut certainement produire de pire (mais pas exactement pour les mêmes raisons qu'un homme de gauche comme toi pourrait lui-même le penser) : selon eux, j'ai été assez vulgaire pour avoir voulu supplanter mon mari sur les plans symbolique et matériel, ils me voient comme une pute qui se serait vendue au système pour le seul attrait du gain, pour tromper l'ennui et les conventions, faire mon intéressante, me donner en spectacle. Le simple fait que je sois dans un processus de carrière suscite une gêne, comme si j'étais toujours sur le point d'en jouer et qu'ils se défendaient de cette éventuelle menace : comme si ma seule apparition était en soi une revendication qu'ils se sentiraient le devoir de récuser immédiatement, alors que bien évidemment, comme tu t'en doutes, je ne formule à leur égard aucune espèce de revendication : ce que je fais, je le fais pour moi-même. Je ne sais pas comment te l'expliquer, on me reproche implicitement d'avoir piégé mon mari en devenant la femme de pouvoir qu'ils déplorent d'avoir vue apparaître au fil des ans, alors que mon mari avait épousé une étudiante inoffensive. Devenant ce que je suis devenue, j'ai manqué de respect à mon mari : j'ai commis à son encontre une indélicatesse. Une faute de goût, quoi. Je suis une faute de goût de mon mari que mon mari n'a pas commise, c'est moi seule la coupable.

— Tu ajoutes de l'eau à mon moulin.

— Je crois qu'on dit apporter : j'apporte de l'eau à ton moulin.

— Tu me confirmes que tu vis dans un monde hyper codifié qui n'admet aucune entorse aux principes qui le régissent, au premier rang desquels le fait que le mari est le chef de famille. Déjà, ce premier principe, tu l'as bafoué : tu n'en as fait qu'à ta tête. Ensuite, il existe un autre principe…

— Je commence à voir où tu veux en venir.

— Voilà. À quel moment une femme de ton milieu prend la décision d'avoir un amant. À quel moment une femme comme toi, que l'on postule fidèle à son mari, commence à lui mentir. Je n'ai jamais vu fonctionner ce mécanisme pour de vrai, je n'ai jamais amené une femme de ton milieu à basculer dans l'adultère. C'est pour moi de l'ordre de l'irreprésentable ce moment où dans la conscience d'une femme s'illumine la décision qu'elle va offrir son corps sacré à un autre homme que son mari. Je voudrais que tu me décrives cet instant.

— Tu m'as posé cette question plusieurs fois, tu sais ?

— Mais tu ne m'as jamais clairement répondu. Tu éludes, tu souris, tu me parles d'autre chose : mais tu ne réponds pas.

— Se donner autant de mal pour obtenir une lueur de vérité, voilà qui mérite une récompense. » Victoria prend mon sexe entre ses mains, qu'elle commence à caresser lentement. Je l'interromps : « Je te remercie d'être si sensible aux efforts que je produis pour savoir qui tu es. Mais tu seras gentille de répondre à ma question sans essayer de me corrompre. » Victoria éclate de rire mais ne retire pas sa main de mon sexe. Elle me dit : « En plus, formulée comme tu viens de le faire, je comprends mieux ta question, alors que les fois précédentes elle ne m'avait paru que pure curiosité sur ma vie conjugale.

— Alors, tu peux me raconter ?

— Tu vas être déçu. Il faudrait qu'on interroge une autre bourgeoise pour avoir la description de ce mécanisme : pour le voir fonctionner réellement, pour l'entendre grincer comme une girouette dans un joli imaginaire éberlué.

— Je ne comprends pas. Qu'est-ce que tu veux dire ?

— C'est l'inverse qui s'est produit : la décision d'épouser mon mari s'est allumée un jour dans ma conscience de femme libre.

— Tu joues avec les mots, j'aurais dû m'y attendre. Tu fais comme à chaque fois qu'une question t'embarrasse, tu manies les concepts, tu joues avec les idées, tu fais tout miroiter. Tu fais en sorte que les choses se reflètent les unes dans les autres.

— Pas du tout, écoute-moi. Je vois ce que tu veux dire : une femme qui n'a jamais trompé son mari ne peut pas tromper son mari, ou bien c'est douloureux, elle doit s'arracher quelque chose de très intime à l'intérieur d'elle-même. Si je m'étais trouvée dans la situation de pouvoir me dire : est-ce que je vais tromper mon mari, peut-être que je serais restée fidèle. Je ne pense pas, pour être honnête, que j'aurais pu — mais peu importe, la question ne s'est jamais posée.

— J'ai bien peur de ne pas te suivre.

— Je trompais déjà mon mari quand nous avons commencé à nous plaire, je continuais de le tromper quand il m'a demandée en mariage, je le trompais encore quand je l'ai épousé. Mon mari est passé devant le maire, devant le prêtre, avec une femme qui le trompait.

— Qu'est-ce que tu veux dire ? Raconte mieux, sois plus précise, tu vas trop vite.

— Je terminais ma première année de doctorat, j'étais en train de faire un stage à l'AFP, le journalisme m'intéressait. J'ai rencontré là-bas un homme de trente-cinq ans qui est devenu mon amant, nous faisions l'amour une ou deux fois par semaine. Nous n'étions pas amoureux : c'était physique et sexuel. C'est à cette époque que j'ai fait la connaissance de mon mari, des amis nous ont présentés pendant une fête, j'étais fascinée qu'il soit sorti du conservatoire avec un premier prix et qu'il commence à faire des concerts — il devait même enregistrer un disque. Il m'a téléphoné quelques jours plus tard pour qu'on se voie un soir, il m'a invitée à La Tour d'Argent, il m'a raccompagnée devant chez moi, nous nous sommes quittés sur un baisemain. Nous nous sommes vus de cette manière pendant plusieurs semaines, il m'écrivait de très belles lettres, un soir devant la porte cochère de mon immeuble il m'a embrassée sur les lèvres. J'ai adoré, j'ai eu envie qu'on fasse l'amour, je lui ai demandé s'il voulait monter pour boire un verre : il a décliné avec un sourire, avant de s'éloigner. J'étais très excitée, je me souviens m'être masturbée en arrivant chez moi. Je crois même que ce soir-là… Oui, j'en suis certaine, mais j'ose à peine te l'avouer…

— Vas-y, au point où nous en sommes…

— J'ai téléphoné à mon amant et je suis allée passer la nuit chez lui tellement j'avais envie de faire l'amour.

— No comment pour le moment. Continue.

— Tu me fais rire. Deux jours plus tard mon futur mari m'invite à dîner, il me dit qu'il souhaite appeler mon père pour lui demander ma main : il veut savoir ce que j'en pense. J'accepte immédiatement sa proposition : je lui dis que je suis d'accord. Nous nous sommes mariés en juin, un peu plus de six mois après notre rencontre. Nous avons attendu la nuit de noces pour faire l'amour, nous nous sommes unis comme au bon vieux temps, vierges l'un de l'autre.

— D'après ton expertise, il avait déjà fait l'amour avec une femme ?

— Je ne sais pas et je n'ai jamais abordé la question avec lui.

— Ce qui est sûr c'est que ton mari a épousé une femme dont il a pu se dire qu'elle était capable de l'épouser sans avoir couché avec lui. C'est très puissant, sur le plan symbolique. Tu t'es rangée immédiatement, et sans le moindre doute possible à ses yeux, dans la catégorie des femmes sérieuses.

— Exactement. Et j'en avais conscience.

— Alors, de quelle manière es-tu venue à le tromper ?

— Interroge n'importe quelle femme, toutes te diront qu'en acceptant la condition qu'il m'imposait je donnais à mon mari quelque chose qui est énorme. Par un curieux paradoxe, nous étions quittes : il m'était redevable d'un sacrifice qui en contrepartie me donnait toute licence pour me comporter selon ma volonté jusqu'au jour de mon mariage. Comme je n'avais aucune relation sexuelle avec lui, je ne le trompais pas en couchant avec ce vieil amant. Mon instituteur de CM2 disait toujours qu'on peut additionner des pommes avec des pommes, mais pas des pommes avec des poires.

— Et quand tu as été mariée ?

— On s'appelait une fois de temps en temps pour boire un verre, mais il était tellement naturel pour nous de faire l'amour qu'on avait beaucoup de mal à résister : on ne trouvait aucun argument valable pour contrer notre envie de sauter dans un taxi pour aller dans son appartement... et surtout pas l'argument de la fidélité : au contraire, nous étions fidèles à quelque chose de très beau que le temps qui passait rendait de plus en plus sacré, au même titre que le mariage. Il a fini par rencontrer une femme avec qui il s'est marié : il n'a plus eu envie qu'on continue.

— Tu t'es retrouvée le bec dans l'eau.

— Voilà, le bec dans l'eau.

— Tu ironises, mais c'est ça qui s'est passé. Tu t'es retrouvée sans amant pour te satisfaire. Alors, tu en as pris un autre.

— Il m'a fallu attendre quinze ans, et l'arrivée de Laurent dans ma vie, pour avoir un nouvel amant.

— Je ne te crois pas. Et le joueur de basket évoqué l'autre jour par inadvertance ?

— Ce n'était pas par inadvertance. Je t'ai parlé de cet homme en toute connaissance de cause.

— Il a donc été ton amant.

— Je n'ai couché avec lui qu'une seule fois. » Je regarde Victoria avec un grand sourire. « Une seule fois ? Mais pourquoi une seule fois ? » Elle ne me répond pas. « Allez, dis-moi, raconte, je veux savoir. » Je commence à lui caresser l'intérieur des cuisses, en remontant peu à peu vers son sexe. « Allez, Victoria, ne te fais pas prier, raconte-moi ton amant basketteur.

— Qu'est-ce que tu veux savoir ?

— Pour quelle raison tu ne l'as vu qu'une seule fois.

— Pour exactement les mêmes raisons que toi tu ne voies tes maîtresses qu'une seule fois.

— Je ne comprends pas pourquoi tu refuses de me parler de tes amants. Je sais, je sens, qu'il y en a eu beaucoup. Je te promets de ne pas être scandalisé.

— Je te dirai peut-être un jour. Mais pas maintenant.

— Tu avoues donc que tu me caches des choses.

— Je n'avoue rien du tout. C'est toi seul qui fantasmes.

— Tu viens quand même de me dire... »

Je n'ai rien su de plus ce soir-là, mes doigts qui remontaient sur sa cuisse ont fini par s'introduire dans la fente de son sexe : nous avons fait l'amour jusqu'au moment où nous avons dû nous séparer. Mais nous avons poursuivi cette conversation à différentes reprises, par téléphone et lors des rendez-vous qui ont suivi.

« Tu me l'as presque avoué, l'autre soir, quand on sortait du restaurant. »

Je suis en train de caresser les épaules de

Victoria, derrière elle, tout en nous regardant dans le miroir accroché au-dessus de la commode, dans une suite de l'hôtel du Louvre.

« Qu'est-ce que je t'ai avoué ?

— Que tu avais déjà trompé ton mari, avant Laurent et avant moi. Tu me l'as fortement sous-entendu.

— J'ai eu une aventure avec ce joueur de basket, oui. Je n'ai pas couché avec lui qu'une seule fois, non. Il a été le premier de mes amants, sur une période assez longue, six mois.

— Tu avoues enfin. J'adore t'entendre me raconter ta vie. Je sens que c'est inépuisable, c'est un peu comme si j'entrais dans une forêt et que je commençais à faire quelques pas. J'entends des bruits d'animaux, de drôles de cris dans les hauteurs des arbres. Je ne sais pas si cette forêt est profonde, ancienne, mais je le crois. Je ne sais pas si cette forêt est dangereuse, si les animaux qui y vivent sont agressifs, mais j'en ai peur. En même temps je ne peux pas m'empêcher de vouloir avancer, pour la bonne et simple raison que tu laisses toujours entrevoir un secret à me dire, une confession à me faire, un bout de vérité à me révéler. »

Je viens de lui parler en regardant son visage à la surface du miroir : je me trouve toujours derrière elle, je lui pétris les seins à travers la soie du chemisier. Elle se retourne lentement, tourne le dos au miroir, dépose un baiser sur mes lèvres. Nous nous embrassons pendant plusieurs minutes, avec la langue, comme en apnée. Puis Victoria s'interrompt, me dévisage avec douceur et commence à parler : « Il a été le premier de mes amants.

— Comment tu l'as rencontré ?

— Grâce à une copine qui travaille dans la com pour une grosse boîte qui à l'époque était le principal sponsor de l'équipe de France de basket, elle m'a invitée à un match à Bercy, nous sommes allées dans les vestiaires pour la troisième mi-temps, j'ai flashé sur un joueur et lui sur moi.

— Comme ça, dans les vestiaires ?

— C'était super fort, la sueur, les muscles, tous ces corps hyper imposants, ils avaient gagné le match. J'avais dit à ma copine : mais enfin, on va pas aller dans les vestiaires, c'est trop intime ! Mais en fait il y a beaucoup de monde, dans les coulisses d'un stade, après un match, et nous avions un badge. Je suis entrée dans les vestiaires et mon regard est tombé pile sur le visage d'un homme : il s'est passé un truc instantané. Il était torse nu, en slip, nos regards se sont collés l'un à l'autre pendant quelques secondes, dans le bruit, dans les cris, dans le désordre d'après-match des vestiaires, ma copine a tout vu.

— Et alors ?

— On a fait l'amour toute la nuit.

— Et vous vous êtes revus.

— On s'est revus, on est devenus amants, ça a duré six mois. On faisait l'amour régulièrement, une ou deux fois par semaine, je travaillais à Paris à l'époque. Il m'est même arrivé de prétexter des voyages pour pouvoir le suivre lors de rencontres de l'équipe de France à l'étranger, je voyageais moins qu'aujourd'hui, c'était vraiment complexe d'organiser ces déplacements fictifs, je prenais une chambre dans le même hôtel que l'équipe de France et il me retrouvait en pleine nuit.

— Et pourquoi vous avez arrêté ?

— J'ai reçu un matin un appel téléphonique de sa femme me disant qu'elle savait que j'étais sa maîtresse, elle me demandait de disparaître, *de les laisser tranquilles*. J'adore : *de les laisser tranquilles*. Les hommes sont d'une lâcheté, il vaut mieux qu'ils ne soient pas démasqués. Tant que l'épouse n'est au courant de rien : tout va bien, ils sont héroïques. Mais s'ils se font piquer ils se font passer pour des victimes, ils prétendent que leur maîtresse les harcèle...

— C'était quand ?

— Il y a trois ans, me répond Victoria sans réfléchir. À peu près trois ans, trois ans et demi.

— Juste avant Laurent. » Je vois bien que cette observation l'embarrasse : son visage se trouble, elle se détache de la commode et s'allonge sur le lit. Je la rejoins et je lui dis : « Que tu sois une femme qui enchaîne les amants depuis vingt ans ne me gêne pas. Ce que je n'arrive pas à comprendre c'est pourquoi tu t'es présentée à moi comme une sainte nitouche.

— Ah bon ?

— Souviens-toi, à Londres, au petit matin, tu m'as raconté qu'il ne t'était jamais arrivé d'éprouver un désir aussi impérieux pour un inconnu, et surtout d'y céder. Tu ne t'étais pas reconnue dans cette attitude et le lendemain tu t'étais sentie outragée... » Je marque une pause puis je poursuis : « Tu t'es décrite comme mortifiée. Tu m'as même traité de chasseur de femelles...

— Ce que tu es, m'interrompt Victoria. Tu ne peux pas nier que tu m'as chassée, que j'ai été pour toi comme une proie.

— C'est faux. Tu m'as plu, j'ai eu envie de faire ta connaissance, nuance.

— Tu m'as repérée, tu m'as abordée, j'ai été chassée. C'est quelque chose qui m'a toujours gênée. Qui continue d'ailleurs à me gêner.

— C'est ça qui est difficile à comprendre. Pourquoi tu ne veux pas admettre que tu n'es pas une sainte nitouche, que tu as eu de nombreux amants. Il t'est peut-être même arrivé de chasser des hommes : d'être le chasseur et pas la proie.

— Tout simplement parce que c'est faux. Je ne suis pas comme ça. J'ai eu ces deux amants, puis toi, on va dire que je suis une femme chanceuse, c'est tout. »

Si j'aimais bien, je le reconnais, l'interroger sur son passé, en revanche Victoria ne me posait que très rarement des questions d'ordre intime — j'étais d'ailleurs admiratif devant sa capacité à profiter du moment présent sans jamais se laisser déranger par l'arrière-plan de nos rencontres : le concept du hors-champ n'existait pas pour elle, la seule chose qui chez moi avait l'air de la captiver était que je sois devant elle quand nous nous retrouvions au bar de son hôtel et qu'elle me dévorait des yeux (sauf si mon visage avait trahi de l'inquiétude : auquel cas elle m'interrogeait avec la plus grande affection sur ce qui me contrariait). Mais néanmoins, un jour, je m'en souviens, Victoria m'a déclaré que ce serait à elle de me poser des questions : je devais lui promettre de ne pas m'y soustraire. La scène se passait au Concorde Saint-Lazare, il pleuvait des cordes depuis des heures, nous nous trouvions au bar de l'hôtel à boire des coupes de champagne. J'ai regardé Victoria dans les yeux : « Tu veux me poser des questions ? Qu'est-ce que tu veux savoir ?

— Par exemple, ta femme, comment vous vous êtes rencontrés. Qu'est-ce qu'elle fait dans la vie. De quel milieu elle vient. Je veux en savoir autant sur ta vie que je réalise depuis peu que tu en sais sur la mienne, c'est-à-dire énormément.

— C'est une histoire un peu longue, difficile à faire comprendre. Je ne sais pas si nous pourrons...

— Si nous aurons le temps ? m'interrompt Victoria en regardant sa montre. On s'est retrouvés tôt, il n'est que dix-neuf heures (dix-neuf heures dix pour être précise), il pleut, on ne va pas sortir, nous avons jusqu'à minuit j'imagine..., me dit-elle sur un ton malicieux.

— J'imagine, je lui réponds.

— Tu es pudique, tu me caches toujours jalousement ta vie intime. Ce soir, je me rebelle ! s'exclame-t-elle d'une voix sonore. Ce soir, je veux tout savoir !

— Moins fort, Victoria. Arrête de rire si bruyamment, tout le monde nous regarde.

— Et alors, qu'est-ce que ça peut faire, tu as peur qu'on nous identifie comme un couple adultère, ou qu'un collègue qui serait là te reconnaisse ?

— Non, c'est seulement que ça me gêne, c'est embarrassant de se faire remarquer.

— Mon Dieu, qu'est-ce que tu es sérieux et janséniste quand tu t'y mets ! Moi ce soir je suis de bonne humeur, c'est pour ça que je veux te décortiquer », me dit Victoria qui se penche sur la table pour enfoncer sa main dans mon ventre — je n'aime pas tellement quand elle se trouve dans cet état d'esprit, je déteste quand les adultes, au motif que leur journée a été lourde et qu'ils veulent en évacuer les nuisances, imitent l'excitation de leurs enfants. Victoria a senti mes réticences à me laisser palper le corps devant tout le monde, elle se rajuste et reprend son sérieux (un sérieux, je le vois bien, qui est factice), si bien que je finis, devant tant de candeur, par lui lâcher un sourire. Je tends la main vers elle, qu'elle prend dans la sienne. Elle me dit : « Tu as si peu d'humour que tu ne supportes même pas quand moi j'essaie d'en faire : tu me donnes l'impression de commettre une faute de goût, ou une entorse à la poésie de ta vie intérieure. Essayer d'être un peu drôle, prendre le parti d'être un peu bête produit toujours sur toi une réaction immédiate de repli. Pour ne pas dire de dégoût.

— Ma femme, il y a longtemps, me reprochait la même chose.

— Plus maintenant ? » J'éclate de rire et finis par confesser : « Je crois qu'à force de le lui reprocher, j'ai tué en elle toute envie de faire de l'humour ! » Victoria se met à rire à son tour, « Bon, enchaîne-t-elle, je crois qu'on vient de faire un pas en avant. Tu vois que c'est utile de parler un peu de toi… Où en étions-nous ?

— Je ne sais plus, je crois que tu voulais m'interroger sur ma vie…

— Est-ce que tu as toujours été attiré par le même genre de femmes ? Ou bien tes goûts ont-ils évolué ?

— Je vais te faire une confidence : je pense qu'à cause du milieu où j'ai grandi, le fantasme d'être recueilli par une femme issue d'un milieu privilégié est mon fantasme le plus ancien. Adolescent, j'ai dû me masturber des centaines de fois en faisant l'amour avec une femme comme toi dans un hôtel quatre étoiles, ou encore sous les lambris d'un appartement des beaux quartiers. C'est drôle, je n'avais jamais fait le rapprochement, j'y repense ce soir pour la première fois… mais je me souviens d'une jeune femme, dans l'un des magazines que je possédais, elle s'appelait Patty. » Je m'arrête et interroge du regard le visage de Victoria. Je murmure : « C'est complètement fou. » Victoria me considère avec étonnement, sans comprendre ce qui m'arrive : « Quoi… qu'est-ce que tu trouves…

— C'était toi.

— Qui ? Cette jeune femme ?

— Tu es Patty, j'ai rencontré Patty, il m'a fallu attendre la quarantaine pour faire enfin l'amour avec cette femme dont les photographies comblaient mes rêves d'adolescent !

— Tu es complètement fou. Et elle était comment, ta Patty ?

— Exactement comme toi : exactement le même physique. Patty était pour moi la femme idéale : pas seulement pour faire l'amour mais pour vivre avec elle. Quand je me branlais, je m'imaginais que toutes ces femmes photographiées étaient ma femme : nous étions mariés, nous avions des enfants. C'est la sexualité conjugale qui m'excitait : pas le fantasme de me taper une fille sur la plage après l'avoir draguée en boîte de nuit. Tu corresponds trait pour trait à ce physique épanoui, tu as ce corps splendide et opulent qu'avait Patty, ce corps conservateur que l'on épouse. Patty, je m'en souviens, elle portait un collier de perles qui descendait sur sa poitrine, une poitrine un peu trop lourde… la tienne est beaucoup mieux, elle est parfaite. Celle de Patty était comme abîmée par un grand nombre d'allaitements : ça m'excitait. Tu es l'incarnation de mon fantasme d'épouse bourgeoise tel qu'il est apparu au tout début de mon adolescence. Tu en as le corps et le visage.

— Mince, c'est dingue, me dit Victoria avec ironie. Et qu'est-ce que c'est, pour toi, la femme bourgeoise que l'on épouse ? Je serais curieuse d'en connaître la définition.

— Un physique discret, presque terne, dont on doit pour ainsi dire épousseter les surfaces pour en faire ressortir l'éclat, comme avec un objet trouvé dans la terre. C'est un corps conçu pour procréer, pour aller à la messe, pour donner du plaisir : il faut bien faire l'amour une fois de temps en temps, si on veut avoir des enfants. » Ce que je viens de dire fait sourire Victoria. J'en rajoute dans la satire : « Sage et sexy : dans un juste équilibre. Ce sont ces deux essences que j'aime voir se superposer dans un visage et dans un corps : le sexe et la procréation, la pénétration et l'accouchement, le plaisir et le devoir, la lumière et la discrétion, la transgression et le règlement, la salope et la maman, y compris chez les femmes qui n'ont pas ou qui n'auront jamais d'enfants — cela n'a rien à voir… Dans l'essence seule de la mère il y a déjà un dédoublement, un dédoublement dont on retrouve une subtile transposition dans la sexualité : la mère est tendre et rigoureuse, souple et rigide, conciliante et sévère, parfois autoritaire. C'est d'ailleurs ce visage-là, le maternel, quand il existe, qui apparaît en premier, avant l'autre : on peut se dire d'une femme que l'on rencontre que c'est une femme bien ordinaire, puis il arrive que se révèle, en transparence du visage maternel, celui d'une autre femme, le sexuel… Chez toi, je perçois en permanence l'opposition de ces deux dimensions, c'est quelque chose de fortement identitaire. Toutes les femmes ne possèdent pas ce visage, ni bien sûr toutes les mères, il faut le chercher, on le rencontre une fois de temps en temps — plus fréquemment dans la bourgeoisie… C'est d'ailleurs assez facile à comprendre : c'est un milieu où l'on se préoccupe, davantage que dans beaucoup d'autres, de l'équilibre des choses : la mère ne l'emporte pas sur la femme, ni la femme sur la mère : les deux s'équilibrent dans un fascinant paradoxe. La salope et la maman dans le même visage : c'est un cliché, mais les fantasmes reposent toujours sur des clichés. Celui-là m'excite terriblement, ton visage me fait bander.

— Je ne sais pas comment je dois le prendre !

— Il faut le prendre comme un éloge. Il n'y a pas que le sexy publicitaire des filles sexy conventionnelles qui plaît aux hommes : l'érotisme de la bourgeoise mère de famille, surtout quand elle est une femme puissante, déterminée, intelligente, relève pour moi de la bombe à neutrons. J'adore ton visage : il m'excite. Ce n'est pas fréquent d'être excité par un visage. Excité par le visage d'une femme comme on peut l'être par ses seins, ou par son cul.

— Mon visage t'excite plus que ma chatte ?

— D'une certaine manière. Parfois, quand j'arrive dans ce bar et que je t'aperçois, de loin, en train de lire un document, je ne vois plus que le visage un peu sévère de la femme qui régente, qui organise, qui élève ses enfants, qui licencie des tombereaux d'ouvriers. Je ne reconnais plus mon désir dans les pensées qui m'ont conduit jusqu'ici, et j'ai envie de m'enfuir.

— Tu te venges parce que tout à l'heure je t'ai balancé que tu n'avais aucun humour, c'est lamentable, me dit Victoria en riant.

— Mais à peine je m'assois devant toi, les deux images se réajustent, celle de la mère, celle de la femme, pour former ce visage qui est le tien. C'est vraiment comme une image en 3D. Ensuite, quand nous faisons l'amour, à un moment, tu rajeunis de vingt-cinq ans : tu en as seize.

— Tu me l'as dit plusieurs fois.

— Comme si tu étais différentes personnes et que tu ignorais toi-même si tu étais telle femme plutôt que telle autre. Je n'arrête pas de voir défiler des inconnues, des inconnues récurrentes, à travers la femme qui se présente sous ton nom.

— Et la tienne, elle est issue de quel milieu ?

— Militaires. Classe moyenne. Le pire qu'on puisse imaginer dans la classe moyenne : des gens qui se vivent comme des aristocrates, à cause des codes et des usages de la vie militaire.

— Tu n'as pas l'air de les aimer beaucoup, tes beaux-parents ! On est deux !

— C'est peut-être ça, l'histoire de notre rencontre. On est aimés tous les deux par nos conjoints, mais détestés par nos belles-familles : alors une part de nous-mêmes se sent autorisée à aller chercher ailleurs cette petite dose d'amour dont on nous prive. » Victoria est décidément d'excellente humeur et elle éclate de rire : « Je n'avais jamais vu notre histoire sous cet angle mais en fait tu as raison, c'est exactement ce qui se passe ! En ce qui me concerne tout du moins ! »

J'ai raconté ensuite à Victoria ma rencontre avec Sylvie et les deux premières années de notre relation, je n'ai pas caché qu'elle n'était pas exactement la personne dont j'avais rêvé jusque-là, j'ai reconnu qu'à cette époque je me disais que je rencontrerais peut-être plus tard la femme de ma vie. J'ai expliqué à Victoria que j'envisageais cette créature idéale comme on peut penser à l'héroïne d'un roman qu'on vient de lire : c'était à la fois précis et impalpable, « Suffisamment vivant et inspiré pour me permettre d'y rêver ardemment, mais pas assez réaliste pour qu'il me soit permis de reconnaître cette femme si je l'avais croisée dans la rue. » En d'autres termes, l'idée que je m'étais faite de la femme idéale était tellement évanescente qu'elle n'était pas de nature à s'interposer dans mes relations avec Sylvie : « Cette femme à laquelle ses lacunes pouvaient parfois me faire rêver ne survenait jamais... Donc, comme elle ne survenait jamais, je restais avec Sylvie... » Victoria m'a regardé comme si la pensée qu'elle était peut-être cette femme longtemps rêvée lui avait traversé l'esprit un bref instant. Elle me demande : « En plus de vingt ans, tu n'as pas rencontré la femme de tes rêves, et tu es resté avec ta femme de raison ?

— C'est un peu plus compliqué. D'abord, je me suis mal fait comprendre, Sylvie n'est pas ma femme de raison, n'exagérons rien. Mais surtout il s'est produit un événement qui a fait que j'ai arrêté de me poser cette question : cette attente de la femme idéale m'est devenue interdite. »

Je raconte à Victoria la crise de Sylvie, son hospitalisation au Val-de-Grâce, l'allergie aux neuroleptiques et le coma qui en a résulté, je lui décris ces cinq jours pendant lesquels je suis venu la voir pour lui parler à travers son sommeil. Je raconte à Victoria le rendez-vous que le père de Sylvie m'a donné et les accusations qu'il a proférées contre moi. Victoria est bouleversée : je la vois essuyer une larme sur sa joue. Je proteste en lui disant qu'il ne faut pas pleurer, que c'est une belle histoire et qu'elle va bien se terminer : la preuve, deux enfants vont naître de notre union. Victoria me répond que ce doit être atroce de voir la personne que l'on aime plongée dans un sommeil peut-être irréversible, « D'autant plus que tu étais dans un conflit violent avec son père, c'est ça, je trouve, qui est peut-être le plus dur », ajoute Victoria. Je lui réponds que ce coma s'est solutionné un matin par le réveil de Sylvie : mais elle avait perdu partiellement l'usage de la parole et de l'écriture, elle ne s'exprimait qu'avec d'immenses difficultés et m'écrivait des cartes postales dont on pouvait penser que leur auteur était en classe élémentaire ; par ailleurs, elle avait du mal à se déplacer. On l'avait transportée dans une chambre du Val-de-Grâce qui donnait sur le boulevard de Port-Royal, elle y est restée une vingtaine de jours, j'allais lui rendre visite en évitant les moments auxquels je savais que ses parents étaient présents. Sylvie ne parlait pratiquement pas, je me contentais de lui sourire en lui serrant la main, il m'arrivait de lui lire des contes d'Edgar Poe ou des poèmes d'Henri Michaux. J'ai raconté à

Victoria la première promenade que Sylvie avait été autorisée à faire depuis qu'elle était sortie du coma, nous avions marché une quinzaine de minutes dans les jardins à la française du Val-de-Grâce, elle se déplaçait lentement, je la tenais par le bras, nous déambulions au milieu de tout un tas de convalescents qui comme nous avaient voulu profiter du soleil : des pyjamas et des chemises de nuit dépassaient des manteaux et des anoraks, certaines personnes se trouvaient dans des chaises roulantes, d'autres trimballaient leur perfusion accrochée à un léger portique en acier équipé de roulettes. Je me souviens du caractère un peu pénible pour moi de cette promenade, il me semblait qu'en raison de la violente dispute qui m'avait opposé à son père il n'était pas envisageable que je reste avec Sylvie : j'avais quasiment pris la décision de rompre avec elle une fois qu'elle se serait rétablie, que ses parents l'auraient récupérée. En gros, il me semblait qu'il n'était pas convenable de rompre avec une jeune fille qui n'était pas en mesure de parler ni d'écrire, et par conséquent de se défendre, d'exprimer sa colère ou sa réprobation. « Mais tu ne l'aimais plus ? me demande Victoria. Tu m'as déclaré tout à l'heure que quand elle était dans le coma, tu lui disais que tu l'aimais... » J'ai répondu à Victoria que je n'en savais rien : « Je te rappelle que je n'avais que vingt ans. En fait, je subissais les événements, je ne savais plus du tout où j'en étais... » J'avais l'impression que mes sentiments pour Sylvie avaient été intensifiés par le danger, la peur qu'elle ne décède s'était fait prendre pendant cinq jours pour des sentiments amoureux d'une intensité comparable à celle que l'on éprouve quand une personne vous quitte : « Sylvie me quittait par la mort, et non pas parce qu'elle l'avait décidé : c'était donc encore pire, encore plus violent et désespéré, comme passion amoureuse », mais dès lors que Sylvie avait été sauvée je m'étais curieusement senti libéré de tout devoir de sentiments vis-à-vis d'elle. J'avais donné tout ce que je possédais, je m'étais vidé de ma substance intime, à son chevet, pendant cinq jours, pour qu'elle survive : elle avait survécu, je me sentais comme mort, j'avais basculé dans un grand vide où ma sensibilité me paraissait anéantie. Son père allait récupérer Sylvie, tout rentrerait dans l'ordre, l'épisode du bristol rose s'effacerait de nos mémoires comme une erreur malencontreuse que le lieutenant-colonel prendrait plaisir à réparer : il était temps que nos destins se séparent.

« Elle est bouleversante, ton histoire, me dit Victoria.

— Je dois reconnaître qu'elle l'est, c'est vrai. Mais tu vas voir, elle ne fait que commencer.

— Tu veux reprendre une autre coupe de champagne ?

— Oui, avec plaisir. »

Je raconte alors à Victoria qu'au terme de son hospitalisation Sylvie s'est installée chez ses parents : compte tenu des séquelles qu'elle avait gardées de son coma, elle ne pourrait reprendre ses études qu'après une assez longue rééducation. J'avais dit à Sylvie, juste avant qu'elle ne quitte le Val-de-Grâce : « À bientôt, je viendrai te rendre visite, tu me téléphoneras », mais je savais que ses parents ne nous permettraient pas de nous revoir. « De toute manière, comme je te l'ai dit tout à l'heure, je voulais rompre : mais c'est difficile de larguer une personne qui sort d'une telle épreuve, et qui en sort diminuée, sans possibilité de s'exprimer. » De fait, j'ai su plus tard qu'à peine arrivée Sylvie avait fait part à ses parents de son désir que je vienne passer le week-end chez eux — et ces derniers s'y étaient opposés de la manière la plus vive, lui déclarant qu'ils ne voulaient plus entendre parler de ma personne. Elle s'était mise pendant deux ans sous ma dépendance, cette dépendance lui avait valu de s'égarer dans les ténèbres d'un univers qui n'était pas le sien : maintenant que grâce à Dieu elle était revenue dans la lumière d'une existence raisonnable, celle où ses parents l'avaient élevée et se déclaraient heureux de l'accueillir de nouveau pour le temps de sa convalescence, il fallait qu'elle en profite pour tout reprendre à zéro : « Tu verras ma chérie, ce garçon ne sera plus pour toi, dans quelque temps, qu'un très mauvais souvenir. Quand plus tard tu auras rencontré un homme normal, tu te demanderas comment tu as pu commettre une erreur pareille : tu auras autant de mal à comprendre ce qui a pu t'enchaîner à ce garçon malsain que nous-mêmes en avons eu à essayer de l'accepter pendant ces deux années — nous aurions préféré avoir raison d'une autre manière qu'en constatant un peu trop tard le mal qu'il t'avait fait. Nous ne sommes pas tellement étonnés que votre histoire se soit terminée si tragiquement : nous ferons tout pour éviter que cette petite ordure puisse te mettre à nouveau en danger. Nous te protégerons de toi-même et des sentiments que tu éprouves pour lui. Laisse-nous faire, fais-nous confiance, nous savons ce qui est bon pour notre fille : tu n'as pas conscience de son pouvoir de nuisance. »

Sylvie les écoutait anéantie sans pouvoir leur répondre : elle essayait de mettre un mot devant l'autre et sa mère l'interrompait immédiatement en lui disant qu'il ne fallait pas qu'elle perde des forces à polémiquer sur ce sujet. Sylvie avait fini par comprendre ce qui s'était passé de terrible entre son père et moi pendant qu'elle se trouvait dans le coma. Elle avait essayé d'imaginer comment nous avions pu en arriver à de telles extrémités : elle n'avait jamais minimisé les dissensions qui opposaient nos deux personnalités, en revanche elle ne comprenait pas comment un événement aussi grave avait pu aboutir aux circonstances d'un affrontement : quel motif de dispute son sommeil avait bien pu fournir aux deux hommes que son issue pouvait le plus préoccuper ?

Sylvie a essayé, un soir, de me téléphoner, j'ai décroché et entendu une petite voix qui me disait : « C'est Sylvie », et cela seul était déjà difficile pour elle à articuler. Notre conversation a duré quelques minutes sans que rien d'essentiel ne puisse être formulé : Sylvie n'arrivait pas à me poser la question qui lui brûlait les lèvres (mais j'avais deviné de quelle question il s'agissait : elle voulait savoir si je voulais toujours d'elle, ou si j'avais décidé de me ranger aux ordres qu'elle supposait que j'avais reçus de ses parents), mais j'estimais qu'il n'était pas décent de lui faire connaître ma décision par téléphone. Je lui ai affirmé qu'on se verrait quand sa convalescence aurait pris fin et qu'elle serait capable de revenir à Paris. Je lui ai dit que je l'attendrais et j'ai raccroché sur un dernier balbutiement de Sylvie qui essayait de me souhaiter bonne nuit.

Sylvie a débarqué chez moi peu de jours après cette brève conversation téléphonique, je l'ai trouvée assise sur son sac de voyage devant ma porte un soir que je rentrais de ma journée à l'école d'architecture. « Sylvie ! Mais qu'est-ce que tu fais là ? » Elle riait, elle avait l'air de s'ébattre dans le plus grand bonheur, j'ai compris qu'elle s'était enfuie de la maison de ses parents : elle était heureuse d'avoir pris cette décision (en ces circonstances véritablement aventureuses, elle n'avait jamais autant ressemblé à un hussard). Elle essayait de m'expliquer ce qui s'était passé : il y avait des mots qu'au bout de quelques secondes de recherche, les yeux levés vers son front comme pour essayer de s'introduire par le regard à l'intérieur de sa mémoire, elle renonçait à débusquer : elle haussait les épaules puis poursuivait son récit, chaque phrase était comme l'expression de l'immense joie qu'elle éprouvait de s'être enfuie. Nous avons parlé une grande partie de la nuit : c'était très lent, elle avait même du mal à remuer les lèvres, à se mouvoir et à bouger ses membres, je me suis demandé comment elle avait fait pour aller à la gare, pour prendre le train puis le métro. J'ai compris qu'elle était parvenue à grimper dans un camion qui avait livré de la nourriture à la caserne : le chauffeur, charmé par cette jeune fille impétueuse, avait fini par obéir à ses injonctions théâtrales — afin de lui dissimuler son incapacité à s'exprimer, elle lui avait lancé en riant, comme par jeu : « À la gare ! Vite ! En avant ! À la gare ! », elle avait volé de l'argent à sa mère pour se payer le billet de train et le ticket de métro. Au petit matin, il était devenu clair que Sylvie ne renoncerait jamais à ma personne : elle préférait ne plus revoir ses parents plutôt que d'avoir à se séparer de moi pour le reste de ses jours. Par ailleurs, elle me disait qu'elle ne pourrait jamais leur pardonner d'avoir profité de son coma pour régler leurs comptes avec moi : avoir osé une chose pareille était indigne et monstrueux. J'ai expliqué à Sylvie que ce n'était pas le moment de prendre des décisions définitives, que les choses s'apaiseraient : il serait idiot de rompre avec ses parents. Mais, pour plus de sûreté, si elle voulait, elle pouvait s'installer chez les miens, qui l'accueilleraient avec plaisir — je craignais que le père de Sylvie ne vienne chercher sa fille chez moi avec violence, et que les choses ne se terminent mal. Je l'ai appelé pour apaiser ses inquiétudes, il a cru que j'avais manipulé sa fille pour qu'elle s'évade de la caserne, j'ai essayé, au milieu du fracas de sa voix, de faire percer quelques phrases susceptibles de les tranquilliser : Sylvie reviendrait les voir quand elle serait rassurée sur les dispositions qu'ils pourraient prendre à mon égard, je lui ai dit qu'elle était en lieu sûr et qu'ils pouvaient dormir sur leurs deux oreilles (« Elle n'est pas chez moi, ai-je fini par dire à son père : inutile de venir fracasser ma porte, Sylvie se trouve chez des amis communs »), son père m'a menacé de porter plainte pour enlèvement mais sa fille était majeure. Le lendemain, Sylvie a écrit une carte postale à ses parents qui en substance leur déclarait ceci : « Tout va bien. Je veux rester avec David. Si vous n'êtes pas d'accord, tant pis. Je vous embrasse. » Je ne l'ai su qu'une fois la carte postale glissée dans la boîte aux lettres de la rue du Bac : sinon, j'aurais dissuadé Sylvie de mettre ses parents au pied du mur avec une telle brutalité, sans leur laisser la porte entrouverte.

Sylvie se souvenait de quelques-unes des phrases que je lui avais dites pendant son coma, ou plutôt : pendant la nuit, sa mémoire révélait à sa conscience des phrases qu'elle ignorait que ma douleur lui avait murmurées. Plusieurs matins consécutifs, Sylvie s'est réveillée en me racontant ses rêves et dans ces rêves ma personne disait des phrases, elle me les répétait et je m'apercevais que c'étaient des confidences que j'avais glissées au creux de son oreille pendant les cinq jours de son coma, en particulier sur mon désir d'avoir des enfants avec elle et sur ma crainte qu'elle ne me donne que des garçons, et aucune fille. Sylvie me demandait si j'avais fait toutes ces promesses avec sincérité ou si c'était seulement pour provoquer son réveil, je lui disais que oui, que mes propos avaient été sincères — « Et ils l'avaient été, en effet, ce n'était pas contestable », ai-je dit à Victoria. Nous étions comme en miroir l'un de l'autre : les promesses que je lui avais faites se reflétaient rigoureusement dans les désirs qu'elle semblait ressentir ; et Sylvie était tellement diminuée, son physique avait à ce point l'aspect d'une immobile supplication que ses désirs me donnaient l'impression de venir réclamer leur dû auprès de ces promesses que je lui avais faites. J'éprouvais les plus grandes difficultés à me faire une opinion au sujet de mes sentiments dans la mesure où la douleur de voir Sylvie dans cet état, la tristesse, la compassion, voire la pitié qu'elle m'inspirait se mêlaient à ma tendresse et au souvenir des deux années que nous avions vécues l'un avec l'autre pour former ce qui pouvait ressembler, de loin, à de l'amour, mais qui n'était peut-être, je le savais, qu'une illusion. Et mes idéaux de jeunesse, et la femme dont j'avais toujours rêvé ? C'était peut-être Sylvie, c'était peut-être la Sylvie rendue plus forte par cette épreuve (il m'arrivait de le penser : les événements lui avaient donné une densité qu'elle n'avait pas jusqu'alors), mais peut-être pas. C'est à ce moment-là que les parents de Sylvie, incapables de tolérer l'affront que leur faisait leur fille de transgresser la barrière qu'ils avaient dressée comme un interdit entre nos deux personnes, lui ont posé un ultimatum. Nous nous trouvions face à des gens rigides : des militaires. Elle décidait, contre leur accord, de faire sa vie avec l'homme qui avait insulté son père : ils lui ont écrit une lettre où ils la sommaient de choisir son camp. Si Sylvie décidait de rester avec moi, il fallait qu'elle s'attende à ne plus les revoir : ils renonceraient à leur fille à tout jamais, sauf si celle-ci revenait vers eux pour se repentir de son erreur, après m'avoir quitté. Je n'ai pas eu connaissance de cette lettre quand Sylvie l'a reçue, ce n'est que des années plus tard que j'ai appris l'existence de ce chantage atroce et de la réponse héroïque que Sylvie lui avait opposé (si elle m'en avait parlé, je lui aurais conseillé de ne pas rentrer dans ce débat et de laisser passer le temps). Stratégie aberrante de la part du père de Sylvie, qui concevait la vie comme un continuel rapport de force conduit par ceux qui ont l'autorité de l'imposer : il lui avait expédié l'équivalent d'un rappel à l'ordre en bonne et due forme assorti de la menace d'une sanction exemplaire si Sylvie décidait de s'y soustraire. Ils avaient dû imaginer qu'elle tremblerait de peur devant cette offensive, et qu'elle se replierait : on ne lance ce genre d'attaque que quand on est certain de l'emporter contre ceux qu'elle prend pour cible (le risque est trop énorme, sinon). Sylvie leur a tenu tête, elle n'a pas cédé, il semblerait que ses parents aient réitéré leur marché peu après. Sylvie leur a dit non une seconde fois, la rupture était consommée, il avait été dit de part et d'autre qu'ils ne se verraient plus : ils ne se sont plus revus.

« Plus jamais ? me demande Victoria. C'est incroyable comme histoire…

— Sylvie me disait parfois qu'ils se reverraient quand nous aurions notre premier enfant. Elle en avait envie. Elle n'avait pas complètement fermé la porte dans son esprit.

— Et alors, les enfants n'ont rien réglé ?

— Ses parents sont morts dans un accident de la route.

— Aïe…

— Ils sont morts avant qu'elle n'ait eu la possibilité de mettre notre premier enfant entre leurs bras.

— Je vois ce que tu veux dire… c'est atroce…

— Tu te souviens d'*Astérix et Cléopâtre* ?

— Je l'ai lu il y a longtemps…

— À un moment, la porte de la pyramide se referme derrière Astérix et ses amis. Quand ses parents sont morts, une lourde porte s'est refermée derrière moi. Je suis enfermé avec Sylvie dans l'histoire de notre couple comme dans une pyramide. Pourquoi pas après tout, rien ne me dit que ce n'est pas le lieu où j'aurais décidé de faire ma vie. En revanche, ce qui est sûr, c'est que jamais je ne pourrai en sortir.

— C'est pourquoi tu m'as dit, quand je t'ai annoncé que j'étais mariée et que jamais je ne quitterais mon mari, que tu ne quitterais jamais ta femme non plus.

— Sylvie m'a choisi en renonçant à ses parents, et ils sont morts avant qu'elle n'ait pu se réconcilier avec eux : je porte le poids d'une responsabilité colossale, celle de sa vie entière. Sylvie est d'une grande fragilité. Elle danse sans cesse au bord du gouffre. J'ai toujours peur qu'elle tombe.

— Qu'elle tombe dans quoi ? »

Et Victoria se met à rire.

« Ce n'est pas drôle...

— Excuse-moi, c'est nerveux, pardon, je ne sais pas ce qui m'arrive... »

Et Victoria, au lieu d'obéir aux injonctions qu'elle s'adresse à elle-même, plaque sa main sur ses lèvres pour me dissimuler son sourire, je vois dans ses yeux des déferlements d'hilarité où s'allument des lueurs d'imploration : il ne faut pas lui en vouloir pour ce fou rire déplacé.

« Je ne vois pas ce qui peut te faire rire dans cette histoire...

— Moi non plus, me répond-elle. C'est sans doute parce qu'elle est triste, c'est atroce. » Victoria continue de rire de plus belle, je la regarde en attendant que cela passe. Elle finit par recouvrer son calme, du ricil a coulé sur ses joues qu'elle essaie d'effacer avec un napperon aux armes du Concorde Saint-Lazare. « Ouh, pardonne-moi. Mais quand ça part, ce genre de chose, j'ai beaucoup de mal à l'arrêter.

— Ce n'est pas grave.

— Tu m'as dit : j'ai toujours peur qu'elle tombe, et comme tu venais de parler d'Astérix, j'ai pensé :

dans la marmite de potion magique, comme Obélix, tu vois ? Comme si ta femme tombait dans la marmite. C'est tout, c'est juste ça, pardonne-moi. »

Je regarde fixement le visage de Victoria quelques instants.

« J'ai faim, on va manger ?

— D'accord, me répond-elle. Et si on allait chez Mollard ?

— Excellente idée, j'ai envie d'huîtres.

— Je t'offrirai du homard.

— C'est parfait.

— J'en ai pour une petite minute, je reviens », et Victoria s'éloigne du bar vers les toilettes en emportant son sac à main.

Nous nous promenons dans le quartier de l'Opéra. Victoria, qui avait une réunion le matin à Paris, a pris une chambre au Grand Hôtel pour l'après-midi. J'ai réussi à m'échapper du chantier suffisamment tôt pour pouvoir la retrouver vers dix-sept heures au Café de la Paix, où nous avons pris une tasse de thé avant de partir nous balader.

Je lui avoue, tandis que nous descendons l'avenue de l'Opéra : « Je me dis parfois que je dois te quitter. Mais c'est impossible, tu me rends heureux, tu es de l'énergie qui s'introduit dans ma vie tous les matins quand j'ouvre les yeux et que je pense à toi. Tu es ma toute première pensée de la journée. Ce n'est qu'après avoir pensé à toi que je pense au reste : à ma femme couchée à mes côtés, à mes enfants, à la tour Uranus.

— Tu es gentil de me dire ça.

— C'est la vérité. L'effort que mon corps doit consentir pour que la tour Uranus sorte de terre, je n'y arriverais pas si tu n'étais pas dans ma vie. Je voulais que tu le saches. »

Nous marchons en silence.

« Donc, si je comprends bien, tu me quitteras quand ta tour sera finie.

— Peut-être.

— Je le sais.

— C'est parfois ce que je pense qu'il faudrait faire. Mais j'ai peur que ma vie redevienne un peu désertique, sans ta présence. C'est comme un grand lustre en cristal qu'on aurait suspendu dans mon existence, et un beau jour quelqu'un le décroche et installe à la place une ampoule nue au bout d'une douille.

— Une ampoule nue au bout d'une douille. J'adore tes métaphores.

— C'est un peu ça, la vie, quand le principe du rêve s'en va, non ? Je ne parle pas de ma femme et de mes enfants, je les adore, mais ta présence les éclaire différemment : d'une certaine manière, j'aime mieux ma vie familiale depuis qu'elle se déroule sous ce grand lustre.

— Ne nous posons aucune question pour le moment. Profitons de l'instant présent.

— Tu as raison, on verra bien. »

Nous allons dans une boutique de souliers dont je lui ai parlé plusieurs fois : j'adore les talons hauts, les pieds de Victoria sont ravissants, elle a voulu que je l'emmène dans cette boutique pour qu'elle s'achète une paire qui me plairait. Je lui montre un modèle dans la vitrine : « J'aime beaucoup celui-là, par exemple.

— C'est magnifique.
— Celui-ci aussi t'irait bien.
— Je ne sais pas. Il est un peu…
— Un peu quoi ?
— Extravagant.
— Peut-être que oui. Mais le premier, pas du tout. C'est juste un escarpin, il est noir, verni, avec un talon haut.
— Je n'ai jamais marché avec un talon aussi haut ! Il est super fin ! Je ne sais pas si je vais y arriver ! »

Nous entrons. Elle essaie plusieurs paires. Elle marche dans la boutique en se regardant les pieds dans les miroirs. Je me trouve aux côtés de la vendeuse qui me murmure à l'oreille : « Ce modèle lui va vraiment bien. » Élevé par les talons des escarpins, sanglé dans un tailleur écru assez strict qui accentue la présence de ses hanches, le corps de Victoria est intimidant d'autorité. J'aperçois la naissance des orteils en lisière du cuir noir, le cou-de-pied est bombé, Victoria s'avance vers nous d'une démarche impériale, lente et sûre, avec grâce, elle est maintenant plus grande que moi de quelques centimètres : je me suis mis à bander. Elle me demande, droit dans les yeux, un sourire sur les lèvres : « Tu préfères lesquelles, alors ?
— Cette paire-là. L'escarpin verni noir. On croirait qu'il a été dessiné pour ta jambe. » Je la regarde déambuler dans la boutique : son corps est devenu un événement d'un impact inouï. « En plus, c'est curieux, j'arrive à marcher sans problème, ajoute Victoria en s'éloignant. Même, j'adore l'impression que ça procure d'être aussi haut. » Je demande à la vendeuse la hauteur du talon : « Douze centi-

mètres, me répond-elle. Le *Pigalle* existe aussi en dix, mais il est moins bien.

— Et les chaussures avec lesquelles elle est venue ?

— C'est du six centimètres », me répond la vendeuse. Je dis à Victoria : « Pour une femme qui prétend n'avoir jamais marché de sa vie avec des talons vraiment hauts, tu te débrouilles comme une reine… » Victoria s'approche de la vendeuse et lui dit : « Je les prends.

— Parfait, vous vouliez voir autre chose ?

— Non, je vous remercie, ce sera tout pour aujourd'hui, mais je pense que nous reviendrons », ajoute Victoria en me jetant un coup d'œil malicieux. La vendeuse nous entraîne vers la caisse, emballe les escarpins, pose sur le meuble le sac en papier qui contient la précieuse boîte, réceptionne la carte de crédit que lui tend Victoria, « Je vous remercie, madame », lui dit-elle, puis Victoria tape son code, récupère sa carte et la facturette, je prends le sac en papier qui se trouve sur le meuble puis nous sortons. « Au revoir, madame ; au revoir, monsieur », nous dit la vendeuse en refermant derrière nous la petite porte vitrée.

Nous marchons quelques pas dans la rue et empruntons un magnifique passage couvert qui s'offre à notre droite. Victoria me prend par le bras puis m'immobilise, je la regarde dans les yeux, elle dépose un baiser appuyé sur mes lèvres puis me dit : « Merci, David. Sans toi, je n'aurais jamais osé m'offrir ce genre de chaussures.

— Elles te vont à merveille.

— C'était une expérience un peu troublante… Je suis toute mouillée, si tu veux savoir la vérité, d'avoir marché avec ces chaussures sous ton regard et sous celui de cette jeune fille. Je l'aurais volontiers embarquée avec nous, si tu veux savoir ! », et Victoria éclate de rire en se remettant à marcher. Je lui dis : « Je suis d'accord avec toi, il y avait quelque chose de vraiment sexuel à te voir évoluer ainsi, perchée sur ces talons : comme si tu étais nue. Tu es belle, ces chaussures te magnifient, tu deviens comme une espèce de déesse, ou de cheval de Troie…

— Un cheval de Troie ? Quelle drôle d'idée !

— Une chose impressionnante qui s'introduit quelque part, qui inspire du respect, que l'on vénère…

— Et qu'est-ce qu'il cache, comme armée, ce cheval de Troie ?

— Tu sais très bien ce qu'il cache. D'ailleurs, nous n'allons pas tarder à le vérifier, dis-je à Victoria en élevant à la hauteur de ses yeux le sac en papier qui contient la précieuse boîte.

— Tu sais par où il faut passer, pour aller au Grand Hôtel ?

— Oui, c'est simple, l'Opéra, c'est par là.

— C'est drôle, avec chacun de mes amants, je découvre un nouveau fantasme, de nouveaux rituels. Toi, ce sont les chaussures. Laurent, c'étaient les déguisements. Mais je préfère ton trip sur les talons, c'est moins radical.

— Qu'est-ce que tu entends par déguisement, qu'est-ce que vous faisiez ?

— Il adorait les mises en scène, m'embarquer dans des histoires qu'il préparait à l'avance.

— C'est-à-dire ? Donne-moi des exemples.

— Il adorait jouer à l'inconnu. Il me donnait rendez-vous à l'angle de deux rues, à telle heure, sur le trottoir : pas dans un café, sur le trottoir. J'arrivais et je voyais, qui attendait à cet endroit, appuyé contre un mur, un inconnu, un homme barbu aux cheveux longs : il s'était déguisé. Il s'était procuré des vêtements qui n'étaient pas du tout son style, il portait des lunettes différentes de d'habitude, énormes, en métal, etc. Il m'abordait comme m'aurait abordée un inconnu, comme tu m'as abordée dans la galerie marchande, et on jouait. Je lui répondais de me laisser tranquille et m'éloignais de quelques mètres. Il me réabordait un peu plus tard : je devenais cinglante. Je partais pour de bon, je sentais qu'il me suivait, il arrivait qu'il abandonne sa traque mais bizarrement je le voyais réapparaître une dizaine de minutes plus tard, surgissant d'une porte cochère : j'ignorais comment il avait fait pour me devancer de la sorte, je lui disais que s'il continuait de me suivre j'allais devoir alerter la police. Je me réfugiais dans un café, il s'asseyait à la table d'à côté et commençait à me draguer, à me draguer de la manière la plus crue, il me disait qu'il avait senti, dès le premier regard, que j'avais eu envie de lui. Je jouais l'ingénue : il adorait que je joue l'ingénue. Il commençait à me dire des mots très osés. Après m'avoir draguée, il me proposait qu'on aille dans un hammam du quartier : je disais oui. On se retrouvait dans un hammam, entourés d'hommes, et il me caressait doucement les seins devant eux, personne n'avait le droit de me toucher, tous les hommes regardaient. Après, nous allions faire l'amour dans un hôtel miteux, on adorait les hôtels deux étoiles avec de gros cafards qui couraient partout, il me prenait avec son déguisement.

— Vous faisiez ça souvent ?

— Très régulièrement.

— Il inventait une nouvelle histoire à chaque fois ?

— Absolument, un nouveau scénario à chaque fois, de nouveaux lieux. Le problème c'est qu'en faisant reposer une relation amoureuse sur ce genre de délires, on prend le risque de devoir aller toujours plus loin, pour que ça continue à marcher : ces rendez-vous, pour ne pas sombrer dans le ridicule, ou se parodier eux-mêmes, ou tout simplement pour continuer à produire leur effet et nous assouvir, devaient sans cesse se réinventer, aller plus haut et franchir des étapes. C'est une spirale qui te donne envie de dépasser les frustrations qui finissent par résulter de la répétition des mêmes scènes, tu comprends ? Ce n'est pas comme avec la sexualité classique, où l'intensité procède de la sincérité, de l'engagement : ces scènes-là étaient entièrement artificielles. Si on joue, on joue, et on va au bout du jeu, tu comprends ? Il peut se faire qu'on soit attiré malgré soi par la spirale du jeu, et c'est de cette spirale que j'ai voulu m'échapper quand j'ai quitté Laurent. Je l'ai quitté précisément à cause de ça. »

L'adage de la lettre volée d'Edgar Poe.

Je n'ai pas compris que Victoria était en train de me faire des confidences fondamentales, car elle les affichait avec le plus grand naturel : je les ai prises pour de simples phrases, des phrases banales qui témoignaient pour moi d'une exagération un peu conventionnelle (on aime bien accentuer la signification de ses souvenirs, surtout si l'on désire électriser son interlocuteur), sans imaginer qu'elle avait composé ces phrases-là pour ce qu'elles voulaient dire si on les examinait dans la pureté de leur impact instantané sur l'imaginaire qui les reçoit. Il aurait fallu en saisir la vérité à la seconde où elles étaient apparues, et non pas les écouter avec un temps de retard (comme c'est souvent le cas lors des conversations flottantes, distraites), et non pas les percevoir comme des visions subjectives de ce qu'elles décrivaient, des *manières de parler*. Ces phrases qu'elle m'avait dites n'étaient pas des *manières de parler* : elles exprimaient une vérité que je n'ai pas été capable de capter. Je me suis contenté de demander : « Qu'est-ce que tu veux dire par là ?

— Rien, juste ça, que j'en avais marre de ces trucs artificiels. Il fallait que je passe à autre chose. » Puis : « Par exemple, j'ai hâte d'être nue dans ces sublimes chaussures, devant toi, et de te voir bander. Aujourd'hui j'ai mis des bas, des bas couleur chair, ta préférée… »

Nous nous sommes enfermés dans la chambre du Grand Hôtel que Victoria avait louée, avec une vue sublime sur le palais Garnier. Nous avons fait l'amour, elle était nue avec ses escarpins, j'ai failli jouir, nous avons dîné dans la chambre. Je contemplais par les croisées l'architecture de l'Opéra illuminée dans la nuit : un enchantement. Victoria s'étant déchaussée, elle n'avait pas abandonné ses escarpins sur le sol comme de vulgaires objets mais les avait disposés, telles des reliques, sur le bureau. Elle les commentait une fois de temps à autre : « J'irai m'en offrir d'autres, concluait-elle. Tu m'accompagneras ?

— Bien entendu.

— On finira peut-être par séduire la jolie petite vendeuse ! »

Je suis reparti chez moi peu après minuit.

Quelque temps plus tard, je suis en train de déjeuner avec Dominique au Valmy, un restaurant de la Défense où nous aimons nous retrouver. Comme cet établissement se trouve à proximité des bureaux du chantier, c'est un peu notre cantine ; quand il fait beau, sa grande terrasse sur la dalle de la Défense en fait un lieu plaisant pour boire un café en fumant une cigarette.

La serveuse qui officie dans la salle du Valmy vient de poser sur la table les assiettes de nos hors-d'œuvre quand mon BB se met à vibrer : j'ai reçu un sms. Dominique, depuis que nous nous sommes assis, me parle des problèmes qu'il rencontre dans sa vie sentimentale ; je le suspecte de réclamer ce déjeuner depuis deux jours pour pouvoir déverser ses angoisses dans une âme attentive. Le problème de Dominique, c'est qu'il rêverait de tomber amoureux : il n'a qu'une obsession, depuis qu'il a quitté sa femme, c'est de refaire sa vie avec une autre. Moi, depuis des mois, je lui dis que je trouve étrange, chez un homme de près de quarante ans qui a été marié trois fois, de ne pas décider de profiter de la vie : je m'étonne qu'il ait envie de fonder une quatrième famille plutôt que d'avoir des aventures, d'aller de fille en fille. Cinq enfants ont résulté de ces mariages successifs, le plus petit n'avait que quatre mois quand il a quitté sa maman, l'année dernière, à la surprise générale. Ses sentiments avaient commencé à décliner au moment où son ventre s'était arrondi (mais sans rapport avec cette occurrence : les quatre grossesses qu'il avait connues précédemment lui avaient plu, il avait aimé faire l'amour avec ses femmes toutes les fois que celles-ci s'étaient retrouvées enceintes), et il n'avait pas fallu les neuf mois de gestation pour qu'il cesse d'éprouver pour elle le plus petit sentiment. Néanmoins, il avait laissé s'écouler un délai de décence de quatre mois au-delà de l'accouchement avant d'annoncer à la jeune maman qu'il partait. C'était lui qui trouvait que quatre mois était un délai de décence raisonnable : à l'époque, je lui avais dit qu'il me paraissait un peu court et qu'il pourrait faire l'effort de rester avec sa femme au moins un an. Mais Dominique n'avait pas voulu céder : en être entier qu'il était, il fallait absolument qu'il parte. L'annonce de cette rupture, à laquelle la maman d'Alexandre s'attendait d'autant moins que c'est Dominique qui avait insisté pour avoir cet enfant (à quarante ans et déjà mère d'une petite fille, elle s'en serait volontiers passée : surtout pour se retrouver seule avec le nourrisson moins de douze mois plus tard), l'annonce de cette rupture l'avait laissée dans un état de dévastation qui faisait peur : elle n'arrivait pas à s'en remettre. Depuis, Dominique recherchait avidement la jeune femme avec laquelle il pourrait avoir envie de refaire sa vie : et justement, l'une de celles qu'il avait rencontrées récemment, et avec qui il avait cru pendant un temps qu'il serait possible d'envisager des projets à long terme, venait de lui fournir l'occasion, plusieurs fois d'affilée, d'en douter, de se poser de graves questions. Voilà ce qu'il était en train de me raconter (nous n'en étions qu'au démarrage) quand Sylvie m'a envoyé un sms. « Excuse-moi, c'est ma femme, je regarde ce qu'elle veut », dis-je à Dominique. Je lis le sms qu'elle m'a envoyé : « *Je suis à Carrefour, je sais pas quoi prendre comme viande, tu as envie de quoi ?* » Je réponds à Sylvie : « *Ce que tu veux, prends n'importe quoi* », puis j'envoie le sms avant de dire à Dominique : « Excuse-moi, je t'ai interrompu, c'était ma femme. Qu'est-ce que tu disais ?

— C'est excellent ce que j'ai pris. Et toi ?

— Oui, c'est pas mal. J'avais faim, elle m'a tué cette matinée. Mais bon, les gars ont super bien pulsé aujourd'hui, je crois qu'on va finir l'étage demain : avec deux jours d'avance.

— Tu as une énergie, c'est délirant. Depuis quelque temps, je ne sais pas ce qui t'arrive, c'est comme si tu soulevais des montagnes, tu me bluffes complètement. Si, à partir d'aujourd'hui, 23 novembre, on continue à ce rythme, on pourra avoir terminé le gros œuvre avec de l'avance, vers le 10 janvier. J'ai fait une petite projection, je te la montrerai. C'est stupéfiant ce qui nous arrive.

— Je n'ai pas envie de me faire baiser la gueule par ce bâtiment. J'ai décidé que je l'aurai : il ne m'aura pas », dis-je à Dominique en portant la fourchette à mes lèvres, avant de m'apercevoir que Sylvie a répondu à mon message. Je l'ouvre : « *Mais si je te demande de choisir, c'est que j'y arrive pas. Sois sympa, pitié.* » J'écris : « *Prends une côte de bœuf. Je t'embrasse* », et j'envoie le message. Je dis à Dominique : « Excuse-moi mais il fallait que je lui réponde. Et la fille, ta nouvelle copine, en fait ça ne marche pas aussi fort que tu t'y attendais ?

— Elle est complètement dingue. Un jour, tout va bien : elle dit qu'elle m'aime, elle veut me voir, on passe la nuit ensemble. Et le lendemain, sans que je comprenne pourquoi : elle me fait la gueule, elle dit qu'on ne peut pas se voir et elle reste toute seule chez elle avec sa fille.

— Pourquoi, elle a une fille ? Tu ne me l'avais pas dit, qu'elle avait un enfant. Ah, attends, j'ai encore un message de ma femme.

— Mais si, souviens-toi, je te l'avais dit qu'elle avait été mariée et qu'elle avait une petite fille de huit ans », me répond Dominique pendant que j'ouvre le message de ma femme : « *Je sais pas trop ce que j'ai aujourd'hui mais vraiment j'arrive pas à sortir de ce magasin. J'y suis déjà depuis deux heures et mon caddie est vide.* » Dominique me demande : « Quoi, qu'est-ce qu'il y a, quelque chose ne va pas ?

— Non, ça va, c'est ma femme, attends, je dois vraiment lui répondre. » J'écris : « *C'est bon, ne t'inquiète pas, prends-nous une grosse salade frisée avec la côte de bœuf et rentre à la maison. On fera les courses ensemble samedi. Je suis en réunion, j'essaie d'être tôt à la maison, je t'aime, je t'embrasse* », puis j'envoie le message. À Dominique : « Donc ? Parfois elle veut rester toute seule chez elle avec sa fille sans te voir ?

— Pourquoi pas après tout. Mais ça a toujours un côté revanchard, agressif, punition, que j'ai du mal à comprendre. Comme si elle voulait me faire payer un truc, mais j'ignore quoi.

— Oui, c'est bizarre.

— Elle est super violente, j'ai jamais vu ça. L'autre nuit, pour son anniversaire, j'ai eu l'idée de l'inviter dans un super hôtel, un truc un peu classe, au Palais-Royal, l'hôtel du Louvre, je sais pas si tu connais…

— Euh, oui, de nom », dis-je à Dominique en rougissant un peu. Je suis estomaqué par cette coïncidence : il s'en est donc fallu de peu que je croise Dominique dans un ascenseur de l'hôtel du Louvre, moi en compagnie de ma souveraine directrice des ressources humaines (qui doit bien faire deux têtes de plus que mon ami), et lui soudé à sa gracile jeune fille nerveuse et susceptible, mais en même temps je suppose que la scène qu'il est sur le point de me raconter se passait un samedi soir. Sylvie m'a répondu, je lis son sms : « *Merci, tu es gentil, heureusement que tu es là, je rentre à la maison, je t'aime, à ce soir* », auquel je réponds par un émoticône avec clin d'œil et sourire. Dominique attend que mon regard se repose sur son visage pour continuer : « On a dîné au Café Ruc, un resto classe tout à côté, puis on est montés dans la chambre, c'est sublime la vue sur la Comédie-Française, je me suis pas foutu de sa gueule, j'ai même fait monter une bouteille de champagne. Tu vois, je suis pas milliardaire : juste un salarié, mais je l'ai joué classe ! On a fait l'amour toute la nuit, c'était super, rien à dire, vraiment : comme une lune de miel. Le lendemain matin, je suis sous la douche : j'entends des hurlements. Je sors : elle est sur le lit en train de lire des sms sur mon smartphone. Elle me jette le téléphone au visage, tiens, regarde, j'ai une marque », et Dominique me montre une encoche rouge assez profonde, avec du sang séché, sur sa tempe gauche. « Elle était tombée sur un message où je disais à une fille : je te suce les seins.

— Je te suce les seins ? Tu envoies des messages à des filles où tu leur dis que tu leur suces les seins ?

— Bon, voilà, je te l'accorde, c'est pas terrible comme texte, je devais être bourré. C'est une fille qui me court un peu après, il s'est jamais rien passé avec elle, elle m'envoie des messages parfois un peu crus, la nuit. Je lui ai répondu ça : rien d'autre.

— Et alors ?

— Impossible de lui faire entendre raison. Elle a hurlé pendant trois heures. Pendant trois heures ! Tu imagines ! Juste pour un sms où je dis à une fille insignifiante : je te suce les seins !

— Entre nous, Dominique, je te suce les seins : je trouve pas ça terrible non plus. Moi aussi j'aurais hurlé.

— Attends, arrête. Je lui paie une chambre de luxe à l'hôtel du Louvre, mais putain tu sais combien ça coûte une chambre à l'hôtel du Louvre ?

— Cher, je suppose.

— Dis un prix.

— Non mais arrête, ça va, j'ai compris : c'est cher. Et alors, tu l'as calmée ? », et c'est alors que mon BB se remet à vibrer : nouveau sms. « C'est encore ta femme, vas-y, t'en fais pas pour moi, réponds-lui », me dit gentiment Dominique au moment où la serveuse arrive : « Vous avez fini ? Je peux débarrasser ? » nous demande-t-elle, « Oui, c'est bon, j'ai terminé », lui dis-je en ouvrant le message, qui me vient en réalité de Victoria. « Eh ben dites donc, vous avez un petit appétit aujourd'hui !

— Je garde des forces pour la daube provençale, et j'ai quelques soucis avec ma femme… Elle n'a pas arrêté de m'envoyer des messages…

— Ah, les femmes, quand on s'en occupe mal, ça coupe toujours l'appétit ! » s'exclame la serveuse en s'éloignant avec nos assiettes. J'ouvre le sms : « *Lis tes mails ! C'est urgent !* », ce qui m'amène à consulter ma boîte de réception pendant que Dominique fait la même chose et regarde les courriers qu'il a reçus sur son BB. Je sais que Victoria se trouve à Hô Chi Minh-Ville, où elle devait rencontrer ses équipes des ressources humaines, et qu'elle doit quitter le Vietnam aujourd'hui pour Bangkok. « *Je suis sur un petit nuage, c'est le paradis ce pays. Je sors d'un salon de massage avec une jeune collègue, on était massées chacune par un homme, c'était tellement fort que quand ça s'est terminé j'ai eu envie qu'il me fasse jouir, la fille avec qui j'étais m'a dit que ça s'est vu dans notre échange de regards, entre lui et moi, au moment où il s'est arrêté. Elle m'a dit que je ne m'en étais pas rendu compte mais que je n'avais pas cessé de geindre pendant qu'il me massait. J'avais envie qu'il touche mon sexe, j'étais inondée, je pensais à toi, je crois que si j'avais été seule j'aurais fait en sorte qu'il me fasse jouir avec ses doigts, je lui aurais arraché son pagne et pris son sexe entre mes mains. Mais avec cette collaboratrice avec moi, impossible. Tu vois dans quel état tu me mets, tout ça à cause de notre rencontre à l'hôtel du Louvre il y a trois jours dans mes Louboutin. Je les ai avec moi ici, elles me plaisent, tout le monde me regarde. Tu me manques, je crois que je vais aller me faire jouir dans les toilettes de ce café tellement je suis mouillée à cause des mains expertes de ce mas-*

seur. Encore, encore des caresses ! Je t'embrasse... »
Je repose mon téléphone sur la table et regarde mon ami Dominique. Au bout de quelques instants, « Qu'est-ce qu'il y a ? Quelque chose ne va pas ? Tu n'as pas l'air d'aller très bien. C'est encore ta femme ?

— Non, rien, ça va.

— Je vois bien qu'il y a un truc qui te tracasse, qu'est-ce que c'est ?

— Oui, c'est ma femme, mais ça va aller. » À ce moment-là, la serveuse arrive avec nos assiettes qu'elle pose devant nous : la daube pour moi, un steak frites pour Dominique. Je poivre mon plat en silence, puis je le sale. Dominique tend la main : je lui remets la salière. De la fumée s'échappe de ma viande. Le long message de Victoria m'a rendu triste, un peu amer, minablement jaloux. Ce fantasme somme toute banal, un peu cliché, dont elle me fait le confident, j'ai beau me raisonner, j'ai beau me dire qu'elle voulait m'entraîner dans un délire érotique partagé et que c'était la preuve, la preuve indiscutable, que c'est de moi dont elle avait envie, je n'arrive pas à me défaire de l'idée qu'une heure plus tôt Victoria a éprouvé du désir pour un autre homme que moi : elle voulait qu'il la baise. Je brûle d'envie de relire le mail qui se trouve dans mon smartphone posé à la droite de mon assiette fumante (dont le contenu, que j'ai commencé à déguster, est délicieux : j'en félicite la serveuse qui vient prendre de nos nouvelles : « C'est vraiment bon, dites-le au chef de ma part ! »), mais je n'ose pas. Me reviennent en mémoire le regard que Victoria et le masseur ont échangé (où sa collègue a vu du désir), l'envie de Victoria de mettre sa main sur le sexe de cet homme pour l'inciter à s'approcher du sien et lui donner de la jouissance. Je vois les doigts de l'Asiatique s'introduire dans l'intimité de Victoria, je vois ses mains à elle agrippées aux épaules du masseur tandis que je regarde, au fond de mon assiette, des morceaux de carotte et de viande dont l'aspect me fait penser à du velours côtelé marron. Ces images, ces sensations me sont pénibles, je les sens circuler dans mon corps, dans mes pensées, dans mon humeur, comme des objets qu'on viendrait d'y introduire : ce sont des corps étrangers, des grumeaux, des impuretés désagréables, des contrariétés. Et en même temps l'érection apparue lors de la lecture des phrases de Victoria ne s'est pas atténuée : la daube que je déguste et le visage de Dominique auquel je fais semblant d'intéresser mon regard, en silence, une fois de temps en temps, n'ont pas été suffisants pour y mettre un terme : je bande comme un taureau, ma douleur visualise aveuglément Victoria allongée nue, brûlante, inéluctable, sous les mains d'un jeune homme qui la touche, qui joue avec ses nerfs et les zones interdites de son corps : je me fais soudain l'effet, face à la concurrence dévastatrice de ce masseur, d'être l'un des très nombreux spécimens susceptibles de pouvoir la satisfaire : de n'être qu'une bite parmi d'autres. Au bout d'un long moment, Dominique me déclare : « Tu veux aller lui téléphoner ?

— Non, excuse-moi, ça va aller.

— Vraiment, si elle t'inquiète, tu devrais... » J'interromps Dominique : « Et toi, qu'est-ce que tu vas faire avec cette fille, ta copine un peu nerveuse ?

— Je sais pas trop, j'hésite, elle me plaît.

— Je la sens pas. Vraiment, Dominique, je la sens pas : laisse tomber.

— En même temps.

— Si tu étais dans un trip aventure, sexe, je m'amuse : je dis pas. Mais tu cherches le grand amour, la vie en commun : il ne me paraît pas que cette fille puisse correspondre à ce désir. Ou alors sur un mode agité, conflictuel. À ta place, je laisserais tomber : enfuis-toi, si tu veux mon avis. » Je vois Dominique réfléchir à ce que je viens de dire : sa tête opine avec vigueur à mes phrases tandis qu'il mâche son steak, mais certains mouvements qu'elle dessine viennent nuancer son approbation générale, comme s'il voulait signifier que les choses n'étaient pas aussi simples et que cette fille, quand même, possédait des qualités. Il finit par me dire, mais cette fois avec des mots : « Tu peux pas savoir à quel point je t'envie d'avoir trouvé la femme de ta vie, d'être heureux en ménage, d'être un couple indestructible. Tu es pour moi un modèle, je trouve ça magnifique. Ma vie est un échec, j'aurais rêvé de vivre avec la même femme pendant trente ans mais ça n'a pas été possible : à chaque fois je me suis rendu compte, au bout d'un moment, que je m'étais trompé », conclut Dominique en plongeant son regard dans la sauce de ma daube, comme s'il m'enviait jusqu'à la douce couleur foncée, presque brune, confortable, de mon plat : comme une métaphore de l'onctuosité conjugale dont il rêve. Il lève soudain la tête : « T'as jamais la tentation d'aller voir ailleurs ? Tu doutes jamais ? Tu dois pas te contenir, parfois, pour pas partir avec une femme, je veux dire pour pas coucher avec une femme que tu aurais rencontrée, qui te plairait ? Ça t'arrive, j'imagine, de croiser des femmes qui te plaisent, que tu trouves attirantes...

— Oui, bien sûr, ça arrive.

— Et alors ?

— Alors quoi ?

— David ! Arrête de faire l'innocent ! Tu vois bien de quoi je parle !

— Je ne dis pas qu'il ne m'est jamais arrivé, en vingt-deux ans, de céder à la tentation... Dominique, cela reste entre nous... Je n'en parle absolument jamais...

— Naturellement, me répond Dominique. Pour qui tu me prends ?

— Mais avoir une maîtresse : non, hors de question, c'est un principe auquel je n'ai jamais dérogé. Céder aux charmes d'une femme, pourquoi pas, même si c'est rare, mais alors une seule fois. Je suis heureux avec ma femme. Je ne veux pas la quitter ni prendre le risque qu'il arrive quoi que ce soit qui pourrait mettre mon couple en danger.

— Tu sais, je vais te faire une confidence. » Mon BB vient de biper : je regarde son écran d'un coup d'œil : c'est un nouveau message de Victoria. Je dis à Dominique, pendant que je prends mon téléphone : « Vas-y, continue, je t'écoute, je regarde juste ce qu'elle me veut : elle ne va pas très bien en ce moment...

— J'ai cru comprendre », me répond Dominique. Victoria se contente de me dire : « *Alors, quel effet ça t'a fait ? Avec ma responsable RH Vietnam on se demande si on va pas y retourner : il était trop sexy mon masseur, j'ai une de ces envies de faire l'amour, je crois que tu peux pas t'imaginer. Si tu ne réponds pas à mon mail je vais devoir retourner voir le masseur pour qu'il s'occupe de moi. En tout cas je te raconterai...* » Je fais disparaître le message de l'écran et reporte mon visage sur celui de Dominique qui est en train de m'avouer qu'il n'a jamais fait l'amour avec la femme de ses rêves. « Comment ça tu n'as jamais fait l'amour avec la femme de tes rêves ? » lui dis-je en me laissant absorber par les scories que le dernier message de Victoria a répandues dans ma tête : irritation, rancune, mécontentement, tristesse et sentiment d'humiliation. Et surtout (sensation qui à l'époque commençait tout juste à apparaître, mais qui deviendra de plus en plus présente) le fait que sa vie était variée, luxueuse, illimitée et distrayante, quand pour ma part j'étais tenu en laisse au pied de la tour Uranus : Victoria jouissait des caractéristiques les plus plaisantes de notre réalité contemporaine alors que moi j'étais contraint à la rigueur que cette dernière impose à la plupart d'entre nous pour pouvoir accroître les richesses qu'un nombre relativement restreint d'individus est censé retirer de son fonctionnement. En voyant évoluer Victoria, je comprenais que la mondialisation avait donné naissance à de nouveaux modes de vie qu'on ne voit pas très bien car on est en dessous, comme si un étage supplémentaire avait été construit et qu'un ensemble d'individus triés sur le volet y faisaient fonctionner la machine planétaire en passant constamment d'un pays à un autre : ils se trouvent sur un territoire où la disparition du principe de frontière entraîne un rapport au réel fondé sur la mobilité, l'interpénétration constante du personnel et du professionnel, de l'intime et du social, du plaisir et du travail, de la gratification et de la performance, en particulier en raison du décalage horaire ou des prétendus sacrifices qu'ils doivent consentir (alors qu'ils adorent ça). Assortie d'une rémunération si élevée qu'elle pourrait faire penser que leur existence est un fardeau, cette imbrication s'accompagne naturellement d'un nombre élevé d'avantages (qui supplante largement celui des inconvénients) : je percevais la vie de Victoria comme étant la plus enviable qui puisse s'imaginer, malgré le fait qu'il n'était pas contestable qu'elle travaillait énormément (mais moi aussi je travaillais énormément ; pourtant, en dehors d'une vingtaine de Ticket-Restaurant, le système pour lequel je m'épuisais ne m'accordait aucune largesse relevant du sensoriel ; aucune consolation ne me parvenait jamais, à l'inverse de ce qui arrivait chaque jour à ma puissante maîtresse). Ainsi, je n'étais pas seulement jaloux du masseur vietnamien, mais des circonstances qui permettaient à Victoria de frissonner entre ses mains — et ces deux sentiments se mélangeaient pour constituer une rancune d'un raffinement particulier, aussi sophistiquée que l'était sa vie. Ce n'est jamais agréable d'avouer des sentiments mesquins, mais je dois reconnaître que j'éprouvais un début d'aigreur et que je commençais à devenir envieux de l'existence de Victoria — j'avais le sentiment, dans cette brasserie de la Défense, au milieu des secrétaires et des chefs de bureau, d'être le dindon de la farce. Dominique me répond : « Je vais pas rentrer dans les détails du truc mais imagine que depuis tout petit, depuis disons l'adolescence, tu sois hyper sensible à un type particulier de femme, quelque chose de très précis. Disons, j'invente : une métisse noire/asiate hyper petite, hyper menue, étroite de hanches comme un garçon, mais avec des gros seins, des seins énormes, et des cheveux gigantesques, frisés, aussi volumineux qu'une crinière : à la Grace Jones. Tu te souviens de Grace Jones ?

— Je m'en souviens rasée. Elle avait les cheveux en crinière ?

— Peut-être que je confonds.

— Mais c'est ça ton fantasme ? C'est ce que tu viens de me décrire, ou c'était juste un exemple ?

— Tu me promets un truc ?

— Vas-y, c'est quoi ?

— C'est de n'en parler à personne, jamais. Je suis pudique, sur ce truc.

— Je te promets de ne jamais en parler à personne.

— Bon, j'avoue, c'est ça, c'est mon fantasme absolu, à peu de chose près. On en croise dans la rue, parfois, mais c'est rare. Il arrive qu'on en voie à la télé, dans des rôles d'infirmière bas de gamme, dans les séries américaines.

— Et alors ?

— Et alors ? Tu trouves ça normal, toi, qu'à quarante ans passés je sois pas parvenu, *mais alors pas une seule fois*, à tenir dans mes bras une fille comme ça ? C'est super d'être sur terre, je m'en plains pas, c'est une chance incroyable. Mais franchement quel sens ça a, une fois qu'on est né, de traverser l'existence sans qu'un truc aussi simple t'ait été accordé, alors qu'il est pour toi si essentiel ? Réfléchis à ce truc avec moi deux minutes, concentre-toi, tu verras que c'est vraiment traumatisant... Quelque chose dont tu rêves depuis l'âge de seize ans ! Tu as maintenant un peu plus de quarante ans et ce truc dont tu rêves depuis l'âge de seize ans, un truc simple : je demande pas d'aller sur la lune, eh bien : tu l'as jamais vécu. Je n'ai jamais tenu dans mes bras cette métisse black/asiate aux longs cheveux, menue, à la poitrine énorme, telle que je l'ai décrite tout à l'heure. Et j'en conçois, au milieu de ma vie, je vais te dire, une tristesse très profonde, une désillusion véritable... je suis limite à plus croire à rien... J'ai presque envie de pleurer, certains matins, quand je me lève, à l'idée que je vais sans doute mourir sans avoir exaucé ce vœu tout simple, qui paraît à la portée de tous : rencontrer la femme dont j'ai toujours rêvé. J'avais la naïveté de croire, vu ce que je bosse, vu, je sais pas, l'application que je mets à bien faire les choses, à tenir le rôle qu'on m'a donné, j'avais la naïveté de croire qu'au moins on m'offrirait cela. Si ce n'est pas le cas, je peux te dire que je fermerai les yeux sur une note bien amère. Le dernier point de lumière que j'apercevrai, au moment de m'éteindre, au moment de fermer les yeux à tout jamais, il sera comme une ultime gorgée d'amertume : le monde entier réduit à cette seule larme d'amertume, ma métisse black/asiate qui sera jamais venue. Putain, David, c'est la merde... excuse-moi, je sais pas ce qui m'arrive », me dit Dominique en essuyant avec une phalange de son majeur une petite larme apparue sous son œil droit. Je tapote affectueusement son épaule et je lui dis : « J'adore quand tu deviens lyrique, Dominique.

— Je suis fatigué. Pardon, c'est ce putain de chantier, ils vont finir par nous niquer les fusibles à nous faire travailler à ce régime ces enculés.

Regarde dans quel état je suis fin novembre. Ah, putain, merde…

— On va s'en sortir, t'inquiète pas, j'ai les choses bien en main.

— Non mais franchement, David, à part ça, sur cette histoire de femme idéale, j'ai pas raison, c'est pas triste ?

— Si, Dominique, tu as raison de t'énerver, c'est triste. Tu veux un café ?

— Oui, un double express. Toi, la femme de tes rêves, tu l'as déjà rencontrée ? Physiquement je veux dire.

— J'ai pas ce truc du portrait-robot de la femme idéale. Ce serait plutôt une idée, une substance. Si je devais résumer par des mots la femme de mes rêves, ce ne serait pas une apparence, mais un concept.

— Et qu'est-ce que c'est, ce concept ?

— Tu me permettras de le garder pour moi. C'est un secret. »

7

J'ai été réveillé en sursaut la nuit dernière par des coups donnés contre ma porte.

Ce cauchemar me terrorise une nuit sur deux depuis trois mois : je me suis dressé en sueur dans l'obscurité de ma chambre d'hôtel comme je m'étais dressé dans mon lit aux côtés de Sylvie le matin où ce tumulte s'était vraiment produit, je suis allé dans la salle de bains pour boire un grand verre d'eau tandis que ce jour-là, étonné qu'on puisse produire autant de bruit à une heure si matinale, je m'étais dirigé vers l'origine de ce vacarme pour en élucider les raisons. Il était environ six heures (mon réveil sonne à six heures et quart mais comme j'avais très mal dormi, j'avais de grandes difficultés à me réveiller), je me demandais pour quelle raison on violentait ma porte avec une telle constance : il s'était peut-être produit un incident chez un voisin, une crise cardiaque ; ou un accident de la circulation avait eu lieu dans le quartier ; ou bien c'était un rêve, mais cette hypothèse s'amenuisait d'elle-même à mesure que je marchais vers ce fracas tout en m'extirpant des vapeurs du sommeil. Je m'étais rapproché prudemment et c'est alors que j'avais entendu : « Police, ouvrez ! », j'avais déverrouillé la porte et un déferlement humain m'avait plaqué contre le mur du vestibule.

Effrayé par ce cauchemar comme je l'avais rarement été jusqu'à présent, je n'ai pas eu envie, la nuit dernière, de me remettre au lit après avoir bu un verre d'eau dans la salle de bains. Il est trois heures vingt du matin, je descends par l'escalier en essayant de faire le moins de bruit possible et quand je pousse la porte qui donne sur le salon, je tombe sur la propriétaire de l'établissement assise en robe de chambre sur un fauteuil, pieds nus, une jambe repliée sous ses fesses, en train de lire un livre : elle a chaussé des lunettes. Elle lève la tête vers moi en entendant la porte et me sourit, je m'approche et nous rions silencieusement de cette rencontre inopinée, elle me désigne le canapé qui se trouve en face de son fauteuil, de l'autre côté de la table basse. Elle a fait du feu dans le poêle à bois, les flammes sont belles, verticales, derrière la vitre concave. « Qu'est-ce qui vous arrive ? me demande-t-elle. Vous n'arrivez pas à dormir ?

— Si, c'est pas ça, je dormais parfaitement bien. Mais j'ai été réveillé par un cauchemar, un cauchemar vraiment atroce. Enfin, c'est toujours le même, on frappe à ma porte… ou plutôt on essaie de défoncer ma porte… et il me faut quelques secondes pour comprendre que ce n'est pas la porte de ma chambre d'hôtel qu'on est en train de fracturer. Voilà ce qui se passe une nuit sur deux dans mon sommeil depuis trois mois.

— Je le sais, me répond la propriétaire de l'hôtel.

— Comment ça vous le savez ?

— Notre appartement est juste au-dessus : on

vous entend hurler. Mon mari aimerait que je vous déménage, mais votre chambre est grande, elle donne sur la forêt. Comme votre séjour est assez long (me dit-elle avec un sourire entendu), je me dis qu'il serait ridicule de vous attribuer une chambre moins agréable… Alors, vos hurlements nocturnes, mon mari, ça l'énerve ! » me dit-elle en essayant de reproduire, par une prononciation accentuée des gutturales, les yeux plissés, la rage de son mari. Je lui réponds, amusé : « Vous lui présenterez mes excuses.

— Je sais qui vous êtes. »

Je la regarde en silence quelques secondes.

« Comment ça vous savez qui je suis…

— J'ai vu votre portrait dans un journal au moment des faits. Votre visage m'avait frappée, je me demandais comment un homme avec un tel visage avait pu se laisser entraîner dans une histoire aussi sordide. Je m'étais mise instinctivement de votre côté en découvrant ce fait divers, je ne sais pas très bien pourquoi. Je m'étais dit : le pauvre… On vous a déjà dit que vous ressembliez à Joachin Phoenix ? Votre visage est celui d'un homme qui ne mérite pas d'avoir été entraîné dans une histoire pareille.

— Je ne partage pas votre opinion. Je suis coupable, j'ai mérité ce qui m'arrive. C'est moi qui suis sordide, et lamentable, et pas la femme qui a été assassinée. J'ai réalisé trop tard qu'elle était extraordinaire, je suis coupable de n'avoir compris cette femme qu'une fois morte et de découvrir à ce moment-là quel trésor j'avais perdu. Je n'ai pas su la protéger, j'étais aveuglé par mes préjugés, par une espèce d'aigreur et de rancune, sur tout un tas de sujets. J'ai mesuré quand elle est morte l'envergure qui était la sienne, et ma petitesse.

— Je vous vois comme un idéaliste.

— Tout le monde me voit toujours comme un idéaliste, mais la vérité c'est qu'il est très facile d'avoir des certitudes toutes faites, et de défendre des opinions bien-pensantes, et d'être au ras du sol en faisant croire qu'on est dans les étoiles… Et cette posture pour quoi ? pour dire que ce serait mieux que le monde soit meilleur, que les choses soient plus belles, qu'on se respecte les uns les autres ? c'est ridicule. La beauté elle s'invente dans l'instant, on l'invente en étant libre, et Victoria elle inventait de la beauté qu'il fallait savoir saisir au vol… Mais l'idéaliste est un être lent, pour ne pas dire pesant, c'est un être immuable, un peu comme les maximes qui sont gravées dans la pierre…

— Excusez-moi mais c'est quand même mieux que d'être un salaud, ou un cynique…

— D'accord, mais c'est encore mieux d'être quelqu'un comme l'était Victoria : d'avoir une complexité qui vous fait échapper à toutes les catégories, et qui fait que vous n'êtes pas compris par ceux qui vous regardent avec l'œil, justement, de l'idéaliste, ou par ceux qui vous regardent avec l'œil du cynique. Il faudrait inventer un nouveau regard, ou retrouver un regard vierge, presque un regard d'enfant, pour comprendre la complexité de Victoria. Elle est morte à cause de mon idéalisme, qui pourrait être, en ce qui me concerne, une version sophistiquée de la bêtise. C'est un refus de l'espace : mon idéalisme enferme dans un cube un minuscule morceau d'infini et prétend que cet espace délimité est exemplaire, géométrique, civilisé (choisissez les mots que vous voulez, il fait nuit, j'ai sommeil), sous-entendu : l'espace qui reste à l'extérieur est immoral, c'est un espace sans loi, sans mise en forme, sans perfection, je parle des possibilités qui s'ouvrent à soi dès lors qu'on n'a pas peur de vivre. Victoria en avait fait son territoire et elle était capable de retrouver un autre idéalisme, un idéalisme non pas figé dans des idées mais fondé sur les principes de l'instant, du désir, de la vitesse, de la prise de risque, de l'aventure, du mouvement, de l'énergie, de la transformation.

— Vous en parlez vraiment bien pour quelqu'un qui vient de se réveiller d'un cauchemar.

— Je n'ai aucun mérite, je ne pense qu'à ça depuis que je suis arrivé chez vous, je me répète toutes ces phrases toute la journée depuis trois mois. Victoria transcendait tous les clivages, c'est tellement rare que quand on tombe sur ce genre de personnes et qu'on se confronte à l'impossibilité de leur attribuer une boîte qui ne soit pas un bout de toutes sans être aucune intégralement, on se fracasse sur un mur : notre étroitesse d'esprit se disloque sur une espèce d'énigme conceptuelle. En fait, sa fluidité me violentait, je comprends aujourd'hui que dans ma relation avec elle j'avais fini par avoir envie de me venger de cette liberté où elle vivait et qui était trop difficile pour moi à assumer… Je n'étais qu'un esclave (esclave des autres, de mes patrons, du système, mais surtout esclave de moi-même et de ce que vous appelez mon idéalisme), je n'arrêtais pas de la critiquer, de mettre en doute son honnêteté, de lui dire qu'elle était dans la duplicité, j'avais toujours quelque chose à lui reprocher : elle allait beaucoup trop vite pour moi, elle me mortifiait comme on se sentirait mortifié si on devait courir le cent mètres aux côtés de Ben Johnson. Voilà une métaphore peut-être plus réaliste que celle de tout à l'heure, elle acceptait, elle comprenait, elle habitait, elle exploitait notre réalité avec la même aisance que Ben Johnson habitait l'espace-temps du cent mètres : et moi j'étais comme une tortue ridicule qui transporte avec peine la carapace de son idéalisme, vous voyez ce que je veux dire ?

— Je n'ai pas tout compris mais ce que je vois c'est que vous êtes en colère contre moi ! s'exclame la propriétaire de l'hôtel en riant. C'est promis : je n'utiliserai plus le mot idéaliste devant vous !

— Mes principes m'ont souvent servi à refuser ce qui est différent, à désigner ce qui change sans cesse de place et de forme : ce qui est mobile et vivant. Mon idéalisme a souvent été de la jalousie, de la rancœur, un moyen de disqualifier ceux qui sont libres. Vous voyez, je suis honnête, c'est le grand avantage des drames : on met tout à plat sans problème, à commencer par soi-même, et on pose sur sa personne un regard transperçant. Il serait temps, à quarante-deux ans.

— Ça va passer. Vous retrouverez l'estime de vous-même. C'est un peu normal, après ce qui vous est arrivé, vous ne croyez pas ? me demande-t-elle avec affection.

— Je ne crois pas que mon regard évoluera, à moins que je ne change profondément… Mais pour l'instant je n'en ai pas la force, je me contente de réfléchir à ce qui s'est passé il y a trois mois. C'est encore pire que si j'avais tué cette femme de mes propres mains, emporté par une pulsion irrépressible. Je suis coupable de n'avoir rien fait, d'avoir été seulement moi-même — c'est de cette réalité qu'elle est morte. Je ne peux pas m'accuser d'une seconde de folie meurtrière. Je me dis parfois qu'il aurait mieux valu être en prison et pouvoir me reprocher un élan de démence : je demanderais à la société, en purgeant ma peine, de me pardonner. J'aurais commis une faute, je l'expierais, le reste serait sauvé. Mais ce n'est pas possible : c'est ma substance que moi j'accuse d'être la cause de la mort de cette femme. J'aurais dû, à un moment précis, réagir d'une certaine manière, et je ne l'ai pas fait : je suis désormais ce que je n'ai pas fait ce jour-là, ou à l'inverse : ce que je n'ai pas fait ce jour-là, c'est moi. Le policier avec qui j'ai passé les quarante-huit heures de garde à vue m'a laissé partir en posant sur ma personne un regard impossible à oublier. Je n'arrive pas à détacher ses yeux de ma personne.

— Je comprends ce que vous voulez dire, mais vous vous trompez…

— Vous ne pouvez pas comprendre. Personne ne peut comprendre une chose pareille. »

Je me lève et me poste devant une carte ancienne accrochée sur le mur. Je cherche des yeux le village du Sud-Ouest où mes parents se sont rencontrés un certain 14 juillet, et où réside encore ma grand-mère. Penser à elle me fait venir des larmes dans les yeux : j'aurais préféré qu'elle soit morte plutôt que de connaître la déchéance de son seul petit-fils.

Je passe l'essentiel de mes journées à me remémorer des scènes de ces quarante-huit heures de garde à vue, comme bombardé par des images aléatoires et aveuglantes. Ce huis clos est délimité d'un côté par l'instant où j'ai vu Victoria disparaître avec deux hommes à l'intérieur d'une camionnette — et de l'autre par le regard de Christophe Keller au moment de ma remise en liberté. Entre les deux, c'est dans la mort de Victoria qu'on m'a incarcéré, menotté, quand j'ai été sorti de ma maison sans la moindre explication, c'est dans la mort de Victoria que j'ai été gardé reclus, sans dormir, anéanti et désirant mourir, interrogé pendant quarante-huit heures par un homme dont il m'était d'autant plus pénible de soutenir le regard que son visage qui cherchait à me comprendre me remplissait de honte sur moi-même : son intelligence accentuait la tragédie qu'il me voyait vivre.

Ce matin-là, une fois arrivé près de ma porte d'entrée, j'avais entendu des voix qui hurlaient : « Police ! Ouvrez ! », pendant qu'on continuait de la marteler bruyamment.

J'avais ouvert la porte et une dizaine de policiers avaient fait irruption dans ma maison, trois d'entre eux me plaquant avec force contre un mur : ils m'avaient immobilisé. J'avais vu s'avancer vers moi, plus calmement, comme un peu en retrait, un homme habillé en civil, les mains dans les poches de son anorak et un bonnet posé en haut du crâne. Son visage s'était approché tout près du mien, il m'avait regardé profondément dans les yeux pendant quelques secondes tandis qu'un nombre indéfini de policiers, je le sentais par les bruits qu'ils produisaient, se répandaient dans toutes les pièces de la maison, gravissaient l'escalier. L'homme en civil qui s'était collé à moi, assez beau, ténébreux, les yeux noirs, dégageait un sentiment de puissance intérieure impressionnant, mais j'ai senti chez lui immédiatement la lumière d'une finesse indéniable, quelque chose de nuancé qui devait lui permettre d'apprécier les situations avec davantage de discernement que celui qui n'use que du pouvoir de défoncer les portes, déterminé à obtenir par l'intimidation les aveux qu'il convoite. J'ai compris plus tard que ce policier, dès le premier instant, avait conçu la conviction que je n'étais pas le coupable de l'affaire infiniment sordide pour laquelle il venait de pénétrer dans ma maison — et il était passé dans notre regard quelque chose par lequel nous nous étions pour ainsi dire *reconnus* : comme s'il avait reconnu chez moi un homme dont il aurait pu se sentir proche, par lequel il aurait sans doute été attiré, pour une conversation amicale, dans une soirée, et c'était exactement ce que j'avais moi-même éprouvé tandis que des bras me tenaient plaqué contre le mur et que j'avais vu venir vers moi ce visage magnifique, pas rasé, viril et délicat, et ce regard profond où j'avais vu briller cette étincelle de connivence. Puis son regard était redevenu aussi dur que celui d'un policier qui vient de faire irruption chez le suspect d'un homicide effroyable.

Je ne comprenais pas la raison de cette fiction qui venait de s'engouffrer dans ma vie. Mais soudain j'ai eu un flash : Victoria ne m'avait plus donné de nouvelles depuis que je l'avais laissée, la veille en fin d'après-midi, dans le quartier de la gare Saint-Lazare, avec les deux hommes qu'elle avait voulu suivre — exception faite d'un appel téléphonique, trois quarts d'heure plus tard, où elle me demandait de les rejoindre, mais j'avais décliné son invitation.

Était-il arrivé quelque chose à Victoria ?

J'ai ensuite pensé à la mallette d'argent qu'on m'avait remise quelques jours plus tôt, et qui, pour une raison inconnue, avait peut-être été tracée par la police, mais cette hypothèse ne me semblait pas réaliste. De toute manière, les événements continuaient de s'enchaîner si brutalement que je m'étais retrouvé dans l'incapacité de réfléchir : je n'étais plus qu'un récepteur dénudé enregistrant le simple effroi de ces minutes ardentes qui défilaient, me consumant d'une douleur inconnue.

On avait prié Sylvie de sortir de son lit et de se mettre debout à l'entrée du salon, on lui avait tendu un peignoir qu'un policier beaucoup plus jeune était allé chercher dans la salle de bains. Vivienne et Salomé, une fois conduites au rez-de-chaussée, s'étaient précipitées contre leur mère en pleurant, celle-ci les tenait dans ses bras, agenouillée, en pleurant également. Comme s'il avait fallu qu'on m'intimide absolument, j'avais à mes côtés, presque accolés, deux hommes dont je sentais qu'ils me neutraliseraient au plus petit soupir d'insoumission. Si Sylvie ne s'était pas trouvée dévastée par ce qui nous apparaissait comme une catastrophe indécryptable, elle m'aurait sans doute interrogé du regard pour essayer de comprendre de quoi il s'agissait, ou si j'avais les clés d'un début d'explication. Mais elle me regardait avec une expression terrorisée et implorante, elle me considérait, déjà détruite, à travers ses sanglots — d'autant plus que les deux policiers qui étaient allés chercher mes filles avaient intercalé une frontière implicite entre nos deux groupes, symbolisant l'impossibilité qu'ils puissent se rapprocher. Il y avait désormais une césure claire, et absolue, entre ma vie d'avant, et celle d'après : entre ma femme qui tenait dans ses bras mes deux filles, et cet autre homme que la descente des policiers était en train d'élaborer. Ce nouvel homme est celui que je suis devenu et effectivement je n'ai plus revu Sylvie ni mes enfants depuis ce matin-là, comme si ces deux sentinelles avaient tracé une ligne qui ne serait jamais effacée.

Quand je contemple l'obscurité de la forêt à travers les vitres noires de ma chambre, je me plonge dans le regard de Christophe Keller : je cherche à découvrir ce que la mort de Victoria a fait de moi. À la toute fin de la garde à vue, au moment de nous séparer, un sentiment assez complexe a traversé son regard qui avait l'air de donner un nom à ce que j'étais devenu, un nom que je passe toutes mes nuits à essayer d'identifier, un nom où la seule chose dont je sois sûr est qu'il y entre une proportion atroce de culpabilité et de honte, et je voudrais qu'elle n'y soit plus. Je scrute à travers la nuit le regard de Christophe Keller, je me sens sale et je voudrais que ce regard me purifie, je voudrais qu'il me lave, qu'il m'absolve et qu'il m'aime.

La semaine dernière, je suis allé l'attendre deux fois, le soir, devant le SRPJ de Versailles, pour lui parler, voir son visage. Mais je ne l'ai pas vu sortir, et je ne suis pas certain que j'aurais osé l'aborder, ni prendre le risque qu'il ne m'éconduise.

Pourquoi lui ? Pourquoi cet homme ? Sans doute à cause de ces quarante-huit heures où il m'a vu m'ouvrir en grand comme je ne m'étais jamais ouvert devant personne, au cœur de cet enfer qu'était la mort de Victoria. Aucun coupable, malgré les indications relativement précises que j'avais pu communiquer à la police, n'avait encore été intercepté (les deux hommes seraient retrouvés à la toute fin de mes quarante-huit heures de garde à vue ; ils avoueraient immédiatement, me disculpant de toute implication dans ce drame), Christophe Keller avait à sa disposition l'intégralité du journal électronique de Victoria retrouvé dans son BlackBerry, il m'en lisait de longs passages et il m'interrogeait, il essayait de comprendre la nature de nos liens, la place qu'ils occupaient dans nos vies respectives, il essayait de démêler le cheminement qui nous avait conduits, complexe et filandreux, à de telles extrémités. Je répondais à chacune des questions de Christophe Keller avec le plus de précision qu'il m'était possible : non seulement c'était la première fois que je me confiais à quelqu'un, mais je n'aurais pas pu le faire avec autant de radicalité que ce jour-là, acculé par les circonstances à déverser le détail de ma personne dans le regard de cet homme braqué sur moi. Je réalisais que même Sylvie ne savait pas qui j'étais : elle vivait depuis plus de vingt ans avec un inconnu qui ne s'était jamais confié à elle, qui était toujours resté, vis-à-vis des autres et d'elle-même, dans une forme de rétention, de trompe-l'œil maîtrisé. Ces quarante-huit heures ont été l'événement qui a fait exploser mon intimité sous le regard d'un autre : j'ai parlé de mon enfance, de mon travail, de mes complexes, de mes peurs, de Sylvie et de sa maladie. Il m'écoutait, il arrivait qu'il m'interrompe pour obtenir un éclaircissement, ou me remettre sur les rails de son interrogatoire. Il essayait de déterminer dans quelle mesure je n'avais pas poussé Victoria dans les bras des deux hommes qui l'avaient emmenée avec son consentement, il essayait sans doute de vérifier si la charge d'homicide involontaire ou de non-assistance à personne en danger ne pouvait pas être retenue contre moi. Il savait que je n'avais pas tué Victoria, mais il n'en avait pas la preuve : nous attendions tous les deux, l'un en face de l'autre, enfermés dans l'espace clos de ces quarante-huit heures, hors du temps, hors du monde, hors de toute réalité représentable (comme au plus profond d'un cauchemar où égarée, effrayée, ma conscience tout entière se serait retrouvée enfermée sans pouvoir distinguer aucune porte de sortie : je cherchais la porte de sortie dans les yeux noirs de Christophe Keller qui m'examinaient), nous attendions que les deux hommes soient arrêtés.

Tandis que ses collègues fouillaient tous les recoins de ma maison, Christophe Keller était revenu vers moi à différentes reprises et m'avait dit des phrases du style : « Arrête ton char, tu sais très bien pourquoi on est là. T'aurais plutôt intérêt à tout nous raconter dès maintenant, ça nous ferait gagner du temps. »

À un moment, un policier qui revenait du garage avait jeté sur le sol la valise emplie d'argent liquide. Ils l'avaient ouverte devant moi : « Tiens, ça alors, quelle découverte... Combien il y a, dans cette valise ? m'avait demandé Christophe Keller.

— Environ cent cinquante mille euros.

— Et d'où ça vient ? Tu peux m'expliquer ce que fait dans ton garage une somme pareille en liquide ?

— C'est un truc... c'est lié à mon travail.

— Tu fais du trafic ?

— Pas du tout. Je travaille dans le bâtiment.

— Personne n'a chez soi, de nos jours, à moins d'être un peu trafiquant, cent cinquante mille euros. Tu t'expliqueras plus tard, ou tu veux le faire maintenant ?

— Vous êtes venus pour cette raison, pour cet argent ?

— Si j'ai un conseil à te donner, vu les quelques heures qu'on va devoir passer ensemble, ce serait de pas me renvoyer mes questions, mais d'y répondre.

— C'est une commission. Une commission liée à mon travail.

— Tu veux dire un pot-de-vin.

— Si vous voulez.

— Mais encore…

— C'est de l'argent qu'on m'a donné pour que j'accepte de faire quelque chose qui n'allait pas de soi, mais qui est légal. » J'avais du mal à parler, je me sentais vidé de toutes mes forces par la violence de la présence de cette dizaine d'individus dans ma maison. Christophe Keller, qui attendait que je poursuive : « Ah oui, et c'est quoi ce qu'on t'a demandé de faire ?

— Travailler plus lentement », et je m'étais effondré sur le sol avant même que les deux hommes qui me surveillaient n'aient pu m'en empêcher. Je m'étais mis à hurler à travers mes larmes : « *Est-ce que vous pouvez me dire, à la fin, pourquoi vous êtes là, et qu'est-ce qui s'est passé ?! Pourquoi vous le dites pas ?! Qu'est-ce que j'ai fait ?! De quoi vous m'accusez ?! Je n'ai rien fait, moi !*

— Tu sais très bien ce qui s'est passé. J'attends

juste que tu m'en parles de toi-même, on t'en sera reconnaissants.

— C'est à cause de cet argent ? lui avais-je dit, secoué de sanglots. Si c'est ça vous pouvez les reprendre ces billets, j'en veux pas, j'en ai rien à foutre de ce pognon, j'en ai assez de vivre dans ce monde pourri ! Tout est pourri !

— Quoi, comment ça, qu'est-ce qui est pourri ? Tu veux dire que *toi*, tu es pourri ?

— Non, ça, tout ça ! lui avais-je dit en lui montrant du doigt les liasses de billets. On me force à accepter de l'argent ! On me menace de représailles si je ne prends pas cet argent ! Et après, au lieu de descendre chez les salopards qui m'ont forcé à l'accepter, c'est moi que vous arrêtez, à six heures du matin, devant mes filles ! Pour tout détruire ! » C'est alors que Christophe Keller s'était mis à hurler avec une violence proprement sidérante : « Mais putain tu vas fermer ta gueule à la fin et arrêter de pleurnicher ! Tu crois qu'après ce que t'as fait hier soir espèce de salopard tu es peut-être en mesure de faire ton numéro de gamine à la con qui se plaint que tout est pourri ! Tu vas fermer ta gueule et nous dire ce que tu sais ! Tu vois très bien de quoi je parle ! » Un silence absolu avait suivi l'onde de choc de cette sortie terrassante (les policiers avaient cessé d'évoluer dans la maison, ils étaient tous immobiles à différents endroits stratégiques), un silence où il me brisait littéralement le cœur de percevoir les sanglots de Vivienne et Salomé à travers la porte de ma chambre. Puis, comme je m'étais abstenu, assommé, de lui répondre, il avait murmuré : « Mais qui te dit qu'on est venus pour le pognon ? » Je l'avais regardé en silence. J'avais fini par hasarder : « Vous n'êtes pas venus pour ça ? Mais pourquoi vous êtes venus, alors ?

— Tu le sauras plus tard, m'avait répondu Christophe Keller avec une étonnante douceur, comme s'il venait de se rendre compte que j'ignorais la raison de leur descente. On va d'abord t'interroger. Tu vas nous dire où tu étais hier en fin d'après-midi. Allons-y, on l'embarque.

— Je peux voir ma femme et mes filles ? » avais-je demandé à Christophe Keller tandis qu'un policier me menottait. La réponse avait été : « Non. Tu les verras plus tard, quand tu auras avoué ce que tu sais. » On avait jeté sur le sol devant moi les vêtements que j'avais portés la veille et qu'un policier avait ramassés dans ma chambre, je m'étais habillé puis nous étions sortis de ma maison.

Il devait y avoir dans la rue, garées dans tous les sens, cinq ou six voitures de police. Tous mes voisins étaient sortis et se trouvaient soit dans la rue devant chez moi, soit sur le pas de leur porte, soit aux fenêtres de leur maison. Mon regard était passé sur quelques visages familiers qui me scrutaient avec un air qui me les rendait comme inconnus, ou bien c'était d'évoluer dans une situation à ce point étrangère à ma réalité qui faisait que le monde extérieur me paraissait momentanément invraisemblable. J'avais été poussé dans une voiture puis nous avions roulé à toute vitesse, protégés par une sirène qui se mettait à retentir toutes les fois que nous approchions d'un carrefour ou d'un embouteillage, jusqu'au SRPJ de Versailles.

Je me retourne, la propriétaire de l'hôtel me regarde, j'ai placé mon doigt sur un point de sa grande carte de France accrochée sur le mur et je lui dis : « Aujourd'hui c'est un petit village qui ne figure sur aucune carte de ce format. Mais à l'époque où celle-ci a été imprimée, ce village devait être relativement important car son nom est écrit là, je l'ai trouvé.

— De quoi vous parlez ? me demande-t-elle en s'approchant.

— Du village de ma famille, du village où mon père a rencontré ma mère. J'y ai passé toutes mes vacances scolaires, de ma naissance jusqu'à mes dix-huit ans. Ma grand-mère y vit toujours, elle a aujourd'hui, attendez, elle est née en 1919…

— Quatre-vingt-sept ans, enchaîne la propriétaire de l'hôtel. Et il est où, ce village, dans quel coin ?

— Là où mon doigt s'est posé, regardez, dans le Sud-Ouest.

— Je n'y suis jamais allée, me dit-elle en se collant à moi pour mieux apercevoir le fin cours d'eau sinueux auprès duquel le nom du village est écrit. C'est joli ?

— C'est très joli », lui dis-je en retirant mon doigt.

Nous nous trouvons l'un devant l'autre. Elle approche son visage et dépose un baiser sur mes lèvres, tout simplement, avec douceur. Je me suis laissé faire : j'ai accueilli ce baiser sans réagir.

Elle me sourit.

Elle me dit que son mari va la quitter.

« Comment ça ? Qu'est-ce que vous racontez ?

— Il ne m'aime plus, il en a marre : de moi, de sa vie, de la campagne, d'être hôtelier !

— C'est gênant, pour un hôtelier.

— Ce n'est pas lui l'hôtelier, c'est moi. On se dispute depuis des mois. Moins bruyamment que vous quand vous faites des cauchemars, mais quand même ! »

Elle dépose sur mes lèvres un deuxième baiser auquel je ne réagis pas non plus. Elle a noué ses mains derrière mon dos : nos visages sont tout proches l'un de l'autre.

« Je suis un homme qui est mort. Il ne faut rien attendre de moi. Je ne revivrai jamais plus.

— Je n'attends rien de vous dans l'immédiat. Je suis heureuse de vous savoir dans mon établissement, dans cette grande chambre qui donne sur la forêt. Vous pouvez y rester le temps que vous voudrez, y compris quand votre valise se sera entièrement vidée de ses billets — mais il vous reste de la marge », me dit-elle avec un sourire d'un tel naturel qu'il désarme immédiatement la colère qui était sur le point de m'envahir. Je me contente de lui répondre froidement : « Je vois que vous connaissez le contenu de ma chambre dans ses moindres détails.

— Comme ça c'est dit ! s'exclame-t-elle. En fait, je suis tombée dessus par hasard, un jour que la femme de ménage était grippée. Quand j'ai vu cette petite valise dissimulée dans une couverture, je n'ai pas pu m'en empêcher. Je serais heureuse que vous restiez ici encore longtemps.

— Si votre mari s'en va, vous ne serez pas obligés de vendre l'hôtel ?

— Il m'appartient. Il a été créé par ma grand-mère dans les années cinquante. Mon mari était représentant, il dormait régulièrement ici, il a fini par y rester.

— Moi je pense que je vais en repartir.

— Quand ça ?

— Je ne sais pas.

— Comme vous voudrez. Mais vous pouvez aussi rester en oubliant mes deux baisers. » Je lui souris. Elle ajoute, après une courte pause : « Retournez vous coucher, il est bientôt cinq heures du matin. »

Comme nous nous l'étions promis pendant des mois, François Gall, José Delacruz, Dominique et moi-même avons fêté l'achèvement du gros œuvre en ouvrant une bouteille de champagne au sommet de la tour terminée, entre nous, dans l'intimité, le soir du 5 janvier, indépendamment du méchoui qui allait être organisé un peu plus tard pour remercier les équipes de leur exceptionnelle implication.

J'aurais aimé pouvoir convier Victoria sur le chantier et célébrer dans ses bras, par des baisers, le paroxysme de notre histoire, nous aurions fait l'amour une dernière fois sur le plateau le plus élevé de la tour érigée, en plein vent, en pleine nuit, au milieu des étoiles, mais elle n'était pas à Paris, ni même en Europe, au moment où cette cérémonie des adieux aurait pu se tenir, et surtout je n'avais plus envie d'une issue aussi radicale que celle que j'avais envisagée jusque-là. Je l'ai appelée un jour où je me trouvais au comptoir du Valmy tandis qu'elle essayait de s'assoupir au milieu du salon VIP de quelque aéroport d'Amérique latine, j'ai oublié dans quel pays. Je lui ai expliqué que nous allions trop loin, que nos relations avaient pris une dimension obsessionnelle qui risquait de nous mettre en péril, je lui ai dit qu'on ne pouvait pas continuer à s'envoyer tous les jours, d'une manière à ce point compulsive, une quantité aussi ahurissante de sms, comme des toxicomanes en manque. Victoria ne me répondait pas, je l'entendais qui respirait, je lui ai dit que le délire que nous vivions depuis des mois ne pouvait pas s'envisager comme le principe d'une relation durable, que nous allions finir par imploser. Pendant les dernières semaines, la ferveur dont nous avions témoigné dans nos relations s'était trouvée combinée à l'énergie non moins spectaculaire que j'avais dû déployer pour l'achèvement du gros œuvre, cette double combustion s'était d'ailleurs révélée extraordinairement profitable sur les deux fronts de la passion amoureuse et du challenge professionnel (et c'est pour cette raison que ces quatre mois resteraient gravés dans ma mémoire comme les plus héroïques de toute mon existence), mais je n'avais pas la stature de poursuivre à un tel degré d'exigence et de disponibilité, ai-je expliqué à Victoria. Elle m'a alors demandé, interrompant mon monologue, ce que je proposais, et je lui ai répondu qu'il fallait calmer le jeu, faire baisser la pression, prendre un peu de distance, je lui ai dit que nos relations étaient en train de s'emballer, que nous étions sur le point d'en perdre la maîtrise et qu'à ce rythme nous allions devenir fous. « C'est trop pour moi, je ne peux plus suivre, je ne peux plus te donner autant, j'ai besoin de faire une pause », lui ai-je dit. Victoria s'est mise à rire, elle m'a dit que je racontais n'importe quoi, je lui ai répondu que je n'avais plus l'énergie d'assumer une relation qui nous menait chaque jour un peu plus loin, qui exigeait de nous chaque jour qu'on s'engage davantage. Victoria m'a dit que j'exagérais, j'ai répliqué qu'elle ne se rendait pas compte à quel point nous étions présents l'un pour l'autre, « Est-ce que tu te rends compte que la première chose que je fais, le matin, est de me cacher dans les toilettes pour lire les messages que j'espère que tu m'auras envoyés pendant mon sommeil et te souhaiter une bonne journée, et que la dernière chose que je fais, avant de me coucher, quel que soit l'endroit où tu te trouves, est de t'envoyer trois sms pour te souhaiter soit une bonne nuit, soit une bonne fin de journée ? Est-ce que tu te rends compte qu'entre ces deux moments, chaque jour, on s'envoie quinze, vingt, trente sms ? Est-ce que tu réalises que si je suis sans nouvelles de toi pendant plus de quelques heures, sauf si je sais que tu te trouves dans un avion, je me mets à m'inquiéter, à m'angoisser, à me dire que tu es morte, que tu as eu un accident, ou alors à devenir jaloux, à te soupçonner de n'avoir pas pu résister à un homme séduisant qui t'aurait draguée dans un aéroport ? Ne nie pas, tu es pareille, tu sais pertinemment que c'est vrai : nous sommes dans une authentique addiction. Est-ce que ce n'est pas excessif, est-ce que c'est une vie raisonnable de devoir regarder son téléphone toutes les dix minutes pour voir si un message n'est pas arrivé, si un appel n'a pas été raté ? Alors que je suis directeur de travaux sur la tour la plus élevée de France et toi DRH monde de Kiloffer ? Alors qu'on est censés avoir des préoccupations autrement plus responsables que ces fixettes adolescentes ? » J'ai poursuivi en expliquant à Victoria que le gros œuvre était achevé et que la tour Uranus allait désormais reposer presque entièrement sur mes épaules : les quelques mois à venir allaient exiger de ma personne un investissement autrement plus complexe et minutieux qu'il ne l'avait été jusqu'à présent, sans compter que ma hiérarchie allait me mettre une pression gigantesque afin que je respecte une date de livraison a priori irréaliste. « On va s'employer à faire de David Kolski l'agent chimique qui permettra au bâtiment d'absorber davantage d'opérations techniques qu'il n'est possible en théorie, ai-je dit à Victoria entre deux gorgées d'expresso, accoudé au comptoir du Valmy. Tu te souviens de tes cours de chimie, quand on t'expliquait que rien ne se perd, que tout se transforme ? Que la matière qu'on voit disparaître dans la petite coupelle chauffée par le bec Bunsen se transforme en réalité en énergie ? Eh bien là c'est pareil, on va me sacrifier pour pouvoir respecter la date de livraison, la tour Uranus va être l'éprouvette où je vais me transformer en énergie pour que son aménagement s'accélère. À la fin, quand la tour sera terminée, il ne restera de moi qu'une espèce de dépôt, quelques cendres, j'aurai été complètement carbonisé. Ce n'est pas très grave, on peut légitimement sacrifier un homme comme moi à des enjeux financiers aussi lourds. Qu'est-ce que je pèse, face à cette banque et à ses exigences ? » ai-je conclu en précisant que tout cela ne me paraissait pas compatible avec la cavalcade d'une passion amoureuse à plein régime. J'ai entendu un éclat de rire, un rire qui avait l'air comme amplifié, rendu cuivré par l'atmosphère ensoleillée du pays d'Amérique latine où Victoria qui attendait son vol m'entendait dévider la pelote de mes plaintes. J'ai ri à mon tour du lyrisme un peu exagéré avec lequel j'avais décrit l'épreuve qui m'attendait et j'ai convenu que j'étais pathétique. « Mais tu vois ce que je veux dire. J'ai besoin de sérénité, de concentration, de confiance et d'immobilité. »

J'avais, ce jour-là, en lui parlant, des crampes à l'estomac, comme si des mains s'étaient mises à malaxer mon ventre comme de la pâte à pain : j'avais peur que Victoria me dise OK, je comprends, c'est comme tu veux, mais pour moi c'est fini, et qu'elle raccroche. L'idée de rompre me dévastait, l'idée de continuer sur le même mode que ces derniers mois m'angoissait. L'idéal aurait été que Victoria adoucisse mon existence sans l'envahir, atténue ma solitude sans me la faire regretter par les voraces excès de nos échanges : qu'elle ne soit ni trop proche, ni trop lointaine ; ni trop dévorante, ni trop indifférente ; qu'on fasse l'amour une fois de temps en temps, quand elle serait à Paris. Je ne vais pas souligner le caractère indéniablement pitoyable de cette intime revendication : cette dernière parle d'elle-même. Mais dans ce genre de circonstances la question de la meilleure solution possible ne peut être qu'une question sans réponse : il n'y a pas d'idéal qu'on puisse revendiquer quand il s'agit de savoir quelle place une maîtresse peut tenir dans la vie d'un homme, ou un amant dans celle d'une femme, à moins qu'on ait trouvé la personne qui corresponde d'elle-même à ce que l'on attend de ce type d'aventure. Ce qui n'était pas le cas de Victoria : je lui demandais d'adapter sa nature, de s'ajuster à mes besoins, de produire un effort de domestication qui allait à l'encontre de ses élans les plus intimes.

Victoria m'a répondu que si telle était mon exigence elle était d'accord pour qu'on prenne un peu de distance (« Je n'ai pas tellement le choix, visiblement », a-t-elle quand même tenu à préciser), mais qu'elle ne savait pas si elle pourrait le supporter : elle n'était pas certaine qu'une relation de la nature de celle que je lui réclamais, paisible et pondérée, fût susceptible de la satisfaire : « Il est possible qu'au bout d'un moment mes sentiments faiblissent, que j'aie moins envie de te voir. Si on communique moins, si on lève le pied, il est possible que je commence à t'oublier. C'est un risque à prendre.

— Comment tu peux savoir quels sont les risques qu'on prend ? On n'a pas encore essayé que tu sais déjà comment ça va finir, tu postules le recul de tes sentiments ! Comme si leur intensité était indexée sur le nombre de sms qu'on s'envoie ! Si je te téléphone moins, tu arrêtes de penser à moi et tu commences à regarder les hommes autour de toi ? Comment tu peux dire que tu risques de m'oublier si on s'envoie un peu moins de messages ? Ce n'est rien d'autre que ça nos relations ? Il n'y a rien de plus profond, aucune nécessité, c'est juste un truc d'addiction et de contact permanent ? Il faut qu'on entretienne notre relation toute la journée sinon elle meurt ? Parfois franchement je me dis que le jour où je ne serai plus en mesure d'assouvir tes besoins tu me jetteras comme un malpropre, tu chercheras un autre homme capable de répondre à tes manques…

— Mais qu'est-ce que tu racontes… Je n'ai jamais pensé une chose pareille…

— Je raconte la vérité. En fait tu n'es pas sentimentale du tout, encore moins romantique : tu es juste pragmatique, y compris dans ta vie amoureuse. Si tu ne peux plus me consommer, ou m'avoir à ta disposition, je ne t'intéresse plus. C'est vraiment le mal de notre époque : avoir tout sous la main, tout le temps, tout de suite, quels que soient le lieu ou les circonstances. À la moindre rupture de flux, on change de fournisseur. Les gens ne sont plus capables d'être seuls avec eux-mêmes : il leur faut des distractions permanentes. C'est terminé la femme contemplative…

— Ça ne te paraît pas naturel, ce que je dis ? Tu n'as pas peur que si on s'éloigne on devienne un peu moins précieux l'un pour l'autre ? Loin des yeux, loin du cœur ! Ce n'est pas moi qui ai inventé cette maxime et en plus elle ne date pas d'hier ! »

J'ai écrit à Victoria le soir même : « *La magie de notre rencontre ne pourra se prolonger dans la durée que si nous mettons dans nos relations un peu plus d'intériorité et de mystère, de silence et de sérénité, de pensées non partagées et de fantasmes tenus secrets. Nous pourrions privilégier le mail, qui n'implique pas la même économie instantanée d'échanges fébriles et compulsifs, qui laisse le temps de la réflexion, qui autorise qu'on n'y réponde pas immédiatement. Nous continuerons à nous voir à Paris, sans doute un peu à Londres, peut-être ailleurs et loin de ces deux villes si l'occasion s'en présente et que nous improvisons de la saisir. Je n'ai pas oublié que tu m'as proposé de choisir sur ton planning des prochains mois le pays où j'aimerais te rejoindre pour quelques jours, et que tu m'enverrais le jour même mes billets d'avion ; ce sera difficile à organiser mais néanmoins cette idée me fait rêver et j'y pense souvent, j'ouvre ce planning et je nous imagine dans ton hôtel à Rio, à Shangaï, à Chicago...* Les *quelques semaines que nous venons de vivre m'ont apporté énormément, j'ai l'impression qu'elles m'ont fait progresser sur tout un tas de sujets, oui, je peux le dire comme ça, alors pourquoi arrêter aujourd'hui ? Ce serait absurde, même si j'ai parfois du mal à savoir où nous mène cette relation et à déterminer de quelle manière je peux l'articuler durablement avec ma vie familiale. Il faut que nous ayons l'orgueil d'inventer quelque chose d'unique qui ne ressemble à rien de connu, et qui sera notre fierté autant que notre plaisir...* »

J'ai reçu quelques jours plus tard un document Word qui contenait une lettre de Victoria rédigée sur la matrice COMPTE RENDU DE RÉUNION utilisée habituellement pour son journal intime. J'ai pu y lire que ma proposition de mieux doser nos relations lui était d'abord apparue comme une punition, et qu'elle avait eu le plus grand mal à ne pas me désobéir : le téléphone lui avait brûlé les doigts. Elle écrivait qu'elle était tout à fait d'accord avec moi intellectuellement mais qu'au plus profond d'elle-même tout son être se révoltait : elle comprenait ma façon de penser et de réagir aux excès de ces dernières semaines, mais en même temps elle se sentait assoiffée de toujours plus... Elle me demandait de me mettre à sa place et d'essayer de comprendre son point de vue : c'était comme si elle avait été à côté d'une source abondante dans laquelle elle avait puisé pendant de longues semaines — et soudain je la mettais au goutte-à-goutte. Elle enchaînait : « *As-tu déjà oublié comme à distance nous étions capables de faire monter le désir ? J'admets que parfois notre surcommunication a été trop forte et "too much".*

Après réflexion, je me demande ce qui m'a pris de t'envoyer en direct des pages de mon journal électronique, et de me dévoiler d'une manière aussi entière, instantanée. Et mes confidences vietnamiennes… J'étais folle ! Comme tu le dis, un peu d'intériorité, de pensées non partagées, ne peuvent pas faire de mal : il faut doser, je suis d'accord… Mais là David je t'avoue que le sevrage est terrible, vraiment terrible, et je ne sais pas si je pourrai le supporter. »

De fait, une dizaine de jours plus tard, tandis que nos relations ne consistaient plus qu'à s'adresser de longs courriers électroniques, j'ai pu lire, au détour de l'un d'entre eux, plutôt long et détaillé, où Victoria me racontait une fête à Londres à laquelle elle s'était rendue la veille au soir, organisée par des expatriés français ; où elle évoquait son emploi du temps saturé et la nécessité à laquelle elle se confrontait de « *plier trente-six heures dans des journées qui n'en contiennent que vingt-quatre* » ; où elle m'apprenait qu'elle viendrait passer le week-end à Paris et qu'elle était heureuse d'aller à l'Opéra Bastille le samedi soir en compagnie de son mari ; où elle me confiait qu'elle avait prévu un brunch au Marly le dimanche matin avec un ami d'enfance ; bref, à la toute fin de ce long mail qui égrenait, sur un ton impassible, les projets de Victoria, je suis tombé sur ce paragraphe qui par son indolence m'a paru découler des descriptions presque ennuyeuses que je venais de lire (alors qu'en réalité le contenu de ce paragraphe n'était rien moins que terrifiant) : « *Tout doucement, le temps lénifiant râpe les aspérités. Que va-t-il se passer ensuite ? Tout doucement, je perds le fil de l'intensité qui a présidé à notre rencontre, et à sa folie. Le sevrage, que je redou-*

tais, fait ses effets, je trouve cela dommage. Mais c'est ce que tu recherches, non ? »

J'ai passé quarante-huit heures à ne plus pouvoir me redresser, à cause des crampes qui avaient saisi mon estomac ; celui-ci était devenu aussi dense que si du béton avait été coulé dans mon corps ; je ne pouvais me déplacer qu'incliné en avant. J'ai dit à Caroline que j'avais dû avaler une saloperie au restaurant et que je devais rester derrière mon bureau : elle est allée à la pharmacie m'acheter du Spasfon tandis que Dominique m'a représenté sur le chantier pendant les deux jours où je suis resté cloué sur ma chaise. Il n'était pas contestable que ce paragraphe rédigé par Victoria m'annonçait que notre histoire était finie, que ses sentiments avaient commencé à pâlir. Comme je l'avais conjecturé, Victoria avait besoin, dans ses relations amoureuses, d'urgence, d'énergie, d'excitation et d'excentricité, dans une constante accélération sensorielle. C'est pourquoi notre histoire ne l'intéressait plus, notre histoire ne l'intéressait d'ailleurs tellement plus que son dénouement n'avait pas l'air de la faire particulièrement souffrir : elle en était sortie comme on sortirait d'une maison et à présent je la voyais marcher vers d'autres aventures.

Le soir du jour où j'ai reçu ce mail, je me suis enfermé dans la salle de bains pour libérer les pleurs qui s'étaient accumulés en moi pendant les dernières heures : j'ai sangloté comme un enfant inconsolable, orphelin de toutes les sensations qui m'accompagnaient depuis plusieurs mois et avec lesquelles je m'étais déjà accoutumé à vivre. Je me retrouvais de nouveau seul dans l'existence, livré à moi-même, sans soutien, sans enchantement, sans les promesses que Victoria avait la faculté de faire crépiter dans ma tête comme des bulles de champagne, sans les encouragements que sa présence n'avait jamais manqué de me transmettre toutes les fois qu'il avait fallu produire un effort difficile, à l'issue incertaine. La peur avait disparu de ma vie quand Victoria y avait fait son apparition, elle était en train d'y revenir à présent que Victoria en était repartie. Je détestais l'idée de ne plus frémir de joie, comme électrocuté, en entendant les bips des sms retentir dans ma poche ; je me sentais triste à l'idée de devoir me priver de la divine surprise de découvrir, à mon réveil, qu'elle m'en avait expédié douze ; je refusais de renoncer aux délices de nos conversations téléphoniques quand je rentrais chez moi le soir en voiture. La douleur de la rupture n'éclairait plus que les moments magiques que nos rencontres avaient laissés dans ma mémoire : ils étaient nombreux à y rayonner, je n'arrêtais pas de me laisser éplucher de l'intérieur par leur propre énumération spontanée : je sentais dans ma tête le goût et l'épaisseur du sang. Je ne savais pas que l'on pouvait percevoir par la pensée le goût du sang. Mais cela ne faisait aucun doute : mon imaginaire était en train de saigner.

J'avais décidé de ne pas répondre à ce paragraphe de Victoria avant de savoir précisément quelle attitude j'adopterais : accepter la rupture, ou bien la refuser.

Je ne sentais en moi que de la douleur : elle ne reculait pas. La plupart de mes interlocuteurs me faisaient observer que j'avais l'air de ne pas aller bien : cela s'entendait surtout à ma voix, qui était lourde, terne, et enterrée. J'ai pleuré devant Dominique un matin, brutalement, comme si j'avais trébuché dans un trou. Il s'est levé et il m'a pris dans ses bras, « Ça va aller, lui ai-je dit. Ça y est, tu vois, c'est déjà fini. Oublie ce que tu viens de voir. »

J'ai craqué le troisième jour, j'ai téléphoné à Victoria pour lui avouer que le recul de sa personne me faisait terriblement souffrir. « Comment avons-nous pu en arriver là ? » lui ai-je demandé. Victoria m'a répondu que cet éloignement lui déplaisait tout autant qu'à moi, « Peut-être bien que je souffre encore plus que toi, qu'est-ce que tu en sais ? » m'a-t-elle même déclaré, mais que la situation lui interdisait de revenir me supplier. J'ai répondu à Victoria qu'il me semblait curieux d'avoir de l'orgueil en ces circonstances, je lui ai dit que la situation avait fait de moi un homme anéanti, je n'arrivais presque plus à marcher tellement mon ventre me faisait mal, je n'aurais aucune difficulté, s'il le fallait, à me montrer suppliant, à m'humilier devant elle. Victoria m'a répondu sèchement : « Je ne suis pas comme ça, moi.

— Mais comment tu fais pour te maîtriser, pour dominer ta douleur, en pareilles circonstances ?

— Mon orgueil ne faiblit jamais.

— Même quand tu es blessée ?

— Même quand je suis blessée.

— En fait tu es froide, tu n'éprouves rien. J'avais raison l'autre jour, tu as seulement besoin d'un homme que tu puisses consommer. Tes amants sont interchangeables.

— Et toi tu as seulement besoin d'une présence dans ta vie, ce n'est pas mieux. Tes raisons t'appartiennent, les miennes ne regardent que moi.

— Tu dis que j'ai besoin d'une présence dans ma vie. C'est peut-être un peu plus qu'une simple présence, en l'occurrence, tu ne crois pas ? Ça ne te paraît pas évident, là, vu ce qui arrive, même si je refuse de mettre dessus des mots précis ?

— On s'est toujours interdit d'utiliser ces mots. Il a toujours été tacite qu'on se prémunirait de ce genre d'évolution. Je ne vois pas pourquoi on basculerait aujourd'hui.

— Parce que toi tu es capable de tout parfaitement dominer, y compris tes sentiments ? Si tu décides de ne pas basculer, tu ne bascules pas ?

— J'essaie en tout cas. Je dresse des murs. Je me protège. Je n'ai pas envie de tout faire exploser sous prétexte qu'un matin je me serais abandonnée à des faiblesses sentimentales.

— Mais tu n'es pas un peu dépendante de nos relations ?

— Je suis sans doute un peu plus forte que toi, un peu plus déterminée. Et peut-être un peu mieux armée.

— Par l'expérience ?

— Vraiment très drôle…

— Qu'est-ce qu'on fait, alors, on continue ?

— Ce n'est pas moi qui ai décidé d'arrêter.

— Tu es blessante depuis le début de cette conversation.

— Je ne vois pas pourquoi tu dis ça.

— Tu es glaciale, tu n'as pas l'air heureuse que je t'appelle. Tu as déjà eu le temps, en l'espace d'à peine dix jours, de te détacher de moi, je trouve que c'est d'une cruauté…

— Il faut bien réagir ! Tu croyais peut-être que

j'allais me contenter de subir ta décision en me laissant couler ? C'est bien mal me connaître !

— Mais tu n'étais pas obligée non plus de te protéger au point de m'oublier !

— Chacun son style », m'a répondu Victoria.

Un long silence. Je n'ai pas répondu à sa dernière réplique, elle-même n'a pas poursuivi : c'était comme un bras de fer de silence. C'est moi qui ai perdu et j'ai fini par demander : « Qu'est-ce qu'on fait, alors ?

— C'est toi qui me poses la question ?

— Enfin, ça n'a pas l'air d'être évident dans ta tête non plus Victoria ! Depuis nos derniers échanges, il semblerait que de l'eau ait coulé sous les ponts !

— Si tu veux continuer, je suis d'accord. Mais je refuse ton régime maigre avec interdiction de sms, limitation de nos échanges. Si on y va, on y va ! On ne va pas s'économiser, à quarante ans et des poussières !

— Eh bien d'accord, je verrai comment gérer le truc au mieux, reprenons comme avant.

— Qu'est-ce que tu veux dire par je verrai comment gérer le truc au mieux ?

— Je verrai comment réduire ma dépendance. Il faut que tu saches une chose, c'est que je ferai tout, mais vraiment tout, si l'on reprend comme avant, pour pouvoir me détacher de toi, te dire un jour que c'est fini. En attendant, OK, allons-y, vivons ce truc à fond.

— Voilà qui a le mérite d'être clair. Mais figure-toi que je préfère cette situation à la proposition que tu m'as faite la dernière fois. Banco, essaie de moins tenir à moi, essaie le maximum que tu peux, fais en sorte d'avoir la force de rompre. Ce sera à moi de t'en empêcher. De te rendre encore plus dépendant... »

C'est ainsi que nous avons repris nos relations sur le même rythme et selon les mêmes modalités déraisonnables que depuis que nous nous étions rencontrés.

Un soir, tandis que je rentrais chez moi en voiture et que nous parlions au téléphone, Victoria m'a déclaré qu'elle avait quelque chose d'important à me dire : « Est-ce que tu as quinze minutes pour qu'on en parle ou tu veux qu'on prenne un rendez-vous demain dans la journée ? » J'étais surpris par le ton solennel avec lequel elle réclamait cet entretien. Je lui ai répondu que je disposais d'environ une demi-heure et qu'elle avait le temps, par conséquent, si elle le désirait, de me dire de quoi il s'agissait. Victoria m'a alors expliqué qu'elle sortait d'une réunion avec le CEO de Kiloffer et que celui-ci lui avait fait part de son intention de lui confier les dossiers immobiliers du groupe, en raison du départ de la personne qui normalement devait s'en occuper. Comme le premier d'entre eux concernait la réhabilitation du siège social de Kiloffer, Peter Dollan voyait mal pour quelle raison il confierait les rênes de cette opération à une autre personne qu'à la directrice des ressources humaines, d'autant plus que la sensibilité de cette dernière la disposait selon lui à ce genre de travail — en particulier dans sa relation avec les architectes. « Je te jure qu'il m'a dit ça ! J'avais envie de sourire ! Je me demande comment j'ai fait pour me contrôler ! » m'a déclaré Victoria dans un grand éclat de rire tandis que je voyais l'asphalte de l'autoroute disparaître sous ma voiture tout en me demandant où ces propos pourraient bien nous conduire. Ainsi, elle se voyait confier la mission de superviser le réaménagement du siège social, puis dans un second temps d'entreprendre l'extension d'une usine en France et d'une autre en Allemagne. Certes, de telles missions sortaient du cadre de ses fonctions mais en même temps elles pouvaient y être légitimement rattachées puisqu'il s'agissait de concevoir l'espace de travail des salariés de Kiloffer (c'est d'ailleurs la raison pour laquelle elle avait été abondamment sollicitée au moment où le cahier des charges destiné aux architectes avait été élaboré), son patron avait ajouté que de toute manière elle se serait trouvée impliquée à nouveau dans le processus, ne serait-ce que par rapport aux prérogatives des représentants du personnel sur cette problématique du lieu de travail, « Alors, autant que ce soit vous qui vous en occupiez », avait-il conclu. Victoria lui avait répondu que compte tenu du surcroît de travail que le suivi de ces dossiers allait constituer pour elle, il faudrait sans doute prévoir, « Naturellement, l'avait interrompue le CEO de Kiloffer. Il va de soi que vous serez rémunérée comme il se doit pour cet effort supplémentaire, on en parle quand vous voulez. Vous pourrez même recruter une ou deux personnes, en plus de l'assistante de l'ancienne responsable. » Victoria lui avait répondu que ce n'était pas ce qu'elle avait voulu lui dire, « Mais je vous remercie d'anticiper ces préoccupations », avait-elle ajouté. Le CEO de Kiloffer lui avait demandé ce qu'elle avait voulu exprimer et Victoria lui avait fait savoir que si elle s'occupait de ce dossier elle demandait de pouvoir s'en occuper intégralement, de A à Z, et pas seulement sur le plan logistique, fonctionnel et administratif. « Je veux pouvoir m'impliquer dans les prises de décision. Si ça doit me prendre du temps, autant que ce soit intéressant intellectuellement, et constructif sur le plan professionnel », avait-elle osé lui dire. Peter Dollan, un peu surpris, lui avait demandé ce qu'elle entendait par là : « Il avait l'air étonné que je me montre si revendicative », ai-je entendu Victoria me déclarer tandis que je roulais sur la file de droite, assez lentement, attentif à chacune de ses phrases, incapable de comprendre où elle voulait en venir. Selon toute évidence, ce n'était pas qu'elle avait une anecdote à me raconter : elle désirait me révéler quelque chose qui me concernait directement. « Il pensait juste, je crois, au départ, me confier le volet pénible du truc, et se garder pour lui tout l'artistique, tout le côté sympa et cool ! Je peux te dire que je l'ai bien coincé le salaud ! Si tu m'avais vue négocier, tu aurais été fier de moi ! » Victoria a déclaré à son patron qu'elle souhaitait se voir associée au choix des architectes et travailler en étroite concertation avec ceux qui seraient retenus, « C'est quelque chose que je trouve passionnant, y compris du point de vue des ressources humaines. Je veux dire que ce n'est pas seulement une question d'intérêt culturel... », avait-elle dit au CEO de Kiloffer. Celui-ci avait eu l'air d'apprécier la vision et l'engagement de Victoria. Il lui avait répondu qu'il était d'accord avec tous les points qu'elle venait d'évoquer, que de toute manière il était trop occupé pour pouvoir suivre ce dossier d'aussi près, qu'il lui faisait entièrement confiance pour retenir des équipes compétentes : « Je n'y connais strictement rien, en architecture, avait-il ajouté. Je risquerais de commettre des erreurs de jugement ! » Victoria avait répondu que pour sa part elle avait toujours adoré l'architecture et qu'elle pouvait même se vanter de s'y connaître un peu. « Merveilleux ! avait répondu son patron. Ainsi, je me sentirai moins seul pour l'examen des projets et les prises de décision. » La seule chose qu'il lui demandait, c'était d'organiser une réunion avec les agences qu'elle avait envie de faire travailler, afin qu'il puisse rencontrer les architectes et prendre connaissance du style habituel de leur production : « Juste une conversation de deux heures, comme ça, pour savoir ce que leur inspire notre entreprise et son siège social, ce qu'ils auraient envie de faire, vous voyez. De telle sorte qu'à la fin le choix puisse être fait en toute connaissance de cause », avait-il dit à Victoria. Les programmes des trois projets avaient été rédigés par la personne qui jusqu'alors s'était occupée de ces dossiers, le versant le plus technique de la préparation avait donc été réalisé, il s'agissait maintenant de repérer des agences qui pourraient faire un bon travail sur le siège social de Kiloffer, « En prenant en considération non seulement la nature des aménagements envisagés, mais les envies particulières qui pourraient en résulter. Sur la question du style, des matériaux et des couleurs, par exemple », avait-il ajouté. Il la laissait décider s'il convenait d'organiser une sorte de concours entre plusieurs impétrants, il n'avait pas d'avis sur la question, c'était à elle de voir. Il fallait regarder si l'on confiait les trois dossiers à la même équipe ou à plusieurs, voire à trois différentes, je n'ai rien décidé pour l'instant, réfléchissez à ça également, lui avait dit Peter Dollan. Il espérait qu'elle allait tirer de ces nouvelles responsabilités un plaisir qui pourrait s'apparenter à une récompense : c'est le moins qu'il pouvait lui souhaiter compte tenu des épreuves que lui imposait son bras de fer avec les syndicats dans le bassin lorrain. Il voulait profiter de ce moment pour lui répéter à quel point il se félicitait de pouvoir se reposer sur une femme aussi exceptionnelle, sur des sujets désormais aussi divers qu'une fermeture de site et la décoration de son futur bureau de CEO !

Peter Dollan avait l'habitude de terminer ses entretiens sur une note d'humour qui montrait à quel point il était un patron détendu.

« Alors, qu'est-ce que tu en penses ? m'a demandé Victoria.

— Comment ça qu'est-ce que j'en pense ? Je pense que cet homme a entièrement raison quand il te décrit comme une femme exceptionnelle.

— Non, je voulais dire…

— Je pense aussi que la mission qu'il t'a confiée est passionnante. Te voilà maître d'ouvrage, Victoria !

— Je voulais dire, ça t'intéresse ? »

Je conduisais, il faisait nuit, j'étais en train de doubler un camion, je me suis rabattu sur la file de droite pour pouvoir me concentrer.

« Comment ça ? Je ne comprends pas ce que tu veux dire. Comment ça, ça m'intéresse ?

— D'être l'architecte du truc. De réhabiliter le siège social de Kiloffer, puis de t'occuper de l'extension des deux usines.

— Mais qu'est-ce que tu racontes…

— Écoute, je n'arrête pas d'y penser, ça peut marcher, c'est génial !

— Mais Victoria, qu'est-ce qui peut marcher ?

— Mais que tu redeviennes architecte !

— Arrête de dire n'importe quoi, parlons d'autre chose. Je n'ai pas envie d'avoir une conversation à la légère sur ce sujet.

— Ce n'est pas une conversation à la légère. Écoute, je te transmets les programmes détaillés, tu viens à Londres une journée, je te montre le siège social, je peux même t'organiser une visite de l'usine qui se trouve en France. De retour à Paris tu prends un mois pour travailler, tu élabores un projet, tu fais quelques esquisses… Puis je monte une réunion avec Peter, je te le présente, tu lui expliques ce que tu veux faire… et moi je fais en sorte qu'il te choisisse. À ce moment-là on te fait un contrat, Kiloffer s'engage sur la conception de son siège social et l'extension des deux usines, tu donnes ta démission et tu montes ton agence. »

J'étais abasourdi. Je venais de sortir de l'autoroute pour pénétrer sur le parking d'une station-service. Je me suis arrêté et j'ai coupé le moteur.

« Mais c'est impossible, ça ne peut pas marcher. Je suis vraiment touché, mais ce projet est parfaitement irréaliste…

— Et pourquoi donc ?

— Mais parce que !

— Mais parce que quoi ? David, c'est merveilleux, tu vas pouvoir redevenir architecte ! Ce n'est pas ton plus grand rêve, depuis toujours ?

— Si, bien sûr que si !

— Eh bien alors ? Où est le problème !

— Mais c'est que...
— Mais c'est que quoi ?
— Mais ton patron n'acceptera jamais de confier de tels projets à un type qui n'a pas d'agence, qui a été architecte il y a quinze ans ! Réfléchis ! Reviens sur terre ! Il va immédiatement deviner que je suis ton amant et que tu essaies de me mettre sur le coup ! Victoria, il va vouloir des garanties ! Il va me demander ce que j'ai fait en tant qu'architecte, quelles ont été mes activités ces dernières années ! Il va me demander mon CV !
— Pas forcément. Je peux, avec lui, compte tenu du fait que j'ai toute sa confiance et qu'il aime bien, par tempérament, quelquefois, les initiatives un peu gonflées, aborder la question sous un angle personnel. Je peux très bien lui dire que je t'ai rencontré chez des amis, que nous sommes tous convaincus de tes énormes capacités, que tu es sur le point de monter ton agence et que j'ai envie de te donner ta chance. Je suis certaine de ton talent, tu es quelqu'un d'incroyablement profond... Je me suis souvent dit que tu étais une espèce de génie incompris...
— Arrête, c'est ridicule ! Victoria, s'il te plaît !
— Mais je le pense. C'est pour ça que je me sens capable de convaincre Peter de s'engager avec quelqu'un comme toi, même si tu sors du cadre et qu'on peut considérer ta candidature comme atypique.
— Mais alors, tu es vraiment sérieuse...
— Je ne nie pas que la chose est délicate. Si tu lui laisses le choix, Peter prendra spontanément un architecte établi, avec pignon sur rue, plutôt qu'un directeur de travaux, tout talentueux soit-il, qui

créera son agence pour l'occasion. Mais Peter est capable des décisions les plus inattendues, c'est quelqu'un qu'on peut séduire et entraîner par la magie du verbe et des concepts, tu peux vraiment lui faire une forte impression et qu'il me dise qu'il veut travailler avec toi. C'est un homme cultivé, un amateur d'opéra, une sorte d'esthète, vous vous ressemblez. Tu serais donc, si ça marchait, le choix du prince, c'est ça ma stratégie. En plus tu pourras faire la direction de travaux. Tu prendrais donc l'ensemble : conception architecturale et suivi de chantier. Ça doit être suffisant, pour monter une agence ?

— Oui, bien sûr. Je peux tout à fait constituer une équipe et créer une petite structure pour m'occuper de ces trois projets.

— Et par la suite, grâce à ces références, tu trouverais de nouveaux clients, et tu serais lancé ! Et après je pourrais me vanter d'avoir été la première à faire confiance au célèbre David Kolski !

— Victoria, ça y est, tu t'y vois déjà…

— Le seul truc c'est qu'effectivement tu puisses lui exposer une esquisse de projet, contrairement aux autres équipes que nous pourrions auditionner, qui elles se contenteraient d'expliquer qui elles sont. Il faut vraiment que tu charmes Peter par ton intelligence et tes idées. Ce n'est pas forcément un énorme travail en amont, il faut juste y réfléchir un peu et que tu viennes avec des pistes, quelques dessins, sur lesquels Peter pourra s'appuyer pour t'interroger et faire ta connaissance. Je te dirai comment t'y prendre. »

Je ne répondais rien. Je marchais à côté de ma voiture sur des gravillons, il y avait une tache d'huile et une canette de bière délavée complètement aplatie. J'envoyais voler des cailloux avec mon pied en essayant de ne pas faire de bruit avec ma semelle sur le bitume. Les lumières de la station-service illuminaient la nuit un peu plus loin. J'avais envie de hurler de joie : ma bouche s'ouvrait en grand à intervalles réguliers comme si des cris allaient sortir mais c'étaient seulement des pensées, des pensées d'euphorie, qui s'en échappaient.

« Tu ne réponds rien ?

— Je réfléchissais.

— Tu n'es pas content ?

— Si, très content. Je te remercie, Victoria.

— Tu dois la finir quand, ta tour ?

— En novembre normalement. Mais d'après moi ce sera plutôt janvier. Voire février.

— Eh bien voilà, tu démissionnes en septembre ! On s'en tape que tu n'aies pas fini ta tour ! Pour une fois ce n'est pas toi qui te sacrifieras ! Ils la termineront sans toi et ce sera bien fait pour eux !

— Tu veux que je monte mon agence cette année ?

— Et pourquoi pas ? Je t'organise une visite à Londres la semaine prochaine, tu prends deux mois pour travailler, on se fait plusieurs rendez-vous, toi et moi, à Paris, pour en parler, et quand on juge que tu es prêt, genre fin avril ou début mai, je monte la réunion avec Peter. Tu files ta démission dans la foulée, tu montes ton agence et en septembre on est opérationnels. Elle est pas belle, la vie ? »

De fait, quelques jours plus tard, l'assistante de Victoria m'a fait parvenir un billet d'Eurostar et je me suis rendu à Londres pour visiter le siège social de Kiloffer. Victoria m'a reçu dans son spacieux bureau de DRH, j'avais dû attendre un quart d'heure dans l'antichambre de son service qu'elle ait terminé un appel téléphonique qu'on m'avait présenté comme important, « Mrs de Winter wants to apologize for this delay. Do you want a cup of coffee or something ? » m'avait demandé une jeune femme tandis que j'avais commencé à feuilleter le rapport annuel de Kiloffer disponible sur une table basse au milieu d'un certain nombre de brochures consacrées aux différents produits du groupe, « Ah, Mister Kolski, here you are, I'm sorry, come in, come in », m'avait dit Victoria un peu plus tard en surgissant dans l'antichambre pour me serrer la main, avant de me faire pénétrer dans son immense et prestigieux bureau, qui disposait d'une vue sur Londres absolument sublime. C'était curieux d'être confronté à Victoria dans l'exercice de ses fonctions et surtout de la voir se comporter avec moi comme si j'étais un prestataire de services ordinaire : nous étions censés nous être rencontrés à un dîner chez des amis communs, et nous connaître à peine. Lors de cette matinée, Victoria m'a présenté comme l'architecte qui occupait les fonctions de directeur de travaux de la tour la plus élevée de France, « La tour Uranus, à la Défense, conçue d'ailleurs par une équipe londonienne », prenait-elle soin de préciser systématiquement, avant d'ajouter que j'allais créer bientôt ma propre agence. La jeune femme à qui Victoria avait demandé d'être présente au rendez-vous, afin sans doute de lui donner un caractère plus officiel, était l'assistante de la personne qui jusqu'alors s'occupait des dossiers immobiliers, et qui venait de quitter la société. Elle se nommait Irina Rachline, elle était d'origine russe et d'un physique agréable, mais le plus caractéristique était encore sa personnalité scolaire, méticuleuse et tracassière telle qu'elle se manifestait par son attitude toutes les fois qu'elle disait une phrase ou posait ses yeux noisette sur mon visage. Elle avait l'air de prendre très au sérieux le rôle que Victoria allait lui faire tenir dans la mise en œuvre de ces trois projets architecturaux (sans doute cette question n'avait-elle jamais été abordée directement depuis qu'elle était passée sous les ordres de Victoria, l'obligeant à s'en tenir à de vagues hypothèses), si bien que j'ai noté chez elle, dès la première minute, une réticence à peine discrète à mon égard : comme si le fait d'improviser une audition informelle avec l'une de ses connaissances privées ne lui paraissait pas du meilleur augure sur le sérieux avec lequel une novice comme Victoria envisageait son rôle de maître d'ouvrage, ou à l'inverse comme si celle-ci lui avait présenté cette audition comme une formalité de courtoisie qu'une relation sociale qu'elle se devait de ne pas éconduire l'avait contrainte d'accepter. Irina Rachline me dévisageait d'un air suspicieux et un peu condescendant, mais surtout elle s'efforçait de me donner l'impression de ne pas m'apprécier, ou de ne pas apprécier que Victoria ait consenti à me recevoir ; ou peut-être essayait-elle de me faire comprendre qu'elle ne voulait pas croire une seule seconde à la mascarade de cet entretien. Je me suis dit à différentes reprises qu'elle me faisait payer ce qu'elle reprochait en réalité à Victoria sans pouvoir le lui manifester explicitement : cette jeune femme n'était pas en position, hiérarchiquement parlant, de contrarier les prérogatives de la directrice des ressources humaines, ni de pouvoir les ralentir par un comportement abusivement récalcitrant. Par conséquent, même s'il m'était réservé, son air sceptique outrepassait quand même ce que pouvait lui permettre sa position d'assistante (c'était pour moi un grand mystère qu'il lui soit possible d'aller si loin sans rencontrer le moindre obstacle), sauf si Irina Rachline avait cru recevoir de Victoria elle-même, juste avant le rendez-vous, en raison de la nature inutilement mondaine de ce dernier, l'autorisation implicite de ne pas se fatiguer — on voit jusqu'à quel type de conjectures le comportement de cette jeune femme a égaré mon esprit (alors même que je répondais aux questions que Victoria faisait semblant de me poser, faussement sérieuse, tandis que l'assistante consignait sur son bloc-notes tous les propos que j'égrenais). À cause de cette jeune femme et de son air pointu, je suis sorti de cet entretien avec le sentiment que tout était truqué, que je venais de participer à une mise en scène de théâtre orchestrée par la DRH monde de Kiloffer sans que personne n'ait été dupe une seule minute de tout ce simulacre — l'assistante m'a même remis sa carte, à la toute fin de l'audition, avec un évident dégoût (car Victoria avait annoncé que désormais toute communication entre Kiloffer et ma personne devrait passer par Irina Rachline). Si tout cela n'avait pas été entièrement faux, pourquoi Victoria ne s'était-elle pas formalisée de l'attitude de son assistante ? Or, non seulement elle n'avait pas tiqué ni réagi, mais elle avait l'air de s'en moquer éperdument, ce qui revenait à me remettre entre les mains d'une personne indélicate, ou dont il était déjà établi qu'elle n'aurait aucun rôle à jouer auprès de moi. Je me suis dit, mal à l'aise, un peu angoissé, dans les heures qui ont suivi, que quelque chose ne fonctionnait pas, mais j'ignorais si cette impression ne reposait pas sur le simple fait qu'ayant dû dissimuler à nos interlocuteurs la nature exacte de nos relations cet entretien n'avait été qu'une mascarade : non seulement nous avions joué autour de cette table une parfaite petite pièce de vaudeville, mais le faire nous avait beaucoup amusés. Toutes les fois que l'assistante avait les yeux fixés sur la bille noire de son stylo qui enregistrait chaque mot que je disais sur le papier quadrillé du bloc-notes posé devant elle sur la table de réunion, Victoria m'adressait des sourires sulfureux, des clins d'œil d'impatience, ou elle me terrassait d'un regard grave qui me disait l'urgence de son désir. Nous offrions à cette jeune femme le spectacle d'une réunion joyeuse et endiablée, spirituelle et efficace, comme si l'orgueil de savoir travailler avec entrain et légèreté nous avait animés pendant toute la durée du rendez-vous, sauf qu'il n'avait peut-être pas échappé à Irina Rachline que la tournure exagérément sophistiquée de quelques-unes de nos répliques la mettait à l'écart de notre complicité d'une manière relativement désagréable, et surtout faisait régner sur l'audition une atmosphère de désinvolture que je me suis plus tard amèrement reprochée — car il n'était pas dans mon intérêt, m'étant déplacé jusqu'à Londres pour des raisons que je trouvais sérieuses, de laisser croire à ma maîtresse que j'étais venu pour jouer. Je suis allé jusqu'à penser, dans le train du retour, bercé par la vitesse de l'Eurostar, que sa réputation de séductrice n'était peut-être plus un secret pour personne parmi les salariés de Kiloffer : il avait peut-être paru évident à la plupart de ses collaborateurs que ce rendez-vous n'était rien d'autre que le préambule d'une cérémonie qui aurait lieu quelques heures plus tard dans une chambre d'hôtel (d'autant plus que mon physique agréable avait paru suspect, je l'avais bien senti). Mais en même temps il se mêlait à ces étranges soupçons la réalité d'un rendez-vous officiel, passionnant, financé par Kiloffer, au terme duquel je m'étais vu remettre par Irina Rachline l'intégralité des programmes destinés aux agences d'architecture, si bien que dans les jours qui ont suivi je suis quand même parvenu à me raisonner : je me suis dit que cette sensation de fausseté qui m'avait angoissé n'avait peut-être été due qu'à l'attitude hostile de l'assistante, à l'humeur facétieuse de Victoria et au mensonge que notre couple avait constitué à l'égard de toutes les personnes que nous avions croisées ce matin-là.

Au terme de la visite du siège social, Victoria m'a déclaré qu'elle avait une course à faire pas loin de son bureau et elle me proposait, si je n'avais rien d'autre à faire, de l'y accompagner, à la suite de quoi nous pourrions déjeuner rapidement. J'ai dit d'accord, nous sommes descendus dans le parking souterrain, nous sommes montés à bord de l'énorme 4×4 noir seize soupapes intérieur cuir de Victoria avant de partir à toute allure dans les rues de Londres. « Eh bien, la DRH de Kiloffer ne se refuse rien, ai-je dit à Victoria sarcastiquement. C'est pour pouvoir vous offrir ce genre d'engins que vous êtes obligés de fermer des usines ?

— Arrête, ne dis pas ça, c'est mon péché mignon !

Ce n'est pas ma faute si j'adore les grosses bagnoles ! Elle est belle, non ? Tu as vu ça ? Je l'ai depuis quatre jours, elle est toute neuve ! »

Il me grisait d'être piloté par Victoria avec autant d'aisance et de mordant, à toute vitesse, dans une voiture outrancièrement démonstrative, mais j'ai tenu secrètes ces sensations dont j'avais un peu honte. Je la regardais de profil, elle jetait un œil de temps à autre à la surface des trois rétroviseurs (et parfois sur mon visage : alors, elle me souriait), elle accélérait quand elle apercevait un espace vide où se placer et s'offrait même de petites pointes de vitesse au démarrage des feux, si elle était en première ligne.

« Je te trouve belle quand tu conduis.

— Tu es gentil. Ça m'arrive de me faire draguer, dans les embouteillages. Alors, qu'est-ce que tu penses de cette réunion ?

— Je pense que ce projet est passionnant, qu'on peut faire quelque chose de génial. Mais j'ai été un peu troublé par l'attitude de ton assistante.

— Ah bon, pourquoi ?

— Elle est bizarre. Tu la connais bien ?

— À peine. Je travaille avec elle depuis la semaine dernière. Mais tu préfères qu'on évite de passer par elle ?

— Je ne sais pas. Qu'est-ce que tu en penses ?

— Si j'ai demandé à Irina d'assister au rendez-vous, c'était pour te mettre dans la boucle d'une manière officielle. Mais si tu ne la sens pas, on peut continuer à travailler tous les deux en direct.

— Je crois que je préfère. Cette fille ne m'aime pas, elle m'est hostile, elle va me mettre des bâtons dans les roues, c'est évident. Je pense qu'elle n'a pas du tout envie que ce soit moi qu'on choisisse.

— Je ne vois pas pour quelle raison, en plus elle n'a absolument aucun pouvoir, mais si tu préfères ne pas être en liaison avec elle, pas de problème : on continue tous les deux. Tu veux voir ma maison ?

— Mais c'est peut-être une erreur. Peut-être qu'il faut, tu as raison, que ce soit officiel, que je sois dans la boucle. Victoria, s'il te plaît, tu ne veux pas m'aider à résoudre cette question ?

— Tu fais comme tu veux, on s'en fout, ça n'a aucune importance. Alors, tu veux voir ma maison ?

— Ta maison ?

— Oui, tu veux la visiter ?

— Je ne sais pas, ça dépend, c'est loin ?

— Non, c'est tout près.

— Victoria, qu'est-ce qu'on décide pour Irina, dis-moi...

— Écoute, laisse tomber, je te dis que je vais parler de toi en direct à Peter. De toute manière ton cas est atypique, autant qu'il le reste jusqu'au bout. Tu as raison : oublions cette fille, je lui demanderai de s'occuper des agences officielles. Je n'aurais jamais dû lui demander d'être présente à cet entretien hyper secret...

— Pourquoi tu dis hyper secret ?

— Mais non, pour rien !

— Il va y avoir des candidats officiels, c'est-à-dire des agences d'architecture, puis moi ? Mais c'est risqué, alors, qu'Irina... Victoria, il va y avoir des dossiers de candidature officiels, puis moi tout seul ?

— Mais toi tu vas bénéficier d'un traitement de faveur : tu vas être défendu secrètement par l'éminence grise du patron. Qu'est-ce que tu veux de plus !

— Que ça marche. Je veux être choisi. Je n'ai pas envie d'y rêver si c'est perdu d'avance.

— Bon, ça t'intéresse ou ça t'intéresse pas de voir ma maison ?

— D'accord, oui, pourquoi pas, mais elle est où ?

— Ah, c'est pas trop tôt, j'en avais marre de faire le tour du pâté de maisons ! Nous y voici ! a déclaré Victoria en arrêtant son 4×4 devant une élégante bâtisse blanche, cossue, dans une longue rue résidentielle. C'est là, tout le monde descend ! » a-t-elle ajouté en riant. Puis, tandis qu'elle enfonçait la clé dans la serrure de la porte d'entrée : « Ne t'inquiète pas, c'est mon projet, Peter me fait confiance, je m'occupe de tout. D'accord ?

— OK, d'accord.

— Donnez-vous la peine d'entrer, alors, mon ami... »

Je n'aurais jamais imaginé que la maison de Victoria serait meublée et décorée de cette manière : fauteuils club, ventilateurs au plafond, peaux de panthère et gueules de buffles accrochées aux murs, crocodile empaillé, meubles en rotin, globe terrestre en bois, murs peints en beige et partout des objets rapportés de ses voyages ou de ses différentes affectations à l'étranger. Ne découvrir que maintenant le lieu où résidait Victoria, alors que nous nous fréquentions depuis bientôt cinq mois, me procurait une sensation curieuse : par la visite de son cadre de vie, je découvrais qui elle était d'une manière plus significative qu'en ayant fait l'amour avec elle — ce qui était faux, naturellement, mais c'est la conviction que la décoration de sa maison, tandis qu'elle me la faisait visiter pièce après pièce, n'a pas tardé à me communiquer, comme si un gouffre immense s'ouvrait peu à peu entre nous, d'autant plus embarrassant qu'il n'était pas immatériel (à l'inverse de nos différends politiques ou idéologiques, par exemple) mais tangible, objectif et inscrit dans l'espace. Je n'aimais pas ce décor néo-colonialiste appuyé où tout allait dans le même sens : j'avais l'impression de visiter la maison d'un négrier établi en Afrique au XIXe siècle (ce qui, pour le logis d'une DRH monde, ne manquait pas de saveur). « C'est impressionnant, on se croirait aux Indes ou en Afrique. Je ne savais pas que tu étais si branchée safari… Tous ces fusils, ces peaux de bêtes, ces cornes d'animaux…

— Tu as vu ça ! J'adore ce style, c'est moi qui l'ai créé au fil de mes voyages. Au début, on vivait avec les meubles de mon mari, on se serait cru chez la Pompadour ! C'était l'horreur, je détestais !

— On s'attend à voir surgir un chimpanzé domestiqué, ou une panthère noire tenue en laisse… Il n'y aurait pas un boy pour me servir une orangeade ?

— Tu te moques ! Sale type ! Je te déteste !

— Pas du tout, je trouve ça ravissant. Si tu voyais chez moi, il n'y a absolument aucun style, aucune direction…

— Et là, attends-toi à avoir un choc, c'est le fin du fin, l'antre de la déesse, regarde bien… », m'a dit Victoria en ouvrant la porte d'une pièce immense, en angle, percée de quatre fenêtres, au premier étage : la chambre des parents. « Alors, qu'est-ce que t'en dis ? Ça en jette, non ? » Je me suis avancé dans la chambre, où trônait un lit à baldaquin en bois sombre, sculpté, d'inspiration orientale, avec un cône de tulle blanc qui descendait du plafond de part et d'autre de l'armature. Victoria m'a ouvert la porte de la salle de bains, entièrement meublée en rotin, avec aux fenêtres des rideaux en liberty. J'ai repéré, sur le carrelage, sous deux peignoirs accrochés au mur, deux paires de sandales en plastique : l'une féminine, l'autre masculine ; mon regard est resté posé quelques instants, heurté, sur les sandales du mari de Victoria, j'apercevais la trace de ses orteils sur le plastique. J'ai entendu derrière moi, venant de l'embrasure de la porte : « Tu viens ? » Victoria m'a pris la main et m'a entraîné vers le lit, où elle m'a fait basculer avant de se jeter sur moi. Je lui ai dit, tandis qu'elle commençait à me déshabiller en m'embrassant sur la bouche : « Victoria, tu ne penses tout de même pas qu'on va faire l'amour dans ta chambre, dans ton lit conjugal ? Tu es folle !

— Dans mon lit conjugal ! Tu as de ces expressions ! Et d'après toi, pourquoi tu penses qu'on est venus ? Pour boire une tasse de thé ?

— En ce qui me concerne, je prendrais du darjeeling.

— Fais-moi plutôt l'amour, sale type, ordure, je te déteste, m'a répondu Victoria en dévorant mes lèvres des siennes pour m'empêcher de parler.

— Tu veux que je te prenne comme un lion, ou plutôt comme une panthère ? » Victoria s'est mise à me frapper, je l'ai basculée à mes côtés, j'ai plongé ma main dans son sexe : il était littéralement trempé. « En fait ça m'excite de te faire l'amour dans ton lit de femme mariée. Je vais te prendre comme une chienne dans ta chambre.

— Oui, viens, dépêche-toi, je n'en peux plus. »

J'ai fait l'amour avec Victoria jusqu'à l'heure où il a fallu que je me précipite vers Saint-Pancras Station, sans avoir joui, pour attraper mon Eurostar : Victoria m'a conduit à toute vitesse vers le centre de Londres, non loin de son bureau, où j'ai pu prendre un taxi. Je me suis caressé dans les toilettes de l'Eurostar en visualisant le corps de Sylvie (j'ai joui debout à l'intérieur du lavabo en métal) et ce n'est que revenu sur mon siège, épuisé, que j'ai repensé à ce qui s'était passé pendant la journée : la réunion étrange du matin et le guet-apens que m'avait tendu Victoria pour que je lui fasse l'amour dans son lit de femme mariée. J'ai fini par m'assoupir avec quelque chose d'irrésolu au fond de mes pensées, exactement comme si j'avais rencontré un problème et que j'avais des ennuis. Or, j'étais censé n'avoir rencontré aucun problème, mais avoir au contraire accompli, je parle de la visite du siège social de Kiloffer, quelque chose de constructif. En cette fin février, tout était supposé aller pour le mieux pour David Kolski.

Nous nous étions retrouvés tôt, vers dix-huit heures, au bar du Grand Hôtel, à proximité du palais Garnier : Victoria avait choisi cet endroit en raison de l'opéra qu'elle devait aller voir ce soir-là à dix-neuf heures trente, il s'agissait des *Noces de Figaro* mises en scène par un dramaturge notoirement radical dont quelques-uns de ses amis lui avaient dit le plus grand mal : « Il paraît que les récitatifs sont bafouillés par un clochard aviné qui rampe sur le plateau, mon Dieu, mais comme nous avons acheté les places en prenant notre abonnement, on va quand même aller voir. Mais franchement je crains le pire, il n'y a rien que je déteste plus que les gens qui se croient permis de nuire à la musique par l'étalage de leur médiocrité », m'avait dit Victoria (mais ces considérations dépassaient largement mes compétences : je l'écoutais se lamenter sans lui répondre, ni acquiescer, ni être intéressé par le sujet, mais je la suspectais d'avoir des goûts relativement conservateurs, pour ne pas dire réactionnaires, en matière d'opéra). Victoria était arrivée le matin à Paris pour une séance de travail avec les avocats français de Kiloffer, car elle avait le lendemain un rendez-vous que je savais décisif avec les syndicats. Comme il était prévu de longue date que ce soir-là elle devait aller à l'opéra avec un groupe d'abonnés qui comprenait son mari, elle ne dormirait pas à l'hôtel mais dans l'appartement qu'elle possédait à Paris ; ce qui n'était pratiquement plus arrivé à Victoria, en dehors des week-ends, depuis que j'avais fait sa connaissance (je trouvais d'ailleurs assez curieux que son mari ne se demande jamais pour quelle raison Victoria ne venait plus à Paris, en semaine, pour travailler, en dehors des allers et retours qu'elle réalisait dans la journée ou des passages éclairs qu'il lui arrivait de faire croire à sa famille qu'elle effectuait entre deux destinations à l'étranger — alors qu'en réalité elle dormait à l'hôtel du Louvre, ou au Concorde Saint-Lazare, et que nous passions la soirée à faire l'amour).

J'avais ouvert et posé sur le sol le lourd dossier sanglé que j'avais pris avec moi, et je venais de disperser sur la table basse, devant Victoria, après avoir éloigné nos tasses de thé en périphérie du plateau, les crayonnés que je voulais lui montrer, ainsi qu'un certain nombre de dessins ; quelques-uns de ces derniers, en couleurs, étaient assez aboutis, et possédaient un réel impact esthétique, en particulier les plus grands. Victoria avait l'air étonnée par le nombre de documents que j'avais étalés sur la table, qui témoignaient d'un travail important. « Commençons par le bas. J'ai mené une réflexion essentielle sur le hall, l'accès et le restaurant panoramique au deuxième étage : tout est parti de là, en fait. Je ne veux pas que le siège social de Kiloffer, comme c'est le cas aujourd'hui avec les verres miroir, donne l'idée d'un univers opaque, je voudrais que le bâtiment s'ouvre à la ville et en absorbe l'énergie, qu'il puisse exister un échange permanent. Tu verras tout à l'heure que mon projet consiste à remplacer tous les vitrages par un verre plus performant, mais aussi à doubler les façades est, ouest et sud par une seconde peau destinée à les protéger du soleil. En fait, tu vois, c'est plutôt par ce dessin-là qu'il faudrait que je commence, voilà, regarde, j'installe sur le bâtiment un manteau de verre hyper sophistiqué qui te permet de faire des économies d'énergie absolument considérables.

— Mais c'est possible ? C'est réaliste, dans un budget qui reste acceptable, d'installer une seconde peau ?

— Je ne te cacherai pas que c'est un investissement important. Mais à moyen terme c'est hyper intéressant. Il faudrait que je fasse faire des calculs précis, mais à mon avis, financièrement, vous retombez sur vos pieds, grâce aux économies d'énergie réalisées, en seulement quelques années ; peut-être quinze ans. Pour te donner un ordre d'idées, les dépenses d'énergie des immeubles de bureaux traditionnels se situent généralement autour de 400 kWh par mètre carré et par an. La tour Uranus, qui est une tour HQE, sera par exemple autour de 100. Je m'engage, avec le système que je propose, à être aux alentours de 70.

— Effectivement, l'écart est colossal.

— On peut d'ailleurs le faire vérifier assez vite par un bureau d'études. Au bout d'un certain nombre d'années, quand tu as amorti l'installation, tu te retrouves avec un bâtiment dont les frais de fonctionnement sont divisés par cinq. Ce qui, en ces temps d'incertitude sur le coût futur de l'énergie, est vraiment appréciable. En plus de ça tu pourras communiquer sur le fait que le siège social de Kiloffer, grâce à une rénovation intelligente et soucieuse de la sauvegarde de la planète, se rapproche des objectifs du label HQE : vous pourrez dire que vous avez dépensé beaucoup d'argent, et mis en œuvre une technologie innovante, pour vous doter d'un siège social écologique, respectueux de l'environnement. Par cette rénovation, vous vous affichez comme préoccupé par la question du développement durable.

— Ça, c'est une problématique qui m'intéresse beaucoup. Il faut que tu saches que nous sommes une industrie fondamentalement polluante, qui dégage énormément de CO2. C'est important pour nous de pouvoir dire qu'on respecte l'environnement, qu'on se soucie d'écologie. Bravo, ça c'est super, c'est un point très important.

— Je suis heureux que mon travail te plaise,

Victoria, lui ai-je dit avec un sourire. Et donc chaque bureau dispose d'un système de climatisation indépendant, avec, grâce à des volets installés dans la façade, la possibilité de mettre en relation l'intérieur et l'extérieur, ce qui autorise un traitement de l'air qui n'est pas global, comme c'est le cas généralement, mais local, individuel. L'air est traité par la première peau afin d'être diffusé entre celle-ci et la façade (j'ai fait un petit croquis, ici, qui explique le principe, regarde), et les volets individuels, que tu vois sur ce dessin, permettent de faire circuler cet air recyclé à l'intérieur des bureaux. On peut donc dire que c'est un bâtiment qui respire.

— Mais quel est l'intérêt de faire ça ?

— En combinant ce système avec la climatisation traditionnelle, on va pouvoir conditionner parfaitement l'intérieur, d'une manière douce et confortable, adaptée aux besoins de chacun, aux circonstances, aux écarts de température entre le jour et la nuit, ce genre de choses. Et fait, ce sont les capacités d'adaptation individuelles qui permettent les économies d'énergie les plus significatives.

— Je ne savais pas, tu m'apprends un truc. Tiens, Laurent est là.

— Laurent… Ton ancien amant ?

— Naturellement ! Qui veux-tu que ce soit ?

— Qu'est-ce qu'il fait là ? Il t'a vue ?

— Oui, il nous a vus… Je suis sûr qu'il sait que c'est toi.

— Comment ça il sait que c'est moi ?

— Je lui ai dit, pour toi et moi.

— Parce que vous vous voyez ?

— Il m'appelle une fois de temps en temps pour

prendre de mes nouvelles. Depuis qu'il sait que je suis avec toi, il est un peu jaloux, il aimerait qu'on se revoie…

— Et alors ?

— Alors rien, je lui dis que c'est trop tard et qu'il aurait fallu qu'il s'en préoccupe pendant qu'il était encore temps. Je lui rappelle que la dernière fois qu'on devait se voir, il m'a posé un lapin.

— C'est lequel ?

— Sois discret…

— Arrête, tu peux quand même me le montrer !

— D'accord, mais sois discret.

— Comme si j'avais l'habitude de ne pas l'être…

— À l'entrée, sur la table à droite, de profil, avec la veste marron.

— En velours ?

— Exactement.

— Il s'est déguisé, ou c'est son accoutrement normal ?

— David, tu es bête… Nous ne sommes plus amants, il ne se déguise plus, il porte ce soir sa veste habituelle de mathématicien, c'est la même depuis des années, avec de la craie sur les manches et les quatorze crayons tous identiques qui dépassent de sa poche. Je n'ai jamais compris pourquoi il se baladait en permanence avec tous ces crayons. Bon, où on en était…

— On parlait des économies d'énergie.

— C'est drôle qu'il nous voie ensemble. Ça me plaît de le narguer en me montrant avec toi, me dit Victoria en frissonnant de rire.

— Il n'arrête pas de me regarder, ça y est…

— Ça va le rendre malade, je n'ai pas fini de recevoir des messages…

— Et donc, pour revenir au hall dont je parlais au tout début, c'est-à-dire, je le cherche… voilà… ce dessin-là…

— Il est vraiment sublime ce dessin : le bâtiment depuis la rue, la nuit, c'est incroyable. Tu vois, c'est typiquement le genre de document qui peut plaire à Peter. Hyper poétique, hyper réfléchi, qui montre une vraie richesse de réflexion… Mais comment tu as fait pour produire tout ça en si peu de temps ?

— Tu as vu ça ! Pas mal, non ?

— Je suis impressionnée… » J'ai posé ma main sur la sienne, que j'ai serrée, nous nous sommes souri. J'ai levé les yeux : Laurent nous regardait. J'ai repris : « Pour que le bâtiment ne donne pas l'idée d'un univers qui se protège du regard extérieur, ou qui pourrait avoir des secrets, j'utilise pour les trois premiers étages, pour toute cette zone qui est là, un verre extrêmement transparent. Il sera donc possible de voir, depuis la rue, que le deuxième étage est occupé par le restaurant d'entreprise, ce qui donne je trouve un caractère humain, presque intime, au bâtiment, cet aspect-là est essentiel dans mon projet. Et puis ici, une idée dont je suis super fier, que j'ai eue un soir en rentrant chez moi en voiture…

— En fait, c'est incroyable… Je ne pensais pas que tu irais aussi loin dans ta réflexion…

— Je n'ai pas beaucoup dormi ces quinze derniers jours, alors que je travaille comme une brute sur le chantier et que les circonstances sont plutôt difficiles en ce moment. Tu me diras que c'est peut-être justement parce que c'est la merde sur le chantier que je me réfugie le soir dans ce travail qui me fait rêver… J'ai passé des heures, la nuit, chez moi, ces derniers temps, pendant que ma femme dormait, à dessiner. Pour te dire la vérité, ce projet m'excite terriblement, il m'inspire, je n'arrête pas d'y penser et d'affiner ce que j'ai déjà arrêté. Victoria, j'espère que Peter aimera : je me sens capable de faire un excellent travail, comme une agence avec pignon sur rue.

— Je suis heureuse que tu te sois impliqué autant... » Victoria s'interrompt : elle me donne l'impression de s'être suspendue au milieu de sa pensée. Je l'interroge du regard : elle baisse les yeux. Je m'approche, relève son menton avec ma main et dépose un baiser sur ses lèvres. Je regarde la table à l'entrée : Laurent détourne le regard. Je demande à Victoria : « Oui ? Mais ? Je ne sais pas... tu as l'air de vouloir me dire quelque chose...

— Non, rien », me chuchote Victoria. Puis, presque immédiatement : « Mais l'issue est tellement incertaine, c'est tellement aléatoire, j'ai un peu peur de te voir t'investir autant... Ce n'est pas sûr que ça marche, David...

— Mais le jeu en vaut la chandelle, non ? Il faut savoir ce qu'on veut, non ? Moi ce projet m'enchante, je veux absolument décrocher ce contrat et monter mon agence. Ma seule arme, c'est mon cerveau, mon imagination, les idées que je pourrai produire. Rien ne remplace une bonne idée que les autres n'ont pas eue, et qu'ils auraient aimé avoir...

— C'est bien, je suis contente que tu prennes ce projet tellement à cœur. Je ferai part à Peter de ta motivation.

— Et donc, un soir, j'ai eu cette idée que j'adore, regarde, tu verras mieux sur ce dessin. Tu vois, sous mon doigt, le noyau central... où se trouvent les ascenseurs... et qui monte jusqu'en haut du bâtiment ? Eh bien, comme il sera visible de l'extérieur, désormais, grâce aux vitrages transparents, en particulier sur les trois premiers niveaux, je vais le recouvrir d'un revêtement satiné, doré, légèrement miroitant, afin qu'il puisse refléter les lumières de la ville, le spectacle de la rue, les piétons, un bus qui passe. Les gens, dans les immeubles voisins, verront la ville se refléter sur les parois du noyau central du siège social de Kiloffer. Ces phrases-là, je les ai toutes déjà notées dans un carnet. À ton patron, je pourrai lui dire qu'il y aura une interaction permanente entre le bâtiment et son contexte urbain, la ville de Londres, comme si le siège social de Kiloffer, au lieu de se replier sur lui-même, regardait la ville, pensait la ville, rêvait la ville et tous ceux qui y vivent. C'est une société cotée en Bourse, elle a des actionnaires, elle est transparente, elle est tournée vers l'extérieur et elle se doit de refléter les préoccupations de ceux qui lui ont fait confiance et ont décidé de la suivre dans son développement. La colonne vertébrale de l'immeuble, par sa couleur dorée et son aspect réfléchissant, indique que l'action de Kiloffer est associée à la production de richesse : on ne peut pas trouver meilleur symbole de ce que doit être une entreprise moderne, responsable, transparente, cotée en Bourse, qui réfléchit et qui est soucieuse de respecter ses actionnaires. »

Victoria éclate de rire : je me mets à rire avec elle. Puis elle me dit : « Mais je rêve, j'en crois pas mes oreilles ! Toi l'homme de gauche tu te mets au service de la doctrine libérale, tu te mets à produire du discours à notre place ? David, tu devrais te faire horreur, tu deviens collabo !

— C'est pas mal, non ? Tu as vu ça, conceptuellement, comme c'est huilé ? Franchement, Victoria, avoue ! Vous payez des centaines de milliers d'euros des agences de communication qui vous remettent des recommandations débiles ! Est-ce qu'on t'a déjà donné un truc aussi pensé, aussi élaboré ? À partir d'un projet d'architecture, en plus ! Je te fais de l'architecture qui pense, qui communique, qui produit du discours !

— Rien à dire : c'est brillant. » Victoria se remet à rire et me regarde avec la plus grande affection. Elle ajoute : « Je ne pensais pas que tu serais capable, comme ça, de te glisser dans notre pensée, pour la valoriser de l'intérieur…

— Je me suis pris au jeu. Si ça doit me permettre de monter mon agence, je suis prêt à toutes les compromissions…

— Espèce de sale vendu, d'opportuniste, me dit Victoria en riant. Tu peux nous critiquer, tu es pire ! En fait, je me demande vraiment pourquoi tu es de gauche… »

C'est alors que j'ai vu le visage de Victoria, dirigé vers la table de Laurent, se décomposer. Puis son regard est revenu se poser sur le mien : elle m'a souri. Mais j'ai senti que ce sourire était un peu comme un oiseau qui vient de se poser sur une branche, par hasard, prêt à s'envoler de nouveau : il n'existait aucune concordance d'aucune sorte entre ce sourire et les lèvres où il était apparu.

« Qu'y a-t-il ? Qu'est-ce que tu regardais ?

— Non, rien, ça va.

— C'est qui, l'homme qui vient d'arriver ?

— C'est personne, c'est bon, ça va aller.

— Comme tu voudras, mais tu fais quand même une drôle de tête. » Après quelques secondes, j'ai demandé : « Bon, Peter, on le voit quand ?

— C'est un peu compliqué en ce moment, il est occupé par un projet hyper important, ultra secret, vital pour le groupe. Même moi j'ai du mal à décrocher des entrevues. De toute manière, souviens-toi, on avait dit fin avril ou début mai, et nous ne sommes que le 30 mars…

— Mais puisque je suis prêt, autant rapprocher le rendez-vous ?

— Il est quelle heure ? » Je regarde ma montre puis repose mon regard sur le visage de Victoria, devenu pâle, un peu tremblant. « Sept heures moins le quart. » J'approche ma main pour prendre la sienne mais elle la retire brusquement et se renfonce dans son fauteuil le plus loin possible de ma personne. Je lui dis : « Bon, comme tu veux.

— Je vais devoir te laisser, David.

— Mais pourquoi, qu'est-ce que tu dois faire ?

— Rejoindre la table de Laurent.

— Tu m'as dit que tu avais rendez-vous avec tes amis à sept heures et quart sur les marches de l'Opéra Garnier, et c'est à deux minutes d'ici…

— C'est exact mais il se trouve que trois d'entre eux, par la plus grande des coïncidences, sont à cette table à l'entrée, et que je vais devoir les rejoindre. Je ne peux pas quitter ce bar avec toi, c'est exclu. Tu vas devoir me laisser m'installer à la table à l'entrée.

— Laurent fait partie de ceux avec qui tu vas ce soir à l'opéra ? »

Victoria me regarde fixement.

« Tu m'as dit que ton mari serait là, je ne comprends rien... »

Plaquée au fond de son fauteuil, m'examinant de loin, Victoria me regarde avancer minutieusement dans la compréhension de la situation.

« L'homme qui vient d'arriver, et qui s'est assis après avoir embrassé Laurent, c'est... c'est ton mari ? »

Victoria ne me répond toujours pas.

« Ils se connaissent ? Putain, je ne comprends rien... Ton mari et Laurent, ils vont à l'opéra ensemble ? Il me semble que je t'ai posé une question, j'aimerais bien que tu prennes la peine d'y répondre. Ils se connaissent ? Ils sont amis ? »

Mon visage interroge Victoria avec violence, immense et silencieux. C'est alors qu'elle me dit, d'une voix éteinte, avec un accent de mécontentement : « Parlons d'autre chose.

— On ne parlera pas d'autre chose. Tu n'es pas tellement en situation, si j'ai bien compris, de choisir tes sujets de conversation. Si tu ne réponds pas à ma question, je vais aller la leur poser.

— Laurent est le meilleur ami de mon mari.

— Ils se connaissent depuis longtemps ?

— Depuis l'enfance. »

Je regarde Victoria abasourdi.

« L'homme qui se déguisait, qui mettait de fausses barbes et qui t'emmenait dans des hammams pour te tripoter les seins devant des mecs qui se branlaient... avant de te baiser dans des hôtels miteux, au milieu des cafards, c'est le meilleur ami de ton mari ? L'homme dont tu m'as dit que tu l'avais quitté parce qu'il voulait t'emmener trop loin dans vos délires, tu le vois en compagnie de ton mari, vous faites des dîners avec sa femme, tous les quatre ? Vous partagez un abonnement à l'Opéra, si ça se trouve vous partez en vacances tous ensemble, l'été, en famille, avec les enfants ? *Vous arriviez à assumer cette double vie ?*

— Sans le moindre problème, si c'est ça que tu veux savoir. »

Ce que je viens de découvrir est gigantesque : c'est fascinant. Ce n'est plus une divergence de goût ou d'opinion, ce n'est plus uniquement que je me sens en désaccord avec la mentalité ou le mode de vie de Victoria : je suis en face d'une sorte de mutant dont les capacités d'adaptation aux situations les plus extrêmes sont prodigieuses, presque inhumaines.

« C'est vraiment savoureux... Il y a donc, dans ce bar, si je résume : Victoria ; son mari ; son amant actuel ; l'amant qu'elle a eu juste avant celui-ci, et qui se trouve être le meilleur ami de son mari ; et j'imagine que la blonde peroxydée est la femme de Laurent... Tout ça dans le même bocal, au même moment, en partance pour le palais Garnier, heureusement que tu peux compter sur le soutien de ton ancien amant pour te sauver de ce mauvais pas. En définitive, il ne peut rien t'arriver d'embêtant, sauf si je me mets à gravement déconner. C'est-à-dire à me lever et à aller vers cette table pour leur expliquer qui je suis, et dire à Laurent que je sais qui il est. »

Victoria me dévisage sans répondre : mais j'ai senti une pointe de haine dans son regard l'espace d'un bref instant.

« Ça te fait quel effet de voir ton système de l'extérieur, exposé sous tes yeux ?

— Comment ça mon système ?

— Oui, ton système, j'appelle ça un système, ce n'est rien d'autre qu'un système : ne pouvoir concevoir l'existence sans avoir toujours au moins un amant. Aujourd'hui j'en suis sûr, je l'ai là sous mes yeux, c'est une réalité tangible : il n'est pas concevable pour toi de vivre autrement qu'en ayant plusieurs vies qui ne se croisent jamais. » Le visage de Victoria s'est brièvement éclairci, comme si ma phrase, semblable à un rayon de soleil apparu entre deux nuages, lui avait apporté quelques secondes de lumière. Elle me dit : « Je n'avais jamais vu les choses sous cet angle mais tu as raison : d'une certaine manière, oui, c'est un système. J'ai toujours cru que c'était le hasard si je ne m'étais jamais retrouvée sans amant, je me suis toujours dit que les circonstances l'avaient voulu ainsi, que je n'y étais pour rien. Mais non en fait, tu as raison. Sans amant, je dépérirais. J'ai toujours fait en sorte d'avoir un amant, mais je n'en ai jamais été consciente. C'est drôle ce que tu dis. Oui, c'est un système.

— Tu veux que je te dise ce qui me fascine le plus, dans cette situation ? » Depuis que son mari est arrivé, Victoria est méconnaissable, je ne l'avais jamais vue aussi craintive, presque soumise, enfouie au fond de son fauteuil : une petite fille. Quelques secondes s'écoulent avant chacune des répliques qu'elle oppose à mes questions, des répliques qui sont moins des réponses qu'une manière de me repousser loin de son corps, de me tenir à distance. J'ai mesuré ce soir-là à quel point Victoria respectait son mari. Je l'entends qui murmure : « Oui, dis-moi, qu'est-ce qui te fascine ?

— C'est que Laurent n'a toujours pas dit à ton mari que tu étais là. Tout se passe comme si personne ne t'avait vue, il te protège, il se protège lui-même, nous sommes liés tous les trois par une forme de solidarité que pour ma part je trouve assez sordide. Cette situation ne me ressemble absolument pas : je ne m'y reconnais pas du tout. C'est comme si j'avais été importé artificiellement dans une réalité où je n'ai rien à faire, mais dont Laurent et toi êtes les démiurges. C'est votre monde, c'est votre univers, c'est votre mentalité, je n'ai rien à voir avec tout ça. Je trouve ce truc sordide, malsain.

— Tu ne peux pas comprendre, David. Tu ne pourras jamais nous comprendre. »

Victoria n'a pas haussé le ton mais ses deux phrases me sont parvenues avec une grande dureté, lourdes et rapides. Je me suis senti blessé par leur impact : le mot *nous* s'est fiché dans mes pensées comme une balle dans un muscle.

« Comment ça, *nous* ? Pourquoi tu dis : tu ne pourras jamais *nous* comprendre ?

— Parce que tu vois les choses d'un point de vie basique, sans hauteur d'esprit. Les interdits moraux, nous n'avons jamais pensé qu'ils nous concernaient, ni qu'ils pouvaient nous limiter : *on vous les laisse volontiers, vous qui avez besoin de repères*. J'irai même plus loin : on avait conscience d'appartenir à une espèce d'aristocratie, celle des personnes qui savent se procurer la jouissance de vivre des situations hors du commun, hyper puissantes, au-delà des normes. Il y a des hommes, ils sont très rares, avec lesquels il est possible de se libérer des comportements conventionnels : Laurent est de ceux-là. La plupart des gens ont peur : ils se mettent des barrières. Toi, visiblement, tu préfères rester dans les clous. Tu n'es pas courageux. »

Victoria s'adresse à moi avec froideur, en parlant bas et calmement, on dirait qu'elle veut me dévaster. (Une personne assise un peu plus loin et observant distraitement son visage ne pourrait se douter un seul instant que Victoria est en train de m'exécuter : un léger sourire hante ses traits qu'on pourrait prendre pour une sorte de langueur amoureuse, mais en réalité, actionné par les mots qu'elle prononce, c'est un sourire de mépris : son calme même, assorti aux phrases qu'elle prononce, est offensant.) Elle est absolument fascinante la manière dont Victoria vient d'inverser les rapports de force, me plaquant contre le mur de mon discours moralisateur. Prise au piège d'une accusation que j'ai commencé à lui porter, elle se défend par l'attaque : elle m'exclut de la complicité qui la lie à Laurent pour me tasser dans ma petitesse. Je ne lui réponds rien : je vois ce qu'elle veut dire. Elle m'écrase de toute sa puissance. Je me tiens silencieusement sur mon siège en laissant aller mon regard sur les dessins dispersés sur la table : je les vois à l'envers, puisqu'ils sont tous orientés vers Victoria.

« Les êtres communs n'ont ni la capacité de faire ce genre de choses, ni la capacité de les comprendre, ni pour certains d'entre eux la capacité de les tolérer, tant pis pour eux si ça les dépasse de tous côtés — mais par pitié qu'on ne vienne pas me faire la morale : je n'ai à me justifier devant personne de ce que j'ai fait. Tu n'arriveras jamais à me faire dire que je me sens coupable : ce que j'ai vécu avec Laurent était magnifique, je te souhaite de vivre un jour avec une femme des moments aussi incroyablement beaux que ceux que j'ai vécus avec Laurent à la faveur de cette scandaleuse entreprise de transgression — puisque c'est ainsi que tu vois les choses, me dit Victoria sur un ton sardonique, cruellement irrévérencieuse, en essayant d'imiter, par ses mimiques et son intonation, le visage d'une personne offusquée, naïve et un peu bête.

— Pourquoi tu me parles comme ça ? Tu me blesses en me parlant comme tu le fais. Tu n'es pas obligée d'être blessante.

— Je ne suis pas blessante. C'est toi qui dis que je suis sordide. Tu ne peux pas comprendre : je ne suis pas sordide.

— Je retire le mot sordide. Excuse-moi. Je voulais juste exprimer le fait que j'étais mal à l'aise de me retrouver projeté dans cette situation — mais peu importe. Je comprends ce que tu veux dire. Je ne serais pas capable de le vivre, mais je le comprends : je ne te condamne pas. Je vous envie, même, d'être capables d'une telle liberté.

— Parfait. Merci. Excuse-moi, alors.

— En revanche, je me retrouve au bord d'un gouffre : tu es capable de tout, je ne sais plus qui tu es, où tu te trouves, quelle est la femme qui dit la vérité. Qui me prouve que tu n'as pas deux amants ? Qui me dit qu'en réalité tu n'as pas renoué avec Laurent ? Tu viens de faire de moi le spectateur de ton extraordinaire capacité de fragmentation, de dissimulation : elle ne me choque pas, mais elle me fait peur, je crains d'en être la victime... En même temps que tu vends tes capacités à évoluer au-delà de toute morale, tu m'assures que tu me dis toujours la vérité : comment veux-tu que je te croie ? On ne pourra jamais savoir, avec toi, à aucun moment, quel que soit le sujet, si tu dis la vérité. À partir de ce soir c'est quelque chose qui est devenu impossible. »

Victoria ne me répond pas.

« Tu vois, quand on s'est rencontrés, nous étions chacun dans un système. Moi mon système c'était d'avoir une maîtresse une fois de temps en temps, assez rarement, et de ne la voir qu'une seule fois. Toi ton système c'était d'avoir un amant permanent, qu'il n'y ait aucune rupture de continuité. J'aurais pu t'imposer mon système, disparaître le lendemain de notre nuit à Londres, mais c'est toi qui m'as attiré dans le tien : je me trouve à présent, pour la première fois de ma vie, dans le système de quelqu'un d'autre. Je m'en veux, parfois, comme tu le sais ; j'ai essayé, à différentes reprises, de m'en évader. Tu es toujours parvenue à m'y retenir, par différents moyens. Et à présent que je me trouve séquestré dans ce système…

— Personne ne t'oblige à y rester, je ne vois pas pourquoi tu utilises le terme séquestré…

— C'est moi qui m'y séquestre : par ma dépendance à ta personne, par le fait que j'ai besoin de toi… Et je découvre que ce système fait de moi, en théorie, un élément parmi d'autres…

— Mais qu'est-ce que tu racontes…

— Je ne vois pas au nom de quoi tu t'interdirais d'agrandir à mon insu le territoire de tes expériences. Ce que je vois de ta vie, je me dis naïvement que c'est la réalité ; mais peut-être que celle-ci n'est qu'une partie d'une réalité un peu plus vaste, qui m'est dissimulée… peut-être que ta vie est différente de ce que j'imagine ? Je suis peut-être exactement dans la même situation que ton mari mais au premier étage alors que lui serait resté au rez-de-chaussée ? Au-dessus de moi, au deuxième étage, il se trouve peut-être un autre homme dont j'ignore l'existence et qui en sait encore un peu plus que moi et que ton mari, parce qu'il connaît mon existence et celle de ton mari ? Peut-être en existe-t-il un autre au troisième étage ? Ou bien une femme ? Ou alors tu fragmentes ton existence en appartements et nous sommes un certain nombre à ignorer l'existence les uns des autres, alors qu'en fait nous sommes tous des voisins de palier ?

— Mais tu délires, David, tu délires... Je te jure que tu es le seul, que je n'ai personne d'autre dans ma vie...

— Non, je ne délire pas, je me contente de tirer le fil de ton système, de la manière la plus logique qui soit. Je te répète qu'il ne me choque pas, je n'émets aucun jugement moral sur la question, contrairement à ce que tu pensais tout à l'heure. Je frémis, c'est tout. Ton système me fait trembler pour moi-même.

— Tu n'as pas à frémir. Je te promets que je te suis fidèle.

— Ce n'est pas une question de fidélité : tu peux coucher avec qui tu veux, où tu veux, en voyage, je m'en tape. C'est une question de réalité cachée. Ta réalité est une construction dont je ne vois peut-être que la partie qui me concerne directement... Je refuse le principe de cette vision fragmentaire : je te voudrais panoptique : je voudrais pouvoir surveiller le plus petit recoin de ta réalité.

— Je ne te cache absolument rien.

— Tu aurais pu me dire cette phrase hier matin.

Et j'aurais découvert ce soir qu'elle était fausse. » Victoria ne répond pas : ce que je viens de déclarer la rend muette. J'enchaîne : « Promets-moi une chose, Victoria, en échange du fait que je me suis laissé attirer à l'intérieur de ton système...

— Je t'écoute.

— C'est simplement de me dire la vérité. De me dire si je suis numéro deux, numéro trois. De me dire si pendant tel voyage tu as passé la nuit avec un homme. Je veux être sûr que tu ne me mens pas. Compte tenu de ce que je sais de toi maintenant, le plus petit mensonge me serait insupportable. Tout doit être transparent entre nous désormais, c'est impératif : sinon, toute confiance deviendra impossible.

— Je te le promets. Il faut vraiment qu'on se quitte, maintenant, je suis désolée. »

Victoria a appelé le serveur et réglé nos tasses de thé. J'ai rangé mes dessins dans leur lourd dossier sanglé, nous nous sommes levés, j'ai aidé Victoria à enfiler son manteau, nos regards se sont croisés au moment où elle se retournait vers moi pour le boutonner : un regard à la fois tendre, frustré, inquiet et incertain. Elle m'a dit : « On va plutôt sortir en longeant le comptoir, comme ça on passera un peu plus loin de leur table.

— Tu m'as l'air vraiment terrorisée. Tu as peur ?

— Un peu. Je dois admettre que la situation me fait peur. »

Nous nous sommes dirigés vers le comptoir, que nous avons longé pour sortir du bar ; et au moment où nous étions arrivés à la hauteur de la table, et que nous nous trouvions sous les yeux de ceux qui l'occupaient, je me suis arrêté brusquement ; je me suis retourné pour regarder Victoria dans les yeux ; son visage était paniqué. Je lui ai dit, lentement, calmement, avec délectation, un sourire sur les lèvres (un sourire qu'il était aussi agréable pour moi de déguster qu'une cuillerée de chocolat fondu) : « Tu paniques, Victoria ? Quelque chose ne va pas ? Tu ne vas quand même pas t'écrouler, là, devant tout le monde, ce n'est pas le moment…

— Qu'est-ce que tu fais, David ? m'a répondu Victoria les dents serrées mais en ayant l'air le plus naturel possible (le décalage entre l'extrême violence de son ressenti et la nécessité où elle se trouvait d'avoir un air cordial était terrible).

— Ce que je fais, ma chère Victoria ? Tu me demandes, tu voudrais savoir ce que je fais ?

— Mais surtout je voudrais que tu arrêtes immédiatement ce petit jeu de merde. Viens, dépêche-toi, on sort d'ici, je te raccompagne dans le hall.

— Je vais te dire ce que je suis en train de faire, mon amour : je te sauve la mise. Car je vais te tendre la main, lui ai-je dit en lui tendant la main, et je vais la tenir serrée dans la mienne quelques instants, ostensiblement, comme un bon prestataire de services obséquieux, vaguement gluant et méprisable, qui a envie de conclure son contrat, ai-je dit à Victoria en tenant sa main dans la mienne de la manière dont font parfois les commerciaux qui viennent nous voir sur la tour Uranus pour nous vanter leur matériel. Et tu vois Victoria je vais te dire des phrases du genre : vraiment, je me réjouis sincèrement d'avoir fait votre connaissance, c'était un vrai plaisir d'avoir une écoute d'une telle qualité (est-ce que tu as remarqué que leurs regards sont braqués sur nous et qu'ils nous observent attentivement, y compris ton mari ?), et surtout je suis heureux que mon projet de rénovation vous ait plu. Est-ce que vous pensez pouvoir revenir vers moi rapidement avec une date de rendez-vous à Londres ?

— Euh, assez rapidement, oui, je pense, m'a répondu Victoria.

— Bien, parfait. Je me réjouis de rencontrer Peter Dollan et de pouvoir lui exposer ce que j'ai en tête. Et surtout je vous le répète, si vous avez besoin de dessins supplémentaires, ou bien que je commence à réfléchir un peu sur votre usine en Lorraine, je suis tout disposé à prendre sur mon temps pour aller la visiter et vous remettre un pré-projet dans les plus brefs délais, ai-je dit à Victoria en empruntant le visage de celui qui prononce ce genre de phrases. Tu vois, après cette petite scène, tu vas pouvoir aller t'asseoir sans problème ; tu n'auras à te justifier de rien, j'aurai rendu la situation inoffensive ; tu n'auras qu'à leur dire : qu'est-ce qu'il est lourd celui-là, j'arrivais plus à m'en débarrasser, c'est un architecte raté qui essaie de me fourguer un projet. À présent, je te souhaite une excellente soirée à l'opéra.

— Moi aussi. Je ne sais pas comment te remercier. Je t'envoie un sms après le spectacle.

— Bonne soirée. »

J'ai lâché la main de Victoria et je suis sorti du bar du Grand Hôtel pour rentrer dans ma banlieue.

J'ai reçu quelques jours plus tard un mail de Victoria qui se trouvait en Afrique du Sud pour un

« Road Show » d'une semaine. Elle avait travaillé à Johannesburg avec son équipe des ressources humaines puis visité des usines à différents endroits du pays. Elle était actuellement à Port Elizabeth, qu'elle quitterait en fin d'après-midi pour aller passer le week-end à Gorah Elephant Camp en compagnie de quelques-uns de ses collaborateurs : ils devaient sillonner une réserve naturelle et faire un safari.

L'hôtel où elle logeait était aménagé dans une maison coloniale absolument sublime, tout en bois, meublée avec un goût extrême (en lisant cet écrit, j'ai immédiatement imaginé un intérieur comparable à celui de sa maison à Londres) : « *J'ai l'impression de séjourner chez une vieille tante un peu classique mais en même temps aventureuse, avec plein d'histoires à raconter. Ça sent la cire. La décoration joue sur le bois sombre et verni et sur les tissus ethniques dans les tons beiges et bruns* », m'écrivait-elle. Il se trouve que compte tenu de l'heure relativement tardive à laquelle elle était arrivée la veille, le restaurant était déjà fermé ; elle avait été reçue par un « *jeune homme à la présence suffocante* » qui s'était proposé de lui trouver quelque chose à manger dans le réfrigérateur de la cuisine. Après avoir monté son sac dans sa chambre, il lui avait dit qu'il pourrait lui servir une collation dans l'un des salons du rez-de-chaussée ; il lui demandait un délai d'une demi-heure.

La chambre de Victoria était magnifique : un lit à baldaquin, un grand balcon sur un jardin tropical de toute beauté, une salle de bains spacieuse équipée d'une authentique baignoire sur pattes de lion dans laquelle elle s'était longuement prélassée, avant de descendre dans l'un des salons du rez-de-chaussée pour dévorer les victuailles que le jeune homme avait eu la gentillesse de réunir sur un plateau en argent (un peu de charcuterie, du fromage cuit, des fruits, un reste de pâtisserie) ; elle avait bu de l'eau gazeuse et du vin rouge, le jeune homme venait la voir régulièrement pour s'assurer que tout se passait bien. Victoria écrivait : « *Il était grand, athlétique et beau à damner un dieu. Un regard doux, il me draguait gentiment. Le plus terrible, c'est que son charme m'a plu. Il devait avoir autour de vingt-six ans.* » Cette somptueuse maison la frappait par quelque chose d'étrange qui la mettait mal à l'aise, mais il lui avait fallu un peu de temps pour en élucider la raison, d'autant plus qu'elle ne savait pas quelle part prenait dans son trouble le charme de ce jeune homme qui la servait — et moi-même je commençais à trouver étrange le texte que j'étais en train de découvrir, je ne cessais de relire ces quelques mots qui me faisaient chanceler de douleur autant que de plaisir, exactement comme le jour où elle avait décrit pour moi la scène chez le masseur : « *Le plus terrible, c'est que son charme m'a plu.* » Elle n'avait compris la raison de son malaise qu'au moment où le jeune homme la lui avait révélée : il n'y avait strictement personne d'autre dans cette bâtisse que Victoria et son interlocuteur. Quand ce dernier lui avait dit cela, elle avait vu qu'il était passé dans ses yeux un message on ne peut plus éloquent : ils pouvaient donc s'amuser sans problème… « *Cette nouvelle m'a littéralement terrassée* », écrivait Victoria. La situation était en soi d'autant plus troublante que ce jeune homme la fixait du regard avec des expressions de moins en moins dissimulées : « *Je transpirais, je sentais que mon visage était devenu rouge, j'avais peur qu'il ne devine qu'il me plaisait et qu'il ne devienne entreprenant.* » Un sentiment d'intense contrariété, de jalousie douloureuse, avait commencé à m'assombrir, mais je lisais le texte de Victoria avec avidité, lentement, pour ne pas avancer trop vite, pour ne pas parvenir trop tôt au dénouement que je redoutais — dont néanmoins mon excitation croissante espérait bientôt pouvoir se repaître : tout en me défendant de cette pensée intolérable, j'espérais que Victoria était allée au bout de son désir et que son mail se terminerait par la description du plaisir que ce garçon lui aurait procuré. Mais je savais que cette fin me ferait affreusement souffrir.

Victoria avait essayé de faire diversion en parlant au jeune homme de la beauté de cette immense maison, elle lui posait des questions sur son histoire, elle lui avait demandé la date de son édification, à qui elle avait appartenu, depuis quand cet hôtel existait, etc. Il lui avait proposé de lui faire visiter les lieux, ils étaient allés de chambre en chambre, il lui avait montré les plus belles ainsi que les salons qui se trouvaient aux différents étages, le mail que je lisais me semblait aussi interminable qu'avait dû être intense le questionnement de Victoria au sujet du comportement qu'elle adopterait quand arriverait le moment inéluctable où le jeune homme passerait à l'offensive. C'est ainsi qu'ils avaient fini par se retrouver tous les deux sur le balcon d'une chambre, au clair de lune, dans la douceur de la nuit, en surplomb du jardin tropical. Le jeune homme avait posé sa main sur la rambarde contre le coude de Victoria, sa peau effleurant la sienne, elle avait senti sa respiration à lui s'accélérer, elle l'avait regardé avec un léger sourire, elle n'avait pas bougé, ils étaient restés reliés l'un à l'autre quelques secondes par ce contact épidermique électrisant, « *Une minute suspendue* », m'écrivait Victoria. Il aurait fallu qu'elle appuie sa peau contre la sienne, qu'elle ne recule ni ne s'écarte, pour que leur nuit bascule irréversiblement, m'expliquait-elle dans son texte ; il avait d'ailleurs commencé à se pencher un peu... « *Oh, la terrible tentation, le délicieux moment où tout était en mon pouvoir* », lisais-je avec avidité sur l'écran de mon BlackBerry, dans un état d'excitation invraisemblable, le sexe dur, au bord de la jouissance.

« *J'ai résisté* », écrivait Victoria après être allée à la ligne.

Elle avait détaché l'extrémité de son coude gauche de la parcelle de peau où elle était collée ; le jeune homme s'était poliment excusé, comme s'il l'avait importunée ; elle lui avait souhaité bonne nuit avant de s'enfermer dans sa chambre, « *fiévreuse et impatiente* » (deux mots dont j'ai saigné abondamment pendant des jours), elle s'était ensuite agitée dans son lit pendant un certain temps, nue, incapable de s'endormir, « *victime de vagues regrets devant cette satanée sagesse* » (une phrase qui s'est douloureusement plantée en moi à proximité des deux plaies qui s'y trouvaient déjà, flèche incessante), elle avait fini par se lever et par ouvrir en grand la porte-fenêtre qui donnait sur le jardin, espérant calmer ses sens. Elle avait voulu prélever une pomme dans une coupe de fruits et sa main était tombée sur une banane qui s'y trouvait, « *une banane belle, longue, ferme et légèrement incurvée...* », m'écrivait Victoria, elle était sortie sur le balcon et elle avait commencé à introduire la banane dans son vagin, la fraîcheur du fruit contrastait avec la chaleur de son intimité, Victoria m'écrivait qu'elle avait pensé à mon sexe qui sait si bien la prendre et la faire jouir. Elle poursuivait : « *Dans un fantasme absolu, David était soudain avec moi dans ma nuit africaine, sur fond de bruits inconnus. Il se trouvait derrière moi, me plaquant contre lui, il s'est emparé de la banane, il a commencé à la faire aller et venir à l'intérieur de mon vagin tandis que je sentais son sexe dressé qui cherchait à pénétrer une autre voie, rectale celle-ci. Cette idée m'affolait et me séduisait, elle rendait le plaisir procuré par la banane encore plus délicieux... dans l'attente d'un autre qui se ferait dans le supplice et le délice... C'est en perdant l'équilibre que je suis tombée dans mon lit, gémissante sous le plaisir physique et son soulagement, mordant les draps pour que le jeune homme ne m'entende pas. Si tu savais comme j'ai joui, David...* »

Même si ce texte, sous son intitulé COMPTE RENDU DE RÉUNION, se présentait comme un extrait de son journal intime, et s'affirmait par conséquent comme le récit véridique d'une expérience vécue (il n'y avait aucune raison que Victoria manipule la vérité dans des textes qu'elle destinait à ses propres archives, à moins qu'elle n'ait été assez perverse pour anticiper leur diffusion auprès de moi, escomptant que leur réputation d'authenticité lui permettrait de faire passer pour vraies des versions falsifiées d'événements inavouables qu'elle avait vécus), il m'était difficile de croire que Victoria avait résisté à la tentation : « Qu'est-ce qui t'a empêchée de passer à l'acte ? En fait, je ne comprends pas ce qui t'a retenue, pourquoi tu n'as pas fait l'amour avec ce garçon qui t'attirait, personne n'en aurait rien su », lui ai-je dit au téléphone quelques heures après avoir pris connaissance de son mail. Victoria m'a répondu que j'étais quand même bizarre de la suspecter d'avoir cédé aux avances de ce jeune homme alors qu'elle avait pris la peine de me raconter la lutte qu'elle avait menée contre la férocité de son désir. « Tu en avais envie ? lui ai-je demandé. Tu avais envie qu'il te fasse l'amour ?

— Naturellement que je voulais qu'il me prenne, mais je suis restée sage. C'est de toi dont j'avais envie, tu me manquais, j'avais envie que tu me fasses l'amour, j'étais en manque de ton sexe et c'est pourquoi cet homme auprès de moi, si beau, dans cette maison déserte, a failli me faire céder : parce que la pensée de toi qui m'accompagne partout me donne envie de faire l'amour à chaque instant. Cet homme n'aurait été qu'un viatique.

— Alors tu aurais dû le faire… te faire baiser toute la nuit par ce mâle athlétique… et après tu m'aurais raconté.

— C'est ça que tu aurais voulu que je fasse, que je cède à la tentation ? Et que je te raconte ?

— J'aurais préféré ça plutôt qu'un mensonge. Si tu m'avais raconté votre nuit par le détail, je me serais dit que c'était la vérité : que les choses s'étaient déroulées de cette manière. Alors que là j'ai un doute, je suis jaloux parce que je pense que tu as peut-être cédé à la tentation et que tu me le caches pour ne pas me faire souffrir.

— Ça t'aurait excité si j'avais fait l'amour avec ce garçon et que je m'étais mise à te le raconter ?

— Si ça m'aurait excité ? ai-je demandé à Victoria, désarçonné qu'elle me pose abruptement une question aussi intime.

— Oui, ça te fait bander l'idée que je me fasse baiser par un autre et que je te raconte ?

— Je ne sais pas. Ça me fait mal d'y penser mais je crois que ça m'excite un peu, oui.

— Tu as bandé, en lisant mon mail ?

— Un peu.

— Tu aurais envie que je baise avec un autre et que je te raconte ?

— Oui, je crois, peut-être. Mais surtout parce que cette expérience m'apporterait la preuve que tu as décidé de ne rien me dissimuler : que tu es entière avec moi. Ce que j'ai appris l'autre soir au bar du Grand Hôtel m'a vraiment traumatisé, je n'arrête pas d'y penser et de me dire que tu me manipules. Je suis quasi certain que tu as fait l'amour avec ce type : me le raconter serait une façon de me faire profiter de ton système. Je me dis souvent que je n'en suis qu'un élément parmi d'autres. Je ne veux pas être la victime de ton mode de vie. »

Dans un extrait de son journal intime reçu quelques jours plus tard (et dont je me suis demandé sur le moment pour quelles raisons elle me l'envoyait ; il s'agissait de trois pages où elle racontait, d'une manière que j'ai trouvée ennuyeuse, la fin de son séjour en Afrique du Sud), je suis tombé sur une succession de paragraphes où elle évoquait la conversation téléphonique que je viens de relater. Ce que ces lignes signifiaient profondément ne me serait révélé que quelques mois plus tard ; sur le moment, je me suis contenté de penser qu'elle n'avait pas très bien compris ce que j'avais voulu lui dire quand j'avais réclamé qu'elle me fasse le récit de ses escapades sexuelles ; dans mon esprit, il s'agissait de me prémunir de la liberté sans limites de Victoria et de faire en sorte qu'elle ne l'exerce pas à mes dépens. Ce n'était pas la première fois qu'elle faisait de discrètes allusions à la perversité de ses amants (je pense à ce qu'elle m'avait dit, quand nous étions sortis de la boutique de souliers, sur la spirale où Laurent l'avait entraînée, dont elle avait essayé de me faire comprendre qu'il avait fallu qu'elle s'éloigne pour se protéger ; d'ailleurs, elle en reparlait dans ce mail), mais je ne me sentais pas concerné par cette « *perversité* » évoquée à mon sujet ou au sujet de ses amants en général : si bien que de la même manière que mes oreilles n'avaient pas enregistré, passage Véro-Dodat, la gravité des mots qu'elle prononçait, mes yeux ont glissé sur ces phrases comme sur une réalité anguleuse qui bizarrement ne les écorchait pas : car mon regard et sa syntaxe étaient pour le moment comme étrangers l'un à l'autre — il faudrait, quelques mois plus tard, que ce soit ma main, et non plus mes yeux, qui se posent sur cette matière épineuse, pour en sentir les merveilleuses, les périlleuses aspérités. Je serais devenu à ce moment-là aussi « *pervers* » que ses autres amants l'avaient été en sa compagnie — et je découvrirais à ce moment-là que cette « *perversité* » avait effectivement toujours été en moi.

Il s'agissait de ces quelques paragraphes :

« *Le fait qu'il m'appelle et que je sente que mon absence commençait à se faire longue me faisait tel-*

lement plaisir, et en même temps il me disait des monstruosités sur lesquelles je devrais sans doute m'attarder un peu. Par exemple il me disait qu'il avait peur de moi, qu'il voulait que je me fasse draguer par un homme, que celui-ci me fasse l'amour toute une nuit et qu'ensuite je le lui décrive par le menu… pour éviter d'être possédé, d'être manipulé par moi… Étrange et bizarre…

Cette perversité-là me rappelait celle que j'ai fuie, épuisée, avec Laurent.

Comment arrêter ce cercle vicieux qui semble vouloir reprendre ? La perversité serait-elle l'unique destination, le seul apanage des passions parallèles ?

Les femmes de mon âge sont-elles donc condamnées à tomber sur des hommes qui fatigués par des années de vie de couple veulent aller au bout de leurs fantasmes ? Je le crains…

Je ne voulais pas entendre, je ne voulais pas réagir… Comment peut-il me dire ça, m'embrasser comme il le fait, être si dur de désir contre moi, et me menacer en même temps de toute cette folie destructrice ? C'est si perturbant…

J'y repenserai, il faut que j'y repense avec soin. Est-ce une proposition sérieuse ? Ou est-ce le contrecoup de la semaine dernière au Grand Hôtel, une sorte de vengeance par rapport à la situation que je lui ai fait subir à mon corps défendant ?

Je n'ai pas cessé de lui envoyer des messages pour lui dire que ce soir-là il avait été prodigieux, extraordinaire, sublime de sang-froid et de générosité, comme un vrai chevalier. Dans ce grand lit blanc où je n'arrive pas à trouver le sommeil, je me dis que ce fameux soir-là où tant de personnes étaient réunies au même endroit sans le savoir, je me suis sentie protégée. Ça y est : j'ai enfin donné un nom à cette étrange sensation que j'ai reçue là-bas quand il me tenait la main en me regardant dans les yeux : son regard me disait "je reste calme", "je ne m'enfuis pas", "je prends mon temps"... et je me suis sentie protégée par cet homme qui soudain prenait sa part de la situation, ne me plantait pas avec un "eh bien salut, débrouille-toi" qui pourtant aurait été légitime. Je dois dire que c'était la grande classe. »

Puis cet extrait de son journal intime se poursuivait par tout un tas de considérations sur ce qu'elle supposait avoir compris du fonctionnement de la société sud-africaine.

Ce qui était certain c'est que depuis que j'avais reçu le mail de Victoria me relatant sa nuit dans la maison coloniale, je me caressais chaque jour jusqu'à l'orgasme en imaginant Victoria dans les bras de ce jeune homme qui avait su la séduire.

Est-ce cela qu'elle appelait ma perversité ? Mais alors, pour quelle raison m'avait-elle envoyé le récit de cette expérience ?

Il existait désormais dans mon esprit deux scènes sublimes que Victoria, leur ardente héroïne, avait pris l'initiative d'y injecter spontanément, et ces deux scènes étaient devenues les matrices de variations fantasmatiques inépuisables. Tout partait d'une seconde d'hésitation : celle où le masseur avait croisé son regard implorant, et celle où le jeune homme avait senti contre sa main le coude de Victoria — et à partir de ces deux instants fondateurs les fictions s'enclenchaient. Elle prenait la main du masseur pour la plaquer sur son sexe et appuyait son coude contre la main du jeune homme ; le masseur enfonçait sa main dans la fente humide de Victoria et le jeune homme embrassait Victoria à pleine bouche. Un peu plus tard : le masseur la faisait jouir avec ses doigts tandis que le jeune homme s'allongeait sur elle pour la pénétrer.

Une quinzaine de jours après la réception de ce récit, je suis parti une semaine à Florence et à Sienne avec Sylvie pendant les vacances de Pâques (nous avions laissé nos enfants chez ma sœur, en compagnie de leurs cousines). En dehors de mes séjours à Londres, je n'avais pas quitté Paris depuis l'été précédent et surtout je ne m'étais accordé aucun jour de repos, y compris entre Noël et le Jour de l'an, en particulier à cause du gros œuvre qu'il fallait terminer. Je commençais à me sentir épuisé, mes jours de congés payés s'accumulaient, je me suis dit que c'était le moment ou jamais, juste avant la dernière ligne droite, de m'évader pendant quelques jours. J'ai demandé à Sylvie où il lui ferait plaisir de partir avec moi en amoureux, elle m'a répondu qu'elle avait toujours rêvé de connaître la Toscane, j'ai alors organisé un séjour romantique en Italie.

En dépit des difficultés que je commençais à rencontrer sur le chantier, c'est une période pendant laquelle je me souviens d'avoir été heureux. Je me sentais habité par le projet que Victoria m'avait confié, j'y revenais sans cesse pour le perfectionner et produire de nouveaux dessins : chaque soir, quand je rentrais chez moi, je m'enfermais dans mon bureau pour travailler, produire des textes, étayer mes propositions ; plus mon projet s'élaborait, plus je me persuadais que Peter Dollan ne pourrait pas l'écarter. À certains moments d'euphorie (entretenue par mes conversations avec Victoria, de plus en plus fréquentes et optimistes sur cette question de ma candidature et sur ses chances de réussite), je me disais qu'aucune des agences qui se trouveraient en concurrence avec moi ne serait allée aussi loin dans l'analyse du programme et ne proposerait de projet aussi convaincant que le mien : à quarante-deux ans, justice serait enfin rendue à mon talent. Ainsi, je me suis remis à rêver : j'ai retrouvé le même état d'esprit que quand je suis arrivé à Paris et que j'avais l'ingénuité de m'entrevoir un grand destin.

J'ai adoré Florence et Sienne, où moi-même je n'étais jamais allé. J'ai été heureux de partager avec Sylvie les émotions que nous procuraient les chefs-d'œuvre que l'on regardait côte à côte, main dans la main, dans les musées et les églises, ou que nous procuraient les paysages vallonnés que l'on traversait en voiture. Il a fait beau, nous avons déjeuné à la terrasse des trattorias pratiquement tous les jours. J'avais décidé de laisser mon BlackBerry à Paris et d'appeler Caroline une fois tous les deux jours pour m'assurer qu'une catastrophe ne s'était pas produite sur le chantier. Ainsi, j'avais prévenu Victoria que nous ne pourrions pas échanger de sms et de mails, ce que je trouvais préférable dans ce genre de contexte. La veille de mon départ, elle m'avait dit qu'elle devait voir Peter Dollan à mon sujet le mercredi, c'est-à-dire en plein milieu de mon séjour en Italie, et je lui avais fait promettre de m'envoyer un mail pour me dire de quelle manière il avait réagi, afin que je puisse le découvrir dès que je serais rentré chez moi le dimanche soir. Comme je ne doutais pas un seul instant que la réaction de Peter Dollan serait positive, j'envisageais mon retour de vacances avec la même excitation que la perspective du départ avait électrisé mon imagination. Entre les deux : les splendeurs toscanes, le bleu du ciel, les églises, les retables, les allées sinueuses de cyprès, les fresques de Masaccio sur les murs de la chapelle Brancacci.

Je n'avais pas vu Sylvie aussi heureuse depuis longtemps. Je me sentais amoureux d'elle, elle me plaisait, je lui ai offert une paire de chaussures qu'elle avait repérée chez Sergio Rossi.

Nous avons fait l'amour tous les soirs : il ne nous était jamais arrivé de faire l'amour si fréquemment sur une période de plusieurs jours. J'avais envie d'elle, elle avait envie de moi, nous étions bien, les hôtels que j'avais réservés étaient plutôt luxueux et confortables. Et chaque matin, dans les toilettes, je me masturbais jusqu'à l'orgasme en pensant à Victoria, en faisant l'amour avec Victoria, en visualisant Victoria non seulement dans les bras du jeune athlète sud-africain, mais, de fil en aiguille, en train de faire l'amour devant moi, dans une chambre du Concorde Saint-Lazare, avec un inconnu recruté sur Internet. C'est ainsi qu'une mécanique fantasmatique relativement sophistiquée a commencé à se mettre en place pour servir de support à mes séances de masturbation matinales, quand je me trouvais dans les toilettes ou sous la douche de nos hôtels à Florence et à Sienne.

Je trouvais sur Internet un homme dont je me disais qu'il avait le même physique que son athlète sud-africain. Je lui donnais rendez-vous au Concorde Saint-Lazare à une heure précise, il devait récupérer à la réception une enveloppe où se trouvait la clé de notre chambre, je lui avais demandé d'y faire son apparition à une heure précise, de ne pas faire de bruit, de se déshabiller discrètement dans l'entrée : je lui disais que ma femme n'était pas au courant et que je voulais lui faire la surprise. À peu près une vingtaine de minutes avant l'heure dite, je commençais à faire l'amour avec Victoria, en lui ayant, au préalable, bandé les yeux, c'était précisément chronométré. Je la prenais comme à l'ordinaire, mais, à un moment de nos ébats, je lui demandais si elle n'aimerait pas avoir dans son lit le jeune athlète sud-africain, si elle n'aimerait pas pouvoir le toucher. Victoria me disait qu'elle aimerait bien, oui, caresser ses muscles et voir son sexe, c'est alors qu'après s'être dévêtu dans l'entrée le jeune homme s'approchait doucement du lit, je l'invitais d'un regard à nous rejoindre, il se postait près de la tête de Victoria, agenouillé, admiratif, en érection. « Tu aimerais qu'un homme te touche les seins, pendant que je te baise ? » Elle me répondait oui dans un soupir et c'est alors que le jeune homme commençait à caresser la poitrine de Victoria, elle sursautait au tout premier contact de ces doigts sur sa peau, je lui murmurais à l'oreille qu'elle ne risquait rien, qu'il fallait qu'elle se détende, qu'elle allait prendre du plaisir. L'homme lui touchait le ventre, les seins, caressait ses jambes, Victoria s'était mise à mouiller encore plus, je la voyais qui cherchait des doigts le sexe de l'inconnu.

Souvent, j'éjaculais avant même que le jeune homme n'ait eu le temps de la pénétrer. Mais, parfois, je tenais suffisamment longtemps pour qu'il finisse par obéir à ses supplications et par la prendre sous mes yeux. Les orgasmes de Victoria me semblaient redoubler d'intensité par rapport à d'habitude.

Pendant les semaines qui ont suivi, je me suis caressé de nombreuses fois en faisant défiler dans mon imaginaire ces situations où nos deux visages qui s'embrassaient admettaient dans leur intimité l'irruption d'un sexe d'homme que Victoria finissait par introduire dans sa bouche, à quelques centimètres de mes lèvres. Un tableau revenait régulièrement : je prenais Victoria en levrette, je lui maintenais le buste bien droit en la tenant fermement par la poitrine, un homme était debout devant nous, nu, en érection, son sexe frôlait nos deux visages, touchait celui de Victoria, il arrivait qu'il vienne buter contre ma joue, elle agaçait le gland avec ses dents.

Quand je suis rentré à Paris, je me suis précipité sur mon BlackBerry et c'est en vain que j'ai cherché un message de Victoria, parmi les nombreux qu'elle avait tenu à m'expédier, m'informant de ce qui s'était dit lors de la réunion avec Peter Dollan. À la date du mercredi 22 avril, il y avait un message où elle me racontait une soirée à Covent Garden — mais sans la moindre allusion au rendez-vous ni aucun post-scriptum sur son éventuelle annulation.

Quand j'ai eu Victoria au téléphone le lendemain matin, elle m'a informé que le rendez-vous avait été reporté et qu'il convenait de fixer une nouvelle date avec l'assistante de Peter Dollan. Elle allait s'en occuper dans les tout prochains jours.

8

C'est le lendemain de la fête du Travail que nous avons été reçus, avenue Montaigne, par le grand patron de l'entreprise de promotion immobilière. Je me souviens de l'ironie de cette concomitance de dates.

Le retard était de sept semaines par rapport au calendrier initial : non seulement nous avions dilapidé le bénéfice que l'accélération du gros œuvre nous avait permis d'engranger (je rappelle que début janvier, le retard n'était plus que de trois semaines : d'où l'euphorie des bouchons de champagne qui avaient sauté dans la nuit vers les étoiles, au sommet de la tour édifiée), mais dernièrement un certain nombre de difficultés nous avaient ralentis : la mise en redressement judiciaire de l'entreprise de peinture et la fourniture du courant fort avec un décalage de deux mois.

Comme, depuis plusieurs semaines, nous n'étions pas en mesure de présenter à la banque autant d'étages terminés que le calendrier le prévoyait (afin que ses experts réalisent leurs visites d'inspection et nous remettent la liste de leurs réserves), elle avait lancé ce qui ressemblait aux préparatifs d'une action juridique : « On reçoit des lettres recommandées qui font état de certains dépassements de date, ou du nombre élevé de réserves sur les étages déjà finis, a commencé par dire le grand patron. Alors, bien sûr, ces courriers sont très courtois, ils ne contiennent pour le moment que des observations, mais qu'on ne s'y trompe pas : le service juridique de la banque est déjà dans les starting-blocks, ils sont en train de monter un dossier, ils ne nous rateront pas si jamais nous ne pouvons leur livrer le bâtiment à la date annoncée. Si vous préférez, nous sommes déjà en précontentieux. C'est très préoccupant, surtout avec le retard que l'on commence à murmurer... on me dit qu'il pourrait aller jusqu'à trois mois, voire quatre, c'est absolument inconcevable », a conclu le grand patron.

La réunion du 2 mai ressemblait comme une sœur à celle qui s'était tenue le 6 septembre dans les mêmes locaux, mais elle s'en distinguait par une dimension qui n'avait sans doute été absente de la première que pour mieux alourdir la seconde : la dimension ahurissante que la question de l'argent avait prise. Certes, en septembre, le grand patron avait déjà évoqué les menaces de pénalités, mais le gros œuvre n'était que la première étape d'un processus qui allait se poursuivre pendant de nombreux mois (l'échéance étant lointaine, la crainte de ne pouvoir la respecter se diluait dans l'espoir ésotérique que demain serait un jour meilleur), alors que désormais nous nous trouvions dans la dernière ligne droite : le compte à rebours avait été déclenché, le littoral était désormais visible à l'œil nu, nous nous trouvions dans un processus d'achèvement dont le terme sonnerait bientôt comme un verdict infalsifiable : soit nous avions terminé dans les temps, soit nous n'avions pas terminé dans les temps ; soit le retard était acceptable, soit il ne l'était pas ; soit le promoteur parvenait à négocier avec la banque un niveau de pénalités raisonnable, soit l'ampleur du retard interdisait qu'il puisse l'envisager.

Il était prévu par contrat que l'entreprise de promotion devrait verser à l'ensemble des investisseurs la somme de 150 000 euros par jour de retard, puis 230 000 euros par jour de retard au-delà d'une période de six semaines. Le calcul était rapide à faire, que le patron de l'entreprise de promotion immobilière, me regardant dans les yeux, n'a pas manqué de réaliser devant nous sur une machine à calculer : « Ce qui nous donne, disait-il en posant ses doigts sur les touches, si je suis optimiste et que je table sur un retard de trois mois... Vous voyez, j'ai décidé d'être aimable avec vous... Je trouve donc... nous devrons verser des pénalités de 18 millions d'euros. »

Dix-huit millions d'euros.

Voilà la somme que le grand patron faisait peser de tout son poids, dans un silence funéraire, sur les responsables de la maîtrise d'œuvre d'exécution rassemblés dans la salle de réunion.

Personne n'osait commenter le résultat de ce calcul.

Il n'était pas utile que le grand patron me désigne du regard pour déposer sur mes épaules une charge qui se trouvait déjà dans mon corps. Je me vivais moi-même depuis plusieurs semaines comme une incarnation incandescente de ce processus d'achèvement, comme si l'édification du bâtiment instruisait mon procès et que la date de livraison ferait retentir un verdict qui tomberait en premier lieu sur ma personne : épargné, ou anéanti.

Quand j'y repense aujourd'hui, je me dis qu'à cause de ce sens des responsabilités par lequel s'est toujours caractérisé mon rapport au réel, je me suis laissé contaminer par des problématiques qui auraient dû rester strictement professionnelles : j'ai laissé la tour Uranus entrer en moi et faire que je n'étais plus qu'elle. Pourquoi ai-je à ce point intériorisé la répulsion que l'hypothèse d'un retard important inspirait au promoteur ? Qu'est-ce que ça peut bien faire, dans le fond, d'échouer sur un projet une fois tous les vingt ans ? C'est un peu comme si dix-huit millions d'euros avaient été implantés dans mon imaginaire comme un énorme cauchemar et qu'il avait fallu que je les évacue par des moyens qui ne dépendaient que de moi, afin que le jour dit le président de la banque puisse couper le ruban rouge sans que personne ne puisse se douter des tourments par lesquels l'édification de ce gratte-ciel était passée. Le promoteur pourrait serrer la main du PDG dans les applaudissements de l'assemblée réunie pour l'inauguration, la date de remise aurait été respectée et les deux hommes pourraient se féliciter publiquement du succès du programme — et dans la foule, tête anonyme, je serais celui dont l'absorption graduelle des forces vitales aurait permis à cette opération d'être conduite à son terme.

La seule chose qui aurait pu faire que je décroche de l'idée fixe que cette date de livraison était devenue pour mon organisme, ç'aurait été un rendez-vous avec Peter Dollan et que celui-ci me dise qu'il était d'accord pour me confier ses trois projets. Alors, j'aurais planté la tour Uranus pour monter mon agence et voler vers mon destin, je serais devenu un autre homme. Mais la réponse de Victoria ne venait pas, le rendez-vous avec Peter Dollan tardait à m'être fixé, cette situation d'atermoiement accentuait mon anxiété et me faisait apparaître le supplice de la tour Uranus comme une fatalité dont j'étais prisonnier.

Après avoir répété plusieurs fois que ce retard allait lui coûter dix-huit millions d'euros, le grand patron s'est tourné vers Jean-François, mon supérieur hiérarchique direct, que j'ai entendu dire : « Nous allons faire en sorte, nous allons tout mettre en œuvre pour rattraper ce retard. David est complètement mobilisé, sur le terrain, pour que les entreprises se défoncent… » Tous les visages se sont alors tournés vers moi. J'ai enchaîné en regardant le grand patron dans les yeux : « Tout à fait. J'ai pris différentes mesures pour accroître l'efficacité du chantier, évacuer les problèmes plus rapidement, obtenir un rendement plus important, avec une meilleure synchronisation des prestataires.

— Quelle mesure avez-vous prise, par exemple ?

— Par exemple, en plus de l'habituelle réunion de chantier du jeudi matin, j'ai instauré une réunion le mercredi matin qui est à la fois une grand-messe où je motive les troupes, mais qui est aussi l'occasion de poser les bonnes questions, et de trouver des solutions. On ne peut plus se contenter des habituelles réunions de chantier, il faut sortir de la routine et proclamer ce qui ressemble à un état d'urgence : ces réunions du mercredi me permettent de diffuser dans les esprits une atmosphère de crise, de réclamer de tous les acteurs qu'ils s'investissent au-delà de leurs possibilités physiques, mentales et financières. Actuellement, c'est l'ambiance… Autrement, autant le dire d'emblée, on n'y arrivera pas : le retard est d'une telle ampleur qu'on ne pourra l'absorber qu'à la faveur d'une mobilisation exceptionnelle, j'allais dire inhumaine, hors du commun, de l'ensemble des intervenants, à quelque niveau hiérarchique que ce soit. Comme pour le gros œuvre mais en pire : la situation est pire aujourd'hui qu'à l'époque où l'on avait du mal à finir le gros œuvre. Les entreprises doivent mettre sur le chantier davantage de personnes et mieux les encadrer.

— Vous me faites rire, m'a interrompu le grand patron. On leur a déjà dit mille fois qu'il fallait qu'ils augmentent leurs effectifs !

— Ce n'est pas une raison pour ne pas le leur répéter. Je le leur répéterai autant de fois qu'il le faudra, chaque mercredi matin, jusqu'au moment où la tour Uranus vous sera livrée.

— Ces réunions du mercredi, vous êtes certain que ce n'est pas une perte de temps, que la réunionite est la meilleure des solutions…

— Ce n'est pas de la réunionite. Ces séances nous permettent de nous concerter, de nous coordonner, de nous rappeler les priorités. Je fais passer des messages. Je leur parle, je les galvanise, je leur fais pcur, je les pousse à sortir les problèmes des placards. On a beau être à quelques mois de la date de livraison, il y a encore des personnes qui continuent de travailler paisiblement, qui prennent leur temps, qui me cachent des situations, comme si de rien n'était. Ceux-là il faut que je les coince, que je les tienne dans ma poigne.

— Il a raison, est intervenu Jean-François. L'autre jour je suis resté une demi-heure, c'est très utile, on déblaie pas mal de questions.

— Je ne suis pas convaincu, l'a interrompu le grand patron. Il faut prendre des mesures radicales, on ne peut pas continuer comme ça sans rien changer ! Je ne sais pas si vous réalisez nom de Dieu ! *Dix-huit millions d'euros !* Réveillez-vous ! Il faut impérativement, je dis bien : *impérativement,* que ce retard soit drastiquement diminué, pour ne pas dire éliminé ! Je vous préviens, si rien ne bouge dans les semaines qui viennent, il y aura des morts ! Des têtes vont tomber, vous voilà prévenus, la situation ne peut pas rester en l'état ! Messieurs, au travail, on en reparle bientôt, je vous souhaite une excellente journée. »

Quand je suis sorti de la réunion, j'ai immédiatement téléphoné à Victoria.

« Ça n'a pas l'air d'aller, qu'est-ce qui se passe ? m'a-t-elle demandé.

— Je sors d'une réunion avec le promoteur d'Uranus. C'était tendu, on s'est fait menacer, il nous prend pour des branleurs. Je suis épuisé, je travaille onze heures par jour, c'est moi qui tiens le chantier à bout de bras. Et quand je suis assis en face de cet homme et qu'il me regarde, j'ai l'impression d'être comme une plume, de ne rien valoir à ses yeux.

— Te laisse pas faire ! Il faut lui répondre ! Ces types, ces technocrates, je les connais par cœur ! Pour se faire respecter, il faut leur montrer qu'on est fort !

— Je ne me laisse pas faire. J'ai fait entendre mes arguments.

— Il commence à m'énerver celui-là ! » s'est exclamé Victoria en riant (à en juger par sa gaieté, elle n'avait pas l'air de mesurer les enjeux du moment, ni l'ampleur de mon angoisse). J'ai poursuivi : « Si le retard se maintient, ce qui semble l'hypothèse la plus réaliste à ce jour, mais bon… on peut encore espérer redresser la situation et terminer dans les temps…

— Mais bien sûr ! C'est évident que vous allez terminer dans les temps !

— Ils ne vont pas me lâcher, ils vont me mettre une pression colossale. C'est trop pour un seul homme, je ne sais pas comment je vais tenir. On risque dix-huit millions d'euros de pénalités…

— Aïe, m'interrompt Victoria, je commence à comprendre leur malaise. Je n'aimerais pas être à leur place !

— Mais je vais y arriver : je te promets que je vais y arriver. C'est une question d'honneur, je ne peux pas supporter l'idée de rater quelque chose, même si je dois tomber malade ou mourir d'épuisement. Je ne lâcherai pas l'affaire.

— Je suis certaine que tu vas t'en sortir.

— Si je dois créer mon agence cet automne, je voudrais laisser derrière moi une situation améliorée, relativement saine.

— Je préfère t'entendre dire ça et t'imaginer dans cet état d'esprit. Je n'aime pas trop quand tu es comme tout à l'heure, loser et défaitiste.

— Loser et défaitiste ! Comment tu peux me dire une chose pareille ! Tu es super pénible avec ça Victoria. Je ne peux jamais me plaindre, même trois minutes, alors que ma situation est un enfer : il faudrait que je l'endure avec le sourire, que je fasse semblant d'aller bien, c'est inhumain. Je ne suis pas un loser, je vais le démontrer à tous, je ne suis pas un dépressif non plus…

— Je sais, m'interrompt Victoria, je disais juste que je préfère te savoir volontaire que vaincu d'avance. Qu'est-ce que tu fais, maintenant ?

— Je rentre à la Défense. J'ai une réunion pour les levées de réserves avec la banque.

— Les levées de réserves ? Qu'est-ce que c'est que ça ?

— Toi qui es maître d'ouvrage, il faudrait que tu saches ce que sont les levées de réserves !

— Explique-moi, au lieu de me faire la morale. Toi aussi tu es un peu pénible.

— Quand un client visite un bâtiment, il doit noter tous les défauts qu'il détecte, les choses qui ne fonctionnent pas ou qui ne sont pas conformes à ses demandes. C'est ce qu'on appelle les réserves. Les entrepreneurs doivent les corriger afin que le client puisse faire ensuite ce qu'on appelle une levée de ses réserves. L'un des problèmes d'Uranus, ce sont les réserves sur les étages terminés : elles se chiffrent à plusieurs milliers, elles se multiplient à mesure qu'on progresse dans la tour. Elles sont tellement nombreuses que les entrepreneurs, s'ils décidaient de se consacrer à leur seule élimination, ne pourraient poursuivre l'aménagement du bâtiment. C'est un truc de fou : non seulement on travaille sur une tour de deux cent trente mètres et de cinquante étages qu'on a du mal à terminer dans les temps, mais on se trouve débordés par des milliers de minuscules détails. On est en butte à une sorte de démesure, de gigantisme, des deux côtés, vers le grand mais aussi vers le petit. Nous avons d'un côté quatre-vingt-dix mille mètres carrés à aménager, et de l'autre des dizaines de milliers de réserves. Tu sais, c'est un peu comme ces nuées de sauterelles qui s'abattent sur les récoltes : des milliers et des milliers de réserves envahissent notre réalité, dévorent notre énergie, nos journées, les nerfs de nos équipes, c'est un truc démentiel.

— Mais c'est quoi, par exemple, comme réserves ?

— Un carreau de céramique ébréché dans les toilettes femme du trente-deuxième niveau, côté sud. Une trace noire au niveau des plinthes, dans un angle, sur un mur blanc qui vient d'être peint, au dix-huitième étage. Ce genre de détails multiplié par des milliers.

— Il y a des gens, dans la banque, qui font des pointages ?

— Des gens qui font des pointages ? Mais tu plaisantes ! Ils ont une équipe d'une dizaine de personnes qui ne font que ça, qui scrutent le bâtiment dans ses moindres détails, qui notifient le plus petit défaut ! L'autre jour, je me promenais dans la tour avec la responsable de l'immobilier de la banque. Je m'entends bien avec elle, c'est une personne qui a conscience de la qualité du travail que nous faisons, elle nous respecte, elle se rend bien compte de l'énergie que l'on déploie pour rattraper le retard, mais néanmoins elle fait son boulot, sa hiérarchie l'exhorte à ne rien nous laisser passer. Tout à coup, pendant qu'on parle, elle s'arrête de marcher. Je me retourne, je lui demande ce qu'elle fait, elle me répond que ça sonne creux : une dalle sonne creux. Je m'approche, elle tape avec son pied à différents endroits de la moquette, sur une superficie de quelques mètres carrés, tap-tap, tap-tap, tip-tip, tap-tap. Regardez, elle me dit : ça sonne creux, ça fait tip-tip, c'est différent, qu'est-ce que c'est ? C'est rien, je lui réponds. Mais elle s'obstine, elle me dit que ce n'est pas normal, qu'il faut régler ce problème. Je la regarde dans les yeux, je lui dis qu'au point où on en est on ne va peut-être pas s'arrêter sur ce genre de détails sans importance, elle me répond qu'aucun détail n'est dénué d'importance, qu'elle exige une tour parfaite. Je lui dis qu'à ce train-là on ne pourra la leur livrer que dans cinq ans, elle me répond tant pis pour vous, vous paierez des pénalités sur cinq ans. Elle appelle l'un des garçons qui l'accompagnent et sous mes yeux, comme pour bien me montrer qu'elle ne cédera sur rien et que le rapport de force est clairement en sa faveur, elle lui demande de noter que cette dalle de moquette sonne creux. Elle se met même à reprocher à son subalterne de ne pas l'avoir remarqué lors de sa visite d'inspection. Ce à quoi le garçon lui répond qu'il va contrôler tout l'étage pour voir si d'autres dalles font tip-tip au lieu de tap-tap, elle lui répond que c'est une excellente initiative, il ajoute qu'il peut le faire sur tous les étages, elle lui répond qu'effectivement il le faudrait. C'est difficile à croire mais je te jure que c'est vrai : dans les jours qui ont suivi, j'ai croisé plusieurs fois ce garçon, à différents endroits du bâtiment, en train de tapoter le sol avec son pied.

— Ils sont fous dans cette banque…

— Tu comprends ce que je veux dire quand je te parle de nuages de sauterelles qui me dévorent. Le soir, quand j'essaie de m'endormir (généralement, je n'y parviens qu'au bout de plusieurs heures de piétinements), je sens que des milliers de données indépendantes de ma volonté grignotent mon cerveau, je n'arrive pas à arrêter cette agitation, ma journée continue de proliférer dans mes pensées alors que j'essaie de toutes mes forces de l'interrompre par le sommeil, d'imposer le silence et le calme de la nuit. Mais je n'y arrive pas : le type continue d'arpenter les étages de mon cerveau en faisant tap-tap avec son pied sur toutes les dalles de moquette. Ils sont des centaines à faire des trucs comme ça, à me poser des questions, à m'envoyer des mails, à me dire des trucs, à l'intérieur de ma tête, la nuit, alors que j'essaie de m'endormir.

— Je vais devoir te laisser : on m'attend. Excuse-moi.

— Au fait, tu as pu voir Peter, et lui parler ?

— Non, pas encore.

— Mais tu devais le voir hier soir.

— Je l'ai vu mais sur autre chose qui n'avait rien à voir. Il n'était pas dans les meilleures dispositions pour m'écouter sur ce sujet. Je n'ai pas senti que c'était le bon moment pour en parler.

— Mais tu me dis ça à chaque fois.

— Non, c'est la première fois que je le justifie de cette manière.

— On est le 2 mai, je t'ai montré les premiers dessins le 30 mars, je t'ai remis l'intégralité du dossier le 15 avril, je me suis défoncé sur ce projet et tu n'as toujours pas parlé à Peter. Je ne comprends pas.

— Je vais le faire. Je te promets que je vais le faire. J'y crois, ne t'inquiète pas, il faut que tu me fasses confiance. Je le connais par cœur : je saurai reconnaître le moment idéal pour lui parler et obtenir qu'il t'accorde un rendez-vous.

— Et Irina ?

— Quoi, Irina ?

— Elle avance ?

— Elle m'a aidée à faire une première liste d'agences possibles, dont le travail nous plaît, je dois la voir la semaine prochaine pour la réduire à deux noms, en plus du tien. D'ailleurs, je vais devoir parler de cette liste à Peter : ce sera ce jour-là que je lui parlerai de ta candidature.

— Quand, alors ?

— Je ne sais pas. Je pars en Chine après-demain, j'y reste dix jours, j'espère pouvoir le faire à mon retour, vers le 15 mai. On se voit toujours demain soir ? »

À ce moment de la conversation, je me suis retourné sur une jeune femme que je venais de croiser, grande, spectaculaire, du même genre que Victoria mais plus jeune. C'est alors que mon regard est tombé sur deux hommes qui se sont arrêtés eux aussi : leur attention était fixée sur moi. Je les ai regardés l'un après l'autre, ces deux visages m'étaient familiers, j'étais certain de les avoir déjà croisés (et soudain le souvenir m'est revenu qu'ils occupaient la table voisine de la mienne, avant-hier, au Valmy, quand je déjeunais avec Caroline qui était parvenue à me faire asseoir pour avaler autre chose que mon sempiternel sandwich). Les deux hommes m'ont souri avec le plus grand calme, immobiles, attendant que je me remette en marche pour se remettre en marche eux aussi. Visiblement, d'avoir été repérés ne les perturbait pas ;

même, à en juger par le sourire qui flottait sur leurs traits, cette circonstance avait l'air de leur paraître distrayante. Peut-être avaient-ils décidé, ou reçu l'ordre, aujourd'hui, de se signaler auprès de moi ? L'affirmation de leur présence était en soi comme un message, mais un message que je n'arrivais pas à comprendre. D'une blondeur presque platine, massifs, la peau rose, les deux hommes possédaient des physionomies manifestement étrangères.

Comment appelle-t-on une filature opérée ouvertement, sans se dissimuler ? Une manœuvre d'intimidation ? Une opération de surveillance ?

Mon cœur battait à tout rompre. Devant mon silence, Victoria s'impatientait : « David, tu es là, pourquoi tu ne dis plus rien ? » Je me suis remis à marcher et je lui ai répondu : « Oui, pardon, excuse-moi, qu'est-ce que tu disais ?

— On se voit toujours demain soir ?

— Oui, bien sûr, j'ai bloqué ma soirée pour toi.

— J'ai réservé une chambre dans un nouvel hôtel, j'ai eu une idée l'autre jour, c'est une surprise. Je te propose qu'on se retrouve au bar de l'hôtel Meurice, rue de Rivoli, face aux Tuileries.

— D'accord. À quelle heure ?

— Qu'est-ce qui se passe, David, ta voix est bizarre. On croirait que tu viens de faire un sprint, tu es tout essoufflé.

— Il y a deux types qui me suivent.

— Comment ça il y a deux types qui te suivent ? Qu'est-ce que tu racontes ?

— Je te jure, ils marchent derrière moi. Je les avais repérés, ces derniers jours, inconsciemment, je m'en rends compte maintenant. Je m'étais fait plusieurs fois la remarque qu'une voiture était souvent derrière moi, une Audi break, je l'ai même vue garée au bout de ma rue, l'autre matin, quand je suis parti travailler, je m'étais dit que c'était une coïncidence. Ils sont là, avenue Montaigne, ils me suivent, c'est évident.

— David, tu racontes n'importe quoi, tu es fatigué, ce chantier commence à te monter à la tête.

— OK, tu me prends pour un fou. On se voit à quelle heure ?

— Je serai libre à dix-huit heures.

— Non, un peu plus tard. J'ai une réunion à dix-sept heures, je suis totalement débordé.

— Pour dîner, alors… Vingt heures ?

— D'accord, vingt heures. Je te rappelle ce soir en rentrant chez moi.

— Je t'embrasse, bon courage, à tout à l'heure. Et surtout, fais attention de pas te faire coincer par tes deux poursuivants ! »

J'ai raccroché. Je suis descendu dans le parking souterrain pour récupérer ma voiture.

Dix minutes plus tard, alors que je descendais l'avenue de la Grande-Armée vers la Défense, j'ai aperçu dans mon rétroviseur qu'une Audi break me suivait, trois voitures derrière la mienne.

Avant notre fameuse soirée du 19 juin au Buddha Bar, j'ai vu Victoria à Paris le 3 mai, le 10 mai, le 21 mai, le 1er juin et le 12 juin.

Je n'arrivais pas à obtenir de rendez-vous avec Peter Dollan. Toutes les fois que je demandais à Victoria où elle en était, elle me répondait de ne pas m'inquiéter, qu'il fallait être un peu patient.

Je soupçonnais Victoria de me manipuler, de faire perdurer la fiction de ce projet dans le seul but d'assouvir ses besoins — ou de se procurer la dose de fantaisie que réclamait son existence de DRH. Compte tenu de ce qu'elle m'avait laissé entrevoir de son passé, je me disais qu'elle n'en était pas à un mensonge près pour parvenir à ses fins, amoureuses ou professionnelles. Je voyais bien, d'après les récits qu'elle me faisait de ses opérations de dégraissage, qu'elle essayait de persuader les syndicats de l'inverse de ce qu'elle avait en tête : pour quelle raison n'aurait-elle pas fait la même chose avec moi ?

Les espérances que j'attachais à l'obtention de cet entretien, les rêves qui en étaient l'enjeu m'étaient tellement précieux que je n'avais pas envie de voir se confirmer ce soupçon d'affabulation : j'accueillais avec crédulité les explications qu'elle me donnait, sans lui fixer d'ultimatum ni exiger d'engagement plus formel. À chaque fois que je lui disais : « Je ne comprends pas, qu'est-ce qui se passe ? Si ça ne fonctionne pas, si Peter t'a dit non : ce n'est pas un problème, je m'en doutais que la réponse serait négative. Mais dis-le-moi, que je puisse passer à autre chose », Victoria me répondait : « Mais qu'est-ce que tu racontes ? Mais pas du tout ! J'y crois ! Il va dire oui ! Tu vas monter ton agence ! C'est juste une question de temps ! », ce qui constituait pour moi une preuve momentanée de sa sincérité. Le jour où le rendez-vous devait enfin avoir lieu, Victoria ne m'en a pas parlé spontanément, c'est moi qui ai dû l'interroger après une vingtaine de minutes de conversation téléphonique : « Au fait, alors, et la réunion sur les projets d'architecture, comment ça s'est passé ? », et Victoria m'a répondu que l'assistante de Peter Dollan était sur le point de me téléphoner pour me fixer un rendez-vous. « C'est comme ça que tu me l'annonces ? C'est tout ce que tu as à me dire ? me suis-je étonné.

— Qu'est-ce que tu veux que je dise d'autre ? Il m'a dit de demander à son assistante de te donner un rendez-vous !

— Mais c'est super comme nouvelle ! Tu n'as pas l'air si excitée, pourtant ! Tu ne m'en as même pas parlé de toi-même, c'est moi qui ai dû t'interroger !

— C'est parce que je voulais te faire la surprise. »

Quand Victoria mentait, j'avais remarqué qu'elle éludait l'embarras où mes questions pouvaient la mettre en prononçant une phrase tellement absurde qu'elle faisait trébucher la conversation : celle-ci s'arrêtait net, et la problématique de l'affabulation disparaissait d'elle-même à la faveur de ce brusque accident.

Une autre chose que j'avais observée, en particulier dans ses sms, c'est qu'un message en anglais signifiait qu'elle mentait, ou qu'elle était indécise. Si je lui posais une question à laquelle il lui était désagréable de m'opposer une réponse négative, elle me répondait « *Why not ?* », ou « *I don't know* », ou « *We will see* », voire « *Yes* », ce qui voulait dire « *Non* » ou « *Je ne crois pas* ». Si je lui demandais : « *Tu reviens quand ?* », et qu'elle me répondait « *Tuesday* » au lieu de « *Mardi* », je savais qu'elle ne viendrait pas mais qu'elle n'avait pas le courage de me le dire. Moi : « *Tu as parlé à Peter, comme on avait dit ?* » Elle : « *Non. Il est parti en voyage.* » Moi : « *Zut.* » Elle : « *Sorry.* » Moi : « *Il revient quand ?* »

Elle : « *Semaine prochaine.* » Moi : « *Tu vas le voir ?* » Elle : « *Plein de réunions prévues.* » Moi : « *Ah ! Génial ! On aura enfin des nouvelles !* » Elle : « *I hope.* » Moi : « *Mais vous allez monter une réunion sur le sujet, avec Irina ?* » Elle : « *Of course.* » Moi : « *Tout va bien, alors.* » Elle : « *Yes.* » Moi : « *Tu fais quoi, là ?* » Elle : « *Réunion avec les avocats.* » Moi : « *Ça avance ? Tu es contente ?* » Elle : « *Oui. À plus tard, je te laisse.* » Victoria ne se doutait pas qu'un échange de la nature de celui que je viens de retranscrire était pour moi complètement transparent, à cause d'un tic dont elle-même n'avait pas conscience qu'il la trahissait.

« Tu voulais me faire la surprise ? C'est pour ça que tu ne m'as pas appelé en sortant de ton entrevue avec Peter ?

— Son assistante va t'appeler demain pour un rendez-vous. Je ne voulais pas te vendre la mèche.

— Je comprends. Alors, dis-moi, comment il a réagi à mes dessins ?

— Il les a trouvés très beaux.

— C'est vrai ? Il les a aimés ?

— Well... Il n'a pas eu le temps de vraiment les étudier. Je lui ai surtout parlé de ta personne, de ton profil. Je lui ai montré ton dossier, il a pu se rendre compte de la masse de travail que tu avais fournie. Il m'a donné son accord pour te rencontrer.

— Quand ?

— At the end of July, I think. About.

— Fin juillet ! Mais c'est dans longtemps !

— Il n'est pas disponible avant.

— Tu ne veux pas que j'appelle moi-même son assistante ? Pour que je voie avec elle la meilleure date possible ?

— Non, laisse-la faire, elle va t'appeler, elle est très occupée. »

Une nouvelle phrase absurde.

« Et alors, on ne peut pas appeler la secrétaire de ton patron au motif qu'elle est très occupée ?

— Je te dis qu'elle va le faire, laisse-la agir à sa guise, il faut suivre la procédure, it's much better. »

Agir à sa guise ?

Suivre la procédure ?

It's much better ?

En écoutant Victoria, je n'arrivais pas à me défaire de l'impression qu'elle me mentait : quelque chose sonnait faux dans sa voix, dans les mots qu'elle employait, dans la présence de tous ces gravillons de langue anglaise. Je m'efforçais de déjouer la mécanique de ce soupçon en multipliant les questions, afin de lui offrir la possibilité d'articuler une réponse cristalline susceptible de dissiper mes inquiétudes. Mais à mesure que l'entretien se prolongeait, cette sensation s'accentuait : Victoria s'enlisait.

De fait, c'est en vain que le lendemain, le surlendemain et dans les jours qui ont suivi, j'ai attendu que l'assistante du CEO de Kiloffer me téléphone.

À la faveur d'une extension assez logique de ma rancœur, j'ai commencé à éprouver pour Victoria une forme de répulsion. Quand je devais la retrouver à son hôtel, j'avais de moins en moins envie d'y aller.

J'avais toujours connu, dans les heures qui précédaient nos rendez-vous, une diffuse réticence intérieure, mais il avait toujours suffi d'un préambule relativement bref pour que cette résistance se métamorphose en désir. Depuis plusieurs semaines, à la seule vue de Victoria assise dans un fauteuil au bar de son hôtel comme une offense à la quiétude de notre monde, cette résistance se solidifiait en rancune, en accablement. Je devenais le phénomène le plus pesant qui puisse s'imaginer : inamovible et offensif, frontal dans ses attaques, visqueux dans ses insinuations, manichéen dans ses diatribes.

Je monologuais interminablement, afin de différer le plus possible le moment où Victoria m'entraînerait dans sa chambre. Une fois que nous étions montés, je m'asseyais sur une chaise, prostré, les genoux soudés, les mains enfouies entre mes cuisses, mon monologue reprenait de plus belle jusqu'au moment où Victoria m'attirait sur son lit pour me violer.

Je me faisais l'effet d'être une pute : j'avais conscience de me prostituer pour l'obtention d'un projet auquel je tenais. J'étais, pendant la journée, un esclave, et j'étais, plusieurs soirs par mois, une prostituée. C'est sans doute le malaise que m'inspirait ce comportement que j'essayais d'atténuer par mes attaques. Outre le fait que ces monologues me permettaient de repousser le moment où je donnais mon corps à Victoria, leur purulence trahissait ma décrépitude et le dégoût que je m'inspirais.

Je finissais déshabillé, maintenu plaqué contre les draps par le corps de Victoria qui remuait égoïstement sur mon sexe en érection. Une fois que nous avions commencé à faire l'amour et qu'elle me demandait d'aller plus vite, de bien la prendre, qu'elle aimait ça, je la baisais comme je me dilapidais sur le chantier, d'une manière extrême et éperdue, fiévreuse, désespérée, jusqu'à la limite de mes forces. Je ne m'appartenais plus. J'étais dans un au-delà de la fatigue. Je me donnais à Victoria sur son lit comme je me donnais aux autres sur le chantier.

Si j'avais eu l'assurance que ce projet d'architecture ne se ferait jamais, j'aurais rompu immédiatement. Mais je n'étais pas sûr de ne pas commettre une énorme erreur en prenant cette décision.

Dans un fragment de son journal intime que Victoria m'a envoyé à cette époque sous son habituel intitulé de COMPTE RENDU DE RÉUNION, j'ai pu lire les phrases suivantes : « *Je suis pensive et déstabilisée. Nos dernières rencontres physiques à Paris ont été spéciales, il y avait ces conversations interminables où il n'arrête pas de parler, où nous n'arrêtons pas, car il m'aiguillonne avec obstination, de nous chercher, de nous affronter, de nous détester, d'accentuer nos divergences… Nous nous opposons, depuis le premier jour, sur des questions d'idéologie, c'est ce qui fait le sel de ce rapprochement chimérique de nos deux mondes et de nos deux personnalités, mais je trouve que ces derniers temps ce petit jeu est devenu disproportionné. Je crois qu'il souffre, je le vois ployer sous la fatigue, s'amenuiser peu à peu, je voudrais tant lui redonner un peu de joie, mais comment faire ? C'est d'autant plus difficile que depuis quelque temps il est devenu extrêmement farouche, comme un animal qui ne se laisse pas caresser. Je me dis parfois qu'il m'en veut de quelque chose, mais quoi ? Qu'est-ce que j'ai bien pu faire qui aurait pu le contrarier ? Quand je le vois statufié sur sa chaise à monologuer alors qu'il sait si bien m'embrasser, il me donne envie de basculer dans l'excès inverse, de vivre à fond tous les fantasmes que son corps et sa manière de m'aimer font naître en moi, quitte à prendre des risques et se brûler les ailes...* »

Je m'étais mis à souffrir du mode de vie de Victoria, de sa liberté, de ses privilèges. L'existence qu'elle menait me torturait : séquestré dans une tour dont le retard qui augmentait était un peu comme le tombeau de tout plaisir de vivre, je n'en pouvais plus de la voir passer sa vie à se promener à travers le monde.

Je ne pouvais m'empêcher d'éprouver de l'amertume à savoir Victoria du côté de ceux qui fabriquent les problèmes. Quand vous vous trouvez, en compagnie de quelques-uns de vos semblables, tout en haut de la pyramide, et c'était le cas de Victoria, personne n'est susceptible de vous causer des ennuis, vous êtes payé pour en créer aux autres par les contraintes que vous imposez et par les stratégies que vous mettez en œuvre. Je pouvais en faire l'expérience chaque jour sur le chantier, où en raison d'une série de décisions que certains dirigeants avaient prises quelques années plus tôt, il était manifeste que tout avait été calculé trop juste pour qu'on puisse travailler dans de bonnes conditions — du genre : « *Ils se démerderont. Rayez, n'écrivez pas trois ans, mettez deux ans et demi. Je vous dis, ils se démerderont pour construire ce bâtiment en deux ans et demi. Comme ça, on peut le mettre en exploitation six mois plus tôt... et surtout on économise six mois de chantier...* » Les personnes qui un jour ont tenu ces propos, puis-je les remettre en cause, accuser leur inconséquence ? Ils sont à l'abri dans leur monde et dans leurs certitudes et ils attendent que le bâtiment leur soit livré : les regards sont fixés sur moi et non pas sur eux qui pourtant sont les vrais responsables.

Dans mes ruminations les plus toxiques, je me disais que Victoria appartenait à la même aristocratie de privilégiés qui ne se remettent jamais en question, qui vivent au-delà de tout jugement, qui fonctionnent en réseaux pour maintenir le plus haut possible leurs normes de rémunération et les standards de leur mode de vie. Quand je lis que l'intéressement de tel patron peut se chiffrer sur une année normale à trois millions d'euros, je me demande au nom de quoi de telles largesses sont simplement envisageables — et la réponse est claire : c'est une norme internationale, un usage imposé au sein d'une classe particulière par ceux-là mêmes qui la constituent, solidaires, mondialisés. En contrepartie, ils s'engagent à faire faire à l'entreprise qui leur accorde ces privilèges le maximum d'économies, à améliorer la productivité de son outil industriel, à augmenter les dividendes que recevront les actionnaires. Même quand ces dirigeants démontrent leur incompétence et qu'on doit s'en débarrasser, ils obtiennent d'être récompensés : au lieu de se briser, comme un vase, sur le carrelage de leur échec, ils tombent sur un matelas de plusieurs millions d'euros.

Certes, il n'était pas contestable que Victoria travaillait énormément, mais le système auquel elle appartenait lui permettait de s'accorder, en contrepartie des tensions qu'elle subissait, d'agréables consolations. Quand elle me décrivait, à moitié ivre, les soirées qu'elle passait dans de grandes villes d'Asie ou d'Amérique latine, il m'arrivait d'être confronté à des accès d'aigreur. Lisant un mail comme celui-ci : « *Il fait chaud, la nuit est sublime, emplie du son des grillons, l'hôtel est grandiose, dans un palais ancien, nous avons dîné dans un endroit incroyable, en dehors de la ville. J'ai mangé des sauterelles grillées ! Nous sommes rentrés sur des espèces de motos-taxis, c'était drôle, nous avons ri, je suis maintenant au bord d'un bassin couvert de nénuphars, dans le jardin tropical de l'hôtel. Je vais m'endormir dans des draps de soie, j'ai eu droit à la plus grande chambre, il paraît que Mitterrand l'adorait. J'ai envie de faire l'amour, je pense à toi, bonne nuit...* », je pouvais avoir envie de jeter mon BlackBerry à travers le salon de ma maison, où évidé par ma journée, incapable de rien faire d'autre que de me laisser abrutir, j'étais en train de regarder une émission débile à la télévision.

Victoria m'avait avoué son salaire, un soir que j'avais insisté pour le connaître : 350 000 euros par an, plus l'octroi de stock-options dont le montant, si elle les réalisait, se chiffrerait à 3 millions d'euros. Elle était propriétaire de sa maison à Londres (d'une valeur de 2 millions d'euros), achetée avec ses deniers personnels (et non pas avec la fortune familiale de son mari) après avoir revendu un appartement qu'elle avait pu s'offrir à Versailles quelques années plus tôt. Comme elle avait toujours été expatriée, elle avait toujours fort bien gagné sa vie.

Elle avait fini par me demander : « Et toi ? combien tu gagnes ?

— J'ose à peine te le dire. C'est à la fois énorme, si je compare cette somme aux salaires des compagnons avec lesquels je travaille... ou encore à ce que gagne l'immense majorité des Français... et c'est franchement scandaleux par rapport à mes responsabilités, aux pressions que je subis, aux bénéfices que certaines personnes vont pouvoir réaliser sur cette opération si je la conduis correctement. Je n'ai même pas d'intéressement, aucune prime n'est prévue en cas de réussite. Que j'échoue ou que je réussisse, financièrement, c'est pareil. Comme je suis un bon soldat obéissant, ils savent qu'il n'est pas utile de me faire miroiter une rétribution supplémentaire pour espérer que je relève leur défi impossible... Alors, pas bêtes, ils ne me font miroiter aucune rétribution supplémentaire... Je ne vais pas te faire un dessin, tu connais le système par cœur...

— Bon, alors, c'est combien ?

— 5 500 euros brut par mois sur quatorze mois.

— Hein ? Quoi ? *5 500 euros par mois ?!*

— Ce qui fait environ...

— *Tu ne gagnes que 5 500 euros par mois !*

— Je suis d'accord avec toi. Ce qui est drôle c'est que souvent, quand je donne mon salaire, j'ai honte : soit parce qu'il est trop élevé, soit parce qu'il est trop bas. 5 500 euros par mois, c'est très élevé, mais c'est aussi très bas. Tout dépend de l'interlocuteur.

— C'est surtout très bas.

— À chaque fois que je demande une augmentation, on me la refuse. Si demain j'allais leur réclamer une prime, ils me la refuseraient, même de 4 000 euros (juste pour offrir des vacances de rêve à ma femme et à mes filles, que je ne vois quasiment plus depuis six mois). C'est ça qui me révolte, surtout quand je vois quel est ton mode de vie, ces voyages d'affaires que tu prolonges par des safaris ou des séjours dans des maisons coloniales... les grands restaurants, les salons de massage, les hôtels de luxe... Tous ces miles accumulés par tes déplacements professionnels et dont tu profites en famille, en emmenant tes enfants en voyage : ce système des miles, c'est l'un des nombreux exemples de vos arrangements de caste. Pourquoi les miles des dirigeants ne seraient-ils pas versés dans une caisse commune, pour ceux des salariés qui ne peuvent pas s'offrir de vraies vacances ? Tu as besoin de ce système des miles pour t'acheter des billets d'avion, toi qui gagnes 350 000 euros par an ? C'est ça qui me dégoûte, vous avez tout prévu, entre vous, pour avoir la meilleure vie possible, et personne ne vient vous contredire. Pourquoi des miles engrangés par des déplacements professionnels peuvent-ils rejaillir sur ta vie privée ? Pourquoi tu n'offres pas tes miles à l'une de tes assistantes ? Pour moi, on est clairement dans une configuration d'abus de bien social caractérisée... mais c'est devenu une sorte d'institution.

— Arrête de faire de la démagogie, j'ai l'impression d'entendre José Bové ou je ne sais pas qui d'hyper simpliste. Tu m'avais habituée jusqu'ici à un niveau de réflexion un peu plus élevé. On patauge dans la bien-pensance la plus répugnante.

— On est en train de boire du champagne rosé dans une chambre de l'hôtel du Louvre avec vue sur le Palais-Royal, tout ça au frais de Kiloffer — très bien, je trouve ça super agréable, mais en même temps, demain, l'une de tes subordonnées va refuser à une secrétaire une augmentation de 150 euros par mois... et vous êtes en train de fermer une usine en Lorraine, de mettre sur le carreau quatre cents personnes.

— Ne fais pas de raccourcis comme ça, David, c'est trop facile.

— Je ne fais pas de raccourcis : Kiloffer nous offre une bouteille de champagne dans une chambre de palace au motif implicite que tu as bien mérité ta journée : tu as passé huit heures à affronter héroïquement, avec talent j'en suis certain, trente syndicalistes déterminés qui refusent que tu filialises l'industrie lourde de Kiloffer. Avec l'aide de ton armada d'avocats d'affaires, tu es parvenue à circonvenir le comité d'entreprise : tu hurlais de joie, tout à l'heure, au téléphone, en me disant que tu venais de remporter une bataille essentielle, que ta stratégie avait été parfaite, qu'ils n'y avaient vu que du feu. Tu hurlais que tu allais bientôt gagner la guerre, qu'on allait bien s'amuser…

— Tu ne vas pas me reprocher de vouloir te faire plaisir, m'avait répondu Victoria avec malice en portant le verre de champagne à ses lèvres.

— C'est ça que je découvre à travers toi : sous prétexte qu'il faut bien, les entreprises, les diriger, et que c'est une chose relativement complexe et épuisante, vous partez du principe que pour le faire correctement il vous faut du confort, de la quiétude, des gratifications aussi régulières que des caresses d'affection qu'on donne à un enfant. Il vous faut voyager en première classe pour être en forme à votre descente d'avion, boire des grands vins, dormir sur d'excellents matelas, descendre dans des hôtels avec piscine, vous prélasser dans de spacieuses baignoires : sinon, vous seriez moins performants, votre concentration serait moins parfaite pendant les réunions sanglantes où vous apparaissez, les entreprises que vous dirigez seraient moins prospères, les gens seraient au chômage. Vos responsabilités sont telles qu'il faut vous choyer comme des stars de cinéma, ou des lévriers, ou de vieilles Bentley délicates dont le moteur réclame un entretien méticuleux. Vous ne pouvez pas prendre le métro pour aller à l'aéroport, vous risqueriez de vous enrhumer, ni attendre vos avions avec la plèbe... vous vous cloîtrez dans des salons VIP où tout est gratuit : boissons, nourriture, presse internationale, etc. C'est vraiment ça : vous vous êtes arrangés entre vous pour avoir la meilleure vie possible.

— Tu es mesquin, envieux, jaloux, voilà.

— Tu sais aussi bien que moi que tes performances seraient exactement les mêmes si Kiloffer réduisait par deux ton train de vie. Ou si toi, par décence, par respect pour ceux que tu mets à la rue, tu prenais l'initiative de réduire par deux les frais de fonctionnement de ta charmante personne.

— Tu es jaloux, na !

— C'est exact : je suis jaloux. Je souffre, à cause de la fatigue, de ne pas être suffisamment remercié pour les sacrifices que je fais. Je me sens du mauvais côté de la barrière : je suis tout près de cette barrière, mais du mauvais côté. La preuve, on se côtoie, je ne suis pas un ouvrier...

— Ce n'est une preuve de rien : je serais tout à fait capable d'emmener un ouvrier à l'hôtel du Louvre pour qu'il me fasse l'amour. D'ailleurs, l'un des syndicalistes avec lequel je négocie... »

Ce que je trouvais savoureux, c'est que le métier de Victoria consistait à évaluer le potentiel des salariés de Kiloffer, mais que personne, à l'exception du CEO, ne la jugeait jamais, ni n'émettait sur ses capacités, sur ses performances, sur sa manière de travailler, le plus petit jugement. En raison du poste qu'elle occupait, j'avais le sentiment qu'elle était la seule à n'être jamais scrutée par personne : elle était un peu comme l'oubliée du dispositif de surveillance qu'elle faisait fonctionner.

Un jour que je lui demandais pour quelle raison elle voyageait autant, elle m'avait répondu qu'il fallait bien qu'elle rencontre régulièrement ses équipes des ressources humaines dans les filiales du groupe à l'étranger : elle devait veiller à la stricte application de la doctrine de Kiloffer sur un certain nombre de sujets, recrutement, rémunération, intéressement, promotion interne, suivi des compétences, culture d'entreprise, respect de l'environnement, etc., dans tous les pays où le groupe était implanté. Elle en profitait pour faire le tour des usines et s'assurer que tout allait bien : elle allait voir les ouvriers, qui ignoraient qui elle était, et les interrogeait sur leurs conditions de travail, elle allait se mélanger au petit personnel dans les cantines pour écouter ce qu'ils disaient sur l'entreprise et sur leurs dirigeants, dans le but, prétendait-elle, de leur donner satisfaction, d'être au plus proche de leurs besoins. Mais, de son propre aveu, c'était aussi un moyen de découvrir ce que lui dissimulaient les dirigeants des filiales, d'identifier des problèmes de personne que la DRH locale n'avait pas jugé utile de porter à sa connaissance. Il lui arrivait de lever des lièvres en s'enfuyant de la bulle où l'on essayait de la tenir enfermée (on voulait la faire déjeuner dans la salle à manger de la direction, l'emmener au restaurant, ne jamais la laisser seule dans les usines) : elle adorait la panique que ses échappées folles pouvaient créer chez les dirigeants des filiales quand on les informait que Victoria de Winter venait de tromper la vigilance de l'assistante qui l'accompagnait et qu'elle était en train de se balader toute seule sur le site, et qu'elle parlait à tout le monde, et qu'elle poussait les portes des bureaux.

Quand elle se déplaçait dans les filiales du groupe à l'étranger, Victoria devait faire la connaissance des jeunes cadres qui étaient susceptibles, de par leur potentiel, de devenir demain les dirigeants de Kiloffer. Il fallait anticiper dès à présent le renouvellement progressif de la gouvernance, et s'efforcer de ne pas laisser partir par inadvertance les meilleurs éléments du groupe. Ainsi, les directeurs et les DRH des filiales de Kiloffer étaient chargés de porter à la connaissance de Victoria l'existence des jeunes personnes les plus talentueuses (ou qui avaient pu se faire remarquer, à un moment ou à un autre, par une action glorieuse ou étonnante, de quelque nature qu'elle soit, y compris dans leur vie privée : si par exemple une jeune femme avait sauvé un enfant de la noyade en se jetant dans une rivière gelée, ou, plus modestement, remporté un tournoi de tennis), afin qu'elle puisse les auditionner et se faire sa propre opinion (d'où le safari qu'elle avait organisé en Afrique du Sud, qui permettait de passer un peu plus de temps, afin de mieux les connaître, avec quelques-uns de ces jeunes espoirs). À partir de là, elle pouvait faire entrer ces personnes dans la catégorie des « Jeunes Potentiels », puis dans celle du « Top 40 », puis dans celle du « Top 10 » — c'est-à-dire les quarante, puis les dix personnes considérées comme les plus précieuses du groupe. Il va de soi qu'on se battait, dans l'entreprise, au plan mondial, pour être admis dans l'une de ces trois catégories, et que ceux qui y appartenaient étaient auréolés d'un prestige particulier. On pouvait aussi, à la suite d'une contre-performance, ou après avoir provoqué la déception de Victoria ou de Peter Dollan, être exclu du « Top 40 », ou du « Top 10 », même si on y avait figuré pendant dix ans. Certaines personnes se révélaient ne pas très bien vieillir, m'avait confié un jour Victoria, les espoirs qu'elles avaient suscité se mettaient à faner comme des fleurs. À l'intérieur du « Top 40 », il y avait des strates dans lesquelles les noms progressaient, ou pas. Au sein du comité exécutif, où, une fois par an, ces ajustements se décidaient, les plus moteurs étaient Victoria et Peter Dollan : à eux deux, ils pouvaient orienter la destinée de plusieurs centaines d'individus en déplaçant leur nom sur des tableaux Excel, en mettant des + ou des — dans des cases. Ces personnes acceptaient le principe de ces manipulations, ils en devenaient à mes yeux comme des enfants, des enfants surdiplômés, très bien payés, mais des enfants quand même.

Chaque année, les services centraux de Victoria organisaient un séminaire dans un château de la région parisienne : ils y réunissaient quelques-uns de ces « Jeunes Potentiels » venus du monde entier, ainsi que des salariés qui s'étaient fait remarquer plus récemment. L'objectif officiel de ce séminaire était de cultiver l'esprit d'entreprise, de revenir sur les valeurs qui la fondent, de faire se rencontrer des personnes de pays, de métiers et d'horizons variés, de leur dispenser de nouveaux savoirs, etc. En réalité, la finalité de ces dix jours était de vérifier, comme en laboratoire, à travers une série d'expériences, de tests psychologiques, de mises en situation fictives et de jeux de rôle, si ces personnes étaient aussi profondément talentueuses que les équipes de Victoria avaient pu le supposer. Être capable de produire une excellente impression sur son entourage professionnel (y compris par une pratique performante de son métier) ne signifie pas qu'on recèle un potentiel durable, conforme aux attentes de l'entreprise : il faut l'attester d'une manière un peu plus approfondie que par une simple approche intuitive. En particulier, des épreuves étaient organisées chaque jour dans le parc du château qui permettaient d'évaluer chaque candidat par rapport à un certain nombre de paramètres : esprit d'équipe, capacité d'analyse ou de synthèse, puissance intellectuelle, propension à inspirer l'écoute et le respect, endurance et résistance physique, lucidité, rapidité d'esprit, humour, faculté d'écoute et de déduction, etc. Les participants étaient répartis en cinq équipes, on donnait à chacune une feuille de route où se trouvaient résumées les cinq épreuves, les mêmes pour toutes mais dans un ordre différent. Le principe affiché par les organisateurs était celui d'une compétition destinée à faire travailler ensemble des individus qui ne se connaissent pas, venus du monde entier. En réalité, les cinq personnes qui sous les ordres de Victoria allaient d'un groupe à l'autre en prenant des notes, en réalisant des enregistrements sonores et vidéo, étaient chargées d'observer chaque individu afin de le voir réagir aux situations qu'il rencontrait. On remarquait que dans chaque groupe un leader se détachait spontanément (qui, au bout du compte, n'était pas forcément celui qui trouvait les meilleures solutions, ni stimulait le mieux leur éclosion) : c'était celui qui prenait en main la feuille de route et la lisait aux autres, et s'efforçait de la conserver pendant toute la durée de l'épreuve, même si certains, au moyen de manœuvres plus ou moins astucieuses, tentaient de la faire aller dans leurs propres mains, ce que les sbires de Victoria se délectaient d'enregistrer, retranchés derrière leurs blocs-notes. En reproduisant, à travers des jeux de plage un peu stupides, des situations qui ressemblaient à s'y méprendre, en simplifiées, à celles que l'on rencontre dans l'entreprise, Victoria arrivait à répartir tous ces individus dans des cases : c'était comme un révélateur instantané de leurs qualités et de leurs défauts, de leur potentiel et de leurs limites, à leur insu et sans même qu'ils se doutent de l'enjeu de ces amusements.

J'étais horrifié : ce que notre monde peut avoir de pire me semblait concentré dans le principe de ce séminaire de jeunes cadres mondialisés.

« Je ne raterai ce truc pour rien au monde, j'y vais chaque année, ça m'amuse beaucoup.

— C'est quoi, par exemple, comme épreuve ?

— Par exemple, on met une corde en cercle sur le sol, d'un diamètre de cinq mètres, on place au centre une bouteille vide avec un œuf frais posé sur le goulot, on demande aux dix personnes de se mettre à l'extérieur du cercle, on leur remet divers objets, un cintre de teinturier, un tire-bouchon, une balle de golf, une longue ficelle, une boîte de trombones, du scotch, une raquette de tennis, etc. Le but du jeu, c'est de ramener l'œuf, sans le casser, hors du cercle. Ils doivent débattre tous ensemble pour trouver une solution. Le plus drôle c'est que sur cinq groupes, ceux qui parviennent à ramener l'œuf ne le font pas de la même manière : certains le font avec des solutions simples, d'autres avec des solutions complexes, voire alambiquées, d'autres n'y arrivent pas. On essaie d'analyser pourquoi. On se rend compte que la plupart du temps l'échec ou la victoire sont attribuables en grande partie à un tout petit nombre de personnes, parfois même à une seule, qui plombent l'équipe, ou la propulsent. Nous en tirons des conclusions passionnantes qui figure-toi ont des répercussions sur la carrière de nos jeunes impétrants. Autant s'en rendre compte maintenant, dans un sous-bois, plutôt que dans la vraie vie, après avoir fondé trop d'espoirs sur un jeune Texan impétueux qui nous aurait fait forte impression à un moment donné de sa carrière mais qui se révélerait, sur la longueur, ou à un poste plus élevé, trop intrépide, autoritaire, irresponsable ! Ce genre d'expériences nous permet de gagner du temps, de vérifier les hypothèses que nous faisons sur les personnes que nous avons détectées.

— Je trouve ça dingue qu'ils acceptent de se soumettre à ce genre de trucs, disais-je à Victoria. C'est avilissant.

— Ils ne le savent pas. Ce n'est pas dit.

— Ils s'en doutent, non ?

— Pas forcément, je ne crois pas. On le leur présente comme un moyen de mieux se connaître et de s'améliorer dans leur comportement en collectivité... car après il y a des séances de travail, on leur donne à chacun un petit rapport, on a des entretiens avec eux pendant lesquels ils peuvent se justifier, etc. Notre démarche se camoufle entièrement derrière un alibi assez huilé de développement personnel. En réalité, on voit beaucoup plus loin dans ce qu'ils sont que ce qu'on leur fait croire, on réalise des projections beaucoup plus profondes... De toute manière, s'ils veulent progresser dans la hiérarchie, ils n'ont pas le choix.

— Ces méthodes sont scandaleuses, c'est une atteinte à la dignité humaine...

— Voyez-vous ça ! Une atteinte à la dignité humaine ! Comme tu y vas !

— Absolument. Une atteinte à la vie privée. Une loi devrait limiter les moyens dont vous disposez pour connaître les individus que vous employez : cela devrait vous suffire de les regarder travailler, de pouvoir les juger sur leurs résultats, vous ne devriez pas avoir le droit de les observer hors du contexte de leur métier, je trouve ça scandaleux qu'il vous soit permis de les surveiller en train de jouer dans les bois. Surtout que vous ne leur laissez même pas le choix : j'imagine qu'on ne peut pas refuser.

— Ce serait relativement disqualifiant.

— Moi, si on me convoquait, je dirais non : je veux qu'on me juge sur mon travail, sur ce qu'on perçoit de moi dans la vie réelle. Soit on a envie de travailler avec moi, soit on n'en a pas envie. Vous n'avez qu'à vous faire confiance, suivre vos intuitions, assumer vos engouements ou à l'inverse vos aversions. Vous n'avez même plus les couilles de prendre des risques. Recruter, c'est être humain, subjectif, c'est choisir les gens avec qui on a le désir de travailler... et pas forcément les plus performants, hors de tout autre critère. Vous dépoétisez le monde avec ces pratiques, je n'aimerais pas travailler dans une boîte comme Kiloffer et me dire que pour progresser il faut se soumettre à des processus déshumanisés, au terme desquels la DRH peut vous jeter. Vos méthodes sont aussi froides qu'un compte d'exploitation, ce qui n'est pas étonnant puisque le seul critère d'évaluation qui importe c'est que le cadre rapporte le plus d'argent possible. L'entreprise est une réalité de plus en plus laide et ton histoire de séminaire en est un bel exemple.

— Au lieu de raconter toutes ces conneries, tu ne voudrais pas venir sur le lit avec moi ?

— Pas maintenant, une minute, attends encore un peu, nous n'avons pas terminé sur cette question », disais-je à Victoria, assis sur ma chaise, tandis qu'elle ondulait lascivement sur le lit, son peignoir entrouvert.

Quand j'avais lu les pages de son journal intime où elle déplorait mes monologues et ces affrontements qui nous laissaient trop peu de temps pour faire l'amour, je lui avais répondu par un texte qui se terminait de la manière suivante : « *Je suis entièrement d'accord avec toi, nous avons trop parlé les dernières fois que nous nous sommes vus, je t'ai adressé trop de reproches, je t'en ai trop voulu de choses qui n'avaient rien à voir avec toi directement... Tu as des qualités que mes tortionnaires n'ont pas, et notamment ton corps, ces fantasmes dont tu me parles et qui commencent à m'intriguer... Si tu me lances là-dessus, je vais sans doute me redresser peu à peu et reprendre de la vigueur. Je te promets de faire un effort pour refréner ces élancements d'amertume : je préfère basculer dans l'excès inverse, comme tu dis, quitte à prendre des risques et se brûler les ailes…* »

Je me branlais régulièrement en nous imaginant en train de faire l'amour avec un inconnu calqué sur le modèle de l'athlète sud-africain. Mais une fois en face de Victoria je n'arrivais pas à vaincre la résistance qui me tenait éloigné de son corps. Je me sentais statufié dans ma rancœur, la réalité me donnait l'impression de piétiner ma personne sans lui manifester le moindre égard — et Victoria qui me menait en bateau de la manière la plus grossière ne tenait pas le rôle le plus insignifiant dans l'entretien de cet état d'esprit. Il ne m'était d'aucune consolation qu'elle soit prête à m'offrir des dîners, des billets d'avion et des nuits dans de sublimes palaces à l'autre bout du monde pour avoir accès à mon corps.

J'étais assis sur une chaise, un verre de grand cru à la main, les jambes croisées, et regardais Victoria qui allongée sur le lit attendait que je mette fin à mes diatribes, elle contemplait la robe du Château Margaux 1995 qu'elle avait fait monter pour fêter la filialisation de l'industrie lourde arrachée le jour même aux syndicats lors d'un comité d'entreprise tempétueux.

« Au bond futur de l'action Kiloffer ! m'avait-elle dit, par pure provocation, quelques minutes plus tôt, en levant son verre vers moi. À mes stock-options !

— Ne compte pas sur moi pour me réjouir du succès de tes manœuvres, lui avais-je répondu. Tu sais très bien ce que j'en pense. Je lève mon verre au courage de ceux qui se sont battus, en vain malheureusement…

— Tu n'es qu'un rabat-joie, ce n'est pas drôle ! Tu pourrais quand même te réjouir des succès professionnels de ta maîtresse ! À nos amours, alors, m'avait-elle répliqué avec malice, même si ça fait bientôt deux heures que j'attends que tu t'aperçoives de la présence de mon corps sur ce lit », avait-elle conclu en regardant ses orteils.

Je reprochais à Victoria, depuis plusieurs semaines, de tromper les syndicats en avançant dissimulée — c'était peut-être le débat qui nous opposait le plus fréquemment. Pourtant, il n'était pas utile de faire preuve d'un grand discernement pour comprendre qu'elle ne pouvait pas agir autrement : si elle voulait réaliser les objectifs que lui avait fixés le board de Kiloffer, il fallait qu'elle procède par étapes et qu'elle cache aux syndicats le plus longtemps possible, en leur mentant éhontément, la véritable destination du voyage — qui était de se débarrasser de la partie industrie lourde de l'entreprise pour se recentrer sur les nouvelles technologies. En même temps, Victoria m'assurait qu'elle se préoccupait du sort des ouvriers, qu'elle procédait de cette manière, par révélations successives, pour les protéger d'eux-mêmes et de l'aveuglement de leurs réflexes — qui étaient de contrer systématiquement les propositions patronales. Dès lors que la décision avait été prise, irrévocable, par le conseil d'administration de Kiloffer, de se défaire de l'industrie lourde, il appartenait à la DRH que cela se passe le mieux possible, dans son intérêt à elle mais également dans l'intérêt des ouvriers : elle accomplissait le dessein de l'actionnariat mais d'une manière qu'elle prétendait la plus avantageuse possible pour ceux qui en étaient les victimes.

Quand je contestais sa bonne foi, Victoria me rétorquait : « Ce n'est pas moi qui ai pris la décision. Peter a proposé au conseil d'administration de céder la branche industrie lourde, qui sanctionnait Kiloffer sur les marchés financiers et faisait que son titre plafonnait à un niveau relativement moyen. L'industrie lourde est très mal considérée par les analystes financiers, qui ne recommandent pas aux investisseurs de mettre leur argent dans ce type de secteur : les actionnaires de Kiloffer ont compris que si l'entreprise se repositionnait sur les nouvelles technologies, le titre serait revalorisé. Alors, je vais te dire, à partir du moment où cette décision est prise, les ouvriers, autant qu'ils aient affaire à quelqu'un comme moi, d'humain, qui respecte qui ils sont. »

Comme j'avais le plus grand mal à la croire et à ne pas considérer qu'elle se tenait tout entière du côté des dominants, je trouvais révoltant ce discours démagogique qu'elle me tenait, qui la faisait gagner sur les deux tableaux. Non seulement elle leur baisait la gueule, aux ouvriers, mais elle prétendait qu'ils devaient lui être reconnaissants pour le moindre mal qu'elle avait réussi à négocier pour eux : je l'accusais de duplicité. C'est sans doute ce qu'on appelle une grande DRH, celle dont on peut dire qu'elle mélange à chaque instant tous les ingrédients du problème (un peu comme un vigneron qui marie savamment les cépages), pour qu'il ne soit plus possible de l'enfermer trop clairement dans un camp ou de comprendre trop aisément ses stratégies : il était indispensable qu'elle puisse être une interlocutrice crédible et respectée d'un côté comme de l'autre — afin de pouvoir manipuler les deux parties qui s'affrontent. Au bout du compte, à titre de gratifications pour ses services rendus aux actionnaires, elle toucherait en fin d'année un gros paquet de stock-options, et partirait en famille sur une île ensoleillée.

Quand j'accusais Victoria de démanteler cyniquement des usines qui ne perdaient pas d'argent, elle me répondait qu'au contraire elle passait son temps à essayer d'atténuer la férocité de Peter Dollan qui lui reprochait tous les jours de ne pas aller assez vite : « Alors, de Winter, vous en êtes où de vos négociations ? Qu'est-ce que vous foutez ! On va pas y passer l'année ! Méfiez-vous des syndicalistes français, ce sont les pires de la planète, ils vont vous embrouiller, il faut procéder par la force ! Vous la fermez, cette usine, ou vous la fermez pas ! Je vous laisse dix jours pour régler le problème, ou je m'en occupe moi-même avec les avocats ! », tout ça parce qu'elle essayait de faire les choses correctement sans céder aux pulsions destructrices de son patron qui aurait souhaité conclure ce dossier en déboursant le moins d'argent possible (poussé en ce sens par le directeur de l'usine qu'il fallait fermer, lequel, en faisant du zèle auprès du CEO, espérait se faire remarquer pour ses qualités de manager et bénéficier d'une promotion à l'intérieur de la maison mère : il avait proposé plusieurs fois à Peter Dollan de reprendre les négociations menées par Victoria, au motif que ses méthodes ne seraient pas seulement plus efficaces, mais aussi moins onéreuses). « Pour répondre à ton accusation, me disait Victoria, j'explique aux syndicats que justement, c'est parce que Kiloffer dégage des bénéfices, c'est parce que cette usine ne perdait pas d'argent qu'on va leur proposer un plan social équitable : on n'est pas dans une situation de catastrophe, au bord de la banqueroute, avec un administrateur du tribunal de commerce. Mais il faut que je leur fasse comprendre dans le même temps qu'ils doivent se montrer raisonnables, qu'il ne faut pas trop tirer sur la corde, que les capitalistes qui dirigent le groupe ne sont pas des poètes. Je veux bien les aider à négocier le meilleur plan social, mais à la condition qu'on soit dans un dialogue réaliste : dans le cas contraire, je ne peux pas en parler à Peter… et si je ne peux pas en parler à Peter, on ne peut pas avancer… et si on ne peut pas avancer, il durcira ses positions.

— Putain, tu es maline, disais-je à Victoria. Tu les amadoues, tu les ensorcelles… Tu fais semblant de prendre leur défense face aux actionnaires, tu arrives à inspirer confiance aux syndicats alors que tu appartiens à 100 % au camp de ceux… C'est une stratégie réellement diabolique…

— Je ne fais pas semblant : j'agis en accord avec mes convictions. J'ai une façon d'aborder les problèmes qui est claire, qui est simple… pas douce, pas méchante… Une façon qui montre qu'à des moments, il y a des espaces, et qu'à d'autres moments, il n'y a plus d'espace. Je montre que j'ai le lien direct avec le patron, et que quand les décisions sont prises, elles sont prises. Et quand elles sont prises, elles sont justes. Je peux discuter inlassablement, pendant des heures, pour expliquer pourquoi une décision est juste. On peut le démontrer.

— On ne peut pas démontrer ce genre de choses. Je doute fort que vous puissiez vous entendre sur ce qui est juste, sur ce que vous appelez un plan social qui est bien fait. Je doute fort que vous partagiez les mêmes conceptions sur la question.

— Tu te trompes. J'ai une veine sociale, tu sais, vraiment. Tu sais comment il m'appelle, Peter, en réunion, en plein conseil d'administration, quand on aborde la question des conflits sociaux et que je demande à prendre la parole ?

— Non, vas-y, comment il t'appelle ?

— Mère Teresa. Ah, un instant, mère Teresa demande la parole ! Elle veut sans doute nous sensibiliser sur le sort de la veuve et de l'orphelin ! Voilà de quelle manière on me caricature, chez Kiloffer.

— Tout est relatif. C'est sûr qu'on est toujours la mère Teresa de quelqu'un d'autre d'un peu moins humain. On peut aussi trouver plus révolutionnaire que moi.

— Les entreprises lancent parfois des plans sociaux pour être encore mieux derrière, pour gagner plus d'argent, ou pour se prémunir d'un éventuel rétrécissement de leur marché… mais ce rétrécissement n'est qu'une simple hypothèse, ce n'est peut-être en réalité qu'un prétexte. J'estime que dans ce cas, c'est ce que j'appelle mon éthique personnelle, elles peuvent payer les actions qu'elles font subir aux salariés : il y a un prix pour ça, un juste prix. Bazarder pour pas cher : je ne suis pas comme ça, ce n'est pas la réputation que j'ai. C'est sur cette réputation que les chasseurs de têtes m'ont ciblée pour Kiloffer, c'est sur ces considérations que j'ai été embauchée. En expliquant qui j'étais, comment je fonctionnais, et que c'était mon style, ma façon d'être.

— Je ne sais jamais où tu te situes, tu es insaisissable. Une fois du côté des ouvriers, le coup d'après du côté du patronat... Et tout ce fric qu'on te donne pour que tu exécutes les ordres qui te viennent d'en haut... »

(En lui disant ceci, je me souvenais que quelques semaines plus tôt, le soir du jour où elle avait obtenu l'avis du comité d'entreprise pour la fermeture de l'usine, elle avait versé des larmes dans sa coupe de champagne. « Mais, tu pleures ? lui avais-je dit.

— Non, c'est rien...

— Si, tu pleures... Tu as les yeux brillants, que se passe-t-il ?

— C'est horrible de fermer un site, tu ne te rends pas compte... Ce sont des machines qui s'arrêtent, c'est le bruit d'une usine qui s'interrompt, ce sont des camions qui ne viennent plus, des wagons de matière première qui ne repartent plus, c'est toute une activité qui disparaît, ce sont des gens qui pleurent. J'ai vu des ouvriers pleurer, cette après-midi, des ouvriers qui travaillaient dans cette usine depuis l'âge de seize ans...

— Tu n'es donc pas si insensible que ça.

— Tu me prends pour qui ?

— En même temps je pense que c'est un moyen de se disculper à bon compte, ce sont des larmes à l'américaine, c'est l'émotion immédiate, naturelle, à laquelle tout le monde cède. Après avoir pleuré sur le sort des ouvriers, on a bonne conscience... on repart de l'avant et on continue à détruire.

— Tu es horrible de me dire ça, tu me vois donc comme un monstre ?

— Non, je ne te vois pas comme un monstre. Mais je trouve ça encore pire de pleurer après l'avoir fait. Il aurait été plus décent que tu te dispenses de tomber dans l'émotion facile. »)

De fait, étant parvenue à négocier le plan social (c'est-à-dire à fermer cette usine et à réduire par deux la production d'une seconde située sur le même bassin d'emploi), Victoria avait dû revenir vers les syndicats (elle avait quand même obtenu de Peter Dollan qu'il lui accorde un répit de quatre semaines : « Pitié, Peter, je ne peux pas y aller maintenant, ils vont m'assassiner, je vais me faire égorger ! Il faut attendre un peu ! Please, laissez-moi un répit ! »), elle était revenue vers les syndicats pour leur annoncer que Kiloffer désirait filialiser l'industrie lourde, ce qu'elle n'avait jamais évoqué. Filialiser l'industrie lourde revenait à la sortir de Kiloffer, à créer une entité autonome et à la mettre sur le marché sous un autre nom : « Mais sans la vendre », avait précisé Victoria devant trente-cinq syndicalistes abasourdis. Ils lui avaient demandé : « Pourquoi vous nous l'avez pas dit avant ? Qu'est-ce que c'est que cette histoire !

— Parce qu'on vient de le décider, avait-elle répondu sans vaciller.

— Pour nous vendre, c'est ça ? Pour pouvoir vous débarrasser de nous ! Avouez, dites la vérité ! C'est ça, vos plans, en fait ! C'est donc ça l'objectif que vous poursuivez depuis le début ! » avaient hurlé les syndicats, et Victoria avait répliqué, pleine d'aplomb : « Pas du tout : on ne vous abandonnera jamais, je vous en fais le serment. Vous faites partie de Kiloffer, vous appartenez à l'histoire de Kiloffer, vous êtes même la branche historique, bicentenaire, de Kiloffer : vous restez avec nous.

— C'est ça, c'est ça ! Et vous pensez peut-être qu'on va vous croire ! Vous vous imaginez qu'on va vous faire confiance, là, peut-être ? C'est toujours la même chose, c'est nous qui payons ! Vous nous avez dit pendant des semaines que l'arbre était malade, que notre secteur risquait de rencontrer des difficultés dans les années à venir, que c'était pour sauver l'activité industrie lourde de Kiloffer qu'il fallait couper quelques branches, fermer une usine et réduire la capacité de production d'une seconde, afin que l'arbre puisse refleurir l'année d'après ! Vous vous souvenez ?

— Je m'en souviens, c'est exact.

— On vous a fait confiance, on a fini par céder, on a accepté que quelques branches soient coupées, pour que l'arbre puisse refleurir ! Et vous nous annoncez, trois semaines plus tard, que vous allez céder notre arbre à un pépiniériste !

— Je n'ai jamais dit que nous allions céder l'industrie lourde. Juste la filialiser.

— Mais ça sort d'où, c'est quoi cette embrouille ? On pensait qu'on en avait fini, on vous a fait confiance, et vous revenez avec une nouvelle lubie moins d'un mois plus tard. Vous nous cachez un truc, là ! Vous êtes pas réglos avec nous, on le sent ! Il va pas falloir essayer de nous entuber, madame de Winter ! On vous prévient : cette fois, on se laissera pas faire !

— Vous êtes dans vos beaux bureaux, avec vos jolies chaussures ! Vous voulez gagner encore plus d'argent, c'est ça la vérité ! Sur notre dos, comme d'habitude ! C'est toujours la même histoire, c'est toujours les mêmes qui trinquent !

— Vous nous avez manipulés ! Vous cachez votre jeu ! Vous avez une idée derrière la tête !

— Pas du tout : aucune idée derrière la tête : vous filialiser, c'est vous protéger.

— Mais cette fois-ci, on vous prévient, on se laissera pas faire ! On se battra jusqu'au bout !

— Hors de question que l'industrie lourde sorte de Kiloffer, qu'on prenne un autre nom ! On s'appellera Kiloffer jusqu'au bout, même si on doit en mourir ! »

Pendant les deux derniers mois, Victoria avait donc négocié la filialisation de l'industrie lourde : après un bras de fer acharné qui avait duré plusieurs semaines, elle était enfin parvenue, en ce mardi 12 juin, à obtenir un avis du comité d'entreprise, lequel avis allait permettre de déclencher le processus de filialisation, d'où le grand cru que l'on buvait. Elle savait que l'étape suivante serait d'informer les syndicats que cette filiale avait déjà trouvé preneur : un mois plus tôt, la direction financière de Kiloffer avait pris contact avec un groupe brésilien et celui-ci avait fait une offre immédiate pour acquérir cette filiale qui n'attendait que les exploits de Victoria pour exister. Dans quelques jours, elle devrait leur expliquer qu'en réalité ils allaient être vendus à des Brésiliens et que c'était ce qu'ils pouvaient rêver de mieux pour leur avenir.

« Mais comment tu peux justifier de changer d'avis aussi vite ? Comment tu peux te pointer pour leur dire exactement l'inverse de ce que tu leur as juré que tu allais faire quinze jours plus tôt ?

— Je leur dirai que Kiloffer est une société qui réfléchit, qui va vite…

— Non, tu ne vas quand même pas oser leur dire ça…

— Je leur dirai : aujourd'hui vous n'êtes pas le cœur de cible, et si on vous met, vous, industrie lourde, dans une société où vous êtes cœur de cible, vous allez vous retrouver avec des gens qui parlent votre langage, qui ont la même culture que vous, pour qui la priorité va être l'industrie lourde, et vous n'aurez pas à vous justifier par rapport aux matières précieuses et aux nouvelles technologies, qui sont quinze mille fois plus lucratives et sur lesquelles on a envie, aujourd'hui, nous, Kiloffer, d'investir massivement, parce que les rendements sont quinze fois supérieurs aux vôtres. Ces Brésiliens vont vous aimer, vous les gens de l'industrie lourde, pour ce que vous êtes : des gens de l'industrie lourde. »

Qui était cette femme ? Où se tenait-elle ? Comment parvenait-elle à dire telle chose et son contraire quinze jours plus tard ? D'où lui venait cette faculté à être toujours insaisissable, à ne jamais se laisser capturer, à ne jamais se sentir enfermée par aucun engagement qu'elle avait pris, de quelque nature qu'il soit ?

C'est parce qu'elle était en mouvement : Victoria frôlait la réalité sans jamais s'y attarder.

On ne ment pas, d'une certaine manière, quand on n'est jamais à la même place. On dit une phrase à une personne et la seconde d'après on se change les idées de l'autre côté de la planète : on n'est plus là, dans les jours qui suivent, pour voir le visage, le regard, la déception de la personne à qui l'on a menti.

C'est quand on reste au même endroit, fixement, comme moi à l'intérieur de la tour Uranus ou comme les moines dans leur couvent, qu'on voit la vérité en face et qu'elle s'accroche à vous, qu'on doit lui rendre des comptes et l'affronter sans tricher. En bougeant, on peut biaiser, on est dans l'oubli, on efface dans son esprit le mal ou les promesses que l'on peut faire. Si ceux qui dirigent le monde n'étaient pas dans la vitesse, qu'elle soit géographique ou simplement mentale, la vérité de ce qu'ils font leur apparaîtrait d'une manière stridente : elle leur serait insupportable.

Tel était le système qui fondait l'existence de Victoria : ne jamais être à la même place, se segmenter dans un grand nombre d'activités et de projets, pour ne jamais se laisser enfermer dans aucune vérité — mais être à soi-même, dans le mouvement, sa propre vérité. Victoria n'éprouvait pas de pitié, de remords, de tristesse ou d'angoisses, car elle les dissolvait par le mouvement et la fragmentation. C'est la vitesse la vérité de notre monde, et pas les situations locales qu'elle permet aux puissants de survoler, de traverser ou d'entrapercevoir. Victoria était partout chez elle, n'était contrainte nulle part, disposait d'une échappatoire en toute circonstance. Il n'y avait que le sexe pour interrompre sa fuite en avant.

Née d'une mère anglaise et d'un père berlinois, élevée en grande partie dans un pays, la France, qui n'était pas le sien, Victoria se vantait d'être une femme internationale, sans point d'ancrage particulier. Elle tirait un orgueil disproportionné d'avoir résidé dans différents pays à la surface du globe et d'être capable de s'installer n'importe où, du jour au lendemain, avec ses filles, pour prendre un nouveau poste. Elle trouvait ringards et arriérés, anachroniques, inaptes à profiter de notre époque, tous ceux qui ne s'étaient jamais expatriés : elle me reprochait régulièrement d'être « franco-français », replié sur mon monde et sur les valeurs étroitement régionales qui le fondent. Être moderne, selon Victoria, c'était n'avoir aucun pays.

Quand je monologuais en la regardant allongée sur son lit, les réflexions qu'elle m'inspirait me donnaient l'impression de mieux comprendre le monde dans lequel je vivais. Mais je n'en tirais aucun réconfort, ni aucune méthode pour mieux en soutenir la dureté. Au contraire : c'était comme si ce monde m'accablait d'une manière plus intime.

Nous étions le 19 juin, il devait être aux alentours de sept heures du matin, j'étais dans ma voiture et je roulais vers le chantier en écoutant France Inter quand j'ai reçu un sms de Victoria. J'ai profité d'un ralentissement pour le lire : « *Je suis dans l'Eurostar, je roule à toute vitesse vers toi, j'ouvre Libération et je me dis que je rêve... un encadré, page 23, t'est consacré, je t'admire, c'est merveilleux, tu es devenu un héros. Il faut y croire, je crois en toi, les choses finissent toujours par arriver quand on le veut vraiment... J'ai hâte qu'on soit ce soir, ma journée va être difficile mais heureusement que je peux compter sur la consolation de notre rendez-vous...* »

J'étais abasourdi : un encadré m'était consacré dans *Libération* en tant que directeur de travaux de la tour Uranus.

De fait, un journaliste était venu sur le chantier quelques jours plus tôt en compagnie des architectes. Ces derniers lui ayant parlé du rôle que je jouais dans l'élaboration du bâtiment, il avait souhaité s'entretenir avec moi ; il m'avait dit qu'il me citerait très certainement dans son article, dont la date de parution n'était pas arrêtée. Je n'en avais pas parlé à Victoria : je comptais lui faire la surprise si d'aventure le journaliste me faisait apparaître dans son reportage.

J'ai essayé de joindre Victoria mais elle n'a pas décroché. J'ai profité d'un autre ralentissement pour lui écrire : « *Merci, bravo, génial ! Je suis heureux ! J'ai hâte de le lire.* »

J'ai appelé Dominique pour savoir s'il n'était pas, par le plus grand des hasards, à proximité d'un marchand de journaux, mais il n'a pas répondu. J'ai téléphoné à Caroline pour lui demander de bien vouloir acheter *Libération* en arrivant à la gare RER de la Défense, elle n'a pas décroché elle non plus mais je lui ai laissé un message pour lui dire qu'un article était consacré à la tour Uranus dans *Libération*, j'avais droit à un encadré pour moi tout seul, c'était page 23.

J'ai emprunté un autre itinéraire que d'habitude, j'ai arrêté ma voiture sur la rocade au pied d'un escalier, j'ai grimpé les marches quatre à quatre et j'ai couru sur la grande dalle de la Défense, au pied des tours Société générale, jusqu'au marchand de journaux. J'ai prélevé quatre exemplaires de *Libération* sur le présentoir, j'ai fait un saut à la boulangerie pour acheter des croissants et des pains au chocolat, je bondissais comme un danseur étoile, je suis redescendu à toute vitesse vers la rocade où un policier était en train d'introduire un procès-verbal sous mes essuie-glaces ; je n'ai pas pu le convaincre d'annuler son amende, je l'ai enfouie dans ma poche avec un grand sourire, « Ce n'est pas grave, ce sera mon petit tribut à la beauté de cette journée ! » ai-je dit au policier de la manière la plus joyeuse avant de me mettre en route pour le bureau.

Une fois arrivé au pied des préfabriqués qui abritent les locaux de la maîtrise d'œuvre d'exécution, j'ai croisé Dominique, son casque à la main, qui partait pour le chantier. Il m'a dit : « Qu'est-ce que c'est que cette histoire. Tu as dit à Caro qu'il y avait un papier sur Uranus dans *Libé*, on l'a feuilleté dix fois, on n'a rien trouvé. Qui est-ce qui t'a dit ça ? » J'ai regardé Dominique estomaqué : « Mais Dominique, qu'est-ce que tu racontes ? Tu me fais marcher, c'est page 23 !

— Tu as regardé ? m'a-t-il demandé en désignant du menton les quatre exemplaires de *Libération* que je tenais pliés sous mon bras.

— Pas encore, je viens juste de les acheter, je me suis pris un PV.

— Eh bien regarde, on t'aura mal renseigné. Bon, on m'attend, on se voit à onze heures pour la réunion sur les portes du parking. »

Une fois dans mon bureau, Caroline s'est précipitée sur moi pour savoir qui m'avait dit qu'il y avait un papier dans *Libération* sur la tour Uranus. Je lui ai répondu que ce devait être une personne peu fiable, ou bien dotée d'un sens de la plaisanterie un peu particulier. « Faut croire, m'a répondu Caroline, car il n'y a rien. Ni page 23 ni ailleurs. » Je me suis assis, « Tiens, j'ai acheté des croissants et des pains au chocolat, vas-y, sers-toi », lui ai-je dit en ouvrant *Libération* sur mon bureau. Je suis tombé, à la page 23, sur des articles consacrés à un concert de rock, à un spectacle de danse, à une exposition d'art contemporain, complétés par quelques brèves sur des sujets variés. Mais rien sur l'architecture, rien sur la tour Uranus, rien sur ma personne. Mon visage s'était sans doute décomposé : Caroline me regardait avec un air désolé en mangeant un pain au chocolat. « C'est rien, t'en fais pas, il sortira un autre jour ! Tu as l'air tellement triste ! David, qu'est-ce que tu as ? Quelqu'un t'a dit qu'on parlait de toi dans cet article ? Il a peut-être été décalé, il sortira demain ! Si on t'a dit que tu étais cité, c'est que tu es cité, ne t'inquiète pas !

— Non mais c'est bon, c'est pas ça, c'est un malentendu. Merci, tu es vraiment adorable, mais je ne crois pas que je serai cité dans cet article. J'ai pris mes rêves pour des réalités. J'ai mal compris un message, j'avais trop envie de croire à ce qu'il avait l'air de me dire…

— Je ne comprends rien à ce que tu racontes, David…

— Ce n'est pas grave. Bon, allez, au travail, une dure journée nous attend, une de plus. Tiens, prends les viennoiseries, distribue-les, je n'ai pas faim. »

Caroline m'a souri puis elle est sortie du bureau.

J'ai envoyé à Victoria le sms suivant : « *Ton message était vraiment d'un goût douteux, merci encore. Il va être difficile, après ça, de passer une soirée agréable.* » Victoria m'a répondu quelques minutes plus tard : « *Je suis en réunion avec les avocats. Je ne comprends rien, de quoi tu parles ????* » Moi : « *De l'article dans Libération.* » Elle : « *????* » Moi : « *Il n'y a rien sur moi page 23. Tu m'as fait croire qu'il y avait un article sur moi dans le journal. J'y ai cru pendant une demi-heure. C'était merveilleux. Je suis allé chez le marchand de journaux. Mais c'était faux. Il n'y avait rien. Il n'y aura jamais rien sur moi dans aucun journal. Adieu.* » Elle, une vingtaine de minutes plus tard : « *Mais je rêvais ! Je rêvais que j'ouvrais le journal et que je trouvais un article sur toi. C'était un songe ! C'est ce que je souhaite qu'il t'arrive ! Relis mon message, c'était clair !* » Moi : « *Ce n'était pas clair du tout. On ne joue pas avec les gens comme ça. On ne s'amuse pas avec leurs rêves, avec leurs frustrations, avec leurs ambitions déçues. C'était lourd de faire ça, c'était cruel, c'était indélicat, c'était méchant.* » Victoria m'a répondu : « *Qu'est-ce que tu es compliqué ! J'ai autre chose à faire ce matin que de m'occuper de tes états d'âme. On en parle ce soir.* » Je trouvais incroyable que Victoria ne s'excuse pas, qu'elle ne soit pas désolée du quiproquo qu'elle avait provoqué. J'étais blessé par le message qu'elle m'avait envoyé dans l'Eurostar, qui soulignait l'échec qu'était ma vie, j'étais blessé par ce qui s'était produit ensuite au bureau, j'étais blessé par la froideur avec laquelle elle accueillait ma déconvenue. Moi : « *Je ne sais pas si je viendrai ce soir.* »

Victoria ne m'a pas répondu.

J'ai relu le message d'origine : Victoria avait raison, il était tendre, il ne prêtait pas à confusion. Mais en même temps je lui en voulais de m'avoir écrit ces lignes, je n'arrivais pas à avaler la déception qu'elles m'avaient causée ni l'amertume que ce malentendu avait laissé dans son sillage. Cette séquence m'avait fait découvrir la chose suivante : qu'un encadré me soit consacré dans un quotidien ne m'avait pas paru invraisemblable (alors même qu'on n'a jamais vu qu'un directeur de travaux, tout talentueux soit-il, fasse l'objet d'un article dans un journal comme *Libération*), ce qui montrait le prix que j'accordais à ma personne et l'étendue de mon besoin de reconnaissance. Mes ambitions de jeunesse étaient restées intactes : si je grattais la pellicule de servilité sous laquelle je les avais neutralisés il y a vingt ans, mes rêves d'adolescent se remettaient à rayonner avec autant d'éclat qu'à l'époque où j'espérais qu'ils se réaliseraient.

Je l'ai appelée à l'heure du déjeuner. Je lui ai dit que j'avais cru à son message, que j'avais prévenu le bureau de l'existence de cet article, que je m'étais ridiculisé devant mes plus proches collaborateurs. Comment pouvait-elle m'écrire de telles phrases sans se douter des effets qu'elles pourraient avoir sur mon imaginaire ? « Tu comprends ce que je veux dire, ou pas ?

— On va pas en faire tout un plat, si ?

— Mais tu pourrais quand même me dire que tu es désolée !

— Mais pourquoi je serais désolée ? Tu ne m'avais pas dit que tu avais rencontré un journaliste de *Libération* ! Comment tu voulais que je devine !

— Mais ce n'est pas la question !

— David ! Je voulais juste te faire plaisir ! J'étais tellement contente de te voir ce soir ! Je pensais à toi et tout à coup j'ai été submergée par le bonheur de t'avoir rencontré, je me suis dit que tu étais quelqu'un d'exceptionnel et qu'un jour, en ouvrant le journal, je tomberais sur une page qui te serait consacrée ! Je voulais juste que tu le saches ! Tu ne vas quand même pas m'en faire le reproche, on croit rêver !

— Mais ça n'arrivera jamais ! Tu me fais miroiter quelque chose qui n'arrivera jamais ! Comment est-il possible d'être aussi indélicate, d'être aussi peu capable de se mettre à la place des autres et de comprendre leur point de vue ! Tu jettes des pétales de fleurs vers le ciel, tu les disperses autour de toi parce que tu es joyeuse — mais tu ne te rends pas compte que ce sont des enclumes et qu'elles me retombent toutes sur le crâne ! »

Nous nous étions donné rendez-vous au Buddha Bar, rue Boissy-d'Anglas, vers 20 h 30, pour y dîner. Quand je suis arrivé, j'ai cherché Victoria pendant plusieurs minutes ; j'ai fini par la trouver dans un recoin du bar, sur une banquette, environnée d'obscurité, comme un secret qu'il m'avait fallu découvrir.

J'ai été frappé, en m'approchant, par la puissance de sa beauté.

Elle s'est levée pour m'embrasser, elle était hissée sur les talons des escarpins qu'elle avait achetés quelques semaines plus tôt, elle titubait d'être aussi grande et désirable. Ses souliers réalisaient par le bas ce que le bref vêtement qui enveloppait ses hanches s'occupait de faire par le haut : allonger ses jambes, les magnifier.

Je me suis assis en face d'elle sur un tabouret. Elle avait déboutonné son chemisier un peu plus que d'habitude, si bien que le sillon entre ses seins était profond, appétissant : il engloutissait goulûment les regards des hommes qui passaient à proximité. Ses cheveux retombaient sensuellement des deux côtés de son visage comme les rideaux qui encadrent une scène de music-hall : il me semblait que son visage, au milieu, limpide et lumineux, semblable à une danseuse, s'était déshabillé : il exprimait les pensées érotiques de Victoria d'une manière particulièrement éloquente, sensitive, spectaculaire.

Elle était follement désirable mais ma mauvaise humeur n'en était pas diminuée : je trouvais sa beauté indécente, irrespectueuse de la misère qui m'accablait.

J'ai dit à Victoria qu'elle rayonnait. Elle m'a répondu qu'elle le savait, qu'elle se trouvait dans un état d'excitation à peine imaginable : « Les hommes ont passé la journée à me regarder avec du désir dans les yeux. Ils ont senti que j'avais envie de faire l'amour.

— Tu as raison, il émane de ta présence quelque chose de spécial.

— Tu veux que je te dise ?

— Oui, dis-moi.

— C'est principalement parce qu'on se voit ce soir. Mais c'est aussi à cause de ces chaussures. Tu ne peux pas savoir la sensation qu'elles me procurent quand je les porte et que je marche au milieu des hommes : j'ai l'impression de devenir explicite, mon corps est un outrage à la pudeur, je me fais l'effet d'être une femelle vorace et acharnée, qui a besoin d'être prise. Mais en même temps je les domine, je les écrase par le désir qu'ils éprouvent, qui restera inassouvi : ils seront obligés d'aller se branler dans les toilettes de leur appartement en visualisant mon image, à l'insu de leur épouse. Je les excite, ils me dévorent des yeux, mais je reste un spectacle. Les talons hauts me protègent tout autant qu'ils m'exhibent : exactement comme peut le faire une scène de théâtre. »

Je regarde Victoria sans rien dire, fasciné par la lumière de son visage, subjugué par ses jambes qu'elle a croisées sous mes yeux — avec au bout cet escarpin pointu comparable à une arme à feu dans le prolongement d'un bras tendu. Et pourtant je lui en veux, je suis en colère, je voudrais lui faire payer ce qu'elle m'a fait. Elle m'attire mais j'ai envie de la blesser.

Nous sommes descendus dans la salle. On nous a donné une table coincée entre deux autres. Nous avons pris un assortiment de poissons crus et une bouteille de vin blanc.

Dans la lumière du restaurant, j'ai trouvé Victoria un peu moins mystérieuse mais toujours aussi belle. Cette irradiante prospérité m'exaspérait, j'aurais voulu qu'elle s'intéresse à mon état, qu'elle s'en attriste, m'apaise, s'excuse.

Je portais les sushis à mes lèvres en regardant Victoria par intermittence. Je suis revenu à la charge pour savoir comment elle avait pu m'écrire un message aussi cruel. Elle m'a répondu par une pirouette qui signifiait qu'il ne fallait pas s'attarder sur cet épisode malencontreux : mais plutôt s'amuser, prendre plaisir à être ensemble ; elle était tellement heureuse de passer cette soirée avec moi. J'ai insisté, je me suis avancé au milieu de ce territoire que le sourire de Victoria venait pourtant de clôturer : j'ai été lourd, je lui ai dit qu'elle n'avait pas l'air de mesurer à quel point le message qu'elle m'avait envoyé était inconséquent, j'ai continué en lui disant que je n'arrivais pas à lui pardonner, que quelque chose s'était cassé entre nous, qu'il lui faudrait du temps pour regagner mon estime. J'ai ajouté qu'elle ne s'en doutait pas mais qu'elle manquait parfois de finesse psychologique, ce qui était vraiment surprenant pour une directrice des ressources humaines.

Victoria s'est violemment rétractée, une lumière grise et orageuse est passée dans ses yeux, je l'ai entendue dire, cinglante, avec la force d'une gifle qui aurait retenti sur ma joue : « *Si tu n'arrêtes pas immédiatement, si tu rajoutes un mot, un seul, sur ce sujet, je me lève, et je pars.* » Elle me regardait fixement, son regard était celui d'une inconnue, son visage s'était glacé, plus rien d'intime n'existait entre nous : je voyais bien qu'elle était prête à m'anéantir.

Je tremblais de tout mon corps. J'ai continué à manger en silence. J'avais senti jaillir en moi, au moment où elle avait lancé sa phrase, un tel sentiment d'injustice, que j'avais failli quitter la table.

J'ai dit à Victoria qu'il valait mieux qu'on se sépare, que je n'arrivais pas à trouver ma place dans notre histoire. « Cette relation ne me satisfait plus. Ce n'est pas de ça dont j'ai envie. Je ne sais plus où j'en suis. Tant pis pour nos projets d'architecture. »

Elle a payé, nous sommes sortis, nous avons marché dans la rue. Une promenade lente et silencieuse, un peu funèbre, à cause des talons hauts, de notre tristesse. C'était la dernière fois que nous marchions tous les deux dans Paris. Nous avancions sur le trottoir sans nous toucher, méfiants, comme séparés par quelque chose de plus crucial qu'une dispute, comme si déjà des années d'éloignement s'étaient matérialisées entre nos corps.

Victoria m'a dit : « Je vais prendre un taxi. J'ai du mal à marcher. »

Elle a levé le bras. Un taxi s'est arrêté. Elle a ouvert la portière : « On se dit au revoir dans la rue, comme ça, devant une voiture, ou tu montes avec moi ? » Elle m'a regardé dans les yeux. Quelques secondes se sont écoulées. « Tu es descendue où ?

— À l'hôtel du Louvre.

— Je te raccompagne. »

Je me suis allongé sur le lit en gardant mon manteau, comme si j'étais en transit. En dépit du fait que j'avais accepté de la suivre, l'atmosphère était tendue, pleine d'une rancune irrésolue : nous pensions avoir chacun d'excellentes raisons d'en vouloir à l'autre.

Victoria est restée assise au bord du lit pendant de longues minutes sans m'adresser la parole, ni même me regarder. Je la voyais de profil, elle était toujours aussi désirable, je me suis mis à bander.

Je lui ai dit que nous étions tombés dans la routine de l'adultère : il y avait quelque chose de quasi conjugal dans nos relations. « Cela se déroule toujours de la même manière, on se donne rendez-vous au bar de ton hôtel, on va parfois au restaurant, on monte dans ta chambre et on fait l'amour pendant deux heures, on discute, on boit un verre, on refait l'amour et puis on se sépare. On s'envoie des mails et des sms plusieurs fois par jour, on se téléphone, on se dit combien on se manque, exactement comme peuvent le faire un mari et une femme trois fois dans la journée avant de se retrouver, le soir, à la maison. Ce n'est pas tout à fait ce que je cherchais quand on a commencé à se voir. Je n'ai pas besoin d'une seconde vie de couple, je n'ai pas besoin d'une deuxième couche de stabilité conjugale, la première me suffit largement. Jusqu'à présent, si je cherchais à avoir des relations physiques hors de mon couple, même brièvement, c'était pour l'attrait de l'inconnu, pour découvrir des corps, séduire des femmes, vivre des expériences. Je trouve que nous nous répétons : il n'y a plus de variété. »

Victoria regarde le bout de son escarpin qui remue rythmiquement dans les airs au bout de sa jambe croisée.

Je lui ai dit que Laurent, en revanche, s'était bien débrouillé, ils avaient eu une relation qui n'était pas routinière, elle lui avait donné la possibilité d'exaucer ses fantasmes. Ils avaient franchi des frontières, exploré des territoires, sans piétiner au même endroit pendant des mois. Je ne voyais pas l'intérêt d'avoir une maîtresse si ce petit quelque chose de transgressif qui normalement devrait entrer dans le principe de l'adultère n'entraînait pas celui-ci vers des horizons interdits. J'ai ajouté : « Je ne comprends pas pourquoi tu as accepté de vivre avec Laurent des choses aussi extravagantes quand tu te limites à faire sagement l'amour avec moi, sans avoir besoin de plus, comme si j'étais ton deuxième mari.

— Parce qu'avec Laurent, j'avais confiance, je me sentais en sécurité. Il me protégeait, il dominait mes pulsions, il me ramenait vers le rivage, il ne me laissait pas m'égarer. *On ne fait pas ce genre de choses avec n'importe qui, c'est trop dangereux* », m'a dit Victoria en tournant son visage vers moi.

J'ai reçu cette déclaration comme un coup de poignard : les mots qu'elle avait dits étaient suffisamment outrageants pour être mortels, elle le savait. Soulevé par l'élancement d'une révolte intérieure impérieuse, la deuxième de la soirée, il s'en est fallu de peu que je sorte de la chambre. Mais les phrases que je venais d'entendre m'avaient laissé entrevoir un paysage si radical que je me suis maîtrisé : une instance est intervenue dans mon esprit pour dominer l'humiliation qui s'y était répandue. J'ai enrayé le processus conflictuel que Victoria avait essayé d'enclencher, je me suis bloqué, calme, concentré, sur l'intuition qu'il se jouait en cet instant quelque chose de réellement décisif.

J'ai inspiré profondément et j'ai dit à Victoria, d'une voix posée, respectueuse : « Rien ne dit que tu ne peux pas me faire confiance autant qu'à lui. Mais la confiance ne se décide pas : on la ressent, ou on ne la ressent pas. Ce sera donc à moi de t'inspirer confiance. J'essaierai. J'y arriverai. »

J'ai observé que le pied de Victoria avait ralenti ses mouvements saccadés. Ma phrase laissait entendre qu'une autre issue que la rupture était envisageable. Mais elle sous-entendait que ce serait à la condition de m'ouvrir cet espace où Laurent avait pu pénétrer.

Mon sexe était dur. Je savais que nous ferions bientôt l'amour et que ce serait l'expérience la plus extraordinaire que je pourrais jamais vivre, physiquement, sexuellement, mentalement, avec une femme : quelque chose qui nous déplacerait d'un seul coup l'un par rapport à l'autre, mais surtout par rapport à la réalité.

Après une pause assez longue, je lui ai demandé si elle se souvenait qu'en Italie, pendant les vacances de Pâques, j'avais réparti équitablement mes orgasmes entre ma femme et ma maîtresse : « Je faisais l'amour chaque jour avec ma femme et je me masturbais chaque jour en pensant à toi, enfermé dans la salle de bains.

— Je m'en souviens, m'a répondu Victoria. Cette idée m'avait plu.

— Quand je me caressais en pensant à toi, j'imaginais des histoires. Tout est parti du récit que tu m'as fait de ton désir pour le masseur vietnamien… puis de ton attirance pour le jeune homme sud-africain. J'ai commencé à imaginer des situations où je faisais l'amour avec toi devant un homme qui peu à peu se mettait à participer à nos ébats, à mettre ses mains sur ton corps. J'ai élaboré au fil de ces séances des scénarios de plus en plus sophistiqués, je recrutais des hommes sur Internet qui s'introduisaient dans notre chambre, tu avais les yeux bandés, je te demandais quel effet ça te ferait qu'un inconnu soit sur le lit et nous regarde, je te demandais si tu aimerais toucher son sexe et le mettre dans ta bouche, tu me répondais oui, à cet instant l'inconnu se mettait à caresser tes seins, tu cherchais son sexe à tâtons, je te faisais l'amour pendant que tu te mettais à le caresser. Voilà le genre d'histoires que j'inventais quand je me masturbais. Nous n'étions pas à faire l'amour tranquillement comme un couple : je réservais ces ébats conventionnels à ma femme. »

Victoria s'est tournée vers moi et m'a dit : « S'il

n'y a que ça pour te faire plaisir, allons-y, je suis d'accord. » Elle s'est levée, je l'ai vue enfiler son manteau, prendre son sac à main sur le fauteuil et ramasser la clé sur le bureau. Pendant ce temps, j'avais sorti mon sexe de mon pantalon. Je lui ai dit : « Mais où tu veux qu'on aille ?

— Je ne sais pas, n'importe où. Dans un sex-shop, un cinéma porno, un parking, où tu veux. Si c'est ça qu'il te faut, je suis d'accord pour me faire prendre par des hommes devant toi. Dépêche-toi, on y va.

— Pas ce soir, il est tard, nous n'avons pas le temps. Reviens t'asseoir. »

Victoria a jeté un regard sur l'érection qui surgissait de mon manteau, elle a fait tomber le sien sur la moquette avant de retirer sa jupe, son chemisier, son soutien-gorge, nous nous regardions fixement dans les yeux, je caressais mon sexe, elle se tenait devant moi sur ses talons de douze centimètres, nue, avec seulement des bas noirs.

« Tu es sublime. Je ne t'ai jamais trouvée aussi belle. Viens me voir, j'ai envie de faire l'amour. »

Elle est venue sur le lit pour me déshabiller, je me suis laissé faire, elle est venue sur moi, son sexe a englouti le mien.

« C'est si bon, tu as vu comme je suis mouillée, je n'ai pensé qu'à ça de toute la journée… Mon Dieu, pourquoi faut-il que l'on se quitte… », l'ai-je entendue me dire à l'oreille, avant qu'elle ne la morde longuement, profondément, jusqu'à me faire hurler. Je me suis dit que le lobe devait saigner, j'ai agrippé les fesses de Victoria avec brutalité et enfoncé mon sexe avec violence à l'intérieur du sien, comme pour la maltraiter.

« Tu as envie de te battre, ce soir, on dirait, Victoria... Tu veux la guerre... Tu veux que je te baise...

— C'est bon, continue, n'arrête pas... J'adore quand tu me prends si fort... »

Je me suis interrompu au bout de quelques minutes. Victoria s'est relevée légèrement pour pouvoir me regarder dans les yeux. Nos visages se trouvaient tout près l'un de l'autre. Ses lèvres se sont posées sur les miennes. Elle a recommencé à bouger sur toute la longueur de mon sexe, du gland jusqu'à la base, avec douceur.

« Victoria, je voudrais que tu me dises.

— Quoi, qu'est-ce que tu veux que je te dise mon amour ? »

Elle continuait de venir sur moi, c'était bon, c'était lent, c'était doux, c'était profond.

« Avec Laurent, ce que vous faisiez. Tu ne m'as jamais vraiment raconté. Pourquoi c'était dangereux ?

— Ça t'exciterait de m'entendre te raconter dans quels endroits on baisait, et comment ?

— Oui, vas-y, dis-moi. »

Victoria m'a fait l'amour pendant quelques secondes, intense et silencieuse, haletante, les yeux fermés, avant de me sourire ; elle a ensuite rouvert les yeux, ils crépitaient, son visage rayonnait. Elle s'est remise à parler, elle prenait soin de parcourir avec le sien toute la longueur de mon sexe : des mouvements lents, amples, appliqués, imprimés par son bassin qui se soulevait, se rabaissait, se soulevait, se rabaissait, en cadence, tandis qu'elle me parlait.

« Tout a commencé une nuit où nous sommes descendus dans un parking souterrain, après un rendez-vous à l'hôtel, pour récupérer sa voiture. J'avais remarqué que le gardien, à l'entrée, dans son bureau vitré, était hyper mignon. Je l'avais dit à Laurent, il m'a alors demandé si j'avais envie de ce garçon, j'ai répondu qu'il était bête, que pas du tout, je trouvais juste qu'il était beau et qu'il avait du charme. Une fois arrivé dans la voiture, Laurent m'a demandé de le sucer, ça l'avait excité que ce garçon me plaise. Tu vois, c'est une malédiction, le sort s'acharne sur moi, mes trois derniers amants ont tous voulu que je me fasse baiser par d'autres... Laurent a commencé à me déshabiller, j'étais en soutien-gorge, je caressais son sexe en érection, il a plongé ses doigts dans ma chatte, qui était déjà complètement trempée.

— Comme ce soir, ou encore plus ?

— Moins que ce soir, David... Il n'est pas possible d'être plus excitée que je le suis en ce moment...

— Et moi, tu as vu comme je suis dur ? J'ai l'impression que mon sexe s'est agrandi... Et après, qu'est-ce qui s'est passé ?

— Je suis venue me mettre sur lui, je lui ai fait l'amour dos au volant... J'avais peur qu'on ne nous surprenne, il y avait des caméras partout, des gens pouvaient venir pour prendre leurs voitures... Mais surtout je me disais que le gardien finirait par s'étonner de ne pas nous voir ressortir du parking devant son bureau vitré, nous avions payé, il nous avait vus descendre...

— Et alors, il est venu ?

— Je l'ai vu apparaître par la vitre côté passager, il a braqué une lampe torche sur nos corps dans la pénombre, le faisceau se promenait par saccades sur la scène, sur mon visage, sur le sexe de Laurent qu'il essayait d'apercevoir pénétrant mon vagin, je n'avais plus de jupe. Je dévorais des yeux le visage du jeune homme qui lui-même me regardait avec incrédulité, il se contentait de nous éclairer avec sa lampe à travers la vitre. Je lui ai souri pendant que la jouissance commençait à me contaminer, le faisceau s'est attardé sur mon soutien-gorge, je l'ai retiré pour qu'il puisse voir mes seins, je me suis légèrement tournée vers lui pour lui permettre d'illuminer ma poitrine, elle ondulait tandis que je prenais Laurent sur son siège. J'ai eu un orgasme incroyable d'être contemplée par ce jeune homme dont le visage était si beau, d'être parcourue par la lumière de sa lampe torche qui fouillait dans nos corps avidement, à la recherche du détail le plus bouleversant. Laurent a joui en moi, j'ai hurlé, je mordais l'appui-tête, c'était inouï, la lampe torche s'est éteinte, le gardien a disparu.

— J'adore, ça m'excite, c'est bon, continue de me raconter des histoires… C'est la première fois que je fais l'amour en parlant…

— On était dans une chambre d'hôtel, Laurent avait acheté un gode, je l'ai vu l'enduire d'huile. Il me l'a mis dans le cul, ça me faisait mal mais ça m'excitait. Il m'a baisée en me mettant le gode dans le cul. Un peu plus tard, il m'a demandé de me mettre à quatre pattes et il m'a sodomisée, il ne m'a pas demandé mon avis. C'était bon, personne ne m'avait jamais enculée, j'avais toujours refusé, je trouvais ça avilissant. J'avais mal, je prenais du plaisir, il allait de plus en plus profond malgré ma douleur et mes cris, j'ai découvert que je pouvais jouir par l'anus. »

Nous avons fait l'amour pendant quelques minutes sans rien nous dire.

« C'est pour ça qu'en Afrique du Sud, tu t'es fait jouir en imaginant que je t'enfonçais la banane dans le sexe tout en te sodomisant ?

— Exactement. Mais ce n'est pas tout à fait ça qui s'est passé ce soir-là dans ma tête. Tu veux que je te dise la vérité ?

— S'il te plaît. On se dit tout, on se découvre entièrement…

— J'ai fantasmé que le garçon revenait dans la chambre, tu étais là, nous faisions l'amour sur le lit, j'étais sur toi comme maintenant, tu as donné ton accord pour qu'il se joigne à nous. Je mourais d'envie de faire l'amour avec vous deux, je n'osais pas t'en parler, j'avais peur que tu refuses : tu m'as dit oui.

— Exactement comme en Toscane, quand je jouissais dans les salles de bains des hôtels…

— Il se déshabillait, il se plaçait derrière mes fesses et m'enculait pendant que nous faisions l'amour. C'est comme ça que j'ai joui, ce soir-là. En nous imaginant tous les trois. »

Victoria s'est arrêtée de parler, je l'ai entendue geindre, elle était de plus en plus mouillée. Elle m'a murmuré à l'oreille : « Je vais te dire un secret, même Laurent ne l'a jamais su. C'est mon fantasme absolu, je ne l'ai jamais fait, je voudrais qu'un homme me prenne par le vagin et un autre par le cul. En même temps.

— On le fera, si tu veux. Moi aussi, j'en ai envie. Tu ne peux pas savoir à quel point ça m'excite.

— Je le sens, tu es dur.

— Une autre histoire, ai-je demandé à Victoria.

Ça m'excite de t'entendre me raconter ces histoires.

— Nous sommes allés dans un cinéma porno près de la gare Saint-Lazare, il y avait plein d'hommes dans la salle. J'adore les films porno, ça m'excite de voir les gens faire l'amour. Je me suis mise sur Laurent et nous avons commencé à baiser au milieu de la salle, sur un rang presque vide. Des hommes se sont approchés, ils ont sorti leur sexe, il y avait des sexes en érection partout autour de nous, ils se branlaient en nous regardant. Ça m'a rendue folle de voir toutes ces bites, l'un de ces types s'est mis à caresser mes fesses, c'était incroyable comme sensation, c'était la première fois qu'avec Laurent on allait jusque-là et qu'on laissait un inconnu me toucher. Les doigts de cet homme effleuraient les testicules de Laurent à chaque fois que je m'enfonçais sur son sexe, elle m'excitait terriblement cette main que je sentais contre nos deux corps, j'aurais voulu qu'il prenne le sexe de Laurent dans sa bouche. J'ai eu un orgasme, c'était violent, mes hurlements se mélangeaient à ceux de la femme qui prenait du plaisir sur l'écran, derrière moi, sans que je puisse rien voir de ces ébats. J'apercevais un peu partout des bites en érection, ils se branlaient, je croisais des regards d'hommes, j'adorais ça qu'on me voie en train de jouir. Laurent a déchargé en moi, nous nous sommes rhabillés, nous sommes partis. »

On continuait de faire l'amour tout en parlant. Victoria allait de plus en plus vite, elle gémissait de plus en plus, elle avait de plus en plus de mal, en raison de ses halètements, à rendre audibles les phrases qu'elle déversait, saccadées, entrecoupées de cris et de soupirs, au creux de mon oreille. Il arrivait qu'elle s'interrompe quelques secondes au milieu de son récit, avant de le reprendre.

« Vous n'avez rien fait d'autre ? Tu n'as rien essayé avec cet homme qui te touchait les fesses et les testicules de Laurent ?

— Nous n'avons rien fait d'autre. Laurent m'a entraînée en dehors du cinéma.

— Tu aurais voulu rester ?

— J'étais comme folle, j'avais perdu la tête, j'avais envie que tous ces types me baisent. Laurent m'a entraînée de force en dehors du cinéma, en me tirant quasi par les cheveux.

— C'est pour ça que tu disais tout à l'heure que tu pouvais lui faire confiance ? Parce qu'il ne cédait pas à tes supplications quand tu te laissais submerger par tes pulsions ?

— Exactement. Je perds le contrôle de moi-même dans ce genre de situations, je serais capable de n'importe quoi, de partir avec n'importe qui… Si je fais tomber mon système de défense… tu sais, ce système de défense dont je t'ai parlé plusieurs fois, en particulier à Londres… c'est ce système de défense qui m'a retenue d'accepter ton invitation à aller boire un verre, j'avais envie de toi, on aurait pu partir baiser dès la première minute. Quand je suis dans cet état, quand je laisse mes pulsions s'enclencher, il faut absolument que je les assouvisse… Après, quand j'y repense, je me fais peur, c'est la raison pour laquelle il était primordial que je puisse accorder ma confiance à Laurent : je lui faisais promettre solennellement de ne pas me laisser aller trop loin, je ne franchissais la porte de ces endroits, à froid, lucide, qu'après avoir obtenu la certitude qu'il ne me laisserait toucher aucun corps. Quand nous allions dans les hammams et qu'il me caressait la chatte, les seins, devant des hommes qui se branlaient, tu ne peux pas savoir à quel point j'avais envie qu'il me prenne devant eux et qu'on finisse par baiser tous ensemble.

— Je comprends ce que tu veux dire. Je te promets que tu pourras me faire confiance.

— Je le sais, David. Je meurs d'envie de le faire, encore plus qu'avec Laurent… et surtout d'aller plus loin. J'ai envie qu'on y aille vraiment, toi et moi…

— Ah bon, mais pourquoi ?

— Parce que tu me plais, faire l'amour avec toi est plus fort qu'avec lui. Tu me donnes envie d'aller au bout de mes fantasmes, de tout essayer. Avec Laurent, nous étions davantage dans le domaine du jeu, de l'expérience mentale, c'était un manipulateur, un mathématicien.

— Qu'est-ce que c'était la chose qu'il voulait te faire faire et que tu refusais ? C'était quoi la demande à laquelle, pour le récupérer, tu avais finalement décidé de dire oui, le jour où vous aviez rendez-vous dans la galerie marchande ?

— C'était ça, justement. À chaque fois que l'on devait se rendre dans ce genre de lieux, il essayait de me convaincre d'aller plus loin, il voulait même que je prenne des amants, pour que je puisse lui raconter quand nous ferions l'amour. C'était devenu n'importe quoi, il voulait qu'on aille dans des clubs échangistes pour pouvoir se taper des filles, que je lui serve de rabatteuse, il n'était pas très beau. Le problème de ce genre de sexualité, c'est qu'il t'en faut toujours davantage : au bout d'un moment, tu te lasses, tu éprouves le besoin d'augmenter la prise, de franchir une étape de plus. J'ai commencé à avoir un peu peur. Je le soupçonnais de m'aimer moins, de moins avoir envie de moi, de compenser le recul de son désir par des dérivatifs, des amusements, des distractions sexuelles.

— Résultat : tu te retrouves avec un amant qui t'entraîne dans la même spirale.

— Ce n'est pas tout à fait la même spirale. Ce n'était pas aussi essentiel qu'avec toi, il ne s'agit pas pour moi d'amusement ou de distraction sexuelle. J'ai envie d'y aller, de le faire, avec toi. Ce fantasme m'a toujours poursuivie, j'ai envie de le vivre avec la bonne personne.

— Cela veut dire que réellement, Laurent et toi, vous n'avez jamais fait l'amour à plusieurs ? Vous vous êtes contentés de vous exhiber aux regards d'autres types, c'est tout, sans jamais aller plus loin ?

— Sans jamais aller plus loin. »

J'ai basculé Victoria sur le lit, je me suis allongé sur elle, je l'ai pénétrée. Je voyais, dans le miroir fixé au mur, les jambes de Victoria qui reposaient en l'air sur mon bassin, excitantes, gainées de noir, prolongées par la stylisation des escarpins à talons hauts, concis et véridiques.

Nous avons fait l'amour longuement, lentement, en continuant de nous faire des confidences, en entrouvrant l'un pour l'autre le théâtre de nos fantasmes, en inventant des récits qui nous incluaient l'un et l'autre, que nous enrichissions à tour de rôle. On se décrivait des scènes, on se projetait dans des lieux, nous nous trouvions dans un endroit où l'on voyait des hommes assis nus sur des marches de marbre, dans les vapeurs d'un sauna. « Tu aurais repéré un homme, en arrivant », disais-je à Victoria, « Un homme que j'aurais désiré immédiatement », me répondait-elle, « Comment est-il, décris-le-moi, je veux pouvoir le visualiser », nous étions en train de faire l'amour, je regardais les jambes de Victoria dans le miroir, « Brun, un peu arabe, assez poilu, musclé. Je le regarde, il me sourit, je baisse mes yeux sur son sexe et je le vois qui grandit », me répondait Victoria en gémissant, « Vraiment ? Rien qu'à te voir le regarder, il se met à bander ? », « Exactement... Son sexe est énorme... Je suis un peu effrayée, je me demande comment il va faire pour me pénétrer... », « Et moi, pendant ce temps, qu'est-ce que je fais ? », « Toi tu me touches les seins, j'ai mis ma main sur ton sexe, je suis en train de te branler, tu introduis tes doigts dans ma chatte... » Victoria n'arrêtait pas de jouir, nous n'avions jamais connu un tel plaisir l'un avec l'autre, aussi intense et continu. On entendait des personnes qui parlaient dans la chambre mitoyenne, séparée de la nôtre par une porte communicante qui sans doute devait pouvoir s'ouvrir quand un client avait besoin d'une double chambre ; l'isolation n'était pas idéale. Je disais à Victoria que nos voisins devaient se dire qu'on était fous, je ne comprenais pas qu'ils ne se soient pas mis à faire l'amour à leur tour, il était surprenant que nous entendre prendre du plaisir depuis deux heures ne les ait pas fait craquer, « Oui, tu as raison, je ne sais pas comment ils font pour se retenir, j'aimerais tellement entendre jouir une autre femme », m'a répondu Victoria pendant que je venais en elle, « Viens, tu vas me prendre contre la porte mitoyenne, comme ça ils nous entendront encore mieux », a-t-elle ajouté, « Ce serait super qu'on fasse l'amour à quatre à travers la porte, juste par nos bruits, nos cris, nos soupirs », ai-je dit à Victoria. Je me suis levé et c'est alors que j'ai aperçu sur les draps, à l'endroit des fesses de Victoria, une auréole d'humidité assez étendue. J'ai demandé : « Qu'est-ce que c'est ? Il y a quelque chose qui a coulé de ton sexe ?

— J'ai tellement joui que j'ai éjaculé... On appelle ça une femme fontaine...

— Tu es une femme fontaine ?

— Pas vraiment, ça ne m'est arrivé que quatre ou cinq fois, dans des cas d'extrême jouissance. À un moment, tout à l'heure, quand on parlait en faisant l'amour, c'était si fort qu'au moment où j'ai joui j'ai senti que du liquide s'expulsait de mon sexe.

— N'hésite jamais à le refaire...

— Mais c'est très rare : je te dis, quatre ou cinq fois en plus de vingt ans. J'ai soif, il est quelle heure, si on se commandait une bouteille de champagne ?

— Minuit vingt.

— Tu as combien de temps ?

— Il faudrait que je parte vers une heure. En plus, je dois récupérer ma voiture à Madeleine, près du Buddha Bar.

— J'appelle le room service, il faut qu'on fête notre rupture, s'est exclamée Victoria en rampant sur le lit pour attraper le téléphone sur la table de nuit. C'est la rupture la plus belle que j'aie jamais vécue !

— Je suis d'accord avec toi. C'est inouï ce qui s'est passé ce soir entre nous, tu ne peux pas savoir à quel point je suis heureux. C'est comme si on avait enfin accédé, après des mois à marcher dans un couloir, au véritable lieu de notre histoire… »

Quand je suis allé récupérer ma voiture dans le parking souterrain où je l'avais garée (en descendant les escaliers en ciment, je repensais à la scène que Victoria m'avait décrite, quand le faisceau de la lampe torche du gardien avait léché sa poitrine dénudée), je suis tombé sur les deux hommes qui me suivaient depuis le mois d'avril (mais il m'avait semblé que leurs filatures s'étaient faites moins fréquentes, ces derniers temps). Ils se tenaient près de ma voiture ; j'ai ralenti le pas en les apercevant, c'était la première fois, depuis que nous nous *fréquentions*, qu'ils se trouvaient non pas *derrière* mais *devant* moi, et cette seule circonstance m'a fait peur : ils m'attendaient, mais pour quoi faire ? Je me suis immobilisé à une dizaine de mètres, l'un des deux est venu vers moi d'une démarche que j'ai trouvée rassurante et il m'a dit, avec un fort accent : « Nous sommes désolés de vous déranger à une heure si tardive, mais nous aimerions vous dire deux mots, ce sera extrêmement bref. Après, vous pourrez rentrer chez vous. Si vous voulez vous donner la peine de me suivre. » L'autre homme a ouvert la portière arrière de l'Audi break qui se trouvait garée le long de ma voiture, je me suis approché et je suis monté à l'intérieur, sur la courtoise invitation de celui qui m'avait adressé la parole. Dans l'habitacle, un homme d'une quarantaine d'années que j'ai trouvé particulièrement raffiné m'a accueilli avec égards : « Je vous remercie d'avoir accepté de m'accorder cet entretien, il est tard, je serai bref. Nous pourrons le poursuivre une autre fois, si vous souhaitez qu'il soit plus long ou qu'on puisse faire plus ample connaissance. Même si le mieux, je pense, pour vous comme pour moi, est que nos relations restent le plus limitées possible.

— Qui êtes-vous ?

— Si, dans les jours qui viennent, vous désirez que certaines choses soient précisées, si vous avez des doutes sur la manière dont il convient d'interpréter ce que je vais vous dire, n'hésitez pas à revenir vers moi. Il vous suffira d'en faire la demande à l'un de nos amis. Vous avez l'occasion de les croiser régulièrement.

— Vous n'avez pas répondu à ma question.

— Je suis avocat. Je représente les intérêts d'un client qui aurait une proposition à vous faire. Vous n'êtes pas obligé de l'accepter, naturellement, je vous laisserai un peu de temps pour réfléchir, ne vous sentez surtout pas menacé par le climat dans lequel se déroule notre conversation, de nuit, dans un parking souterrain, au sortir d'une soirée que vous avez passée avec votre maîtresse… *et au moment où vous récupérez votre voiture pour aller retrouver votre femme*… C'est aussi pour cette raison que je veux aller vite, je m'en voudrais de vous retarder… », a conclu mon interlocuteur avec une expression qui contredisait ce qu'il venait de me dire : il était en train de me menacer. J'ai regardé son visage silencieusement pendant quelques secondes, avant de lui dire : « C'est un peu bizarre, comme manière de faire, vous ne trouvez pas ? Vous me dites que je n'ai pas à me sentir menacé et manifestement vous commencez à me faire du chantage.

— Absolument pas. Aucun de nous ne vous dénoncera à votre femme. J'étais seulement en train de résumer la situation. (À moins, bien entendu, que vous ne commettiez l'imprudence de parler de cette conversation autour de vous.)

— De quoi s'agit-il ?

— On me dit que vous dépensez énormément d'énergie, en ce moment, sur le chantier, pour que le retard de la tour Uranus se résorbe.

— On peut voir les choses comme ça. C'est mon métier.

— Bien. Il semblerait que vous ne comptiez plus vos forces, que vous ayez mis un point d'honneur à terminer ce bâtiment dans les temps, ou tout du moins avec le moins de retard possible. Vos patrons savent s'y prendre pour obtenir de vous l'abnégation la plus totale : vous essayez de peser sur le chantier de toutes vos forces, pour que la réalité se rapproche le plus possible des projections prévisionnelles que l'on vous a fixées. Vous faites l'admiration d'un certain nombre de personnes mais aussi, il faut que vous le sachiez, vous provoquez l'irritation de quelques autres. Vous ne tiendrez jamais le coup, vous devriez partir un peu en vacances. Pourquoi vouloir contrarier à ce point le cours naturel des choses ? Vous voyez bien que le retard de ce bâtiment est un phénomène inéluctable, lâchez prise, que les choses se passent comme elles doivent se passer…

— Je ne comprends pas où vous voulez en venir.

— Vous pourriez penser un peu à autre chose, jouir de vos RTT, partir quelque part en famille.

Nous sommes prêts à vous financer des vacances, vous aider à penser un peu à autre chose.

— Qu'est-ce que vous voulez dire par là ?

— Cent cinquante mille euros.

— Pardon ?

— Cent cinquante mille euros pour vous détendre, voir la vie d'un autre œil, considérer les événements d'une manière moins crispée. Soyez cool. Qu'est-ce que ça peut vous faire, après tout, à vous personnellement, que ce bâtiment ait du retard, vous n'allez pas en mourir, prenez la vie du bon côté ! Est-ce qu'on va vous attribuer une prime si vous réussissez ? Moi je vous en donne une si vous ne réussissez pas tout à fait : je ne vous demande pas d'échouer, ni de donner votre démission, au contraire, j'exige que la tour Uranus soit la mieux construite possible, mais laissez faire les choses, un peu de retard ne fera de mal à personne… Elle est impressionnante cette femme que vous fréquentez, elle était belle, ce soir, avec ces talons hauts, profitez, passez du temps avec elle, arrêtez de faire de ce retard une obsession : les choses arrivent comme elles doivent arriver, rien ne sert de vouloir les inverser. La tour Uranus accumule les retards ? Eh bien, qu'elle accumule les retards, c'est que c'est dans sa nature ! Je ne vous propose rien d'autre que d'être un peu moins bon et consciencieux que d'habitude, ce n'est pas malhonnête comme arrangement. J'incarne en cette seconde ce que vous rêveriez que votre patron vous dise demain matin, avouez-le.

— La logique de votre démarche m'échappe complètement. Je ne suis pas intéressé, vous n'avez pas frappé à la bonne porte. Je vous prie, à partir de maintenant, de me laisser tranquille », ai-je conclu en sortant de la voiture. L'homme m'a dit : « Si la logique de ma démarche continue de vous échapper, je me ferai un plaisir de vous l'expliquer plus clairement, l'un de ces prochains jours…

— N'y comptez pas : ma réponse est non. Bonsoir », lui ai-je répondu en claquant la portière avec force. J'ai contourné les deux hommes qui se tenaient entre l'Audi break et ma petite Clio, « Pardon, merci », leur ai-je dit, je me suis installé au volant et je suis rentré chez moi.

Sur l'autoroute A11, tandis que j'écoutais les dernières pièces pour piano de Franz Liszt, je me suis fait la réflexion qu'entre le moment où j'avais reçu le sms de Victoria et celui où j'étais ressorti du parking souterrain de la Madeleine, j'avais vécu la journée la plus dense de toute mon existence, comme si j'avais traversé successivement plusieurs pays, comme si j'avais été successivement trois personnes différentes.

Confronté à l'inertie d'un certain nombre d'entrepreneurs, je me suis permis de confectionner un panneau, suspendu en salle de réunion, où j'ai écrit le mot ANTICIPATION accompagné de la définition du Petit Robert : « *Mouvement de la pensée qui imagine ou vit d'avance un événement.* » Je prêchais dans le désert : les gens n'anticipent rien, c'est notre esprit latin, demain est un autre jour.

J'ai toujours gagné mes fins de chantier en m'impliquant sur le terrain : j'ai remis mes bottes et mon casque et j'ai décidé d'aider moi-même les conducteurs de travaux à pousser les wagons pour que le train avance plus vite. Je n'avais plus le temps de faire des courriers et d'attendre les réponses, les décisions devaient se prendre dans la minute : je savais qu'on ne s'en sortirait pas si je ne passais pas mes journées à régler instantanément les problèmes, à débusquer dans les coins les situations scandaleuses (de laxisme, de sous-effectif, d'inconscience devant la lourdeur des enjeux).

Je triais à l'instinct ce qui relevait de l'accessoire et devait être écarté (« Putain, m'emmerde pas avec ça, tu avances et tu fais plus chier avec ce genre de conneries »), ou à l'inverse ce qui relevait de l'essentiel et devait être examiné (« Putain, ça c'est la merde, monte une réunion rapide cette après-midi, il faut qu'on traite ce truc d'urgence, je te fais confiance, tu demandes à Dominique et Isabelle de venir à seize heures, on règle ce truc immédiatement »), et en même temps il fallait surveiller que l'accumulation des détails négligés ne devienne pas à notre insu un autre problème qui exploserait plus tard. C'était une question de dynamique, de hauteur de vol, de diamètre de lentille ; il fallait déterminer la vitesse à laquelle faire tourner le disque de ma pensée quand je me promenais sur le chantier et que j'examinais les situations : de cette vitesse dépendait le dosage de précision et de distance avec lequel les choses allaient être analysées, cette vitesse devait sans cesse être ajustée intuitivement — comme un compositeur détermine en permanence, à l'oreille, enfermé dans son travail, la dynamique interne d'une symphonie. C'était la première fois que j'osais m'en remettre à cette pratique risquée aussi pleinement, sans filet, comme si la tour Uranus était devenue ma propriété personnelle, mon œuvre à moi, une chose sur laquelle je pouvais agir à ma guise.

C'était la seule façon de s'en sortir. C'était aussi le meilleur moyen d'aller droit à la catastrophe.

Un entrepreneur m'appelait : « David, j'ai un problème, viens voir.

— T'es où ?

— Au quatorzième, côté sud.

— J'arrive tout de suite. »

Je le rejoignais. L'entrepreneur me disait : « Regarde, j'ai que quatorze centimètres de distance au lieu de dix-huit, qu'est-ce que je fais ?

— Tu refermes.

— Comment ça, je referme ? Il n'y a pas la distance réglementaire...

— Referme, je te dis. Tu sais aussi bien que moi qu'il n'y a aucun risque.

— Mais quand même, je sais pas... Tu me l'écris noir sur blanc ?

— De quoi tu parles ? Qu'est-ce que tu veux que je t'écrive noir sur blanc ?

— De refermer.

— Qui t'a demandé de refermer ?

— Tu viens de le faire.

— Tu te fous de ma gueule ou quoi ? Moi je t'ai demandé de refermer ?

— David, arrête tes conneries.

— Personne ne t'a demandé de refermer, tu m'entends ? Tu refermes, c'est tout. Tu vas pas nous arrêter le chantier à cause de ce truc. Demain matin j'ai tes collègues des cloisons qui débarquent : hors de question de les bloquer.

— J'en ai rien à foutre de mes collègues des cloisons.

— Pas moi. Et t'aurais intérêt à pas t'en foutre non plus, si tu veux mon avis.

— C'est pas eux qui vont trinquer si on se fait pincer par la brigade d'inspection.

— Ni moi mon pote car franchement je n'étais pas au courant qu'il n'y avait que quatorze centimètres. C'est toi seul qui vas prendre, si on se fait pincer. Alors, au moins, referme correctement. Si tu travailles correctement, je dirai un mot à Dominique au sujet de tes pénalités. Tu as bien quelques milliers d'euros de pénalités que tu essaies de faire sauter, non ?

— Putain, t'es vraiment un enfoiré.

— Je suis pas un enfoiré, je comprends mieux la situation que toi. On est tous dans la même barque et je veux nous éviter le naufrage. Tu comprends ça, mon pote ? »

C'est tout l'art de mon métier que de savoir doser les risques : la seule consigne que j'ai reçue du promoteur est de terminer le plus tôt possible, « *Quels que soient les moyens utilisés* », avait-il jugé utile de préciser lors de la dernière réunion (et nous savions tous ce que pouvait signifier, dans un tel moment, la phrase en italique, lourde de non-dits, qu'il venait de prononcer). L'un des objectifs des grand-messes de chantier est ainsi d'entraîner implicitement les entreprises à rogner sur les normes, à adapter les procédures à l'urgence du calendrier. Dans certaines situations paroxystiques, quand tes patrons te téléphonent trois fois par jour pour savoir si ça avance selon les estimations qu'ils t'ont imposées quatre jours plus tôt (après avoir été mis eux-mêmes à la torture par leurs propres patrons, sur les hautes branches du CAC 40), l'alternative devant laquelle se trouve le directeur de travaux est soit de donner sa démission et de rentrer chez lui s'occuper de ses enfants, soit d'arriver à faire comprendre aux entrepreneurs que la satisfaction des besoins immédiats du chantier, en l'occurrence accélérer la cadence, est un enjeu suffisamment crucial pour qu'ils acceptent de reléguer au second plan l'exigence d'un bâtiment terminé dans les règles de l'art, même si, au bout du compte, pour pouvoir franchir l'épreuve de l'inspection méthodique réalisée par la banque, il doit être impeccablement fini — tout du moins en apparence. *En apparence* : c'est dans cette subtile nuance que peuvent venir s'engouffrer discrètement, pour grappiller un temps précieux, tout un tas de petites pirateries, des entorses, des arrangements avec les règles : on referme un faux plafond en sachant pertinemment qu'à l'intérieur quelque chose ne fonctionne pas.

Comme on ne se refait pas et qu'il a toujours été difficile pour moi de me résoudre à accomplir ce genre de choses, je prenais sur mon temps personnel, parfois, pour revenir sur des ordres que j'avais pu donner — le lendemain, à l'heure du déjeuner, au lieu de faire une pause, je demandais qu'on me rouvre le faux plafond et qu'on répare ce qui était défectueux. Malgré ma fatigue et l'écœurement que me procurait l'attitude éhontément cynique du promoteur, l'idée m'insupportait qu'un bâtiment sur lequel j'aurai passé quatre ans de ma vie puisse ne pas être aussi irréprochable que nous l'avions rêvé, pour la raison que nous aurions enfreint trop de normes, coulé du béton sur un peu trop de cadavres et d'approximations.

Non seulement il restait un nombre élevé de niveaux à aménager, mais Dominique avait calculé qu'il nous faudrait onze mois pour éliminer les trente mille réserves qu'on pouvait dénombrer à la mi-juin, si bien que certains entrepreneurs me donnaient l'impression de ne pas savoir par quel bout attraper cette monstrueuse réalité. Il m'arrivait de les apercevoir, hébétés, qui considéraient l'état d'apocalypse de certaines zones où ils devaient intervenir, et je sentais bien qu'ils étaient tout près de se laisser enliser dans l'impuissance et le découragement — surtout si ces entrepreneurs traversaient des difficultés économiques qui les minaient. Le retard de la tour Uranus leur interdisait de prendre autant de nouveaux chantiers qu'il l'aurait fallu pour renflouer leur trésorerie, Dominique leur avait échangé les pénalités qu'ils nous devaient contre le fait qu'ils continuent de travailler sur le bâtiment sans être payés davantage, et c'est pourquoi quelques-uns de ces individus étaient au bord de l'asphyxie.

Le 22 juin, l'ensemble des chefs d'entreprise et de leurs conducteurs de travaux ont été convoqués à six heures du matin au dix-huitième étage de la tour, sur un plateau entièrement nu, inachevé, sans huisseries, dans la lumière de l'aube. Il faisait ce jour-là un temps sublime, le ciel était bleu pâle, on voyait les premiers rayons du soleil, aussi doux et naïfs que le visage d'un enfant à peine sorti du sommeil, s'introduire par les rectangles des ouvertures. Pendant quelques secondes, alors que j'attendais que débute la réunion, je me suis senti propulsé en dehors de cette atmosphère belliqueuse : une impression cinglante de beauté a traversé ma tête, l'espoir d'une vie meilleure s'est réveillé à l'intérieur de mon corps, avant d'être dispersé par la voix de mon patron qui s'est élevée, solennelle, autoritaire, dans le silence du matin frais : « Messieurs, bonjour ! »

Je ne sais pas qui avait eu l'idée de mettre en scène cette réunion d'une manière aussi théâtralement intimidante, mais il y avait, face au groupe des entrepreneurs, le grand patron de l'entreprise de promotion immobilière, le grand patron de l'entreprise de BTP, le grand patron de mon entreprise, mes supérieurs hiérarchiques, Dominique, moi-même et l'ensemble de nos plus proches collaborateurs : une masse assez compacte d'une vingtaine de personnes strictement vêtues de noir ou de gris, effrayante par sa teneur en huiles du CAC 40 et en décisionnaires de premier plan. Une distance de quelques mètres séparait ces deux groupes, où je voyais danser, dans les rayons rasants du soleil, des particules de poussière : il aurait pu y gazouiller des rossignols tellement cette zone de pur printemps semblait dans un tout autre imaginaire que celui où s'opposaient ces deux incarnations de notre monde : les décideurs d'un côté, les artisans et les entrepreneurs de l'autre. Cette seconde masse était constituée d'un aussi grand nombre d'individus que la première mais elle était moins dense, comme émiettée ; elle était plus dissipée, on y toussait davantage, quelque chose de moins élaboré se laissait percevoir dans les vêtements, les attitudes, les gestes et les regards, il y avait des blousons, des blue-jeans, des visages burinés d'origine étrangère, ils avaient moins d'aplomb, l'ensemble était moins strict que dans le premier groupe. Cette opposition était flagrante : les puissants accusaient et menaçaient les faibles à travers les premiers rayons du soleil, à l'heure où se tiennent les duels, sur un plateau qui pouvait ressembler à un pré dans les brumes de l'aurore. Un duel un peu abstrait, par la parole, fondée sur la blessure économique.

L'objectif de ce rassemblement était de transmettre un électrochoc aux entrepreneurs, d'attirer leur attention sur l'extrême gravité du retard, leur parler du précontentieux où nous nous trouvions non seulement avec la banque mais avec l'ensemble des investisseurs. Le patron de l'entreprise de promotion immobilière s'exprimait lentement, en insistant sur chaque mot, comme s'il était implicite que quelques-uns de ses interlocuteurs y laisseraient forcément leur peau et qu'il en était déjà, par le ton de son allocution, aux condoléances. « Je voudrais vous écouter. Je voudrais vous entendre m'expliquer votre vision des choses. J'aimerais me rendre compte de votre degré de conscience de la situation : je me dis parfois que vous ne mesurez pas les enjeux qui pèsent sur vous. Qui pèsent sur nous, certes, ça vous le savez, mais qui pèsent aussi sur vous. *Qui pèsent aussi sur vous* », a-t-il répété de la manière la plus lente qu'on pouvait espérer prononcer cette phrase, comme un tortionnaire prendrait plaisir à enfoncer une aiguille à tricoter dans les entrailles de sa victime. « On voit, dans cette zone où nous nous trouvons en ce moment même, dans quel état d'avancement se trouve le chantier : je vous laisse juges », poursuivait-il dans le silence de cet immense plateau encombré d'escabeaux, d'outils, de gaines, de câbles, de rouleaux de laine de verre. Il les enjoignait d'intensifier leurs efforts et d'augmenter les effectifs d'une manière significative : « Il est hors de question que la situation reste en l'état, il est hors de question que le retard ne soit pas réduit radicalement dans les semaines qui viennent. Nous ne serons pas les seuls à payer les pots cassés en cas d'échec : je ferai reposer sur vous, sur vous tous, une partie des pénalités, vous pouvez en être certains. »

En dépit de cette initiative exceptionnelle du promoteur (en quinze ans de métier, c'était la première fois que je voyais des individus aussi importants intervenir de cette manière pour sortir un chantier de sa torpeur), le retard de la tour Uranus a continué de s'aggraver. Alors qu'il était de trois mois le jour où cette réunion s'était tenue, il serait de trois mois et vingt jours deux semaines plus tard, le 10 juillet. Les synthèses que Dominique réalisait étaient formelles, et accablantes : sur à peu près tous les sujets (infrastructures, socle technique, socle archi, étages courants, coiffe et levées de réserves), la courbe réelle s'écartait de plus en plus de la courbe prévisionnelle : elle venait de prendre trois semaines sur une période de quatre semaines.

La seule chose qui parvenait à faire entrer de la lumière dans mon esprit, c'était l'envol de mes relations avec Victoria, l'excitation que me procurait la pensée que nous nous offririons bientôt la possibilité d'accomplir nos fantasmes. Depuis notre soirée au Buddha Bar et à l'hôtel du Louvre, nous nous étions revus deux fois : nous avions fait l'amour longuement en nous racontant à l'oreille ce que nous avions envie de faire. Je lui parlais, elle acceptait et amplifiait les images que je faisais naître dans son imaginaire, elle m'interrogeait, elle me demandait jusqu'où elle aurait le droit d'aller, nous passions des heures à nous décrire des scènes précises où Victoria prenait des inconnus dans sa bouche. Néanmoins, nous n'osions pas passer à l'acte : nous nous contentions de faire l'amour par le langage, en nous promettant d'aller plus loin la fois suivante. Je n'avais jamais éprouvé autant de plaisir, ni obtenu d'une femme qu'elle manifeste le sien avec autant d'intensité.

La fatigue et le désenchantement qui régnaient sur le chantier, les ennuis que traversaient certains entrepreneurs, le laxisme, l'incompétence, l'indifférence et la stupidité de quelques autres, les résistances psychologiques qu'à des degrés divers nous devions tous dissoudre le matin pour nous mettre au travail, voilà ce qu'il m'appartenait d'éliminer, chaque mercredi, au fil de longues imprécations.

« On va lancer samedi le commando de nettoyage, parce qu'après, la semaine prochaine, il n'y aura plus de benne sur le quai de livraison. Pourquoi ? Parce qu'on construit le quai de livraison définitif. Tout ça on va le dire calmement, je vais le répéter trois fois si besoin est, c'est l'objet de la réunion d'aujourd'hui. Ne venez pas me casser les couilles la semaine prochaine avec des problèmes de livraison, ne vous ramenez pas toutes les cinq minutes dans mon bureau pour me demander comment vous devez faire. On a aujourd'hui, jeudi, vendredi et samedi pour régler les problèmes. La semaine prochaine, on ne pourra rien livrer.

— On ne peut pas faire tous les approvisionnements avant vendredi ! C'est impossible !

— Je ne t'ai jamais dit de tout faire approvisionner.

— La semaine prochaine il me faut la valeur de douze big bags de sable... et une dizaine de palettes de pierres. J'approvisionne quand ? Jeudi et vendredi, ils coulent le faux plancher.

— Il y a samedi.

— Samedi, samedi...

— Eh ouais les gars ! Je vous l'ai dit il y a une semaine qu'on ne pourrait rien livrer !

— Est-ce qu'ils sont obligés de faire le quai d'un seul coup ? Ils ne peuvent pas le faire en deux fois, pour nous en laisser la moitié ?

— Il a raison, en deux étapes !

— Comment ça en deux étapes ? On n'est pas dans un livre, on est dans la technique ! Tu fais comment, toi, en deux étapes ? Tu fais comment l'isolation en deux fois ? Je ne te parle même pas de la dalle de béton qu'on va couler, avec les connecteurs et compagnie ! Une dalle de protection lourde, en béton !

— Toujours est-il...

— Toujours est-il que c'est comme ça. Toujours est-il que si tu n'étais pas en retard, il n'y aurait pas de problème. Ne m'oblige pas à m'attarder sur le sujet mon ami... ne m'oblige pas être désagréable dès le matin... Faut arrêter les conneries, maintenant. » Un temps. « À présent, on va parler du plus facile : le nettoyage du chantier. On va faire un petit coup de commando, on en a bien besoin pour y voir clair, c'est pour ça que Fred est là. Samedi on fait une grosse opération d'évacuation, on a pris contact avec Brossard, le gars des bennes, pour faire des rotations. On nettoie quoi ? Le S2, c'est Beyrouth, il y en a partout. Dans les niveaux de socle il reste des bouts d'échafaudage qui sont là depuis trois mois. Le carreau-brique que j'ai vu au S1, on n'en a plus besoin, à la benne ! Servin : tes câbles, tes nacelles, tu m'enlèves tout ça. Donc, demain, vous mettez vos déchets dans un coin avec "*À jeter*" écrit sur un papier scotché dessus... ou alors vous tracez des grandes croix à la bombe, quelque chose de significatif, pour qu'Aziz ne se mette pas à jeter n'importe quoi. Je ne serai pas là samedi, je vous préviens. Samedi, pour une fois, je ne serai pas sur le chantier, je serai chez moi. Ne venez pas m'emmerder lundi matin en me disant qu'ils vous ont tout jeté. Vous avez trois jours pour voir Aziz et pour lui dire précisément : "Ça, Aziz, tu peux jeter ; ça, par contre, c'est mes trucs, t'y touche pas", profitez-en, il est disponible. Compris ? Il faut qu'on attaque la semaine prochaine en étant impeccable, avec une bonne vision du bâtiment : il faut que tout soit propre, que le chantier soit nickel. OK ? Comme ça on pourra peut-être dire, fin juin, qu'on lui aura mis un bon coup dans la gueule, au bâtiment : un bon coup dans la gueule. Je vous dis que c'est faisable : il faut juste se motiver, s'organiser, avoir les idées claires. Au R1, je vous recommande d'aller voir, José a attaqué ses enduits, c'est bien, ça commence à sentir la finition. La semaine prochaine on commence la peinture dans les parkings, donc ceux qui sont encore à traîner dans les parkings (parce qu'il y a des fuites ou des choses comme ça), c'est fini, vous réglez vos problèmes et puis vous dégagez : lundi matin je ne veux plus personne dans les parkings, c'est bien compris ? Le premier que je chope dans les parkings, il se tape la peinture ! La semaine prochaine, je vous dis : on repart de zéro, on remet tout d'équerre. Faut pas rêver : à partir de maintenant, Uranus, ça va se faire à l'arrache. Je vais vous aider à pousser, mais pour ça, il faut qu'on évacue, il faut qu'on livre les derniers équipements... C'est bon, c'est compris, aucune question ? Ne venez pas, lundi matin, me casser les pieds ! J'ai demandé exprès à Fred d'être là, il vous écoute, profitez-en. Toi, Fred, je veux vraiment que tu m'aides, que tu ne sois pas seulement à écouter mes ordres, il est impératif que tu prennes des initiatives, que ce soit efficace. Il faut qu'on ait des liftiers, qu'ils soient en forme, pas malades, et que les lifts, ils tournent. Tu m'entends Pierrot ? Si tu sais pertinemment qu'il y a une carte qui fait couic-couic dans l'un des ascenseurs, tu me la changes maintenant, tu n'attends pas que l'ascenseur se bloque samedi pendant que t'es chez toi, tranquille, en famille, à faire un barbecue. Tu vérifies les cartes des ascenseurs, on n'a pas le droit à l'erreur, on a une fenêtre de tir qui est très courte, on ne peut pas la rater. C'est d'ailleurs la raison pour laquelle les électriciens vont avoir la gentillesse de me mettre du courant dans les cages d'escalier, et de me dire pourquoi ça disjoncte toutes les cinq minutes... il doit y avoir un problème de flotte quelque part ou je ne sais pas trop quoi... il faut aussi que l'éclairage soit remanié dans les niveaux de socle. Comme cette semaine on remet tout d'équerre, vous vous en occupez : il y a des niveaux on n'y voit strictement rien, on se demande comment on fait. Derrière la future salle de conférence tout ce qu'on peut faire c'est se casser la gueule... il fait tout noir, il faut une lampe de mineur ! Alors qu'il y a six mois, vous m'aviez promis de renforcer l'éclairage ! Je ne sais pas comment on travaille dans ces zones, ça dépasse mon entendement. » Un temps. « Il faut se concentrer, se mobiliser, vraiment, s'il vous plaît, tout le monde. C'est bientôt fini, plus que quelques mois, on va y arriver. Donc, aujourd'hui, on prépare tranquillement, méthodiquement, le travail de la semaine prochaine... La semaine prochaine, on envoie vraiment la sauce.

— Mais après le 30, on pourra relivrer ?

— Qu'est-ce que tu as à livrer, toi ? Tu m'inquiètes...

— Les venteaux de porte. Soit je les livre aujourd'hui, mais tu sais la place que ça prend ?

— Et alors ? Tu les mets au S4. Ça fait mille fois que je vous dis d'utiliser le S4 comme zone tampon pour stocker votre matériel. On a laissé le mur ouvert, on a l'accès direct au monte-charge, combien de fois faudra-t-il vous le répéter ? Il va falloir bientôt m'envoyer à Sainte-Anne si vous continuez...

— Mais c'est impossible de livrer les venteaux par le...

— Pourquoi c'est impossible ?

— Parce que chaque carton fait trois cent cinquante kilos...

— Et alors ? Putain, je rêve, j'y crois pas ! T'arrives en bas, tu désosses tes cartons, tu prépares tes portes, on les transporte à la main ! Eh ben oui, c'est comme ça ! Tout le monde veut son hayon, son confort, quatre bonshommes, le truc qui sort, je suis d'accord ! Mais, à un moment donné, on ne peut plus ! La mode elle change, on n'y peut rien ! Donc, maintenant, il faut raisonner autrement ! Jusqu'ici, comme on est des gens intelligents, ça se passait bien, c'était du tout confort, un chantier cinq étoiles luxe, hyper organisé ! Eh bien, pendant un moment, ça va être un peu moins bien, j'en suis vraiment navré pour vous, vous allez revenir à la mode des chantiers galère, pendant un certain temps… Pourquoi il y a des mecs qui bossent la nuit, qui approvisionnent la nuit, d'après vous ? Servin, quatre heures du matin, les trois huit, tout le bordel, pourquoi ?

— Et qu'est-ce qu'on fait, nous, la nuit, d'après toi ?

— J'oubliais Otis, pardon, c'est vrai.. Et Otis… Voilà, c'est peut-être ça la solution, pensez-y, il faut peut-être envisager les horaires décalés. Vous vous faites livrer le matériel à neuf heures du soir, le p'tit camion, tranquille, en douce, on décharge, personne ne se gêne… Sinon, avec vos méthodes à la cool, on est partis pour terminer la tour le 15 décembre ! Voilà où on en est rendus ! C'est ça la réalité du chantier ! Que, *nous*, on connaît… mais que *vous* vous avez l'air de découvrir… parce que chez vous il n'y a personne qui fait ce que je fais aujourd'hui… ces espèces de grand-messes, et c'est bien triste. C'est tout un ensemble, le projet Uranus, tout un ensemble ! Tout est intriqué, la banque, les investisseurs, la ville, les élus, la commission de sécurité, les pompiers, la voirie, les institutions politiques ! Donc, quand vous me dites que vous avez des problèmes de big bags qui sont trop lourds à transporter, et que c'est pour ça qu'on prend du retard, vous me faites doucement rigoler… Si vous saviez comment on rame, nous, pour trouver des solutions, pour négocier avec la banque, avec la ville, avec nos voisins, avec les institutions de la Défense, pour qu'ils nous accordent l'autorisation de nous étendre un peu au pied de la tour, de mordre un peu sur le boulevard… Si vous ne m'aidez pas, si vous continuez à m'accabler avec vos problèmes de big bags… alors que vous pouvez vous les faire livrer en demi-big bags et les transporter dans une brouette, comme faisait mon père avant, il faut qu'on arrête tout de suite. Vos problèmes de brouettes et de mal de dos, quand je vois ce qui nous arrive sur la gueule, franchement, c'est de la rigolade. Il faut se motiver, et se mobiliser, pour trouver des solutions, à l'ancienne, à la main, pendant un mois. Il faut s'organiser et y mettre un peu de bonne volonté… et pas arriver le matin avec le petit café… et puis vas-y j'attaque ma journée sans savoir ce que j'ai à faire… Quand par exemple je demande à la société Labrousse quand et comment elle va poser ses cheminées, je suis interloqué. J'ai négocié avec Bouygues, qui aménage les abords de nos voisins… oui, MOI, J'AI, un vendredi, NÉGOCIÉ la possibilité qu'on puisse travailler dans leur zone. Vous croyez qu'ils m'ont dit oui tout de suite ? Pas du tout : il fallait qu'on cause, que je me mette à genoux, que je leur arrache l'autorisation. Il n'est donc pas question qu'on s'installe, qu'on s'étale, qu'on déborde sur le boulevard ! Tes gars, Daniel, le soir, il va falloir qu'ils balayent, qu'ils remettent leur truc propre, qu'ils arrivent le matin en disant poliment : "*Bonjour messieurs, vous avez bien dormi ? Aujourd'hui on va travailler dans votre petite zone, excusez-nous mais on risque de faire un peu de poussière... Ne vous inquiétez pas, ce soir, on aura tout remis en ordre, tout nettoyé. Bonne journée !*" Voilà, c'est comme ça, on n'a pas le choix. Alors, quand Labrousse me dit qu'il ne sait pas s'il sera prêt pour qu'on puisse rentrer les cheminées par cette petite zone, les bras m'en tombent, je ne sais plus quoi faire, j'ai envie de déclarer forfait... Parce qu'à un moment, Bouygues, ils vont nous envoyer chier : ils ne prendront pas le risque qu'on détériore leur travail juste avant qu'ils ne le livrent : tu n'auras pas un oiseau qui pourra se poser dessus. C'est ce que vous n'arrivez pas à comprendre : c'est complètement fou. Bouygues, son client, c'est la Défense... et la Défense, son client, c'est la banque. Et quand Bouygues écrit une lettre, il l'envoie directement à M. Autissier, directeur général de l'immobilier de la banque... une lettre de deux pages qui dit qu'on est tous des cons... et qu'à cause de nos conneries il peut pas faire son boulot en temps et en heure. T'as compris ? Tu percutes ? Tu visualises le problème ? Si tu n'as pas livré tes cheminées avant qu'ils ne nous ferment leur petite zone, on est tous dans la merde : on l'a tous dans le cul. Tous ceux qui sont présents dans cette salle : tous baisés. Il faut comprendre qu'on est tous solidaires ! On est tous dans la merde ! S'il y a un corps d'état qui n'a pas fait son boulot, la tour n'est pas réceptionnée et c'est nous tous qui payons ! On est tous dans la merde ! C'est ça qu'il faut comprendre ! Je n'arrête pas de vous le dire qu'on forme une équipe ! Ça veut dire quoi ? Ça veut dire que chacun peut bloquer le copain ! *Est-ce que c'est clair ? Est-ce que tout le monde a vu de quoi je parle ?* Je suis fatigué, fatigué... je n'en peux plus de vous répéter mille fois les mêmes choses... Il faut m'aider, les gars, vraiment, il faut m'aider. Je vois les problèmes, je donne des instructions, mais il faut y mettre un peu du vôtre, anticiper, me devancer, me décharger un peu... Je ne peux pas penser à tout, à tous les détails, en permanence... Par pitié, je vous en supplie, mettez-y un peu du vôtre, aidez-moi à faire en sorte qu'on s'en tire sans dommage... »

J'avais remarqué que si j'arrêtais de penser au bâtiment, si mon mental se détournait de l'ensemble des données en fonctionnement qui constituaient la réalité du chantier, si je relâchais la pression pendant un temps trop long en suspendant le sortilège de ma parole, la situation revenait d'elle-même à son état naturel de laxisme, de pesanteur. L'avocat que j'avais rencontré dans l'Audi break n'avait pas tort : il suffirait que je m'absente deux jours pour que le chantier retombe dans la torpeur de son gigantisme. La réalisation de la tour Uranus ne dépendait plus que de la seule conscience que j'en avais, totale, précise, panoramique, à chaque seconde de mes journées.

« J'ai failli chialer, ce matin, en t'écoutant, tellement c'était poignant, m'a dit Dominique l'un de ces mercredis (c'était celui qui suivait le week-end du 14 juillet, je m'en souviens parfaitement bien), tandis qu'on déjeunait d'un sandwich au comptoir du Valmy, debout, vite fait.

— Allez, qu'est-ce que tu racontes.

— Je te jure, tu avais la voix qui tremblait, ça sortait du tréfonds de ta personne, j'ai jamais vu personne parler comme ça...

— C'est parce qu'ils me donnent tous envie de pleurer, c'est parce que je suis découragé et qu'en même temps je n'ai pas d'autre choix que celui d'avancer et de sortir de cette situation de merde. Je suis au bord de l'implosion, Dominique, au bord de l'épuisement, de l'implosion.

— Est-ce que tu es certain que tu n'as pas d'autre choix…

— Je ne comprends pas qu'il faille tout penser à leur place, tout leur dire, tout leur répéter mille fois, tout vérifier, tout anticiper pour eux, tout leur organiser pour que ça aille plus vite et plus rationnellement… Tout le temps, en permanence, sur chaque chose qu'ils doivent faire. Je suis un peu comme des parents qui n'auraient pas trois enfants mais cinquante, et qui devraient les préparer chaque matin pour aller à l'école, il est huit heures vingt, il faut les emmener, il y en a encore vingt-deux à moitié en pyjama… Ils me rendent fous, je ne m'en sors pas, on ne va jamais s'en sortir Dominique. Je ne vois vraiment pas comment on va pouvoir s'en sortir.

— Après la séance de ce matin, je crois qu'ils ont compris que tu ne pouvais pas porter le truc tout seul, tu les as mis dans un état, ils étaient carrément atomisés.

— À ce point ? Mais qu'est-ce que j'ai fait de particulier ?

— Tu as mis tes tripes sur la table, ils ont tout vu, c'est comme si tu leur avais ouvert l'intérieur de ton corps pour leur montrer une tumeur, je n'avais jamais entendu un tel silence dans une salle de réunion. Je n'avais jamais entendu quelqu'un, à part au théâtre, impressionner les autres d'une manière aussi forte… par sa parole, par sa présence. J'en avais la chair de poule, par moments. Certains ont même eu peur, je crois, en te voyant dans cet état. Enfin, je ne crois pas : *je le sais*, ils m'en ont parlé.

— Mais dans quel état… Tu exagères, Dominique.

— D'intensité, d'émotion, de détresse, de tension intérieure, c'est difficile à dire.

— Tu veux dire que j'ai fait ma Sarah Bernhardt, mon tragédien !

— On n'en était pas loin. Moi aussi j'ai eu peur, David. Je crois que tu devrais…

— Quoi, qu'est-ce que je devrais…

— Lâcher prise, te détendre. Tu vas nous faire un authentique burn out si tu continues.

— Un authentique burn out, comment tu parles…

— On ne devrait pas avoir le droit de se mettre dans l'état où je t'ai vu tout à l'heure. C'est juste un truc de boulot, David, réalise ! Tout à l'heure on aurait cru que tu avais perdu ta sœur, ou que l'enfant d'un ami à toi avait été renversé par une voiture ! Putain, reviens sur terre ! Qu'est-ce que tu risques, au pire ! Au pire du pire !

— Que cet échec me discrédite jusqu'à la fin de mes jours.

— Mais arrête ! Tu sais très bien que c'est faux ! Tout le monde le sait que tu t'es défoncé, que tu n'y es pour rien, qu'on n'a pas eu assez de temps, et de moyens !

— D'ailleurs, depuis quelque temps, je le vois bien que tu prends… C'est d'ailleurs pour ça…

— Que je prends quoi ?

— Tes distances. C'est pour ça que je suis obligé d'intensifier mes efforts. J'ai bien vu que tu commençais à lâcher prise. C'est humain, on n'en peut plus… Je vais prendre sur moi, ne t'inquiète pas…

— Je voulais t'en parler, justement. Il faut qu'on réfléchisse à tête reposée, tous les deux. » J'allais mordre dans mon jambon-beurre quand j'ai entendu cette phrase. L'expression « à tête reposée » m'a étonné, venant d'un homme comme Dominique. J'ai suspendu mon geste pour lui demander : « À quoi tu veux qu'on réfléchisse ? », avant de porter le sandwich à ma bouche. Je mâchais en regardant son visage, lui aussi il mâchait son sandwich, il avait l'air d'hésiter à me répondre. Il a fini par me dire : « Il faudrait qu'on en parle dans de meilleures conditions, plus tranquillement, en ayant plus de temps. On pourrait dîner, par exemple. Qu'est-ce que tu fais, ce soir ?

— On ne dîne pas, Dominique. On en parle maintenant. Si tu as quelque chose à me dire, tu me le dis tout de suite. Si tu as besoin de temps pour me parler, on prendra le temps qu'il faut, ici, à ce comptoir. Si tu as besoin de toute l'après-midi, je te consacrerai toute mon après-midi. Tu veux une autre bière ?

— Je veux bien. »

J'ai demandé deux autres Carlsberg, Dominique transpirait, il me semblait préoccupé, il avait du mal à me sourire toutes les fois que nos regards se croisaient. Quand on nous a servi nos deux bières, j'ai levé mon verre vers le sien et nous avons trinqué : « À ta santé, Dominique.

— À la tienne, David. » Je l'ai regardé fixement, il avait de la mousse sur la lèvre supérieure, qu'il a effacée d'un trait de doigts. J'ai fini par lui dire : « Tu as cédé aux sirènes de l'argent, si je comprends bien la situation. » Dominique m'a regardé d'un air gêné, avant de me répondre : « Tu veux parler de l'avocat...

— De l'avocat dans l'Audi break, oui. » Dominique hésitait, je le voyais se débattre dans un probable sentiment de honte, mais je sentais que celui-ci se laissait facilement supplanter par une puissante tentation d'évasion, et je le comprenais. Le seul problème de Dominique, c'était le mal qu'il me ferait s'il s'éloignait du chantier. Il a fini par m'avouer : « J'ai effectivement décidé de leur dire oui.

— Tu as décidé de leur dire oui, ou tu leur as dit oui ?

— Je leur ai dit oui.

— Quand ça ?

— Ce matin. » J'ai marqué une petite pause. Puis : « Mais qu'est-ce que c'est que cette histoire. Combien ils t'ont proposé, à toi ?

— Quatre-vingt mille.

— Ils t'ont contacté il y a longtemps ?

— Un peu plus d'un mois. Et toi ?

— À peu près pareil. Le jour où j'ai cru que j'avais un encadré dans *Libération*, tu t'en souviens ?

— Oui, très bien. Mais tu n'as pas cédé.

— Et je n'ai pas l'intention de céder. Et je n'ai pas l'intention de te laisser céder.

— C'est trop tard, David. J'ai dit oui, c'est trop tard, je ne prends pas le risque de me dédire, pas avec ces gens-là.

— Qu'est-ce que c'est que cette histoire, pourquoi ils nous proposent du fric pour qu'on plante Uranus ?

— Ils ne nous demandent pas de planter Uranus.

Je ne vais pas, David, planter le bâtiment, sinon j'aurais refusé net : ils nous demandent seulement de ne pas nous défoncer pour réduire le retard, de lever un peu le pied, de laisser filer le planning, *nuance*.

— OK, ils nous demandent de laisser filer le planning. Pourquoi ?

— Ils ne te l'ont pas dit ? Je ne comprends pas…

— Figure-toi que je ne leur ai pas laissé l'occasion de s'expliquer, contrairement à toi.

— L'avocat représente un investisseur étranger. Un Russe, si j'ai bien compris, mais je n'en suis pas sûr. Cet homme a acheté au promoteur un quart de la tour, en investissement locatif. Comme il n'a trouvé preneur qu'à partir du mois d'avril de l'année prochaine, et qu'il doit faire face entre-temps à des échéances colossales…

— Le retard l'arrange.

— Exactement, le retard l'arrange. Il compte sur les pénalités que le promoteur devra lui verser si le retard se maintient. Plus il s'aggrave, plus les pénalités seront importantes, il espère gagner sur les deux tableaux. Si Uranus est livrée avec quatre mois de retard, il percevra un quart des vingt millions d'euros, c'est-à-dire cinq millions. Ils me donnent quatre-vingt mille euros, ils te donnent, à toi…

— Cent cinquante mille…

— … et ils touchent les cinq millions du promoteur.

— Et tu as décidé d'accepter ce deal, Dominique ?

— Il faut croire que oui.

— C'est-à-dire ? Concrètement ça veut dire quoi, de quelle manière comptes-tu t'y prendre pour me mettre des bâtons dans les roues mon ami ? » J'ai regardé Dominique droit dans les yeux : son visage s'est détourné vers les vitres, à travers lesquelles on voyait l'esplanade. Ramenant son regard sur moi, embarrassé : « Je ne vais pas te mettre de bâtons dans les roues… » Je l'ai interrompu en levant la voix : « Arrête tes hypocrisies. Tu vas toucher quatre-vingt mille euros pour qu'Uranus soit terminée avec retard tandis que moi je toucherai mon salaire pour qu'elle soit livrée dans les temps. Tu n'appelles pas ça me mettre des bâtons dans les roues ?

— Je suis vraiment désolé, David. Mais je pense que toi aussi, j'aurais voulu pouvoir…

— Abrège, s'il te plaît, je n'ai pas de temps à perdre. Qu'est-ce que tu vas faire ?

— Je voulais t'en parler, t'inviter à dîner.

— Dominique, je suis épuisé, n'en rajoute pas, épargne-moi tes états d'âme : va droit aux faits.

— Je suis sur le point de déposer mes vacances. J'ai l'intention de partir vendredi soir… » J'étais estomaqué. Je lui ai dit : « Vendredi qui vient ? *Vendredi dans deux jours ?* » Dominique m'a répondu oui de la tête. J'ai enchaîné : « Jusqu'à quand ?

— Début septembre.

— Quoi ? Putain, qu'est-ce que j'entends ? Tu te casses, tu me plantes, de mi-juillet à début septembre, alors qu'on termine Uranus ? Toi, Dominique, mon ami, mon frère, tu te barres, tu me laisses me démerder tout seul alors qu'on est dans la merde jusqu'au cou !

— David…

— Quoi, David ! ai-je commencé à m'énerver, en essayant de contenir le volume de ma voix.

— Je te plante pas, j'essaie de te convaincre, je te force à prendre la bonne décision, tu dois faire la même chose.

— Non mais ça va pas !

— David, qu'est-ce que tu leur dois ? Pourquoi tu le fais, ce travail ! Est-ce qu'ils t'ont jamais remercié, est-ce qu'ils t'ont jamais vraiment parlé ? Est-ce que tu t'es jamais dit, quand il te parle, que le promoteur s'adressait vraiment à toi, au David extraordinaire qui se trouve à l'intérieur ?

— Jamais, mais ce n'est pas une raison pour planter ce bâtiment. Ce n'est pas pour les beaux yeux du promoteur que je veux la terminer, cette tour, c'est pour moi, pour pouvoir me regarder fièrement dans une glace, parce que c'est mon métier, que je l'aime et que je veux construire des gratte-ciel depuis que j'ai six ans !

— Mais jusqu'à un certain point, David ! Ils vont te faire crever, là ! Tu ne te rends absolument pas compte de l'état où tu es ! Tu vas y laisser ta peau !

— Je m'en rends parfaitement compte, et je l'assume !

— David, on ne leur doit rien, ils ne nous ont jamais fait le plus petit cadeau ! Ils ne pensent qu'à eux, à leurs stock-options, à leurs dividendes ! On me file quatre-vingt mille euros pour partir en vacances pendant un mois, je ne fais rien de malhonnête : je lève le pied. J'ai bien réfléchi et je ne vois absolument pas pourquoi je refuserais.

— Tu me déçois, Dominique.

— Ce n'est pas tout.

— Comment ça ? Tu as d'autres nouvelles de ce genre à m'annoncer ?

— Je vais me marier.

— Avec qui ?
— Avec Delphine.
— C'est qui Delphine ? La fille que tu avais emmenée à l'hôtel du Louvre ? Elle s'est calmée ?
— On part tous les deux. On va d'abord à New York, je vais réserver une chambre au Plaza, puis je vais acheter une grosse moto, on va jusqu'à San Francisco, Los Angeles, les Rocheuses, j'en ai toujours rêvé. Si je ne le fais pas maintenant, je ne le ferai jamais. On voudrait se marier à Las Vegas, on va traverser le désert du Nevada à moto. Je ne vois vraiment pas pour quelle raison…
— C'est bon, te fatigue pas, j'ai compris… » J'ai sorti un billet de vingt euros de la poche de ma veste que j'ai jeté sur le comptoir puis je suis sorti. Au moment où je m'éloignais, j'ai entendu Dominique qui me disait, la voix tremblante : « David, arrête, reste ici… Putain, merde, comprends-moi… », mais je ne me suis pas retourné.

Nous nous étions donné rendez-vous aux alentours de quinze heures aux abords de l'église Saint-Augustin, non loin de Saint-Lazare, à la terrasse d'un café. Il faisait chaud, le ciel était bleu, il y avait un peu de vent ; il régnait dans les rues une atmosphère que j'adorais, comme si la ville avait chassé toutes les personnes qu'elle n'aimait pas : entre le 14 juillet et le 15 août, Paris distille ses charmes en petit comité, devient paisible et plus intime, un peu plus lente. C'est exactement ce que j'étais en train de me dire quand j'ai vu Victoria faire son entrée sur la terrasse où je l'attendais depuis une vingtaine de minutes : elle sortait d'une réunion avec les avocats qui conseillaient Kiloffer sur le dossier lorrain, elle m'avait dit qu'ils en auraient jusqu'à quinze heures et qu'ensuite elle serait libre, je lui avais répondu que nous pourrions nous retrouver à l'issue de sa séance de travail, « Ne t'inquiète pas si ta réunion prend du retard, je lirai au soleil en t'attendant, comme au bon vieux temps, quand j'étais étudiant », lui avais-je dit au téléphone.

Victoria s'est assise en face de moi après m'avoir embrassé sur les lèvres, elle rayonnait de me savoir à elle pendant un temps si long. Elle portait une robe légère qui mettait son corps en valeur, et des sandales à talons hauts. Elle avait posé sur le guéridon le dossier de son opération en Lorraine : ils étaient en train de conclure la vente de la filiale industrie lourde au groupe brésilien qui avait fait une offre d'achat au moment où Victoria négociait sa filialisation avec les syndicats.

« Ta réunion avec les avocats s'est bien passée ? » ai-je demandé à Victoria une fois qu'elle se fut assise. Elle a orienté son visage vers le soleil en fermant les yeux pendant quelques instants, sa main posée sur la mienne, tout en disant : « Ah, mon Dieu, quel temps, qu'est-ce qu'on est bien... » Puis, me regardant : « Oui, ça s'est très bien passé. Tout avance selon mes plans, je suis contente.

— Tu m'en vois ravi, ai-je répondu ironiquement.

— Ça va, tu ne vas pas commencer, m'a-t-elle interrompu en riant. Mais toi, je ne comprends pas, par quel miracle est-ce que tu es libre en pleine après-midi ? Je croyais que tu étais débordé avec ta tour qui n'en finit pas de se terminer ?

— J'en avais marre, j'ai pris quelques jours de vacances. J'adore Paris à cette période de l'année, regarde comme c'est tranquille, on se croirait dans une autre ville. Quand j'étais étudiant et que je n'avais pas assez d'argent pour partir, je passais le mois de juillet à flâner dans les parcs et sur les berges de la Seine, je dessinais des monuments dans mes carnets et le soir j'allais lire des livres aux terrasses des cafés. Ces mois d'été à Paris, c'est ce que j'ai vécu de plus beau. C'est drôle, c'est la période pendant laquelle j'aurai rêvé ma vie qui m'aura rendu le plus heureux.

— De toute manière il fallait que tu t'arrêtes, c'était impératif. J'avais peur que tu ne t'en rendes pas compte mais je t'assure que tu allais finir par t'écrouler, ou par péter un câble. » J'ai regardé Victoria sans lui répondre. Elle m'a dit : « Tu pars en vacances, finalement ? Tu m'avais dit que tu ne pourrais pas...

— C'est ce que je pensais jusqu'à une date assez récente. Je dois aller demain dans une agence de voyages. J'ai envie de partir loin.

— Quand ?

— En août. Tu veux boire quelque chose ?

— Oui, j'ai envie d'une bière bien fraîche, comme toi. Tu as raison de vouloir partir loin, tu travailleras mieux si tu te changes les idées à l'autre bout du monde. » Puis : « Qu'est-ce qui s'est passé pour que tu changes d'avis ?

— Rien d'important, un truc m'a énervé.

— Quoi ? Qu'est-ce qui t'a énervé ?

— Le grand patron de l'entreprise de promotion immobilière. Mais tu veux vraiment qu'on parle de ça ?

— Pourquoi pas ?

— J'ai croisé, il y a deux jours, dans les couloirs

de ma boîte, le grand patron de l'entreprise de promotion immobilière. Ce n'était pas dans les bureaux du chantier mais au siège social, à Issy-les-Moulineaux, où j'avais rendez-vous avec le directeur général. Nous marchions dans un couloir l'un vers l'autre, j'étais sur le point de m'arrêter pour lui serrer la main et échanger avec lui quelques phrases…

— Tu veux parler du promoteur ?

— Exactement. J'étais assez heureux de le croiser et qu'il puisse me dire en face qu'il était content de nous. Depuis quelque temps, on était parvenus à inverser la tendance : la courbe réelle se rapprochait de plus en plus de la courbe prévisionnelle.

— Et alors, qu'est-ce qui est arrivé ?

— Il est passé sous mes yeux sans s'arrêter ni même répondre à mon bonjour, il m'a lancé un regard froid, son visage était fermé, toute sa personne était dans une espèce de rétention effroyable. Tu sais, quand deux TGV se croisent, c'est comme une collision immatérielle, il y a comme un choc de masses d'air, un choc ultra violent, tu vois ensuite défiler, pendant un court instant, des fenêtres effacées par la vitesse, puis tu retrouves le paysage, l'écoulement des prairies. C'est la même chose qui s'est passée : un visage glacial, le choc de ce bonjour enjoué auquel cet homme ne répond pas, il me frôle sans prendre la peine de s'arrêter, le costume anthracite me passe sous les yeux puis je retrouve le long couloir de nouveau vide, abasourdi, sans comprendre ce qui vient de m'arriver.

— Je déteste ce genre d'attitude. Je passe mon temps à avertir les cadres de Kiloffer qu'ils ne doivent pas tomber dans ce genre de travers. » Le serveur est arrivé devant notre table, son plateau circulaire à la main, pour savoir ce que nous désirions consommer : nous lui avons commandé deux bières pression, une Heineken pour moi et une Leffe pour Victoria. J'ai poursuivi, après avoir caressé sa cuisse : « Je ne sais plus où j'en étais.

— Tu étais abasourdi.

— Voilà... Quand je suis arrivé dans le bureau du directeur général, il m'a dit : "Ah, vous tombez bien, Garrel sort d'ici, il est furieux !" J'ai répondu que je l'avais croisé dans les couloirs, le DG m'a demandé s'il m'avait parlé, je lui ai dit qu'il ne m'avait pas adressé la parole. J'ai fixé le DG dans les yeux, il a bien vu qu'il se passait quelque chose, il me dévisageait comme si j'étais en train de faire un infarctus, avec une expression de crainte et d'étonnement. Je lui ai demandé pourquoi Garrel était furieux contre moi, des larmes ont coulé sur mes joues... mais pas des larmes d'enfant, pas des larmes de tristesse : des larmes d'adulte, des larmes de haine, il s'en est fallu de peu que je me mette à tout détruire dans le bureau. Le DG m'a répondu, il avait l'air d'avoir peur : "Ne vous en faites pas, ça lui passera, il a bien vu que la courbe réelle se rapprochait de la courbe prévisionnelle, mais pas assez selon lui. Il s'attendait manifestement à des résultats plus spectaculaires." J'ai répondu au DG : "Nous n'avons pas suffisamment redressé la courbe ? *Il est furieux parce qu'il juge que nos efforts n'ont pas produit les résultats miraculeux dont il rêvait ?*" Le DG était hyper embarrassé, "Allons, tout va bien se passer, considérez que je n'ai rien dit, oubliez tout ça et remettez-vous au travail, je vous sers un remontant ? Je dois avoir une bouteille de cognac quelque part dans mon bureau, un cadeau d'un client, attendez voir", je suis sorti pendant qu'il était en train d'ouvrir une armoire métallique, il ne m'a pas vu partir, j'ai pris ma voiture pour rentrer directement chez moi. Il devait être dix-sept heures, je n'avais rien décidé mais j'étais sûr d'une chose, c'est qu'il faudrait me supplier pour que je consente à remettre les pieds sur le chantier, j'allais exiger que le promoteur vienne me faire personnellement des excuses. J'étais au volant, je n'arrêtais pas de pleurer, des larmes coulaient sans interruption, comme si une vanne, à cause d'un accident, avait cédé sous la pression : je hurlais que je n'en avais plus rien à foutre de leur bâtiment de merde et qu'ils pouvaient crever la gueule ouverte. J'ai alors aperçu dans mon rétroviseur la voiture que j'avais vue me suivre à différentes reprises, elle était en train de surgir à toute vitesse du fond du paysage, pleins phares, j'ai enclenché mon clignotant, la calandre de l'Audi break s'est collée à mon pare-chocs, je me suis rabattu sur la droite et je suis sorti de l'autoroute. En fait, je suis allé me garer sur le parking de la même station-service que le jour où tu m'as parlé des projets architecturaux de Kiloffer, tu t'en souviens ?

— Parfaitement bien.

— Au fait, on en est où ? Je devais avoir rendez-vous avec Peter fin juillet, et on est déjà le 20…

— Ça va être pour septembre, maintenant, je crois… Il est hyper occupé en ce moment…

— De toute manière, au point où j'en suis…

— Pourquoi tu dis ça ?

— Pour rien.

— Qu'est-ce que tu as fait, une fois sur le parking ?

— Je suis sorti de ma voiture et je me suis dirigé vers l'Audi break. L'un des deux hommes, le passager, est venu à ma rencontre. Tu sais, je t'en avais parlé, les deux types qui me suivaient, en mai, dans la rue… » Le serveur est revenu avec les bières, qu'il a posées sur la table. Victoria : « Ce n'étaient donc pas des bêtises ? Merci beaucoup, a-t-elle dit au serveur.

— Ce n'étaient pas des bêtises. Merci bien. À la tienne, ma chère et tendre amie, ai-je ajouté en levant mon verre vers le sien. Tu es très belle, aujourd'hui.

— À la tienne, à ta santé, à tes vacances », m'a-t-elle répondu avant de boire une longue rasade, réagissant à mon compliment par un regard langoureux par-dessus son verre. Puis : « Ah, ça fait du bien, il fait chaud.

— Tu as une petite moustache de mousse, attends, je vais arranger ça, ai-je dit à Victoria en l'embrassant sur la bouche. Voilà, c'est mieux…

— Qu'est-ce qu'ils te voulaient, ces types ?

— Tu vas le découvrir dans un instant. J'ai dit à cet homme que j'étais d'accord pour prendre des vacances et que je souhaitais rencontrer son employeur dans les plus brefs délais. Il est allé téléphoner un peu plus loin en marchant vers les pompes de la station-service, il s'amusait à envoyer voler des gravillons avec la pointe de ses chaussures, exactement comme moi le jour où je t'avais écoutée me parler de tes projets. Il est revenu vers moi pour m'apprendre que nous avions rendez-vous dans le même parking souterrain de la Madeleine que la première fois.

— De quel accord tu parles ?

— On me donne un peu d'argent pour que je lève le pied. Un mécène me finance de merveilleuses vacances mais à la condition que je les prenne au mois d'août.

— Je ne comprends rien à ton histoire.

— Tu vas voir. Nous sommes allés dans le parking souterrain de la Madeleine. Je venais juste de me garer quand une Jaguar est venue se ranger à côté de nous. J'ai été invité à monter à l'arrière, je me suis assis à côté de l'avocat avec qui j'avais déjà parlé une fois. Je lui ai dit que j'avais réfléchi et que j'étais d'accord pour faire en sorte que la tour Uranus soit terminée avec quatre mois de retard. L'homme s'est félicité de cette décision, il m'a dit qu'il était heureux de me voir changer d'avis et qu'il n'aurait pas compris que je sois resté le seul à ne pas penser en premier lieu à mon intérêt personnel. Il m'a avoué qu'il avait été fasciné par ma probité. Il avait trouvé singulier que je renonce à une somme aussi importante pour préserver les intérêts de personnes qui pour leur part ne pensaient qu'au profit et auraient sans doute tout fait pour empocher ces cent cinquante mille euros que moi je refusais. Que vous manifestiez un tel mépris pour l'argent me paraissait stupéfiant, je ne savais pas si je devais vous considérer comme un crétin, un héros ou une espèce d'idéaliste anachronique. Refuser une somme pareille pour ne pas nuire à la logique de ses patrons, une logique obsessionnelle…

— Tu as rencontré un avocat qui t'a dit ça ?

— Je lui ai répondu que mon idéalisme n'était pas aussi intact que je l'avais supposé. La preuve, je n'avais pas résisté longtemps à ses avances : je succombais à mon tour au cynisme. Je lui ai demandé s'il était venu avec la somme d'argent qu'il m'avait promise : il a posé sur mes genoux une mallette en cuir noir que j'ai ouverte devant lui.

— Tu as touché de l'argent pour livrer la tour Uranus avec retard ?

— Ça reste entre nous, Victoria.

— Bien entendu que ça reste entre nous. Mais c'est fréquent, dans votre métier, ce genre d'arrangements ?

— C'est la première fois que ça m'arrive. Tu sais, je suis tellement fatigué, tu m'as raconté tellement d'histoires, je t'ai vue te diffracter dans tellement de personnages… » J'ai marqué une petite pause. Victoria m'a regardé en silence. Elle m'a dit : « Eh bien ? Où est-ce que tu veux en venir ?

— J'ai cru, à un moment, que tu étais derrière tout ça.

— Comment ça ? Derrière quoi ?

— Je me suis dit que c'était Kiloffer l'investisseur secret. Tout ça parce qu'il y avait une Audi break garée à côté de ton 4×4 dans le parking de Kiloffer.

— C'est la voiture de Peter.

— Je sais, c'est absurde, c'était juste une association d'idées, cette histoire ne tient pas debout trente secondes. Mais elle est intéressante en cela qu'elle montre que ma perception de la réalité est complètement gangrenée par le soupçon : je ne crois plus à ce que je vois.

— Tu ne crois plus à ce que tu vois ?

— La réalité me paraît tellement trompeuse, incernable… j'allais dire malhonnête… Elle est un tel mélange de données, d'enjeux, de stratégies et d'intérêts… les choses ne sont jamais ce qu'elles avaient l'air d'être. La pensée m'est venue qu'on t'avait peut-être demandé de me ralentir, de m'éloigner…

— Mon pauvre David ! Il était vraiment temps que tu prennes des vacances !

— Tu vois, tu n'arrêtes pas de me conseiller du repos !

— Mais c'est absurde, David !

— Je le sais bien que c'est absurde : je n'ai jamais pensé que c'était vrai. Je dis seulement que je ne crois plus en rien, j'ai l'impression que la réalité est fausse, qu'elle est comme un trompe-l'œil entretenu par tout un tas d'individus qui manipulent les données du réel dans leur propre intérêt. Je ne sais plus, quand je me trouve en face d'une situation, où est sa vérité, et si même le concept de vérité est quelque chose qui peut encore avoir du sens quand on essaie d'interpréter une situation. Comme toi avec les syndicats, quand chaque histoire que tu leur racontes contient l'histoire que tu leur raconteras la fois d'après, jusqu'à la toute dernière, jusqu'à l'histoire-noyau : la vente de la filiale industrie lourde. Seul le dénouement relève du réel, un peu comme quand on sort du cinéma après avoir vu un film et qu'on se retrouve dans la rue. Les syndicats se réveillent devant le cinéma, dans la rue, après avoir vécu pendant des mois dans les mirages d'un film en trois parties : ils se rendent compte tout à la fin qu'ils ont été trompés, qu'ils ont été vendus à des Brésiliens.

— Bon, David, si on arrêtait de parler boulot ?

— Tout est comme ça, la moitié des choses que l'on croit vraies sont inventées par d'autres et parfois par soi-même... Surtout par soi-même, d'ailleurs... J'ai cru que le promoteur m'estimait profondément, qu'il me voulait du bien, que je serais récompensé de mes efforts... J'ai cru qu'il fallait se défoncer pour que la tour Uranus soit livrée dans les temps... J'ai cru que cet avocat était l'ennemi de mes valeurs... J'ai cru que j'allais monter mon agence en septembre... Je me suis trompé sur toute la ligne.

— Je t'ai dit que tu rencontrerais Peter cet automne. Je t'en fais la promesse. Je dois admettre que j'ai perdu tout contrôle sur son planning, ces derniers temps. Mais bon, ce n'est pas une raison pour remettre ma parole en question.

— Personne ne peut dire qui a raison, toi ou les syndicats, ni où se trouve la vérité de ce combat qui vous a opposés. Est-ce que tu les as trompés pour leur bien ? Est-ce qu'ils se trompent eux-mêmes en refusant d'évoluer ? Ou au contraire vous les avez vraiment baisés, et ils se préparent à vivre des moments difficiles ? Qui a raison, et qui a tort ? Personne, peut-être... Peut-être que cette question n'a plus lieu d'être, qu'il ne faut plus se demander si les gens ont raison, ou s'ils ont tort, de faire ce qu'ils font, de croire ce qu'ils croient. Peut-être que le nombre de situations où il sera absurde de vouloir déterminer qui a raison, ou qui a tort, va aller en augmentant... C'est ça peut-être la définition de notre monde libéral, et c'est pourquoi tu l'incarnes si bien... Je suis sans doute un peu fatigué, mais j'ai l'impression de ne plus rien comprendre... de ne plus savoir quoi penser des choses qui relèvent du social, du politique et de l'économie. Là, maintenant, je n'arrive pas à savoir si tu es horrible ou merveilleuse, atroce ou bien sublime.

— Va savoir ! Mais j'aimerais bien que tu me trouves sublime et merveilleuse…

— Maintenant que j'ai chez moi cet argent, je me sens apaisé, comme si j'avais fait quelque chose de juste, comme si c'était le dénouement logique des quelques mois que je viens d'endurer. Je n'éprouve aucun sentiment de culpabilité, bien au contraire. C'est comme si enfin j'avais été récompensé. Tu ne trouves pas ça étrange ? Qu'est-ce qui s'est passé pour que j'en vienne à penser ça ?

— Oui, c'est vraiment surprenant. Bon, qu'est-ce qu'on fait ? Où est-ce que tu veux qu'on aille ?

— Je ne sais pas. J'ai envie de toi, je te trouve hyper sexy dans cette robe, tous les hommes qui passent dans la rue te regardent.

— Moi aussi j'ai envie de faire l'amour. » Plus bas : « J'ai envie que tu me baises.

— Tu es descendue où ?

— Au Condorde Saint-Lazare. »

J'ai sorti un billet de cinq cents euros de la poche de ma veste, je me suis tourné pour appeler le serveur d'un signe de la main. Victoria s'est exclamée : « Cinq cents euros ! My God, on voit que tu es devenu un homme riche !

— Ce soir c'est moi qui t'invite. Après avoir fait l'amour, je t'emmène dans un grand restaurant. »

Nous avons marché vers le Concorde Saint-Lazare. À un moment, tandis que nous passions devant un cinéma porno, Victoria m'a dit : « Tiens, c'est là qu'on allait, avec Laurent. » Nous nous sommes arrêtés, j'ai regardé Victoria dans les yeux, elle frissonnait légèrement, je me suis mis à bander. Je lui ai demandé : « Tu veux qu'on y aille ?

— Je ne sais pas… Tu en as envie ?

— Je crois. Mais on n'est pas obligés…

— J'ai un peu le trac.

— Moi aussi j'ai un peu peur. C'est intimidant.

— Depuis le temps qu'on en parle…

— Viens, on y va, on ne fera rien, juste pour voir, ai-je dit à Victoria. Si finalement on ne le sent pas, on repart. »

Nous avons pris deux billets, nous sommes entrés, il devait y avoir une quinzaine d'hommes dans la salle, isolés, disséminés un peu partout. Le son grésillait, les cris de jouissance de la femme étaient un peu saturés. La pellicule elle-même était usée, rayée, pâlie, on avait dû passer ce film des centaines de fois. À en juger par les vêtements des acteurs, il s'agissait d'un film des années quatre-vingt.

Nous nous sommes assis au milieu d'un rang vide. Il faisait une chaleur étouffante, le son était très fort et venait accentuer cette impression d'étuve, d'enfermement. La mauvaise qualité du doublage faisait que les dialogues avaient l'air d'avoir été plaqués sur les images : la même frontière que celle qui séparait les acteurs du public traversait le film lui-même, comme s'il était le spectateur de sa propre misère.

Sur l'écran, une femme blonde était en train de sucer un sexe. J'ai posé ma main sur la jambe de Victoria et commencé à caresser sa peau, en remontant le tissu de sa robe. Elle m'a dit : « Touche-moi les seins. » Je l'ai embrassée à pleine bouche, j'ai introduit mes doigts dans son sexe : il était trempé. Je lui ai dit : « Tu as envie de faire l'amour, ou tu veux qu'on s'en aille ?

— Non, vas-y, fais-moi l'amour, dépêchons-nous.

— Là, maintenant, devant ces hommes qui nous regardent ?

— Déshabille-moi, montre-leur mon corps, j'ai envie d'être nue, je voudrais qu'ils me touchent… » J'ai retiré sa robe, son soutien-gorge et sa petite culotte : elle était nue. Il y avait des hommes tout autour de nous : devant, derrière, sur les côtés, ils s'étaient rapprochés dans l'obscurité, lentement, avec prudence, pour ne pas nous effaroucher. Elle a pris mon sexe entre ses doigts, je voyais que des mains avaient commencé à se poser sur la peau de Victoria, d'abord un peu timides, précautionneuses. Comme elle n'avait réagi à ces intrusions par aucun mouvement de défense, les mains sont devenues de plus en plus entreprenantes, j'en ai même rencontré qui essayaient de s'introduire dans le sexe de Victoria, que j'entendais gémir dans mon oreille : j'ai enfoncé mon majeur dans son anus, profondément, tandis qu'elle me suçait. Elle a alors relevé la tête pour me dire : « Viens, fais-moi l'amour, j'en ai trop envie. »

J'ai pris Victoria par-derrière, elle se tenait agenouillée sur son siège, inclinée vers le rang de derrière, sa poitrine appuyée sur le dossier. Je voyais des sexes en érection autour de son visage, les hommes qui se pressaient autour de nous étaient en train de se branler en nous regardant, mes lèvres étaient tout près de son oreille et je lui murmurais, tandis qu'elle gémissait : « Tu as vu, Victoria, tous ces sexes ? Tu les fais bander, ils ont envie de te baiser. Lequel tu préfères ? Prends dans tes doigts celui que tu préfères, je veux te voir le faire. » Victoria a pris un sexe entre ses doigts, un sexe assez court mais épais, massif, qu'elle a fini par introduire entre ses lèvres. Je pénétrais Victoria en la regardant sucer ce sexe inconnu, mon visage était contre le sien, le sexe de l'homme se trouvait à quelques centimètres de mes propres lèvres, Victoria le tenait entre ses doigts et l'avalait, je regardais le sexe de l'homme et je baisais Victoria, j'ai senti la jouissance monter en moi, je me suis retiré avant d'éjaculer.

J'ai ensuite regardé Victoria se laisser isoler par deux hommes, elle les tenait chacun par le sexe et les embrassait sur la bouche fougueusement. J'ai demandé à Victoria de venir s'asseoir sur moi, nous avons fait l'amour, elle caressait le sexe de ces deux types qu'elle avait admis dans son intimité, de préférence à tous les autres.

J'ai joui.

J'ai dit à Victoria qu'il fallait qu'on s'en aille. Elle était en train de sucer le sexe d'un des deux hommes tandis que le second lui léchait la chatte. Elle était assise sur un siège, les cuisses largement écartées, les chevilles posées sur les dossiers du rang de devant, elle gémissait en tenant le crâne de l'homme avec ses mains tandis que le sexe assez court mais massif allait et venait dans sa bouche. Je me suis penché et j'ai dit à Victoria : « Viens, on y va. » Elle m'a répondu : « Pas maintenant, pitié, on vient juste de commencer, attends.

— Non, maintenant. Dépêche-toi, lui ai-je dit en l'attrapant par le bras.

— J'ai jamais vu une queue aussi belle, attends,

j'ai envie qu'il me baise, tu n'aurais pas des préservatifs ?

— Non, je n'ai pas de préservatifs.

— J'ai envie qu'il me baise. S'il te plaît, tu peux pas me faire ça...

— Il faut qu'on parte. Victoria, on ne peut pas rester là...

— OK, on y va, mais ils viennent avec nous.

— Qui ça ?

— Eux deux.

— Ne dis pas n'importe quoi. Allez, c'est bon, rhabille-toi. »

J'ai cherché dans l'obscurité les affaires de Victoria, sa robe, son soutien-gorge et sa petite culotte, que je lui ai tendus : elle était en train de parler avec l'un des deux hommes. Elle est sortie d'entre les fauteuils pour se rhabiller dans la travée latérale, les deux hommes l'avaient suivie et se rajustaient, les autres se sont éparpillés dans la salle ; un black nous avait rejoints et se tenait en lisière de notre groupe. L'un des deux types a aidé Victoria à remonter la fermeture éclair de sa robe, elle lui a souri quand elle s'est retournée, avant de l'embrasser à pleine bouche. Ils se sont longuement regardés dans les yeux. J'attendais Victoria à la porte de la salle, que j'avais entrouverte ; j'avais son sac et le dossier de son opération lorraine entre les mains.

J'ai crié : « Victoria ! Qu'est-ce que tu fais ?! »

En m'entendant, l'un des deux types a tourné brièvement son visage vers moi.

Nous sommes sortis du cinéma tous les quatre, suivis par le black qui restait un peu en retrait. Une fois dans la rue, les deux hommes ont entraîné

Victoria vers la gauche, je n'arrivais pas à capter son attention, elle ne me parlait plus.

« Victoria, qu'est-ce que tu fais ? Mais reste ici, où est-ce qu'on va ? Pourquoi on suit ces types ? Qu'est-ce que tu leur as dit ? »

Nous nous sommes retrouvés dans un parking souterrain. Une fois arrivés devant une camionnette, les deux hommes ont fait monter Victoria et se sont installés à leur tour : elle était au milieu. Je me suis approché de l'habitacle et j'ai dit à Victoria : « Mais qu'est-ce que tu fais ? Tu es complètement folle ! Viens, reste ici !

— Tu viens, ou tu ne viens pas ?

— Victoria, je ne viens pas. Et toi non plus tu n'y vas pas, tu restes ici !

— J'aurais dû m'en douter. S'il y a un truc que je ne supporte pas, c'est m'arrêter au beau milieu des choses !

— Victoria, je t'en supplie, reste, descends !

— Putain, c'est pas vrai ! Tu fais vraiment chier ! » L'homme qui se trouvait près de moi : « Bon, mon vieux, qu'est-ce que tu fais ? On t'emmène ? Tu lui réponds à ta copine ? » J'ai regardé Victoria d'un air égaré en tenant la portière d'une main pour que l'homme ne puisse pas la fermer. Elle m'a dit : « Putain, t'es vraiment trop con. J'en ai pour deux heures, je t'appelle plus tard », et Victoria s'est penchée en avant pour tirer la portière vers elle tandis que la camionnette reculait, avant de partir à toute vitesse. Pendant de longues secondes, tandis qu'elle remontait vers la surface, j'ai entendu les plaintes nerveuses des pneumatiques qui crissaient sur l'asphalte dans cet univers de béton. Il y avait le black à mes côtés, avec qui je suis sorti du parking par les escaliers.

« On le recherche, m'a dit Christophe Keller dans les premières heures de la garde à vue. On est en train d'interroger la personne qui tient la boutique de téléphonie où tu l'as vu entrer quand vous vous êtes séparés sur le trottoir. J'espère pour toi qu'on va le retrouver et qu'il confirmera ta version des faits, en attendant qu'on mette la main sur les deux types dont tu parles. Ce que je n'arrive pas à comprendre, c'est pourquoi tu as noté le numéro d'immatriculation : si ta copine était en danger, il ne fallait pas la laisser partir… et si elle n'était pas en danger, il n'y avait pas lieu de noter le numéro.

— Tout s'est passé très vite, je ne savais pas comment réagir… On s'est un peu engueulés…

— Enfin quand même, c'était ta maîtresse depuis presque un an ! Les deux types, elle venait juste de faire leur connaissance ! Comment tu peux dire qu'à cause d'une engueulade…

— Je sais, je ne comprends pas comment j'ai pu… C'est en voyant partir la camionnette que je m'en suis voulu de ne pas être resté avec elle, et que j'ai eu le réflexe de noter le numéro, je ne sais pas très bien pourquoi.

— On a retrouvé le propriétaire, il est à l'hôpital depuis quatre jours, on est en train de l'interroger pour savoir à qui il aurait pu prêter son véhicule. En attendant, j'aimerais comprendre un truc. Comment est-il possible de laisser partir son amoureuse avec deux inconnus ?

— Je vous l'ai dit, tout est allé très vite, je ne pouvais pas la raisonner…

— Et pourquoi tu n'es pas parti avec eux ?

— Je ne sais pas.

— Tu avais peur ?

— Je ne crois pas.

— Vous branchez deux Polonais dans un cinéma porno de Saint-Lazare ! Ils embarquent ta copine sous tes yeux dans une camionnette que tu vois partir à toute blinde ! Et tu me dis que tu n'as pas eu peur ! Que ce n'est pas pour ça que tu ne l'as pas accompagnée ? Mais alors, pour quelle raison tu n'es pas parti avec elle !

— Je ne sais pas. Je ne comprends pas ce qui s'est passé. J'ai été lamentable, si c'est ça que vous voulez m'entendre vous dire.

— Je ne veux rien t'entendre me dire, je veux seulement connaître la vérité. Qui me dit que tu n'as pas tué cette femme, hier en fin d'après-midi, dans la forêt de Sénart ? Qui me dit que tu n'as pas noté le numéro d'une camionnette au hasard et inventé cette histoire de toutes pièces ? On va essayer de trouver le caissier du cinéma, pour voir s'il se souvient de vous avoir vus sortir tous les quatre, tous les cinq avec le black. Mais vu qu'il n'est que dix heures du matin, et que ce genre d'établissement n'ouvre pas si tôt, il va falloir patienter encore un peu. C'est pour ça : si ta version est vraie, j'aimerais comprendre pourquoi tu l'as laissée partir, pourquoi tu as noté le numéro, pourquoi tu n'es pas venu nous voir spontanément pour faire une déposition. On aurait gagné du temps, on l'aurait peut-être sauvée, même, qui sait ?

— Je ne sais pas.

— Tu ne sais pas, tu ne sais pas. Tu aurais mieux fait de te poser les bonnes questions avant, au lieu de pleurer une fois que c'est trop tard. Tiens, des mouchoirs.

— Merci.

— Vous faisiez ça souvent ?

— De quoi vous parlez ?

— Arrête de faire l'innocent, c'est exaspérant, tu vois très bien de quoi je parle.

— C'était la première fois.

— C'est ce qu'on dit… C'est drôle, j'ai remarqué, dans ce genre de circonstances, c'est toujours la première fois.

— Eh bien là, c'était vraiment la première fois.

— Admettons. Et c'était ton fantasme à toi, qu'elle se fasse prendre par des inconnus dans des cinémas porno ?

— À nous deux.

— Pardon, je n'ai pas très bien entendu, est-ce que tu peux parler un peu plus fort, et arrêter de pleurer cinq minutes ?

— À nous deux.

— Et tu dis que vous ne l'aviez jamais fait, avant cette fois-là ?

— Non.

— Et c'était quoi, vos relations, exactement ? Comment tu les qualifierais ?

— C'était ma maîtresse.

— Tu étais amoureux d'elle ?

— Je ne sais pas.

— Comment ça tu ne sais pas ?

— C'était compliqué.

— Quoi, qu'est-ce qui était compliqué ?

— De comprendre si j'étais amoureux. Nous étions mariés tous les deux. Nous nous étions promis de ne pas compromettre nos vies de famille.

— Eh bien, c'est réussi.

— …

— Elle aussi ?

— De quoi ?

— Elle aussi elle désirait ne pas compromettre sa vie de famille ?

— Oui.

— Elle n'était donc pas amoureuse de toi.

— Je ne crois pas.

— Tu en es sûr ou tu ne crois pas ?

— J'en suis certain.

— De quoi ?

— Qu'elle n'était pas amoureuse de moi.

— Pourtant, il me semble qu'il faut être vraiment très amoureuse pour se laisser entraîner par un homme dans ce genre de plans foireux.

— Elle en avait envie, elle ne l'a pas fait pour me faire plaisir. La preuve, elle a continué sans moi.

— Tu aurais dû la protéger.

— Je suis d'accord. Inculpez-moi pour non-assistance à personne en danger, si ça vous fait plaisir.

— On essaie déjà de s'assurer que tu ne l'as pas tuée. On verra plus tard pour les lots de consolation. Pourquoi tu ne l'as pas fait, alors ?

— De quoi ?

— La protéger…

— C'est allé trop vite, j'ai été débordé, elle m'a exclu et insulté, c'était violent.

— Pourquoi tu l'as laissée partir, si c'était violent ? Tu ne pouvais pas te douter que ça finirait mal ?

— Ce n'étaient pas les deux hommes qui étaient violents, mais elle, et ses propos. Dans son refus de rester avec moi, de m'écouter. Dans son désir de partir avec eux. C'était ça qui était violent. Elle s'était transformée, elle n'était plus elle-même, je ne la reconnaissais plus. J'avais une étrangère sous les yeux. Même son regard avait changé, sa voix. Je me suis fracassé contre un mur quand je lui ai demandé de ne pas partir avec eux. C'est pour ça que je suis pas monté : il n'y avait pas de place pour moi, elle n'avait pas besoin que je vienne.

— Elle n'avait pas besoin que tu viennes…

— Elle préférait y aller seule plutôt que de ne pas y aller, elle m'en voulait de tout laisser tomber en plein milieu, c'est ça que j'ai senti, et qu'elle m'a fait sentir. C'était sauvage, elle ne voulait rien d'autre que ce qu'elle avait en tête à ce moment-là.

— Je n'arrive pas à y croire. C'est invraisemblable.

— C'est pourtant la vérité.

— Ça ne colle pas avec ce que j'ai lu dans son journal intime.

— …

— Dans son journal intime, elle me semble très amoureuse.

— Je ne crois pas. Vous vous trompez.

— Quand je lis toutes ces pages, je n'ai pas l'impression qu'elles ont été écrites par une femme qui serait prête à se barrer avec deux types qu'elle aurait rencontrés dans un porno à Saint-Lazare. Je n'y crois pas une seule seconde à ton histoire.

— C'est pourtant ce qui s'est passé.

— Tu prétends qu'elle n'était pas amoureuse de toi ?

— Elle ne m'a jamais dit, ni écrit, qu'elle m'aimait.

— Moi je te dis que si : elle était folle amoureuse

de toi. Donc, c'est bizarre, je n'arrive pas à recoller les morceaux entre ta version des faits et les pages qu'elle écrit sur vous deux, sur son désir d'aller plus loin.

— Je vous dis que c'est la vérité. Je n'ai pas pu l'empêcher de partir.

— Tu maintiens que tu ne sais pas si tu l'aimais ?

— Je ne sais pas, je ne sais plus, laissez-moi tranquille avec ça.

— Je ne vais pas te laisser tranquille. Une femme est morte, les sms que j'ai retrouvés dans son BlackBerry indiquent que tu es la dernière personne à l'avoir vue vivante. Pour le moment, tu es le seul suspect, alors je vais continuer à te poser des questions, car quelque chose ne fonctionne pas dans ta version des faits.

— …

— De son côté, si ça peut t'apprendre un truc, ça avait l'air d'être assez clair. Je parle des sentiments. Je ne sais pas, par exemple, en date du 16 juillet, il y a six jours, je trouve ceci, je te le lis… Cet homme devient chaque jour un peu plus précieux, il prend chaque jour un peu plus de place et d'importance dans ma vie. Je sais bien qu'on s'était dit qu'il ne fallait rien remettre en cause : j'ai ma vie, il a la sienne, et notre rencontre, c'est juste de la richesse en plus. Mais j'ai de plus en plus de mal avec cette vision des choses, je m'imagine de plus en plus avec David, je pense de plus en plus à quitter mon mari pour refaire ma vie avec lui. » Silence. Le policier me regarde dans les yeux. Je me suis remis à pleurer. Puis il me demande : « Alors, qu'est-ce que tu dis de ça ? » Je suis incapable de lui répondre. Il me regarde pleurer sans rien dire. Je finis par bredouiller : « Je savais pas.

— Tu aurais pu te débrouiller pour l'apprendre. Tu aurais pu l'emmener dîner dans un resto romantique, au lieu d'aller dans un ciné porno. Elle t'aurait peut-être parlé de ses sentiments, cette jeune femme…

— Elle n'était pas du genre à parler de ses sentiments.

— Ou encore ça, plus récemment, il y a deux jours… Peter m'avait dit qu'il accorderait un rendez-vous à David, mais en fait je sens bien qu'il a envie de travailler avec une grosse agence d'architecture. J'ai fait croire à David, pour gagner du temps, que Margareth allait lui téléphoner pour fixer une date de réunion, je lui ai menti en pensant que j'arriverais à faire évoluer Peter, ne serait-ce que pour le siège social. Je ne sais pas quoi faire : soit je le dis carrément à David, mais j'ai peur de le perdre, qu'il m'en veuille et qu'il s'éloigne, j'ai peur de découvrir qu'il ne reste avec moi qu'avec cette seule idée en tête, soit je lui dissimule que j'aurai le plus grand mal à convaincre Peter, mais je trouve ça malhonnête. Je sais très bien que Peter, si j'insiste, accordera ce rendez-vous à David, mais pourquoi leur faire perdre du temps à tous les deux ? J'ai beau tourner la situation en tous sens dans ma tête, j'en arrive toujours à cette même conclusion déraisonnable, absurde et utopique, contre laquelle, pourtant, je n'arrive pas à lutter : ce serait qu'on vive ensemble une vraie histoire d'amour, qu'on fasse tomber les murs et qu'on ose, pour une fois, regarder la vérité en face, ce serait qu'il quitte sa femme et moi mon mari. Je l'aiderais à monter son agence, je gagne suffisamment d'argent pour subvenir à nos besoins à tous les deux, et j'ai suffisamment de relations dans le monde de l'entreprise pour lui apporter des affaires. Mon Dieu, petit journal, mon seul confident, si tu savais ! Qu'est-ce que je voudrais l'aider et qu'il soit heureux, qu'il puisse enfin s'épanouir ! Je le vois si malheureux, désenchanté ! Il deviendrait enfin architecte, même si, au début, j'imagine, ce serait dur, mais ce serait pour nous deux comme une seconde vie, une nouvelle jeunesse... Il faudrait que j'ose aborder la question avec lui, un jour... Peut-être après-demain, puisqu'il semblerait qu'on puisse se retrouver assez tôt, après ma réunion avec les avocats... Mais nous sommes des personnes raisonnables, adultes, responsables, de telles choses ne se font pas, on ne peut pas se mettre à proposer à un homme de quarante-deux ans, marié et père de deux enfants, de tout plaquer et de refaire sa vie avec une femme qui ne lui a jamais dit qu'elle l'aimait, pas une seule fois. En même temps, petit journal, regarde comme l'existence est compliquée, je ne sais même pas si j'aime cet homme. Je suis un peu perdue. Je me dis parfois que c'est peut-être une lubie, nous sommes tellement différents lui et moi ! Nous verrons ça en septembre, après l'été. J'appréhende ces vacances, j'ai l'impression d'être devenue une inconnue pour mon mari, et lui pour moi : on vit séparés toute la semaine depuis tant de mois, nous ne faisons plus du tout l'amour, ma vie professionnelle ne l'intéresse absolument pas, quel est le rapport entre nous ? Alors qu'avec David, c'est si intense, si addictif... »

Quand j'ai été libéré, quarante-huit heures plus tard, et que je me suis retrouvé devant le SRPJ de Versailles avec ma mallette en cuir noir à la main, je suis allé boire un double express au comptoir d'un café.

J'ai essayé de joindre Sylvie sur son portable, mais elle était sur messagerie.

Je suis allé aux toilettes pour extraire un billet de cinq cents euros de ma mallette, j'ai payé mon café avec cette grosse coupure pour avoir de la monnaie puis j'ai pris un taxi pour rentrer chez moi.

J'ai sonné, je n'avais pas mes clés, personne n'a répondu.

J'ai fait le tour de la maison pour m'assurer qu'aucune porte, aucune fenêtre n'avait été laissée ouverte. J'ai pris un caillou dans la rocaille du jardin et j'ai brisé la vitre de la cuisine, à l'arrière de la maison.

L'alarme a retenti, je me suis précipité pour taper le code confidentiel sur le boîtier, la sonnerie a cessé.

Je me suis effondré sur le canapé du salon.

Il y avait, sur le sol, des dizaines d'avions en papier, des avions de toutes les tailles, y compris des miniatures, qui ne s'y trouvaient pas au moment où les policiers m'avaient embarqué. J'en ai déduit que Vivienne avait dû passer des heures à s'occuper toute seule pendant que sa maman ne pouvait rien faire d'autre que pleurer dans sa chambre. Le caractère compulsif de cette occupation me renseignait sur la folie qui s'était emparée de nos vies. Je me suis mis à pleurer de nouveau, je me suis levé, j'ai fait le tour de la maison, il n'y avait aucun mot pour moi sur aucune table.

On a sonné à la porte.

Je suis allé regarder qui c'était.

Mon voisin, qui avait entendu l'alarme, voulait s'assurer que tout allait bien. Je lui ai dit que je n'avais pas les clés et que j'avais dû casser un carreau de la cuisine.

« Pourquoi vous n'êtes pas venu chercher les clés chez nous ? »

Je lui ai dit que je n'avais pas osé. Il m'a dit qu'il comprenait. Il m'a dit qu'on avait parlé de moi à la télévision et même dans les journaux. Il m'a demandé si j'avais été libéré.

« Vous pensez peut-être que je me suis évadé ? »

Je continuais de pleurer. Il m'a tendu un mouchoir en papier.

« Ce n'est pas ce que j'ai voulu dire. Je vais vous laisser. »

Il est parti.

J'ai vérifié si la grande valise se trouvait toujours dans la penderie de notre chambre : elle n'y était plus.

Je me demandais où Sylvie avait bien pu partir.

Je n'avais qu'une crainte, c'était de les voir revenir, de devoir affronter le regard de mes filles sans y avoir été préparé.

Il fallait que je me cache quelque temps, que je m'enfuie, qu'on ne me retrouve plus.

J'ai eu envie de mourir.

Je marchais dans ma maison sans savoir quoi faire.

Je me disais que je trouverais plus tard un moyen de mettre fin à mes jours.

Il fallait que je parte avant que Sylvie ne revienne avec mes filles.

J'ai jeté quelques affaires dans un sac de voyage, j'ai pris la mallette en cuir noir, je suis monté dans ma voiture et je suis parti.

J'ai roulé au hasard en pleurant.

J'ai pris des routes sans réfléchir. Je suivais une direction instinctive, je voulais m'éloigner de la banlieue et m'engager le plus profondément possible à l'intérieur de la France. Je traversais des villes et des villages où je n'étais jamais allé, je voyais des noms sur des pancartes, des noms comme on en trouve à l'arrière des assiettes.

J'ai roulé fixement pendant des heures.

La nuit a fini par tomber, je n'avais pas dormi depuis quarante-huit heures, je me suis arrêté devant un hôtel au crépi rose.

L'enseigne était illuminée : « Hôtel de la Forêt ».

J'ai éteint le moteur et je suis descendu de ma voiture.

Je remercie, pour leur générosité,

François Noir, Domingos Pereira et Frédéric Ustjanowski ;

Denis Valode et Jean Pistre, dont la tour Incity m'a inspiré le projet de rénovation du siège social de Kiloffer ;

Vincent Courcelle-Labrousse et « Léon » le policier ;

Xavier Barral.

DU MÊME AUTEUR

Romans

LE SYSTÈME VICTORIA, *Stock*, 2011 (Folio nº 5554).

CENDRILLON, *Stock*, 2007.

EXISTENCE, *Stock*, 2004 (Folio nº 5553).

LE MORAL DES MÉNAGES, *Stock*, 2002.

DEMI-SOMMEIL, *Actes Sud*, 1998.

Livres illustrés

CHRISTIAN LOUBOUTIN, entretiens avec Christian Louboutin, photographies Philippe Garcia et David Lynch, *Rizzoli International Publications*, 2011.

TOURS, entretiens avec Denis Valode et Jean Pistre, *Éditions Xavier Barral*, 2010.

TOUR GRANITE, photographies de Jean Gaumy et Harry Gruyaert, *Éditions Xavier Barral*, 2009.

PAVILLON NOIR, avec Angelin Preljocaj, Rudy Ricciotti et Michel Cassé, photographies de Pierre Coulibeuf, *Éditions Xavier Barral*, 2006.

COLLECTION FOLIO

Dernières parutions

5297. Miguel de Unamuno	*Des yeux pour voir*
5298. Jules Verne	*Une fantaisie du docteur Ox*
5299. Robert Charles Wilson	*YFL-500*
5300. Nelly Alard	*Le crieur de nuit*
5301. Alan Bennett	*La mise à nu des époux Ransome*
5302. Erri De Luca	*Acide, Arc-en-ciel*
5303. Philippe Djian	*Incidences*
5304. Annie Ernaux	*L'écriture comme un couteau*
5305. Élisabeth Filhol	*La Centrale*
5306. Tristan Garcia	*Mémoires de la Jungle*
5307. Kazuo Ishiguro	*Nocturnes. Cinq nouvelles de musique au crépuscule*
5308. Camille Laurens	*Romance nerveuse*
5309. Michèle Lesbre	*Nina par hasard*
5310. Claudio Magris	*Une autre mer*
5311. Amos Oz	*Scènes de vie villageoise*
5312. Louis-Bernard Robitaille	*Ces impossibles Français*
5313. Collectif	*Dans les archives secrètes de la police*
5314. Alexandre Dumas	*Gabriel Lambert*
5315. Pierre Bergé	*Lettres à Yves*
5316. Régis Debray	*Dégagements*
5317. Hans Magnus Enzensberger	*Hammerstein ou l'intransigeance*
5318. Éric Fottorino	*Questions à mon père*
5319. Jérôme Garcin	*L'écuyer mirobolant*
5320. Pascale Gautier	*Les vieilles*
5321. Catherine Guillebaud	*Dernière caresse*
5322. Adam Haslett	*L'intrusion*

5323. Milan Kundera	*Une rencontre*
5324. Salman Rushdie	*La honte*
5325. Jean-Jacques Schuhl	*Entrée des fantômes*
5326. Antonio Tabucchi	*Nocturne indien* (à paraître)
5327. Patrick Modiano	*L'horizon*
5328. Ann Radcliffe	*Les Mystères de la forêt*
5329. Joann Sfar	*Le Petit Prince*
5330. Rabaté	*Les petits ruisseaux*
5331. Pénélope Bagieu	*Cadavre exquis*
5332. Thomas Buergenthal	*L'enfant de la chance*
5333. Kettly Mars	*Saisons sauvages*
5334. Montesquieu	*Histoire véritable et autres fictions*
5335. Chochana Boukhobza	*Le Troisième Jour*
5336. Jean-Baptiste Del Amo	*Le sel*
5337. Bernard du Boucheron	*Salaam la France*
5338. F. Scott Fitzgerald	*Gatsby le magnifique*
5339. Maylis de Kerangal	*Naissance d'un pont*
5340. Nathalie Kuperman	*Nous étions des êtres vivants*
5341. Herta Müller	*La bascule du souffle*
5342. Salman Rushdie	*Luka et le Feu de la Vie*
5343. Salman Rushdie	*Les versets sataniques*
5344. Philippe Sollers	*Discours Parfait*
5345. François Sureau	*Inigo*
5346 Antonio Tabucchi	*Une malle pleine de gens*
5347. Honoré de Balzac	*Philosophie de la vie conjugale*
5348. De Quincey	*Le bras de la vengeance*
5349. Charles Dickens	*L'Embranchement de Mugby*
5350. Epictète	*De l'attitude à prendre envers les tyrans*
5351. Marcus Malte	*Mon frère est parti ce matin...*
5352. Vladimir Nabokov	*Natacha et autres nouvelles*
5353. Conan Doyle	*Un scandale en Bohême* suivi de *Silver Blaze. Deux aventures de Sherlock Holmes*
5354. Jean Rouaud	*Préhistoires*
5355. Mario Soldati	*Le père des orphelins*
5356. Oscar Wilde	*Maximes et autres textes*

5357. Hoffmann — *Contes nocturnes*
5358. Vassilis Alexakis — *Le premier mot*
5359. Ingrid Betancourt — *Même le silence a une fin*
5360. Robert Bobert — *On ne peut plus dormir tranquille quand on a une fois ouvert les yeux*
5361. Driss Chraïbi — *L'âne*
5362. Erri De Luca — *Le jour avant le bonheur*
5363. Erri De Luca — *Première heure*
5364. Philippe Forest — *Le siècle des nuages*
5365. Éric Fottorino — *Cœur d'Afrique*
5366. Kenzaburô Ôé — *Notes de Hiroshima*
5367. Per Petterson — *Maudit soit le fleuve du temps*
5368. Junichirô Tanizaki — *Histoire secrète du sire de Musashi*
5369. André Gide — *Journal. Une anthologie (1899-1949)*
5370. Collectif — *Journaux intimes. De Madame de Staël à Pierre Loti*
5371. Charlotte Brontë — *Jane Eyre*
5372. Héctor Abad — *L'oubli que nous serons*
5373. Didier Daeninckx — *Rue des Degrés*
5374. Hélène Grémillon — *Le confident*
5375. Erik Fosnes Hansen — *Cantique pour la fin du voyage*
5376. Fabienne Jacob — *Corps*
5377. Patrick Lapeyre — *La vie est brève et le désir sans fin*
5378. Alain Mabanckou — *Demain j'aurai vingt ans*
5379. Margueritte Duras, François Mitterrand — *Le bureau de poste de la rue Dupin* et autres entretiens
5380. Kate O'Riordan — *Un autre amour*
5381. Jonathan Coe — *La vie très privée de Mr Sim*
5382. Scholastique Mukasonga — *La femme aux pieds nus*
5383. Voltaire — *Candide ou l'Optimisme. Illustré par Quentin Blake*
5384. Benoît Duteurtre — *Le retour du Général*

5385. Virginia Woolf — *Les Vagues*
5386. Nik Cohn — *Rituels tribaux du samedi soir et autres histoires américaines*
5387. Marc Dugain — *L'insomnie des étoiles*
5388. Jack Kerouac — *Sur la route. Le rouleau original*
5389. Jack Kerouac — *Visions de Gérard*
5390. Antonia Kerr — *Des fleurs pour Zoë*
5391. Nicolaï Lilin — *Urkas ! Itinéraire d'un parfait bandit sibérien*
5392. Joyce Carol Oates — *Zarbie les Yeux Verts*
5393. Raymond Queneau — *Exercices de style*
5394. Michel Quint — *Avec des mains cruelles*
5395. Philip Roth — *Indignation*
5396. Sempé-Goscinny — *Les surprises du Petit Nicolas. Histoires inédites-5*
5397. Michel Tournier — *Voyages et paysages*
5398. Dominique Zehrfuss — *Peau de caniche*
5399. Laurence Sterne — *La Vie et les Opinions de Tristram Shandy, Gentleman*
5400. André Malraux — *Écrits farfelus*
5401. Jacques Abeille — *Les jardins statuaires*
5402. Antoine Bello — *Enquête sur la disparition d'Émilie Brunet*
5403. Philippe Delerm — *Le trottoir au soleil*
5404. Olivier Marchal — *Rousseau, la comédie des masques*
5405. Paul Morand — *Londres* suivi de *Le nouveau Londres*
5406. Katherine Mosby — *Sanctuaires ardents*
5407. Marie Nimier — *Photo-Photo*
5408. Arto Paasilinna — *Le potager des malfaiteurs ayant échappé à la pendaison*
5409. Jean-Marie Rouart — *La guerre amoureuse*
5410. Paolo Rumiz — *Aux frontières de l'Europe*
5411. Colin Thubron — *En Sibérie*
5412. Alexis de Tocqueville — *Quinze jours dans le désert*

5413. Thomas More	*L'Utopie*
5414. Madame de Sévigné	*Lettres de l'année 1671*
5415. Franz Bartelt	*Une sainte fille et autres nouvelles*
5416. Mikhaïl Boulgakov	*Morphine*
5417. Guillermo Cabrera Infante	*Coupable d'avoir dansé le cha-cha-cha*
5418. Collectif	*Jouons avec les mots. Jeux littéraires*
5419. Guy de Maupassant	*Contes au fil de l'eau*
5420. Thomas Hardy	*Les Intrus de la Maison Haute* précédé d'un autre conte du Wessex
5421. Mohamed Kacimi	*La confession d'Abraham*
5422. Orhan Pamuk	*Mon père et autres textes*
5423. Jonathan Swift	*Modeste proposition et autres textes*
5424. Sylvain Tesson	*L'éternel retour*
5425. David Foenkinos	*Nos séparations*
5426. François Cavanna	*Lune de miel*
5427. Philippe Djian	*Lorsque Lou*
5428. Hans Fallada	*Le buveur*
5429. William Faulkner	*La ville*
5430. Alain Finkielkraut (sous la direction de)	*L'interminable écriture de l'Extermination*
5431. William Golding	*Sa majesté des mouches*
5432. Jean Hatzfeld	*Où en est la nuit*
5433. Gavino Ledda	*Padre Padrone. L'éducation d'un berger Sarde*
5434. Andrea Levy	*Une si longue histoire*
5435. Marco Mancassola	*La vie sexuelle des super-héros*
5436. Saskia Noort	*D'excellents voisins*
5437. Olivia Rosenthal	*Que font les rennes après Noël ?*
5438. Patti Smith	*Just Kids*

Composition IGS-CP
Impression Maury-Imprimeur
45330 Malesherbes
le 11 février 2013.
Dépôt légal : février 2013.
Numéro d'imprimeur : 180049.

ISBN 978-2-07-044682-7. / Imprimé en France.

239974